U0154710

滿漢異域錄校注

莊吉發校注

滿　語　叢　刊
文史哲出版社印行

滿漢異域錄校注 / 莊吉發校注. -- 再版. --
臺北市：文史哲，民 103.07
面； 公分.（滿語叢刊；6）
ISBN 978-986-314-196-9 (平裝)

1.清史 2.史料

627.26 103013493

滿語叢刊 6

滿漢異域錄校注

校註者：莊吉發
出版者：文史哲出版社
http:// www.lapen.com.tw
e-mail:lapen@ms74.hinet.net
登記證字號：行政院新聞局版臺業字五三三七號
發行人：彭正雄
發行所：文史哲出版社
印刷者：文史哲出版社
臺北市羅斯福路一段七十二巷四號
郵政劃撥帳號：一六一八〇一七五
電話886-2-23511028・傳真886-2-23965656

實價新臺幣五六〇元

中華民國七十二年（1983）八月初版
中華民國一〇三年（2014）十二月修訂再版

ISBN 978-986-314-196-9 65106

滿漢異域錄　序

圖麗琛（tulišen），一作圖理琛（1667-1740），字瑤圃，號睡心主人，葉赫阿顏覺羅氏，隸滿洲正黃旗。康熙二十五年（1686），由監生考授內閣中書。三十六年（1697），轉中書科掌印中書，尋遷內閣侍讀。四十一年（1702），監督蕪湖關稅務。四十二年（1703），授禮部牛羊群事務總管。四十四年（1705），以缺牲被控革職。五十一年（1712）四月，特命復職，出使土爾扈特（turgūt）。

蒙古崛起後，成吉思汗將天山北路伊里河流域分封其次子察哈台。元代覆亡後，伊里河流域爲綽羅斯、杜爾伯特、和碩特及土爾扈特等厄魯特蒙古所佔據，習稱四衛拉特。其後綽羅斯部勢力獨盛，世襲準噶爾汗位，恃強凌弱，土爾扈特與之不睦，部長和鄂爾勒克遷徙裏海以北俄羅斯厄濟兒河流域。和鄂爾勒克之後，書庫爾岱青、朋蘇克、阿玉氣世爲部長，至阿玉氣始自稱汗。康熙中，表貢不絕。阿玉氣從子阿喇布珠爾嘗假道準噶爾入藏，謁達賴喇嘛。旋因準噶爾汗策妄阿喇布坦與阿玉氣構怨，阿喇布珠爾不得歸，請內屬，詔封貝子，賜牧於嘉峪關外黨色爾騰。

康熙五十一年，阿玉氣汗遣使薩穆坦假道俄羅斯進貢方物，清聖祖欲悉所部疆域，並遣歸阿喇布珠爾，乃命圖麗琛偕侍讀學士殷扎納、郎中納顏等齎敕往諭阿玉氣汗。是年五月，圖麗琛等自京啓行，越興安嶺，過喀爾喀，假道俄羅斯。五十三年（1714）六月，抵達阿玉氣汗駐劄之馬駕托海地方，擇吉頒發諭旨。五十四年（1715）三月，還京，阿玉氣汗附表奏謝。圖麗琛等三易寒暑，往返數萬里，終能不辱使命。

圖麗琛既歸，詳述道里山川，民風物產，應對禮儀，舉凡廬舍市廛，服器飲食，林木鳥獸蟲魚，蔬果蔞羅，靡有漏脫，彙成一書，名曰異域錄，滿漢兼書，首冠輿圖，次爲行記，其體例略如宋人行記。惟宋人行記，以日月爲綱，而地理附見，所載各大聚落，皆爲自古輿記所不載，亦自古使節所未經。圖麗琛沿途從容遊覽，將所見所聞，纂述成編，可以備博物洽聞之助，可以補經史之闕。

滿文本異域錄上下二卷，雍正元年（1723）十一月刊，半葉橫 15 公分，縱 22 公分，原藏北京大學，版心刻有漢字「異域錄」字樣，下方刻有堂號「九耐堂」字樣。乾嘉年間，有古抄滿文本，除卷首無輿圖外，其餘與原刊本相同。漢文本異域錄版本多種，雍正元年原刊本，有蔣廷錫、顏紹祚、白潢、楊琳、年希堯、惠士奇、蔡瑜等人之序跋。雍正二年（1724），續刊本有王國棟序及胡彥穎跋。乾隆四十六年（1781），異域錄收入四庫全書，釐爲上下二卷，冠以輿圖及提要，是爲四庫本，係紀昀家藏本，首尾無序跋，殘缺不全，人名地名，頗多改易，例如原刊本「葉合」，改爲「葉赫」；「阿玉氣」改爲「阿玉奇」；「圖謝圖」改爲「土謝圖」；「圖麗琛」改爲「圖理琛」，俱同音異譯。文字謄寫，間有舛誤，未經校正，例如「栢興」，誤書「相興」。其後昭代叢書、借月山房彙鈔、澤古齋重鈔、小方壺齋輿地叢鈔俱收有異域錄。道光十九年（1839），錢熙祚氏刻入指海叢書，因原本末簡殘闕，所刻亦多遺漏。其後守山閣叢書又據指海本影印，叢書集成初編則據借月本以鉛字排印。

桂岩老樵將早歲所藏全本刊錄傳世，「俾有世道者續於朔方備乘之後，以成全璧」，此新出完結本，稱爲桂岩本，收有雍正三年（1725）石文焯序，橫 24.5 公分，縱 19 公分，北京大學藏。近世以來，異域錄頗引起西方學者矚目，先後有法文、德文、俄文、英文譯本。一九六四年，日本天理大學今西春秋教授撰「校注異域錄」，係據九耐堂滿文本及桂岩漢文完結本影印出版。滿文本異域錄，文字優美流暢，不僅爲罕見歷史文獻，且爲珍貴之語文資料，允宜廣爲流傳。爲便於初學滿文者閱讀，特影印九耐堂滿文本，逐頁注出羅馬拼音，附錄桂岩本漢文，滿漢對照，其遺漏者，悉據滿文本譯出漢文，俾成滿漢合璧，其疏漏或不逮之處，尚望方家不吝教正。

中華民國七十二年八月
莊吉發 識

滿 洲 字 母 表

共 通 字 母

母 音 字

	獨立	語頭	語中	語尾
a				
e				
i				
o				
u				
ū				

子 音 字

	語頭	語中	語尾
n			
k	(a, o, ū) (e, i, u)		
g	(a, o, ū) (e, i, u)		—
h	(a, o, ū) (e, i, u)		—
b			
p			—
s			
š			—
t	(a, i, o) (e, u, ū)		
d	(a, i, o) (e, u)		—
l			
m			
c			—
j			—
y			—
r			
f	(a, e) (i, o, u)	(a, e) (i, o, u)	—
w	(a, e)	(a, e)	—
ng	—		

特 殊 字

	獨立	語頭	語中	語尾
k'	—			—
ǵ	—			—
h́	—			—
ts'	—			—
ts'y				
dz (dzy)				
ž	—		—	—
sy				
c'	—			—
j̊	—			—

異域錄輿圖

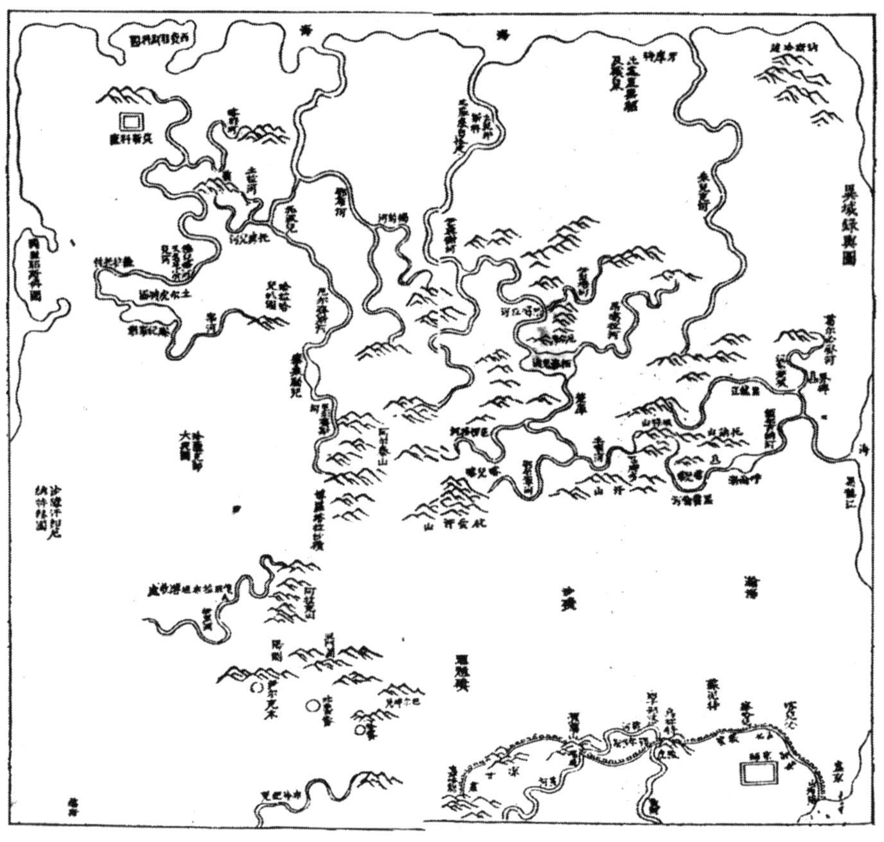

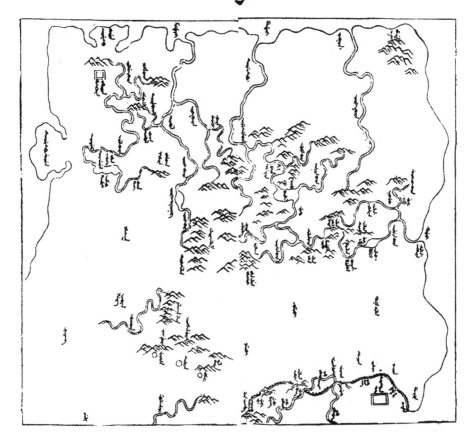

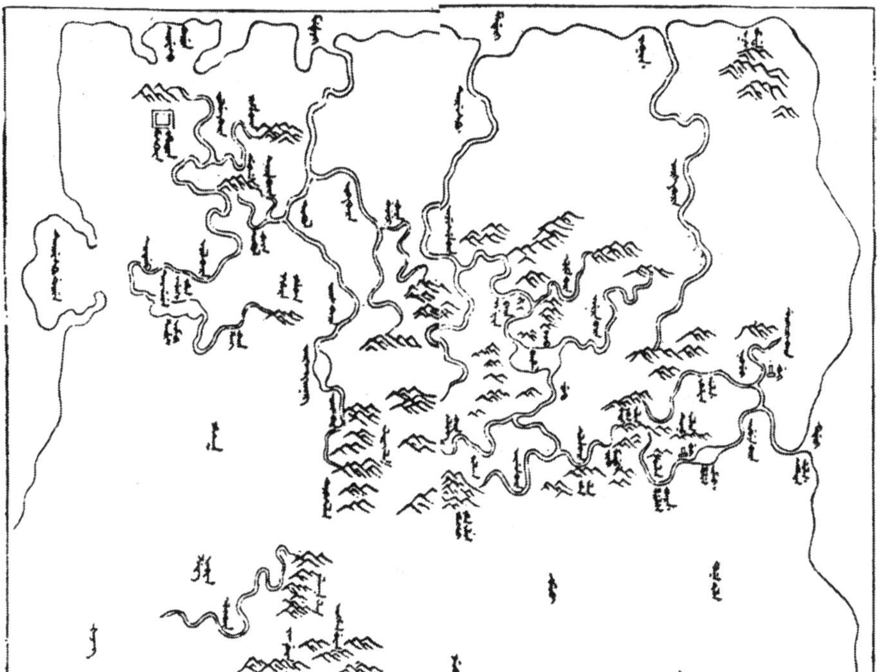

異域錄　上卷　一　九畹堂

lakcaha jecen de takūraha babe ejehe bithei sioi

bi ajigan ci banin yadalinggū, beye nimekungge, ama eme i bilume ujihe kesi de šutume huwasafi, šengdzu gosin hūwangdi i nurhūme isibuha abka na i gese den jiramin kesi de, tušan jergi bahafi derengge wesihun be aliha, banitai mentuhun eberhun ofi, wakalabufi tušan ci nakaha manggi, alin tokso de bederefi, usin yalu be tuwakiyame bihe, wesihun jalan de banjinjifi, jabšan de geli turgūt gurun de takūrara baita de ucarabufi, dasame banjibuha šumin kesi isibume gūtubume elcin i jergide tucibufi takūraha, ilan aniya ududu tumen ba yabufi baita mutebufi amasi jihe, dekdeni henduhengge,

---

自敘（註一）

予少質弱多病，賴親撫育，至於成立。屢蒙聖祖仁皇帝覆載深恩，身膺仕籍，得受榮顯，自愧庸愚，獲愆罷斥，退居山麓躬事畎畝。生逢盛世，得邀遣使土爾虎特國曠典，沐再生之德，忝列使臣奉命前往，三易寒暑，往返數萬里（註二），

自叙（注一）

予少质弱多病，赖亲抚育，至于成立。屡蒙圣祖仁皇帝覆载深恩，身膺仕籍，得受荣显，自愧庸愚，获愆罢斥，退居山麓躬事畎亩。生逢盛世，得邀遣使土尔虎特国旷典，沐再生之德，忝列使臣奉命前往，三易寒暑，往返数万里（注二），

註一：滿文作“lakcaha jecen de takūraha babe ejehe bithei sioi”，意即「出使異域錄序」。

註二：滿文「諺曰：人以事傳」一句，漢文移置於「稽諸史冊」一句之後。

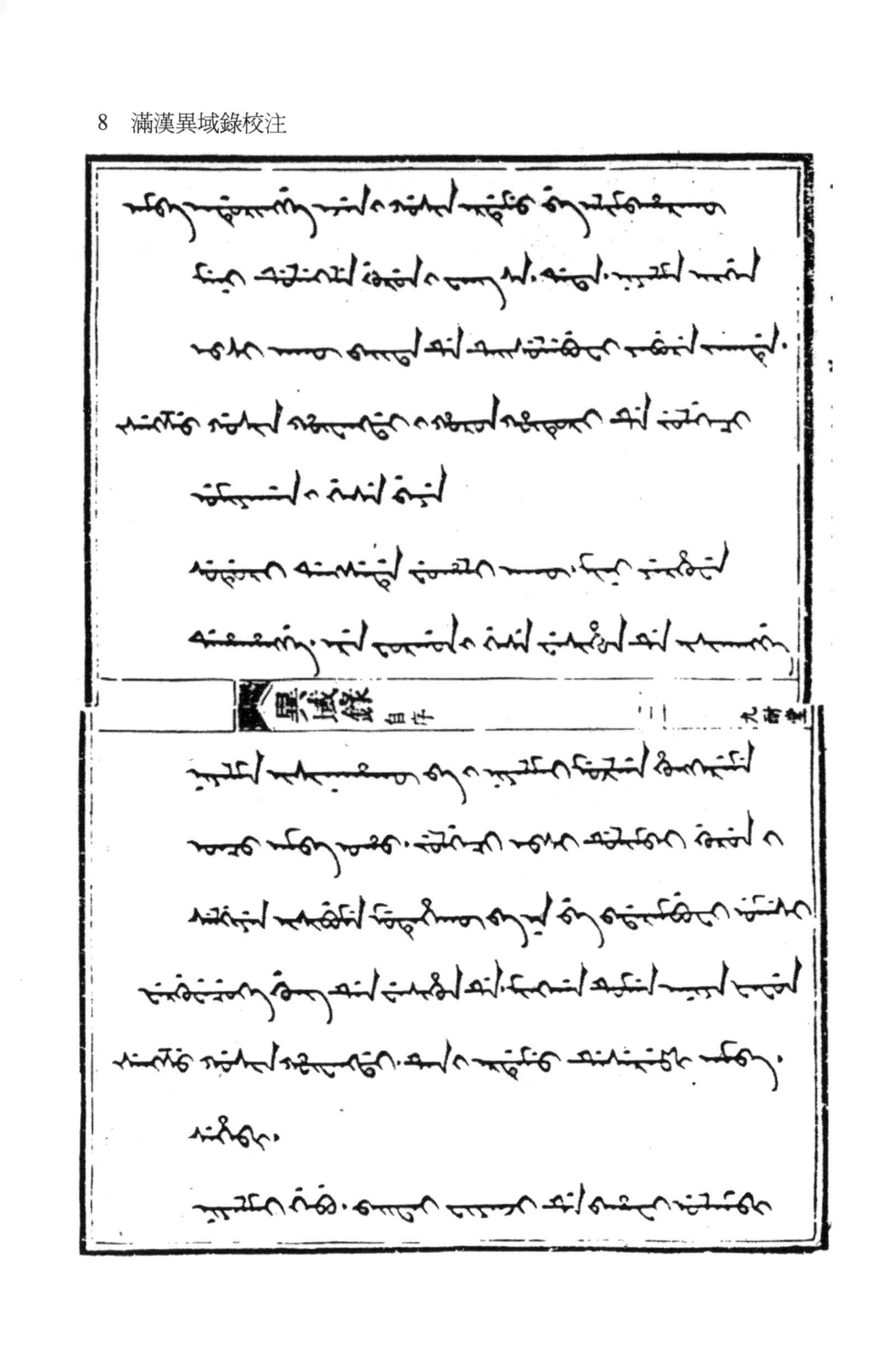

異域錄　自序　二　九函堂

niyalmai gebu, baitai fiyanji de bahafi ulambi sehebi, šengdzu gosin hūwangdi ten i erdemu deserepi amba, ferguwecuke gung den wesihun de, minggan tumen aniya fafun selgiyen isibume mutehekū ba na be badarambufi umesi onco amba oho, julgeci ebsi dulimbai gurun i niyalma isinahakū ba i niyalmai mujilen hungkereme dahahangge, ere forgon i gese wesihun de isikangge suduri dangsede fuhali akū, mini yerhuwe umiyagan i gese beye šengdzu gosin hūwangdi i horon hūturi de julgeci ebsi akū baita de teisulebufi yabure jakade, meni dulekele gurun i wang sa, data, niyalma irgen, amba enduringge ejen i gosin erdemu be alimbaharakū

伏惟聖祖仁皇帝至德丕彰，神功懋著，千萬年法令不能加之地，俱已擴充廣大，自古中國人未到之處，而人心向慕之所至，稽諸史冊，實未有如斯時之盛者也，諺曰：人以事傳。余草茅微賤（註三），仰賴聖祖仁皇帝天威，經歷諸國，其酋長人民，無不感戴大皇帝仁德，

伏惟聖祖仁皇帝至德丕彰，神功懋著，千萬年法令不能加之地，俱已擴充廣大，自古中國人未到之處，而人心向慕之所至，稽諸史冊，實未有如斯時之盛者也，諺曰：人以事傳。余草茅微賤（註三），仰賴聖祖仁皇帝天威，經歷諸國，其酋長人民，無不感戴大皇帝仁德，

註三：漢文「余草茅微賤」一句，滿文作「余似蟻蟲之身」，滿漢文略有出入。

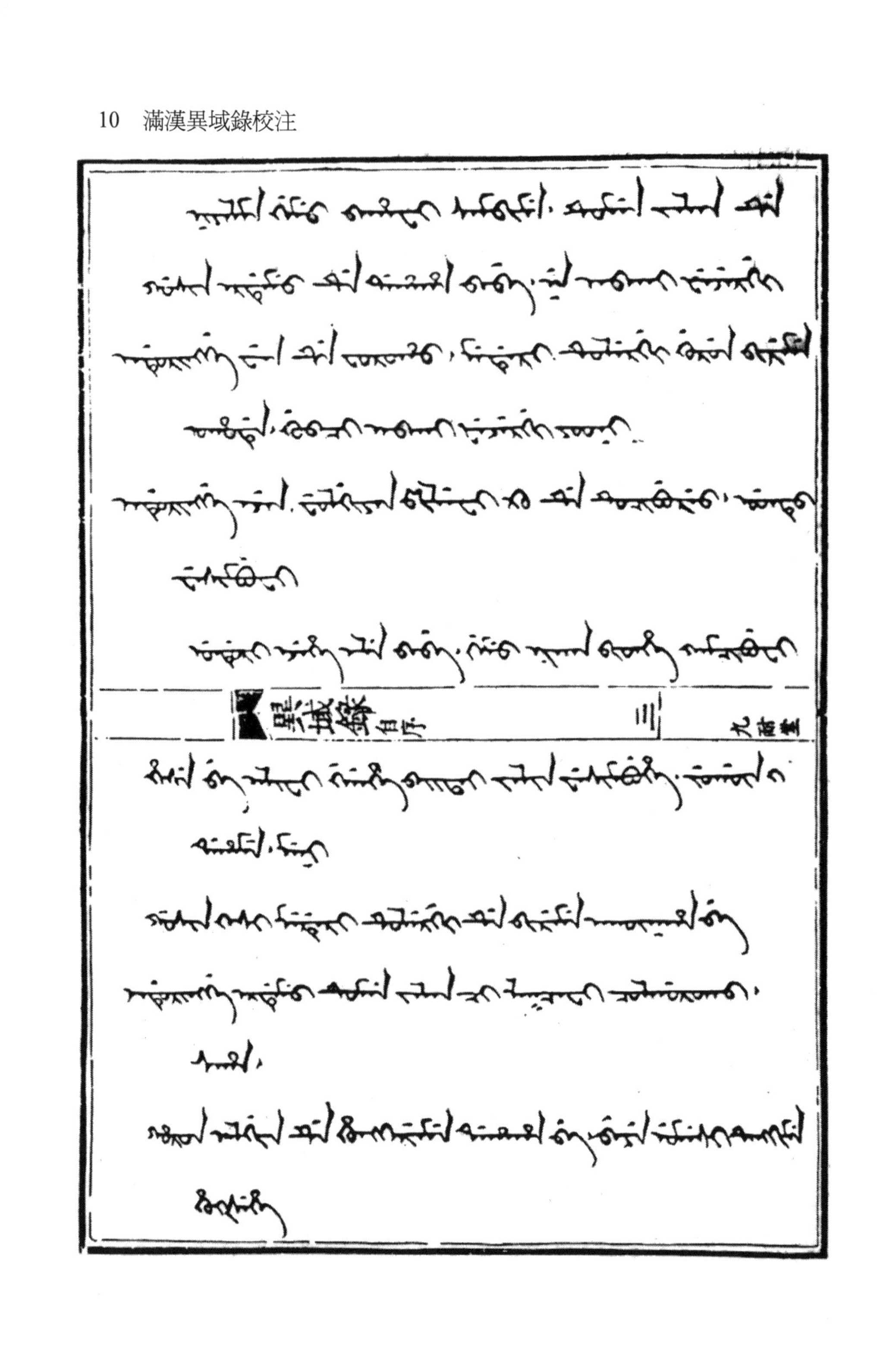

異域錄 上 序 三 九南堂

hukšehe, horon algin de hungkereme dahaha be, beye umesi tengkime saha, enduringge erdemu tumen jalan ci lakcafi colgoroko, gosin kesi mederi tulergi de bireme akūnaha be dahame, meni hese be alifi genehe baitai jalin wesimbuhe, jugūn i unduri ejehe ele babe, gemu nikan bithe kamcibufi wesimbufi, enduringge ejen fulgiyan pilefi k'o de tucibureo, uttu ohode, gubci abkai fejergi yooni enduringge wen de foroho, mederi tulergi gurun bireme gosin erdemu de dahaha babe, ne abkai fejergi niyalma gemu bahafi sambime, tumen jalan de

---

欽服聲靈，聖德超越萬代，仁恩遍浹海宇，奏請此後奉命前去，沿途記載事件，俱書寫漢字進呈（註四），皇上硃批發科，則普率土欽承聖化，海外萬國，咸沐仁德之盛事，現今天下之人，得以悉知，而昭示萬代，

钦服声灵，圣德超越万代，仁恩遍浃海宇，奏请此后奉命前去，沿途记载事件，俱书写汉字进呈（注四），皇上朱批发科，则普率土钦承圣化，海外万国，咸沐仁德之盛事，现今天下之人，得以悉知，而昭示万代，

註四：漢文「俱書寫漢字進呈」一句，滿文作「俱兼書漢字進呈」，意即俱書寫滿漢文字進呈。

異域錄　上卷　　四

isitala mohon akū tutabuci ombi seme baime wesimbuhede, hesei yabubuha, uttu ofi mini beye tucike da dube be suwaliyame tucibume, lakcaha jecen de takūraha babe ejehe bithe seme banjibume arafi folome šuwaselame wajire jakade, beye ejeme sioi araha. hūwaliyasun tob i sucungga aniya omšon biyai sain inenggi.

可垂永久，奉看俞允，因將出身始末，一併開載，纂成一帙，名之曰異域錄，爰付梓人，刊刻告成，自敘其事，以誌之。雍正元年歲次癸卯陽月（註五）。睡心主人

可垂永久，奉看俞允，因将出身始末，一并开载，纂成一轶，名之曰异域录，爰付梓人，刊刻告成，自叙其事，以志之。雍正元年岁次癸卯阳月（注五）。睡心主人

註五：雍正元年歲次癸卯陽月，案滿文作「雍正元年十一月吉日」。

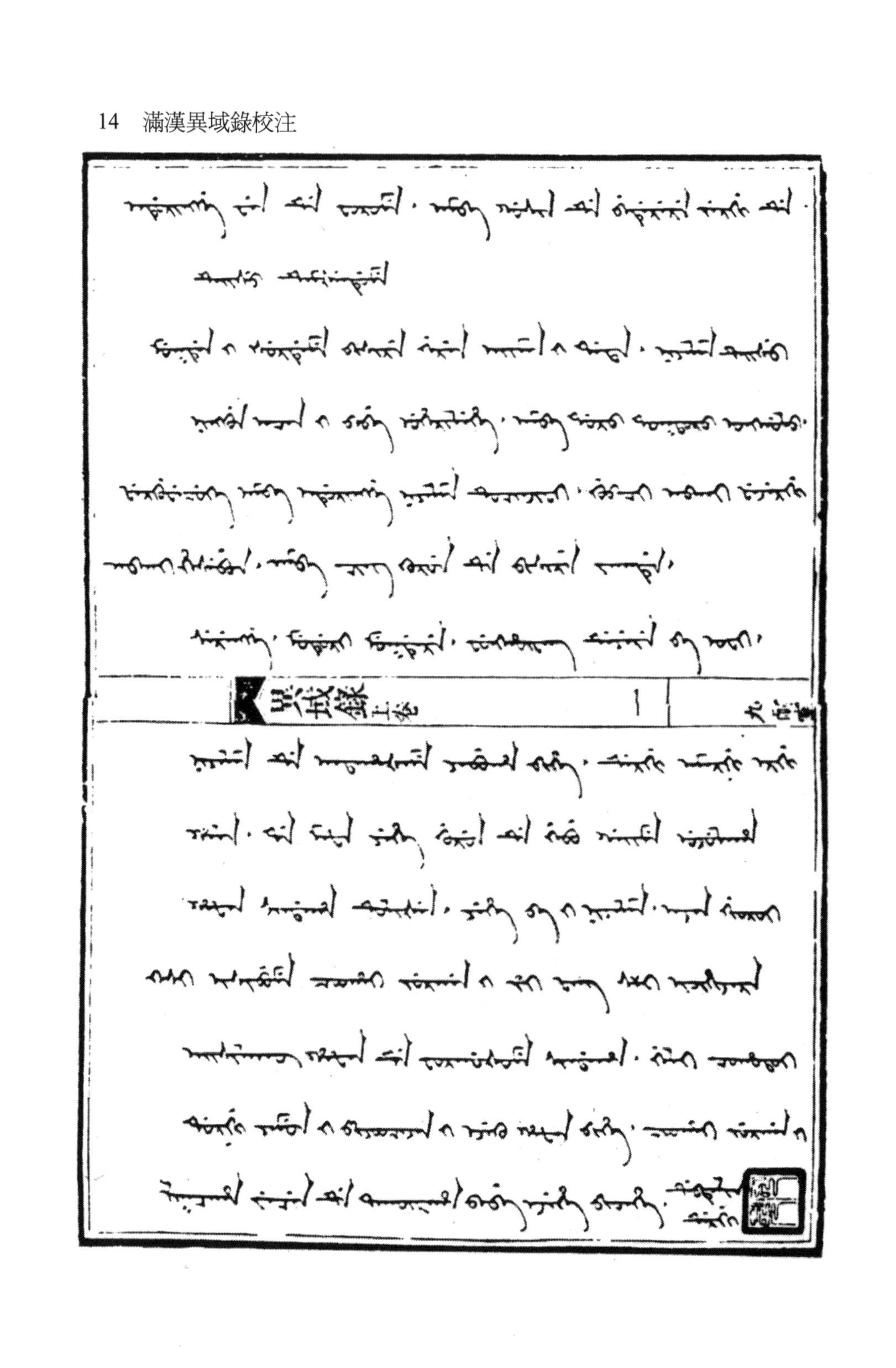

異域錄上卷　一

lakcaha jecen de takūraha babe ejehe bithe, dergi debtelin.
dorgi yamun i piyoociyan i ejeku hafan bihe, coohai jurgan i aisilakū hafan de forgošome sindaha, geli cohotoi kesi isibume coohai jurgan i jy fang syi icihiyara hafan sindaha tulišen, yehe ba i niyalma, ayan gioroi hala, da mafa yehe gurun de gebu gaime ujulaha niyalma de antahašame yabuha bihe, dergi amargi ergi serengge, muduri mukdere, funghūwang deyere ba ofi, abkai hesebun, amba cing gurun de bisire jakade, ferguwecuke amba enduringge niyalma tucinjifi, gubci abkai fejergi ninggun acan i babe uherilehe, amba doro toktoro onggolo, mukden i šurdeme bisire geren aiman i data, niyalma teisu teisu temšendume enduringge wen de forome, amba gosin de bederere jergi de,

---

異域錄（註六）

原任內閣侍讀（註七），調補兵部員外郎，又特恩陞授職方司郎中圖麗琛（註八），本葉合人（註九），阿顏覺羅氏。始祖在葉合國時，行高望重，其國主待以賓禮。東北方乃龍騰鳳翔之地，天命屬與大清，而大聖人出焉，統馭寰區，撫又六合，於未定鼎之前（註一〇），緣盛京諸部落人民酋長，輸誠向化，歸仁恐後之際，

异域录（注六）

原任内阁侍读（注七），调补兵部员外郎，又特恩升授职方司郎中图丽琛（注八），本叶合人（注九），阿颜觉罗氏。始祖在叶合国时，行高望重，其国主待以宾礼。东北方乃龙腾凤翔之地，天命属与大清，而大圣人出焉，统驭寰区，抚又六合，于未定鼎之前（注一〇），缘盛京诸部落人民酋长，输诚向化，归仁恐后之际，

註　六：滿文於「出使異域錄」下注明「上卷」字樣。

註　七：原任內閣侍讀，案滿文作「原任內閣票簽主事」。

註　八：職方司郎中，案滿文作「兵部職方司郎中」，此刪略「兵部」字樣。又「圖麗琛」，清史列傳、清史稿、滿州名臣傳等書俱作「圖理琛」，此同音異譯。

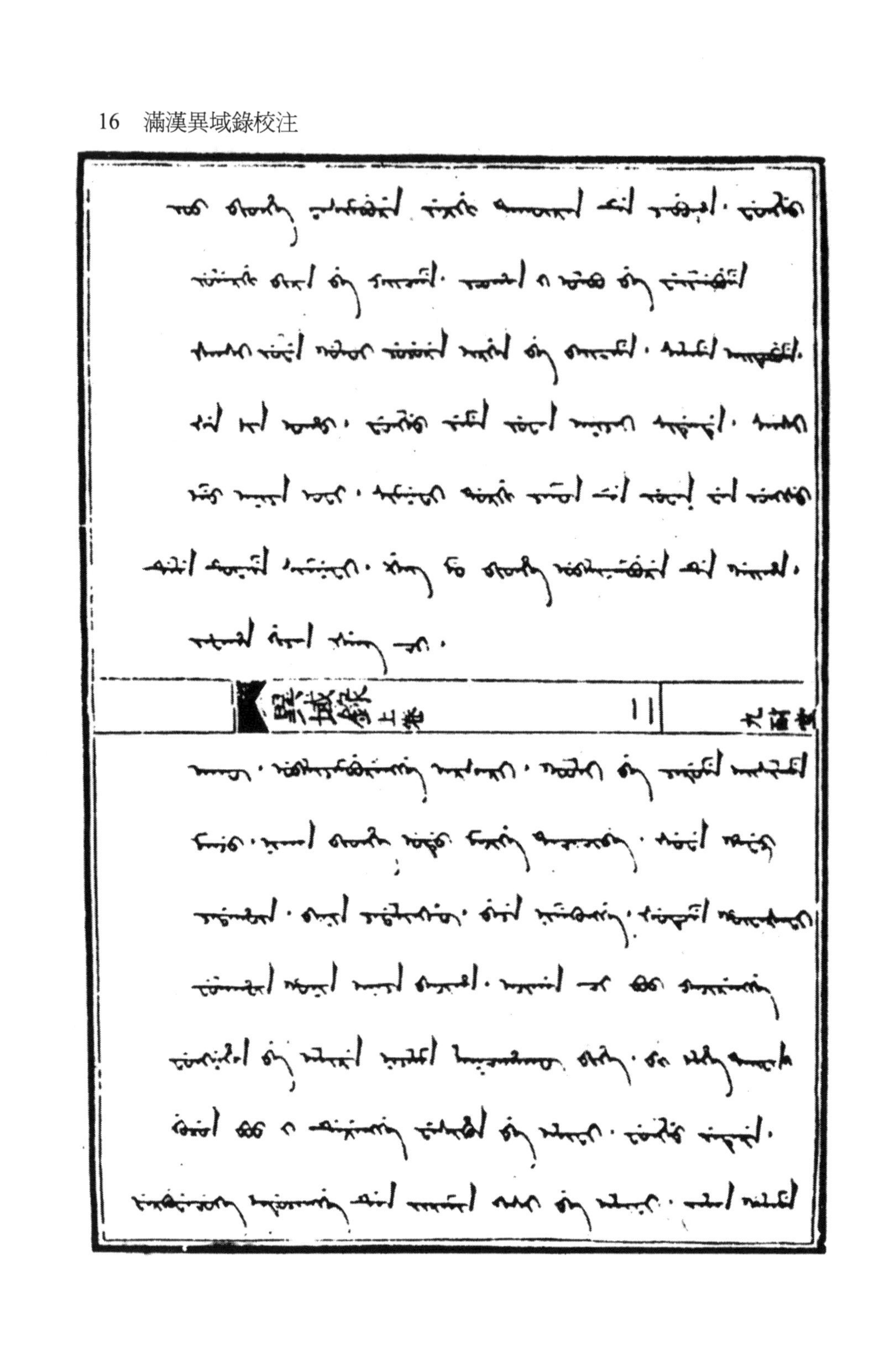

異域錄 上卷 二

ferguwecuke enduringge den jiramin kesi be alifi, jalan halame gurun boo i derengge wesihun be alifi, funglu jetere, fungnehen be alire niyalma lakcahakū bihe, bi elhe taifin i fulahūn honin aniya banjiha, ajigan ci boo banjirengge yadahūn, banin yadalinggū, beye nimekungge, šutume hūwašafi manju, nikan bithe udu majige tacicibe, šuwe hafu akū, ubaliyamburengge arsari, kooli be yarume aisilame jafaha giyan šeng ci, dele tuwame simnefi, g'ang mu bithe ubaliyambure de gaiha, emu aniya ofi, simnefi dorgi yamun de juwan wen jungšu še zin oho, funglu jeme juwan aniyai sidende, sansi, šansi juwe goloi yuyure irgen be baicame, salame aitubume, julergi bira be baicame, yoohan i olbo be weilebume joo bithe wasimbure jergi takūran de yabuha, funglu

---

高厚深恩，世受國祿，官誥相承。余生於康熙丁未歲，少時家貧，質弱多病，稍長，雖習讀清漢，不甚通曉，翻譯平平，由例監廷試，選取翻譯綱目，越一載，考授內閣撰文中書舍人。歷俸十載之間，奉命散賑山、陝兩省饑民，察看南河，監製綿甲（註一一），頒賜詔書，較俸

高厚深恩，世受国禄，官诰相承。余生于康熙丁未岁，少时家贫，质弱多病，稍长，虽习读清汉，不甚通晓，翻译平平，由例监廷试，选取翻译纲目，越一载，考授内阁撰文中书舍人。历俸十载之间，奉命散赈山、陕两省饥民，察看南河，监制绵甲（注一一），颁赐诏书，较俸

註　九：葉合，案小方壺齋輿地叢鈔、叢書集成簡編、清史稿等書俱作「葉赫」，此同音異譯。

註一〇：於未定鼎之前，案叢書集成簡編作「於定鼎之前」，此刪略「未」字。

註一一：綿甲之「綿」，新滿文讀如“yohan”。又「甲」，即馬褂，滿文讀如“olbo”，漢字音譯作「敖爾布」。監製綿甲，小方壺齋輿地叢鈔作「監製總理」。

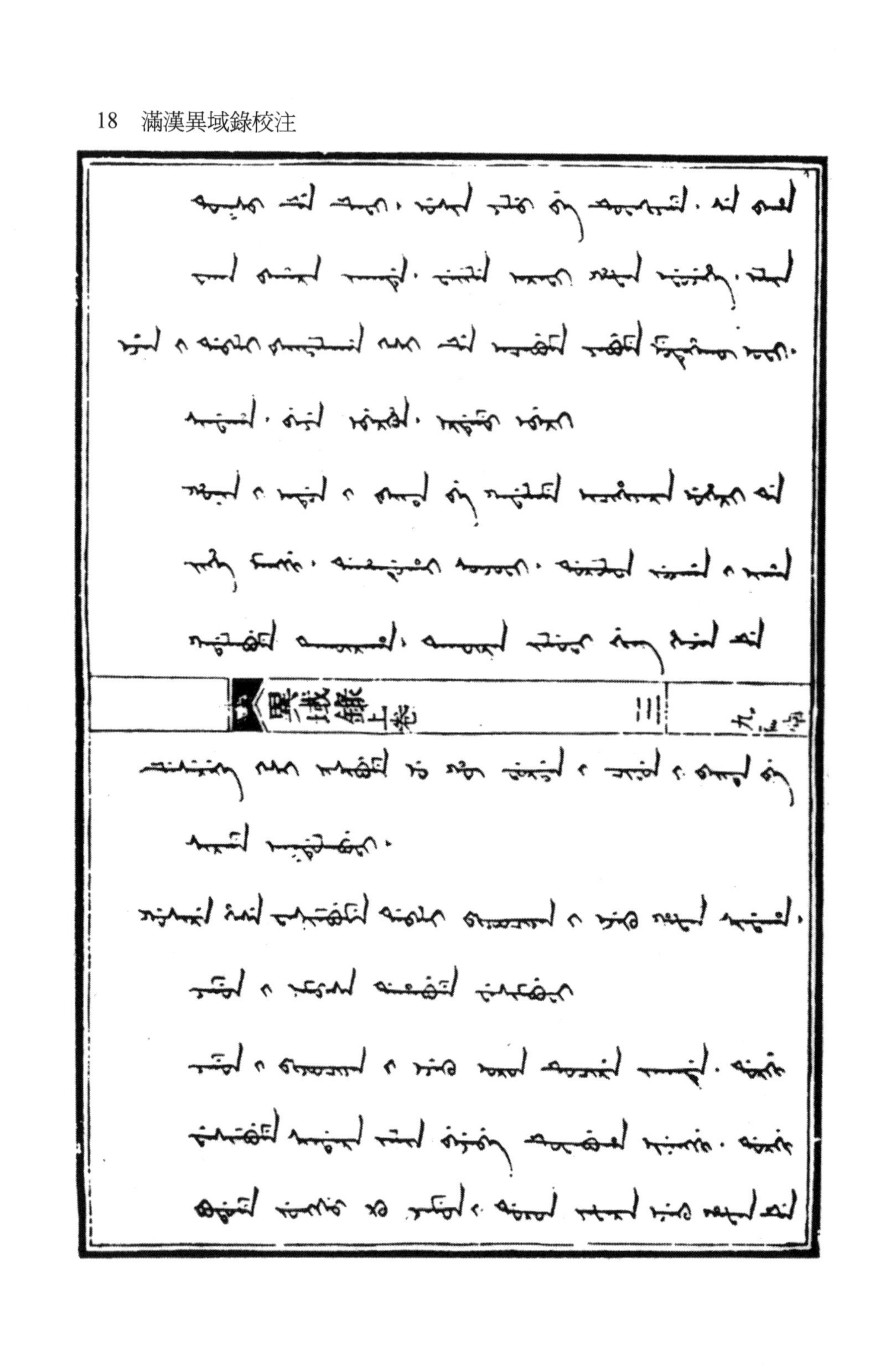

異域錄 上卷 三

bodome jungšu k'o yamun i doron jafara ejeku hafan de wesimbume sindara jalin beyebe tuwabuha inenggi, dorgi yamun i piyoociyan i ejeku oron tucire jakade, dorgi yamun i ambasa dahabume wesimbufi, gosire hese wasimbume dabali piyoociyan i ejeku hafan sindaha, sirame akdulabufi, desereke kesi isibume u hū furdan i cifun i baita be kadalabume takūraha, takūran jalufi ging hecen de jihe manggi, dahanduhai sonjofi, dorolon jurgan i ihan honin i adun i baita be kadalame icihiyara uheri da sindaha, beye eberhun, erdemu eberi, ejen i dabali baitalaha kesi de acabume yabume mutehekū ofi, waka bahara jakade, weile arafi hafan efujehe, alin tokso de tefi, usin yalu be tuwakiyame, se baha

---

陞授中書科掌印中書舍人（註一二）。引見之日，適值內閣票簽侍讀缺出，閣臣保題，恩准從優陞授內閣侍讀，又奉命監督蕪關稅課。差竣旋都，未幾，授管理禮部牛羊羣事務總管。才識庸劣，不能仰副我皇上揀用深恩，譴責罷斥，於是退居林麓，躬事隴畝。

升授中书科掌印中书舍人（注一二）。引见之日，适值内阁票签侍读缺出，阁臣保题，恩准从优升授内阁侍读，又奉命监督芜关税课。差竣旋都，未几，授管理礼部牛羊羣事务总管。才识庸劣，不能仰副我皇上拣用深恩，谴责罢斥，于是退居林麓，躬事陇亩。

註一二：舍人，案滿文讀如“ejeku hafan”，意即主事。

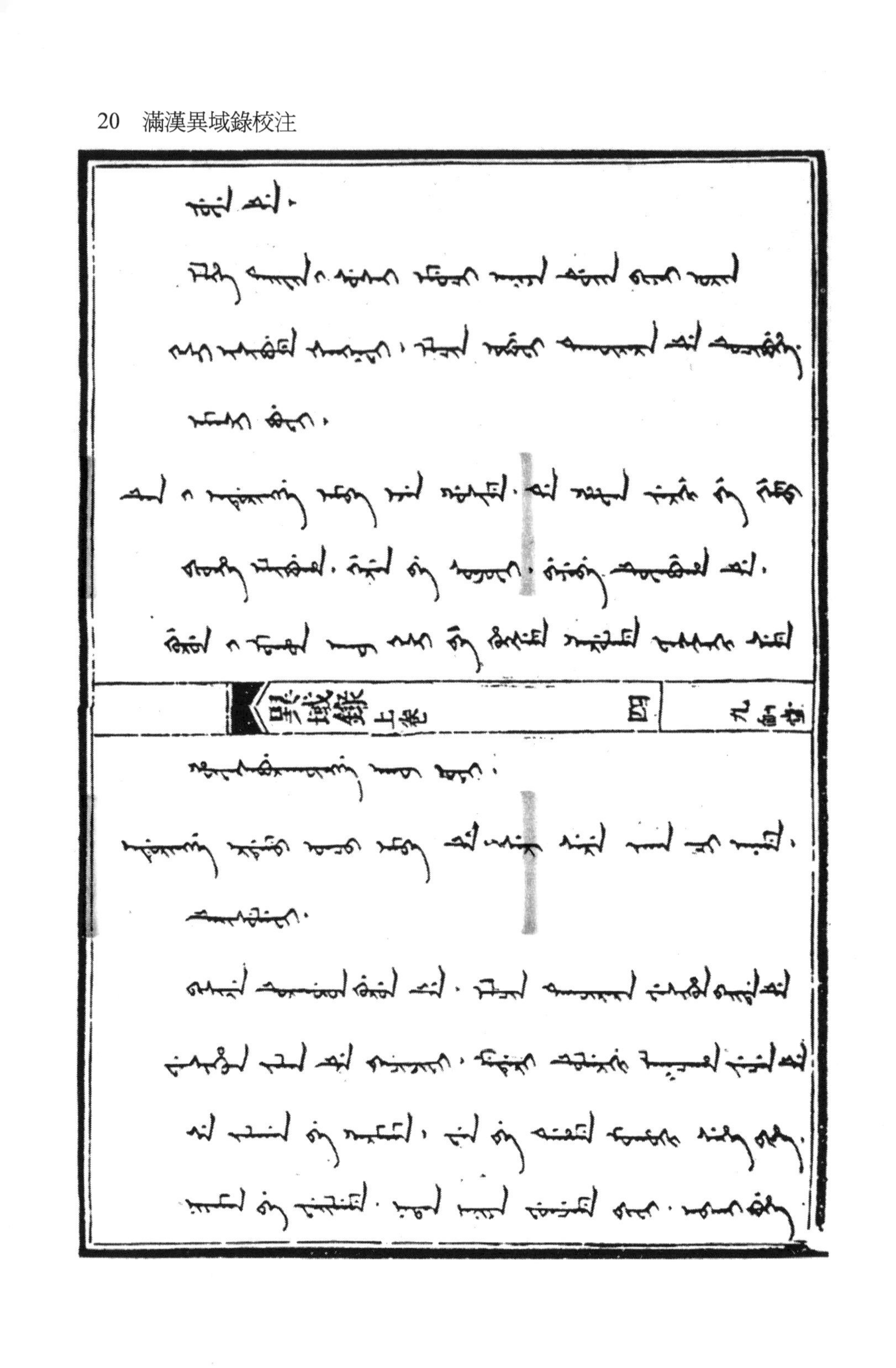

niyaman be weileme, nadan aniya funceme bifi, abkai buhe se jalgan be karmame, wen be dahame mohoki sehe bihe, wesihun jalan de banjinjifi, mederi tulergi lakcaha jecen de bisire turgūt gurun de, elcin takūrara wesihun baita de teisulefi, enduringge erdemu onco amba de, šer sere jaka ci aname, hūwašaburakūngge akū ofi, gurun i mohon akū kesi be hukšeme karulame faššaki seme bithe alibuha, geren be sonjofi, beyebe tuwabuha de, ten i enduringge amba ejen gosime, da hafan jergi be gemu amasi bufi, kesi isibume šangnafi, elcin obufi takūrara de tucibuhe, elhe taifin i susai emuci aniya duin biyai orin juwe de,

---

承歡膝下，七載有餘，期保天年，乘化歸盡，生際盛世，值遣使海外絕域土爾虎特國鉅典，因感戴國恩，仰圖報効，具呈叩請，遴選引見，聖德廣運，咸沐生成，復蒙聖恩，俯賜原官品級，優加賞賚，特命前往，於康熙五十一年四月二十二日，

承欢膝下，七载有余，期保天年，乘化归尽，生际盛世，值遣使海外绝域土尔虎特国巨典，因感戴国恩，仰图报効，具呈叩请，遴选引见，圣德广运，咸沐生成，复蒙圣恩，俯赐原官品级，优加赏赉，特命前往，于康熙五十一年四月二十二日，

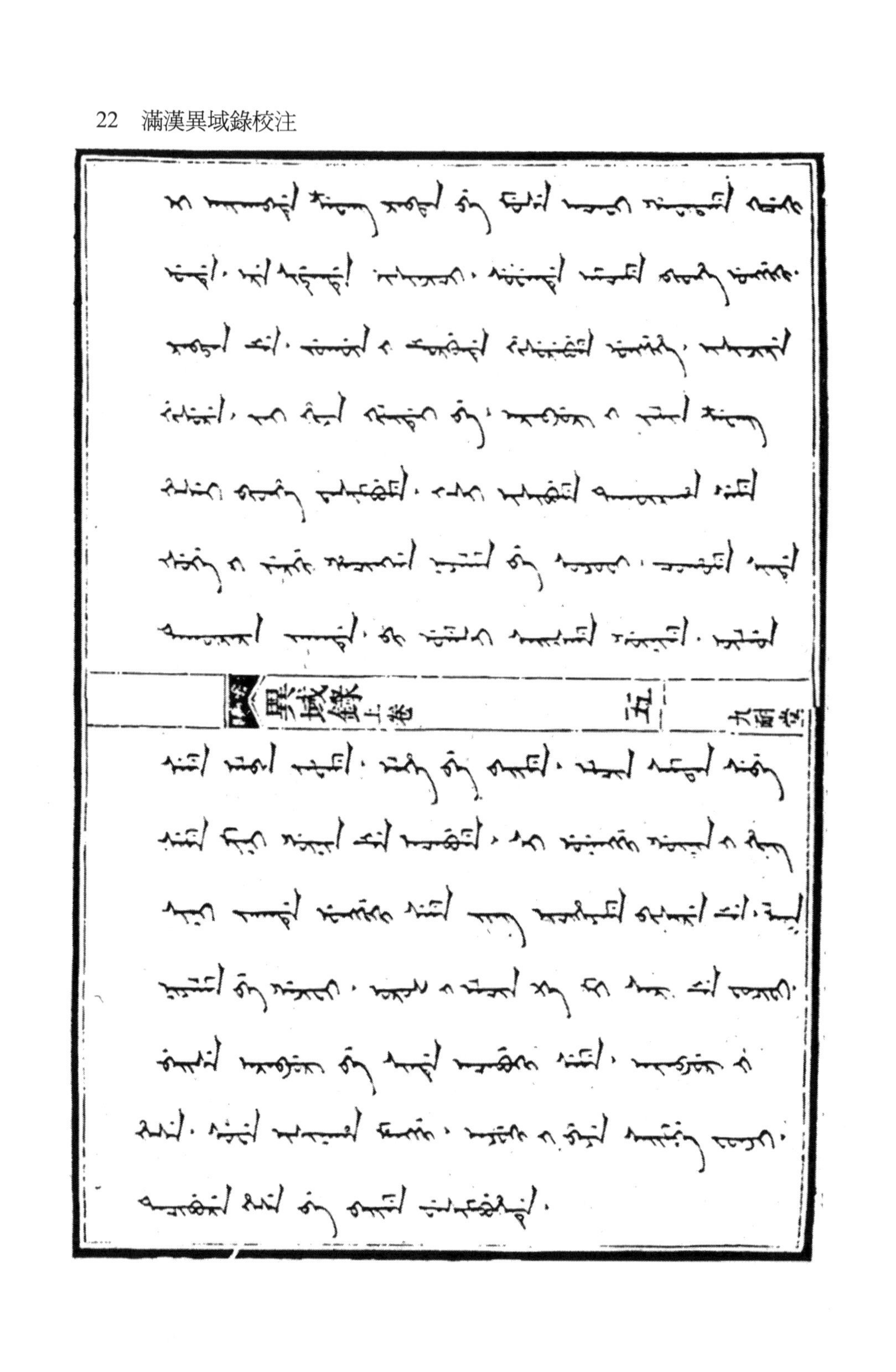

異域錄 上卷 五

九畹堂

tacibure hese be baime wesimbuhede, hese, suwe isinaha manggi, ayuki i beye saimbe fonji, beise arabjur be sinde acabuki seme, arabjur i niyalma be gajifi, oros i elcin k'a mi sar de fonjifi, sini jakade unggiki seme jing icihiyame bisire de, lak seme mini gūnin de acabume, si unenggi gūnin i hing seme alban jafame, elhe be baime, elcin samtan sebe takūrara jakade, bi umesi saišame gūnime, ūlet šuge i jergi hacingga niyalma be sonjofi, cohome sinde hesei bithe wasimbume, kesi isibume takūraha seme gisure, jai hiya kilidei be, arabjur i jalin ts'ewang rabtan de, jugūn i turgunde gisurebume unggihe, isinjire unde, ere sidende isinjici, suwende amcame bithe unggiki, i aikabade ts'ewang rabtan be muse acafi hafitame kiceki

---

恭請聖訓。奉旨，爾等到彼，問阿玉氣無恙，欲將貝子阿拉布珠兒遣回，與爾完聚，調阿拉布珠兒人來，問鄂羅斯國商人哈密薩兒（註一三），正在料理遣發，恰合朕意，伊竭誠差薩穆坦等請安進貢，朕甚嘉憫，特選厄魯特舒哥（註一四）、米斯及我等各項人前來，頒發諭旨，並賜恩賞。至於阿拉布珠兒歸路，業遣侍衛祁里德前往策旺拉布坦處計議，尚未到來，如到時移會爾等，彼若言欲會同夾攻相圖策旺拉布坦，

恭请圣训。奉旨，尔等到彼，问阿玉气无恙，欲将贝子阿拉布珠儿遣回，与尔完聚，调阿拉布珠儿人来，问鄂罗斯国商人哈密萨儿（注一三），正在料理遣发，恰合朕意，伊竭诚差萨穆坦等请安进贡，朕甚嘉悯，特选厄鲁特舒哥（注一四）、米斯及我等各项人前来，颁发论旨，并赐恩赏。至于阿拉布珠儿归路，业遣侍卫祁里德前往策旺拉布坦处计议，尚未到来，如到时移会尔等，彼若言饮会同夹攻相图策旺拉布坦，

註一三：哈密薩兒（k'a mi sar），案叢書集成簡編作「科密薩爾」，官名，並非人名。鄂羅斯語“Komissar”，意即委員或代表，康熙四十九年（1710）率鄂羅斯商隊來華之哈密薩兒名叫“Pieerre Rodionov Khoudyakov”。

註一四：舒哥，案滿文作“Suge”，「米斯」刪略未譯。

異域錄 上卷 十六

seme gisureci, suwe ainaha seme ume gisun bure, damu ts'ewang rabtan, amba han de umesi sain, ton akū elcin takūrame, elhe be baime yabumbi, amba han inu kemuni kesi isibume gosimbi, udu ai hacin i hūsun yadalinggū, jociha mohoho seme, meni enduringge ejen, tere be ainaha seme necire ba akū, tuttu seme ere baita amba, be alime gaici ojorakū, udu si ere babe enduringge ejen de baime wesimbuhe seme, be gūnici, meni ejen abkai fejergi eiten ergengge be gemu taifin elhe i banjikini sere dabala, ainaha seme ts'ewang rabtan be nungnere acinggiyara gūnin akū, erebe, be heo seme akdulaci ombi seme gisure, ayuki be acara de, inu ts'ewang rabtan de acara songkoi acaci wajiha, aika jaka jafaci, suwe acara be tuwame gaisu, jai genere de ocibe, amasi jidere de ocibe, oros i cagan han, aikabade suwembe

---

爾等斷不可應允。但言策旺拉布坦與大皇帝甚是相得，不時遣使請安入覲，大皇帝亦時加恩賜，雖其勢力單弱，窮迫已極，我聖主斷不征伐。此事甚大，我等未便相允，爾雖將此事奏請聖上，以我等思之，我皇上但願天下生靈各享昇平，斷無播撼策旺拉布坦之意，此事我等可保，爾等往見阿玉氣（註一五），亦照見策旺拉布坦禮相待，如有餽送，爾等酌量收受，至往返之時，鄂羅斯國察罕汗倘遣使欲會（註一六），爾等

尔等断不可应允。但言策旺拉布坦与大皇帝甚是相得，不时遣使请安入觐，大皇帝亦时加恩赐，虽其势力单弱，穷迫已极，我圣主断不征伐。此事甚大，我等未便相允，尔虽将此事奏请圣上，以我等思之，我皇上但愿天下生灵各享升平，断无播撼策旺拉布坦之意，此事我等可保，尔等往见阿玉气（注一五），亦照见策旺拉布坦礼相待，如有馈送，尔等酌量收受，至往返之时，鄂罗斯国察罕汗倘遣使欲会（注一六），尔等

註一五：阿玉氣汗，案叢書集成簡編、小方壺齋輿地叢鈔、清史列傳、清史稿等書俱作「阿玉奇」，此同音異譯。

註一六：察罕汗，滿文讀如“cagan han”，源自蒙古語，案蒙古語“cagan”，意即白色，察罕汗意即白人皇帝或白色皇帝。

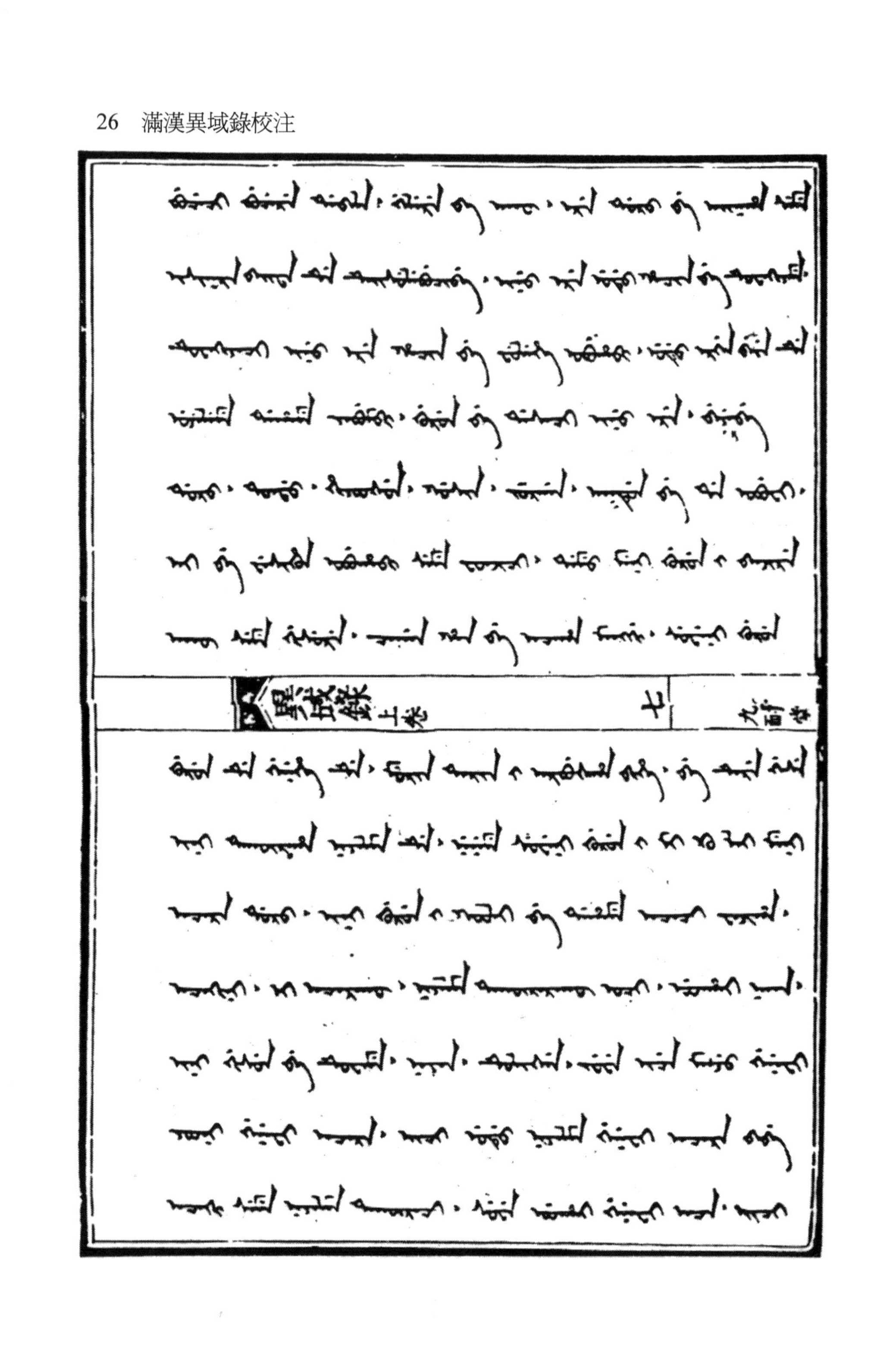

異域錄 上卷

[illegible]

acaki seme niyalma takūraci, suwe uthai genefi aca, eici yooni genefi acara, eici udu niyalma genefi acara babe, ini gisun be tuwame, nayan, tulišen, juwe ice manju genefi acakini, i acarakū, niyalma takūrarakū oci, uthai naka, acara doro, ini gurun i kooli be dahame acaci wajiha, ini takūraha niyalma de, neneme suweni gurun i mi k'o lai meni gurun de genehe de, morin tarin i arbušaha bihe, be tere gese akū seme gisure, cagan han be acaha manggi, suweni gurun ai be wesihun obuhabi seme fonjici, damu meni gurun i banjire doro, tondo, hiyoošun gosin jurgan akdun be da obufi, ujeleme dahame yabumbi, gurun be dasaci inu ere, beyebe tuwakiyaci inu ere hacin be fulehe obuhabi, udu ergen beye de isinara baita de teisulebucibe, inu ere udu hacin be tuwakiyame, buceci bucere dabala, gelere ba akū, ere doro be ainaha seme

---

即往相會，或俱往相會，或著幾人見聽其來言，著納顏(註一七)、圖麗琛，並新滿洲二人去見，若彼不欲見，不使人來請，則已，至相見禮儀，依彼國禮見之可也。更須向其使言，從前爾國密科賴到中國時(註一八)，行止悖戾，我等斷不若此。見察罕汗時，如問中國何所尊尚，但言我國·情以忠孝仁義信爲主，崇重尊行，治國守身，俱以此爲根本，雖利害當前，亦固守此數者，寧死弗憚，不渝其道，

即往相会，或俱往相会，或着几人见听其来言，着纳颜（注一七）、图丽琛，并新满洲二人去见，若彼不欲见，不使人来请，则已，至相见礼仪，依彼国礼见之可也。更须向其使言，从前尔国密科赖到中国时（注一八），行止悖戾，我等断不若此。见察罕汗时，如问中国何所尊尚，但言我国•情以忠孝仁义信为主，崇重尊行，治国守身，俱以此为根本，虽利害当前，亦固守此数者，宁死弗惮，不渝其道，

註一七：納顏，案滿文讀如“nayan”，叢書集成簡編、小方壺齋輿地叢鈔作「阿顏」，俱誤。

註一八：密科賴（mik'o lai），鄂羅斯使臣，其全名為“Nicolas Gavrilovitch Spathar，漢譯「尼果賴」，康熙十五年（1676）來華，因其堅持請用平行書信，未達成外交使命而返，密科賴即尼果賴之訛。

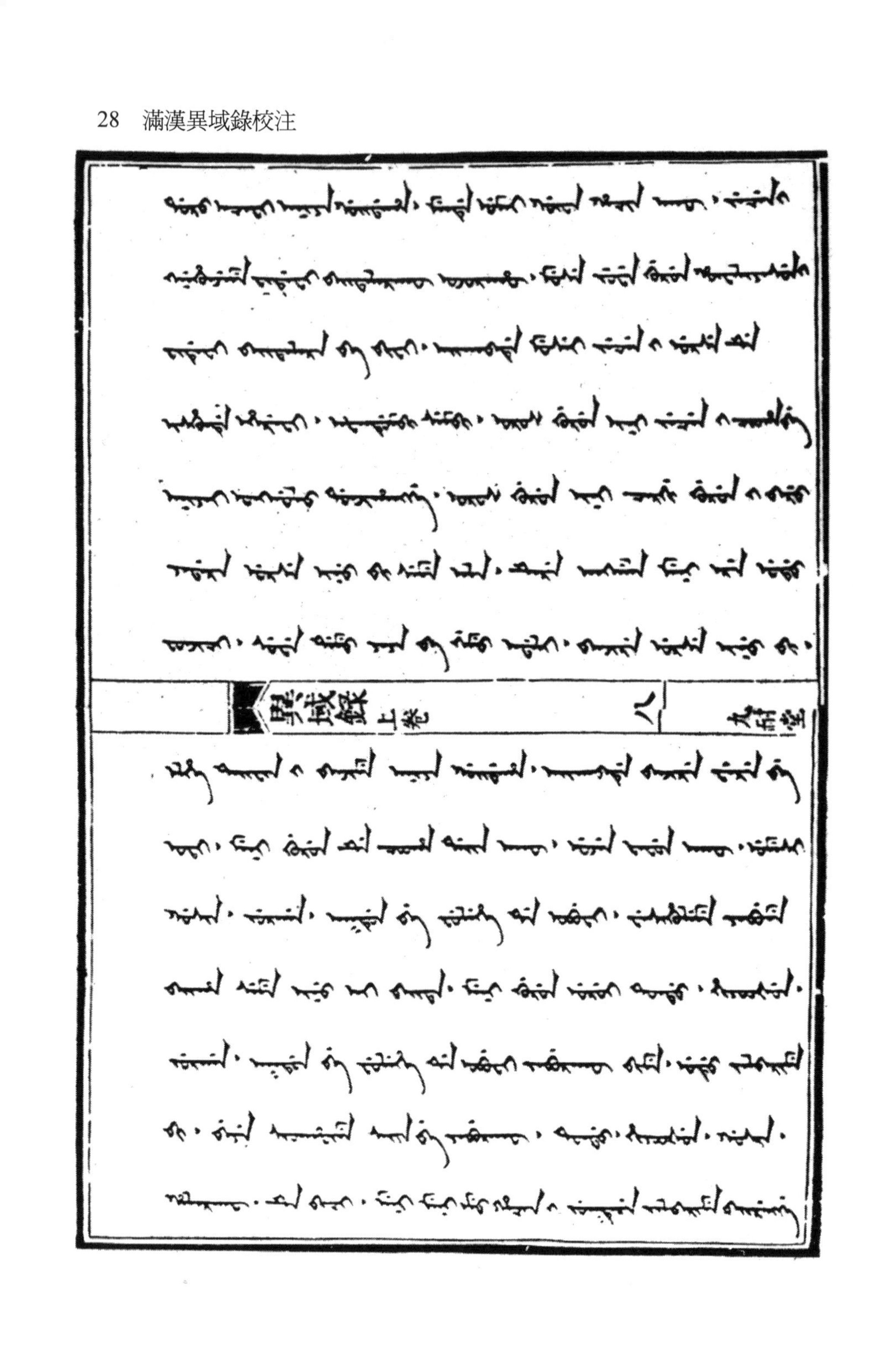

異域錄 上卷　八　尤荷堂

halarakū, te bici, meni meni emu hacin i juktere jalbarime bairengge bi, beye sithūme sain be yaburakū, tondo hiyoošun gosin jurgan akdun be fulehe da obufi yaburakū bime, udu jalbarime baiha seme inu ai baita, meni gurun urui tondo hiyoošun gosin jurgan akdun be fulehe da obufi, wesihuleme yabume ofi, meni gurun de cooha dain akū, ujen fafun akū, umesi elhe taifin i banjime aniya goidaha, aikabade banjire were be fonjici, suwe damu yaya ba gemu adali, banjire urse inu bi, yadara urse inu bi seme ala. tere anggala meni ere udu aniyai onggolo donjihangge, oros gurun ini cargi gurun i baru ishunde eherefi, afandumbi sembi, oros gurun ini jecen i cooha be fidefi baitalara ba bifi, aikabade musei jecen i urse de kenehunjeme fidefi baitalarakū ojorahū, muse juwe gurun hūwaliyasun i doro acafi aniya goidaha, mende umai gūwa hacin akū, jucen i

---

即今人各有祭祀禱祝之事，然身不行善，不以忠孝仁義信爲根本，雖祈禱何益？我國咸以忠孝仁義信爲根本，崇尙尊行，所以我國無干戈，無重刑，安享太平已久。如問生計，爾等但言隨處皆同，富者亦有，貧者亦有，且數年前聞得鄂羅斯國與其鄰國不睦，互相攻伐，鄂羅斯國欲調用邊兵，或疑我邊人不行調撥，亦未可定，兩國和議年久，朕無他意，

即今人各有祭祀祷祝之事，然身不行善，不以忠孝仁义信为根本，虽祈祷何益？我国咸以忠孝仁义信为根本，崇尚尊行，所以我国无干戈，无重刑，安享太平已久。如问生计，尔等但言随处皆同，富者亦有，贫者亦有，且数年前闻得鄂罗斯国与其邻国不睦，互相攻伐，鄂罗斯国欲调用边兵，或疑我边人不行调拨，亦未可定，两国和议年久，朕无他意，

異域錄 上卷 九

cooha be fidefi baitalara ba bici, fidefi baitala, ainaha seme ume kenehunjere seme sahaliyan ulai jiyanggiyūn de hese wasimbufi, nibcu deri bithe unggihe seme donjiha bihe seme ala, i aikabade, se baha niyalmai babe fonjici, suwe damu meni han, aniyadari se baha niyalma be baicambi, baicaha dari tanggū se funcehe niyalma orin gūsin bi, ememu golo de uyunju se funcehe niyalma tumen funceme bisirengge inu bi, gemu kesi isibume šangnambi seme ala, i aika aba saha, yabure, feliyere babe fonjici, suwe, meni han aniyadari ton akū abalame yabumbi, ere yabure de, coohai urse de gemu alban i ciyanliyang ni ulebuhe alban i morin be yalubume, inenggi bodome pancan bumbi, cimari juraci, udu enenggi tucibucibe, majige tookanjara ba akū, eiten baitalara jaka gemu han bumbi, damu beye teile hūsun tucire dabala, majige suilara ba akū, uthai meni jidere de seme

---

有調用邊兵之處，即行調撥，不必疑惑等情，特諭黑龍江將軍，由泥布楚城移會爾國。如問年高之人，爾等即告以我皇帝每歲查取年高之人，每次查得一百餘歲者二三十人，九十餘歲者或一省有萬餘人，俱加恩賜。如問出獵行幸之處，爾等即告以我皇帝每歲出獵，其所扈從兵丁，俱給與官養馬匹乘騎，按日給與盤費，今日下令，明早起行，不致些毫遲悞，一應用度，俱係官給，惟隻身効力，毫無拮据，即我等此役，

有调用边兵之处，即行调拨，不必疑惑等情，特谕黑龙江将军，由泥布楚城移会尔国。如问年高之人，尔等即告以我皇帝每岁查取年高之人，每次查得一百余岁者二三十人，九十余岁者或一省有万余人，俱加恩赐。如问出猎行幸之处，尔等即告以我皇帝每岁出猎，其所扈从兵丁，俱给与官养马匹乘骑，按日给与盘费，今日下令，明早起行，不致些毫迟悞，一应用度，俱系官给，惟只身効力，毫无拮据，即我等此役，

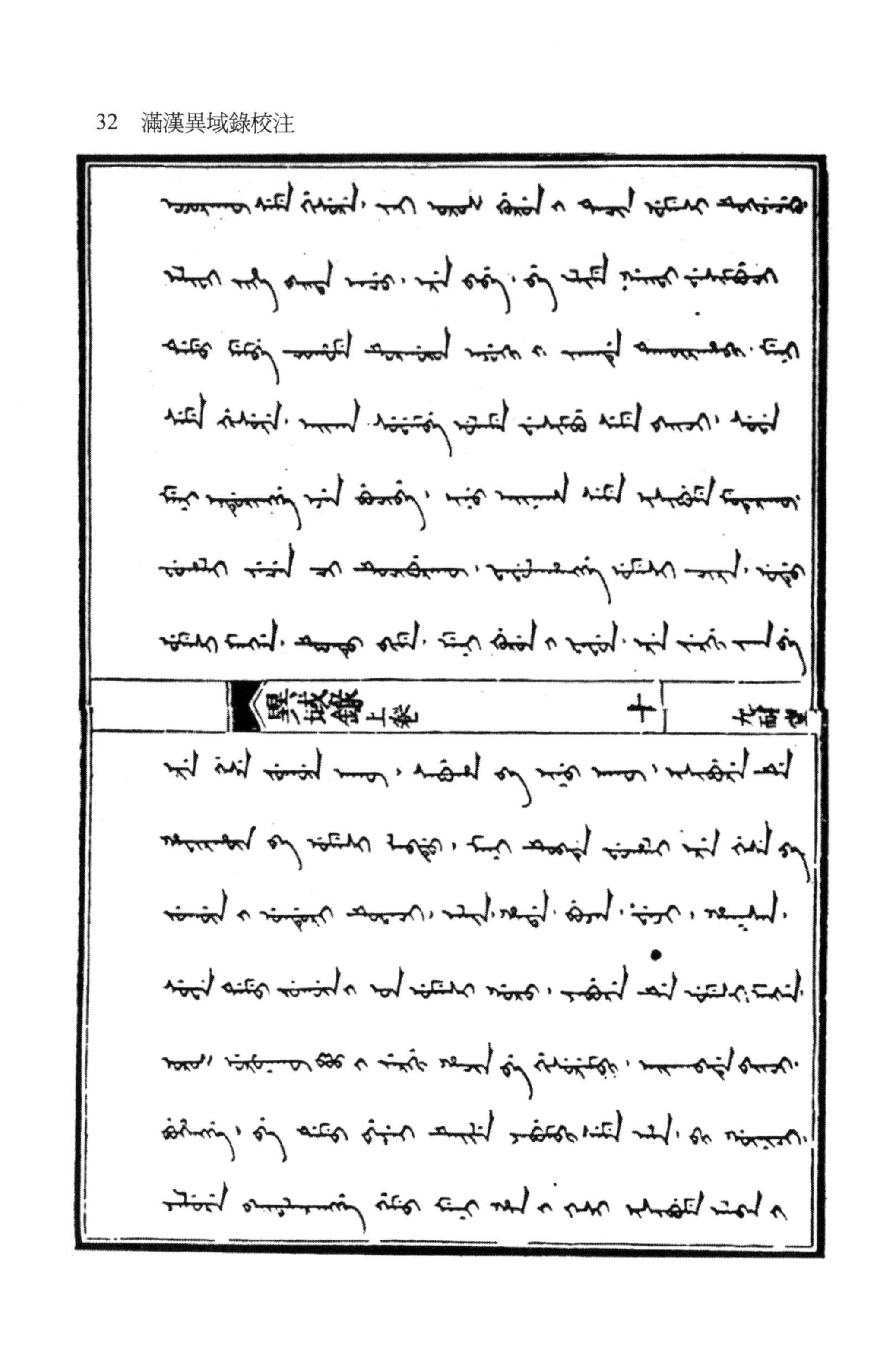

異域錄 上卷 十

yalure baitalarangge gemu meni han i kesi isibume alban i buhengge, be damu beyei teile yabumbi seme ala, bi gūnici, oros urunakū poo i jergi hacin be gisurembi, aikabade baici, suwe damu jugūn i on umesi goro, yabure de umesi mangga, jugūn i unduri tuwaci, alin hada bujan weji haksan hafirahūn ba umesi labdu, meni tubade fuhali ere gese ba, ere gese jugūn akū, sabuha ba inu akū, isibure de umesi mangga, tuttu bime, meni gurun i fafun, ere jergi jaka be fuhali jecen ci tuciburakū, fafulahangge umesi cira, udu meni enduringge ejen bucibe, inu ainaha seme isibume muterakū seme gisure, aika suwembe ulame wesimbu seme baici, suwe damu membe cohome turgūt ayuki i jakade takūrahabi, meni alifi jihe baita encu, ere babe, be alime gaifi wesimbuci ojorakū seme gisure, jai oros gurun i tacin umesi tukiyeceku,

---

乘騎用度，皆係皇上恩賜，我等但隻身効力耳。朕思鄂羅斯國必言及火炮之類，倘若懇求，爾等言路途遙遠，難於行走，沿途皆高山峻嶺，林木叢藪，險隘之處甚多，我中國並無如此地方，亦不曾見如此道路，致之甚難，且中國法禁，凡火器物件，不許擅自出境，法令森嚴，雖我皇上恩賜，斷難至此。伊若求爾等轉奏，爾等只言，我等俱係特遣往土爾虎特國阿玉氣汗處去（註一九），奉使之事各異，此等情節，難於奏聞，至鄂羅斯國習尙矜誇，

乘骑用度，皆系皇上恩赐，我等但只身效力耳。朕思鄂罗斯国必言及火炮之类，倘若恳求，尔等言路途遥远，难于行走，沿途皆高山峻岭，林木丛薮，险隘之处甚多，我中国并无如此地方，亦不曾见如此道路，致之甚难，且中国法禁，凡火器物件，不许擅自出境，法令森严，虽我皇上恩赐，断难至此。伊若求尔等转奏，尔等只言，我等俱系特遣往土尔虎特国阿玉气汗处去（注一九），奉使之事各异，此等情节，难于奏闻，至鄂罗斯国习尚矜夸，

註一九：土爾虎特（turgūt），案叢書集成簡編、清史稿等書俱作「土爾扈特」，同音異譯。

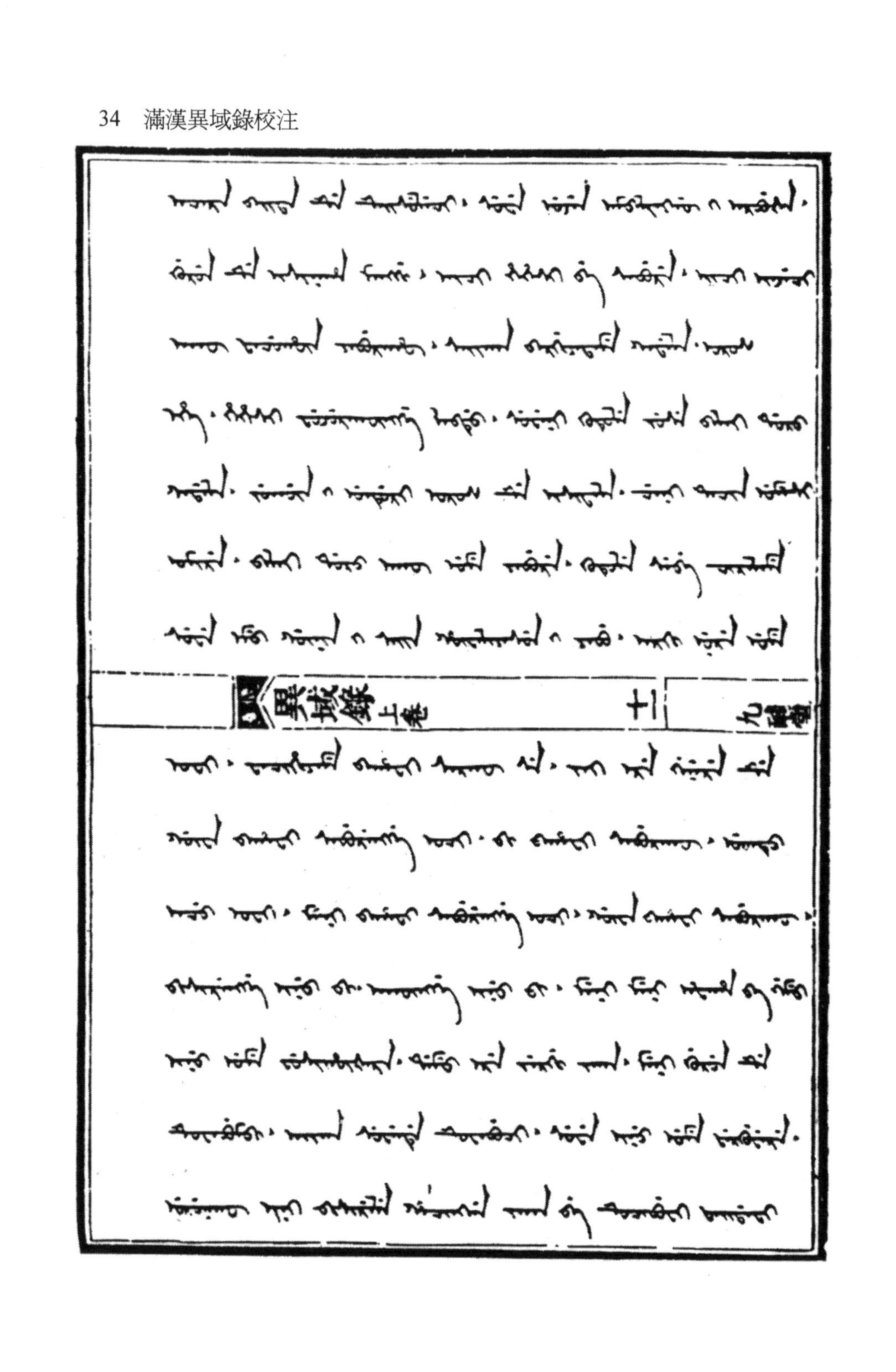

異域錄 上卷 十二

urunakū ini bisirele hacingga jaka be tucibufi faidafi tuwabumbi, aika suwende tuwabuci, suwe inu ume ferguwere, inu ume fusihūšara, damu ere jergi jaka, meni gurun de bisirengge inu bi, akūngge inu bi, meni meni afaha ba gemu encu ofi, meni bahafi saburengge oci, gūwa bahafi saburakū, gūwa bahafi saburengge oci, bi bahafi saburakū, uttu ofi, wacihiyame bahafi sarkū se, jai ere genere de suwe emu gūnin i sain hūwaliyasun i yabu, arki nure ume omire, balai doro akū ume yabure, kutule sebe ciralame kadala, jugūn i unduri oros de isitala, ceni tacin umesi ehe, hehesi fujurakungge labdu, suweni kutule juse balai doro akū facuhūn yaburahū, saikan bargiyatame kadala, oros gurun de isinaha manggi, eici hehesi be sabure, eici injeci acara baita de teisuleci, suwe ujen ambalinggū i arbuša,

---

必出陳其所有之物以示爾等，倘若出視，爾等不可驚訝，亦不可輕藐，但言此等物件，我中國或有或無，我等職司各異，有我所見而眾未見者，亦有眾見而我未見者，所以不能盡知，此役爾等同心和意而行，不可飲酒無狀，嚴禁隨役，沿途以至鄂羅斯國，地方風俗甚壞，婦女不端者多，爾等隨役不可無禮妄行，須嚴加約束，至鄂羅斯國地方，或見婦女，或遇可哂之事，爾等須莊重，

必出陈其所有之物以示尔等，倘若出视，尔等不可惊讶，亦不可轻藐，但言此等对象，我中国或有或无，我等职司各异，有我所见而众未见者，亦有众见而我未见者，所以不能尽知，此役尔等同心和意而行，不可饮酒无状，严禁随役，沿途以至鄂罗斯国，地方风俗甚坏，妇女不端者多，尔等随役不可无礼妄行，须严加约束，至鄂罗斯国地方，或见妇女，或遇可哂之事，尔等须庄重，

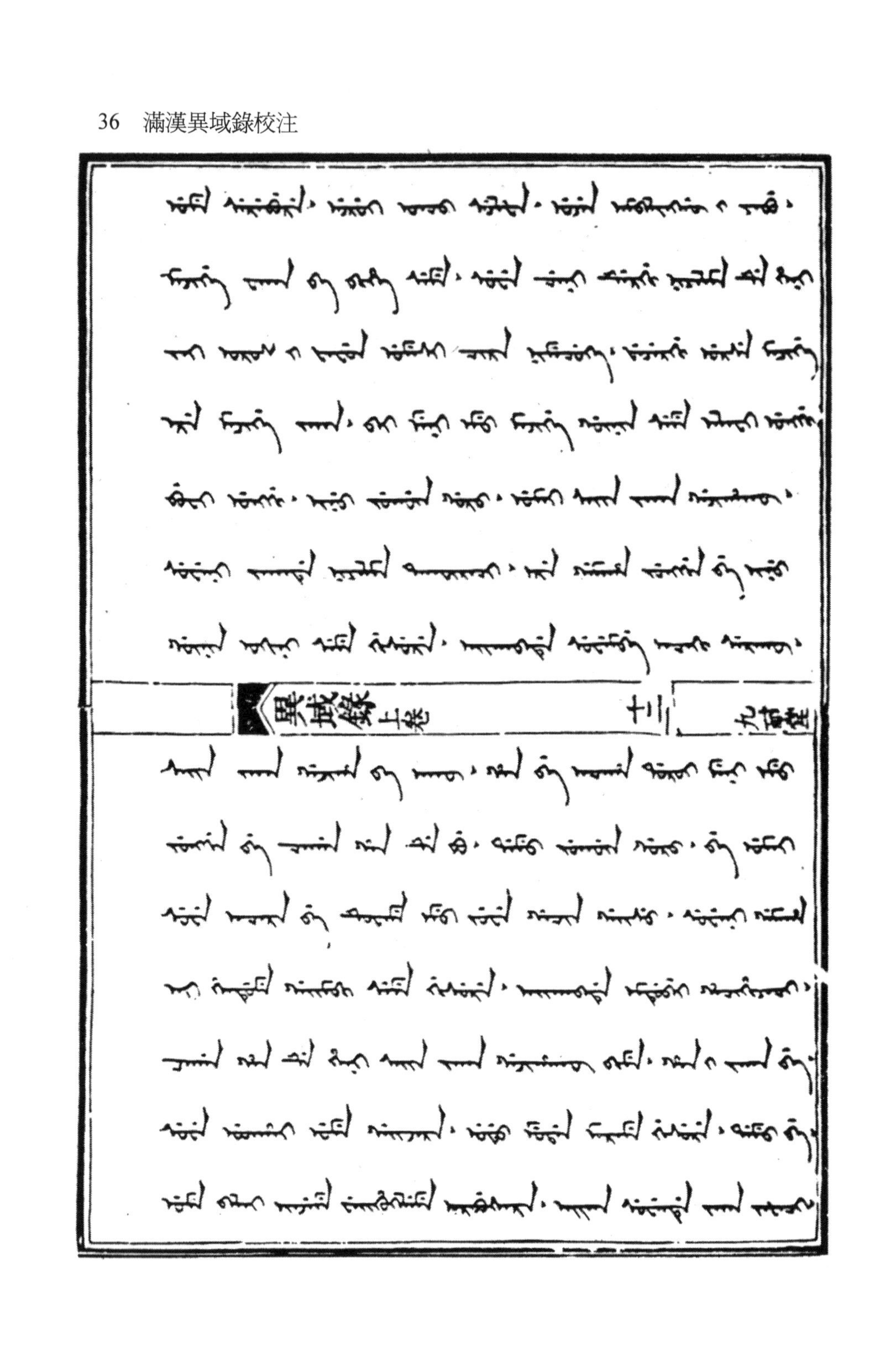

異域錄 上卷 十三 九[illegible]堂

ume balai injeme weihukeleme arbušara, aika suwende jaka jafaci, suwe uthai ume gaijara, udu mudan marame gisure, damu be, cagan han de heni sain jaka gajihakū bime, han i jaka be, ai hendume gaimbi seme gisure, aikabade emdubei hacihiyaci, suwe acara be tuwame emu juwe hacin gaisu, suweni gamaha junggin be cagan han de bu, damu jugūn goro, be umai sain jaka gajiha ba akū, han be acaha doroi meni emu gūnin okini seme gisure, aikabade suwembe acaki serakū, suweni jakade niyalma takūraci, ere gamaha junggin be inu bufi unggi, inu jugūn goro, umai sain jaka gajihakū, ere majige jaka, bai meni emu majige gūnin seme alafi unggi, jai oros i fafun umesi cira nimecuke, fejergi urse majige majige waka ba bihe seme, suwe ceni dergi niyalma de heni ume serebure, urui onco sulfa, ujen ambalinggū i yabu,

---

行事，不可輕於戲謔。若餽送爾等物件，毋遽收受，必須再三卻辭，但言我等不曾帶得佳品送察罕汗，汗所餽遺，如何收得，倘再三懇乞，或止收一二，將爾等帶去錦緞回送察罕汗，但言路途遙遠，不曾帶得佳物，此係相見之微儀。若不來請見，或差人到時，即將所帶錦緞給與，亦言路遠，並無佳品，些須薄物，聊表微意耳，及鄂羅斯國法令嚴峻（註二〇），屬下人役少有過愆，不可表暴於管轄之人，務必寬裕莊重而行，

行事，不可轻于戏谑。若馈送尔等对象，毋遽收受，必须再三却辞，但言我等不曾带得佳品送察罕汗，汗所馈遗，如何收得，倘再三恳乞，或止收一二，将尔等带去锦缎回送察罕汗，但言路途遥远，不曾带得佳物，此系相见之微仪。若不来请见，或差人到时，即将所带锦缎给与，亦言路远，并无佳品，些须薄物，聊表微意耳，及鄂罗斯国法令严峻（注二〇），属下人役少有过愆，不可表暴于管辖之人，务必宽裕庄重而行，

註二〇：法令嚴峻，案叢書集成簡編、小方壺齋輿地叢鈔作「怯令嚴禁」。

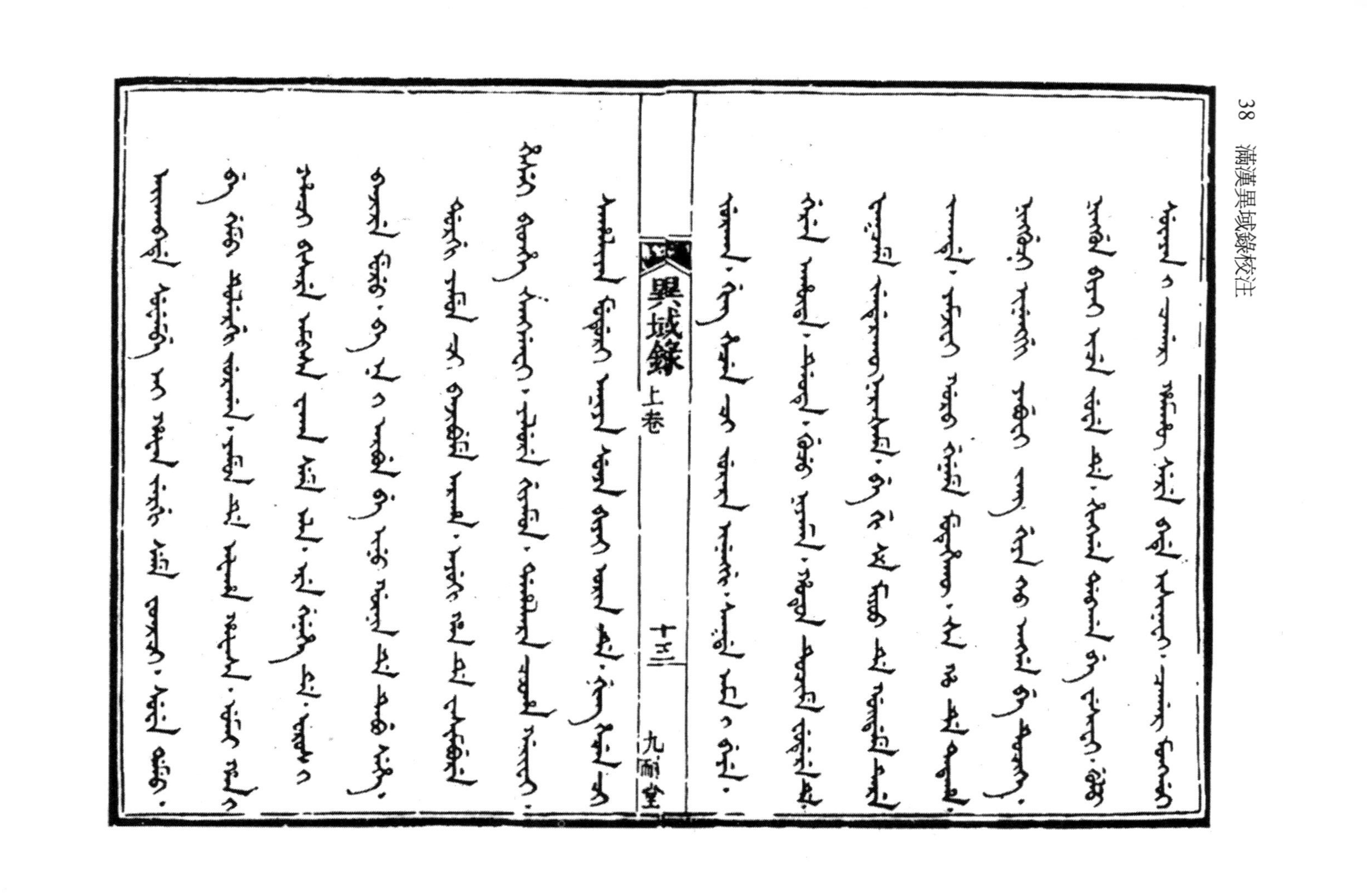

異域錄 上卷 十三 九[illegible]堂

aikabade suwembe ai hafan jergi seme fonjici, suwe damu, be gemu tulergi jurgan yamun de afaha hafasa, umai han i hanci bisire ambasa waka seme ala, ere genehe de, oros i banjire muru, ba na i arbun be inu gūnin de tebu sehe, dorgi yamun ci banjibume araha. ayuki han de wasimbure hesei bithe šanggafi, yalure giyamun, dahalara cooha gaifi, sahaliyan muduri aniya sunja biyai orin de, ging hecen ci juraka, ging hecen ci jurara inenggi, sakda ama i beye, geren ahūta, deote, gucu niyaman, hoton tucime fudere de, fakcame jenderakū narašame, be gi sy miyoo de goidame tere jakade, yamjifi goro geneme mutehekū, ša ho de tataha, ningguci inenggi yabufi jang giya keo angga be tucike, ninggun biyai ice juwe de, hinggan dabagan be wesifi, gulu suwayan i cagar hamhū sere bade isinafi, cagar monggoi

---

若問爾等係何官職，但言我等係外部院衙門所司官員，並非皇上侍近之臣。此役鄂羅斯國人民生計、地理形勢，亦須留意，欽此。內閣編撰頒發阿玉氣汗勅書已成，支取驛馬護送兵丁，於壬辰年五月二十日自京師起程。是日（註二一），老父率諸兄弟，並親友出城餞送，不忍遽離。在北極寺久坐，將暮，不能遠去，宿於沙河。行六日，出張家口，於六月初二日越興安嶺（註二二），至正黃旗察哈兒哈穆虎地方，察哈兒蒙古

若问尔等系何官职，但言我等系外部院衙门所司官员，并非皇上侍近之臣。此役鄂罗斯国人民生计、地理形势，亦须留意，钦此。内阁编撰颁发阿玉气汗勅书已成，支取驿马护送兵丁，于壬辰年五月二十日自京师起程。是日（注二一），老父率诸兄弟，并亲友出城饯送，不忍遽离。在北极寺久坐，将暮，不能远去，宿于沙河。行六日，出张家口，于六月初二日越兴安岭（注二二），至正黄旗察哈儿哈穆虎地方，察哈儿蒙古

註二一：是日，滿文作“ging hecen ci jurara inenggi”，意即「自京師起程之日」，此刪略作「是日」。

註二二：六月初二日，叢書集成簡編、小方壺齋輿地叢鈔俱作「六月初三日」，疑誤。

異域錄 上卷 十四 九重堂

hafan cooha temen morin monggo boo kunesun honin gajime okdome jidere jakade, ubaci dorgi giyamun i morin, dahalara niowanggiyan tui cooha, gemu amasi bederehe, geli juwan inenggi funceme yabufi, kalkai arabtan wang ni harangga bayan bulak sere bade isinafi, kalkai hafan cooha, ulha šusu gajime jifi okdoko, ere ba hinggan i dele bime, emu justan wehe alin bi, babade aldaka sere moo banjihabi, geli juwe inenggi yabufi, sira buridu sere bade isinaha, ere bade juwan ba funceme yunggan i mangkan bi, juwan ninggun de, argalintu kūbur sere gobi i julergi ujan de tataha, juwan nadan de, gobi i dulimbe julhui sere bade tataha, ere bade hacingga bocoi jahari wehe bi, jak moo babade fuldun fuldun banjihabi, juwe ilan baci šeri eyeme tucifi, ajige omo banjinahabi, muke genggiyen bime jancuhūn, mukei gasha tomohobi, erebe

---

官兵預備駝馬毯帳，供給羊隻迎接，自此處將內地所乘驛馬，並護送綠旗兵丁，俱發回。又行十餘日，至喀爾喀阿喇布坦王所屬巴顏布拉克地方，喀爾喀官兵預備駝馬，並供給羊隻迎接，此處係興安之上，有一帶石山，產金桃皮樹。又行二日，至西拉布里度地方，有十餘里沙崗。十六日，至瀚海之南界阿爾哈林圖枯布爾地方。十七日，至瀚海適中朱爾輝地方，此處產各色小石，有查克木樹叢生，其木高五尺許，皮似煖木，葉似三春柳，質甚堅。其地有流泉二三處，流聚成小澤，水清而甘，有水禽集其中。

官兵预备驼马毯帐，供给羊只迎接，自此处将内地所乘驿马，并护送绿旗兵丁，俱发回。又行十余日，至喀尔喀阿喇布坦王所属巴颜布拉克地方，喀尔喀官兵预备驼马，并供给羊只迎接，此处系兴安之上，有一带石山，产金桃皮树。又行二日，至西拉布里度地方，有十余里沙岗。十六日，至瀚海之南界阿尔哈林图枯布尔地方。十七日，至瀚海适中朱尔辉地方，此处产各色小石，有查克木树丛生，其木高五尺许，皮似暖木，叶似三春柳，质甚坚。其地有流泉二三处，流聚成小泽，水清而甘，有水禽集其中。

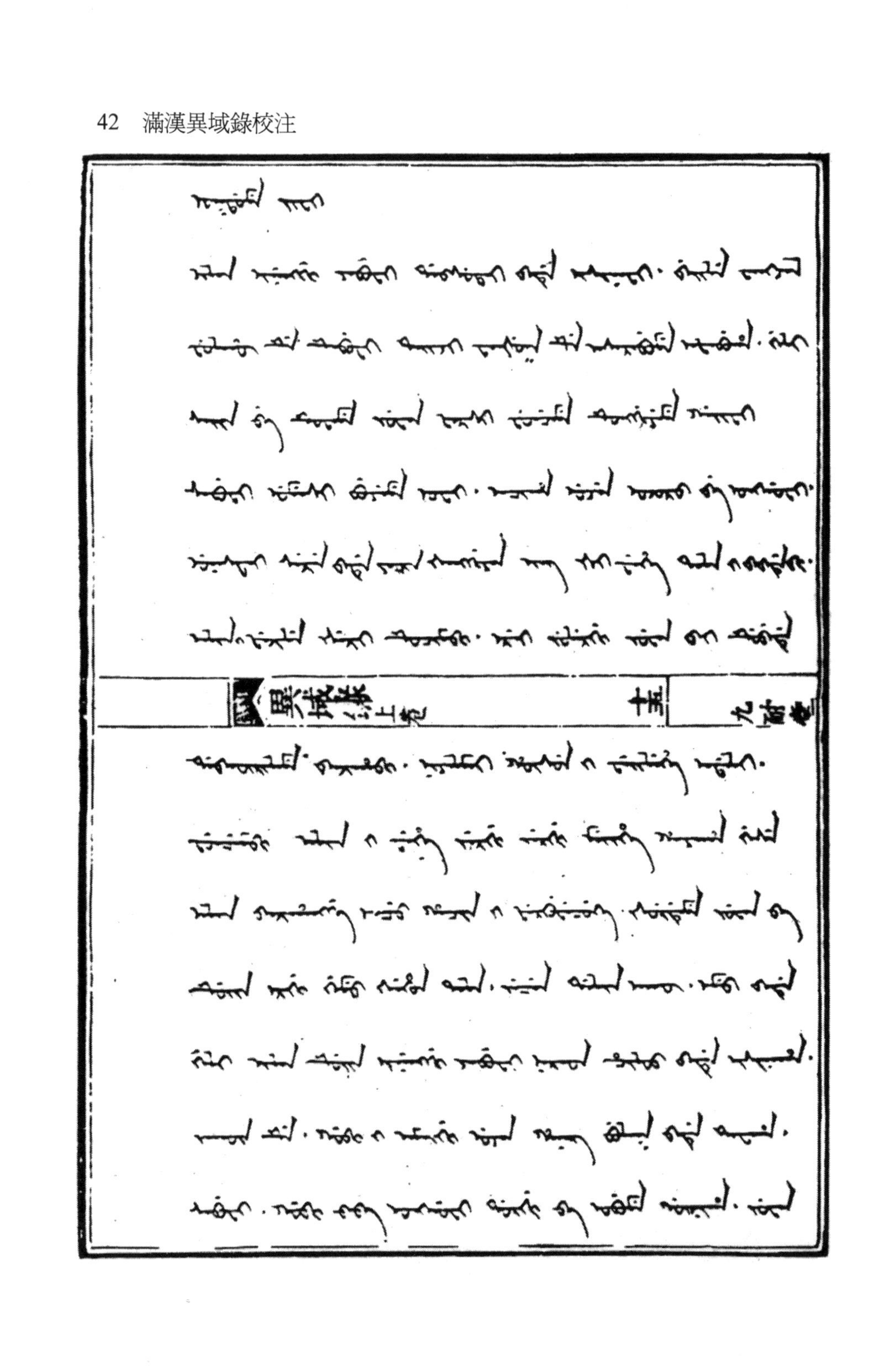

異域錄 上卷 十五

sabufi, gobi babe onggofi dorgi ba obume gūniha, juwan jakūn de, gobi i amargi ujan hanang bulak bade tataha, geli ilan duin inenggi yabufi narat cyloo bade isinaha, duin ergi gemu šehun tala, jecen dalin akū, emu bade alin banjihangge encu hacin i ferguwecuke, šurdeme juwan ba funcembi, alin i wehe jergi jergi meihe hayaha gese dabkūrilame banjihabi, niyalmai hūsun i weilehe adali, alin i fejile šeri tucimbi, erei julergi juwan bai dubede unastai sere bade yacin šanggiyan ing ši wehe tala i babade bi, sabufi umesi buyeme ofi, aciha ujen ojoro be onggofi, sain be tuwame juwan farsi funceme tunggiyeme gaifi fulhū de tebufi taiji wanšuk de asarabume afabuha, geli ilan inenggi yabufi dabsutai bade isinafi, beile wangjal okdome jifi,

---

覩此忘其爲瀚海，而目爲內地焉。十八日，至瀚海之北界哈囊布拉克地方，又行三四日，至那拉忒赤勞地方，其地皆曠野，四望無際，惟此有山一處甚奇異，週圍十餘里，其山之石，蜿蜒層疊，形如盤蛇，猶人力爲之者，山之下有流泉，其南十里許，烏那斯太地方，產黑白二種英石，余見而愛之，忘其馱載重累，擇其佳者十餘塊，置布袋內，交付台吉萬舒克收貯。又行三日，至達布蘇台地方，貝勒旺扎爾迎接，請

覩此忘其为瀚海，而目为内地焉。十八日，至瀚海之北界哈囊布拉克地方，又行三四日，至那拉忒赤劳地方，其地皆旷野，四望无际，惟此有山一处甚奇异，周围十余里，其山之石，蜿蜒层迭，形如盘蛇，犹人力为之者，山之下有流泉，其南十里许，乌那斯太地方，产黑白二种英石，余见而爱之，忘其馱载重累，择其佳者十余块，置布袋内，交付台吉万舒克收贮。又行三日，至达布苏台地方，贝勒旺扎尔迎接，请

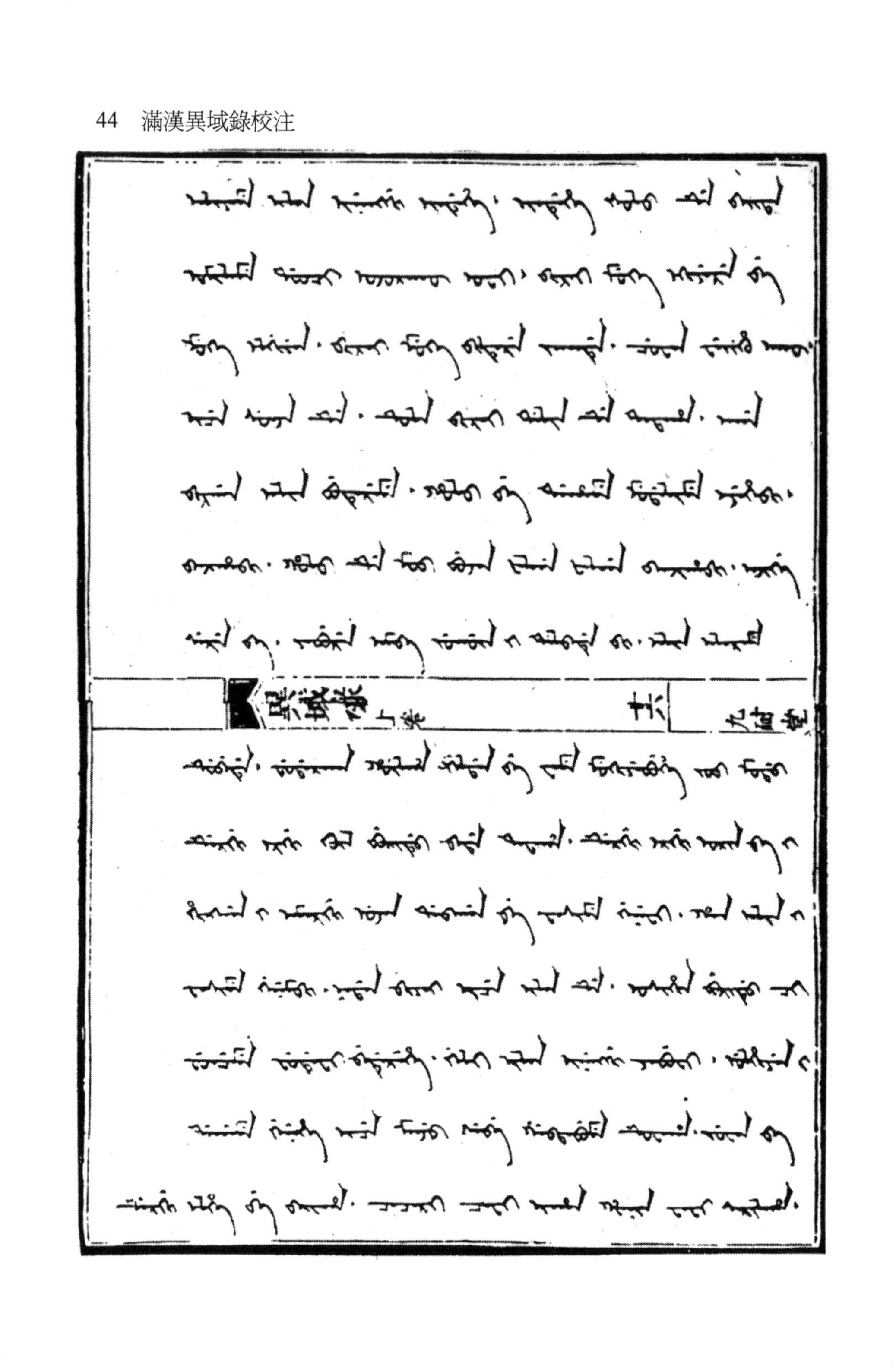

異域錄 上卷 卅六

dergi elhe be baiha, cacari cafi ihan honin wafi sarilaha, dahame genehe ice manju sebe gabtabume tuwaha, juwan ba funceme fudefi bederehe, geli ilan inenggi yabufi, ulhiyen i wasime genembi, nadan biyai ice ilan de, osihin buridu ci hinggan i amargi ujan dabagan be wasime genefi, han alin i dergi ergi kūl buridu bade tataha, dergi ergi orin ba i dubede, fudaraka hūlha g'aldan be wame mukiyebuhe joo modo sere ba, yabure amba jugūn i dalbade bi, alin alarame banjihabi, holo de moo bujan falga falga banjihabi, ajige birgan alin butereme, holo be dahame mudalime eyehebi, ice sunja de, tula birai dalin de tataha, aga muke elgiyen, birai muke biltere jakade, cuwan weihu akū, omil me dooci ojorakū ofi, birai muke ekiyere be aliyame ilan inenggi indehe, indehe šolo de baita

---

皇上起居，設幃帳，宰牛羊筵宴，觀隨往新滿洲步射，送十餘里辭歸。又行三日，地勢漸下。七月初三日，自鄂什欣布里度地方下興安嶺北界，至汗山東邊枯爾布里度地方，其東南二十里許，即勦滅逆賊噶爾丹之召磨多地方（註二三），在大路傍，俱平坂小山，谷中樹木叢生，有小溪沿山麓川谷紆迴而流。初五日，至土喇河岸，因連朝陰雨，河水泛脹，既無舟楫，難于涉渡，俟水勢稍落，駐宿三日，于駐宿無事

皇上起居，设帏帐，宰牛羊筵宴，观随往新满洲步射，送十余里辞归。又行三日，地势渐下。七月初三日，自鄂什欣布里度地方下兴安岭北界，至汗山东边枯尔布里度地方，其东南二十里许，即剿灭逆贼噶尔丹之召磨多地方（注二三），在大路傍，俱平坂小山，谷中树木丛生，有小溪沿山麓川谷纡回而流。初五日，至土喇河岸，因连朝阴雨，河水泛胀，既无舟楫，难于涉渡，俟水势稍落，驻宿三日，于驻宿无事

註二三：召磨多，案清史稿聖祖本紀作「昭莫多」，蒙古文作“jagūn modo”，意即「百樹」，其地有樹百株，故名。

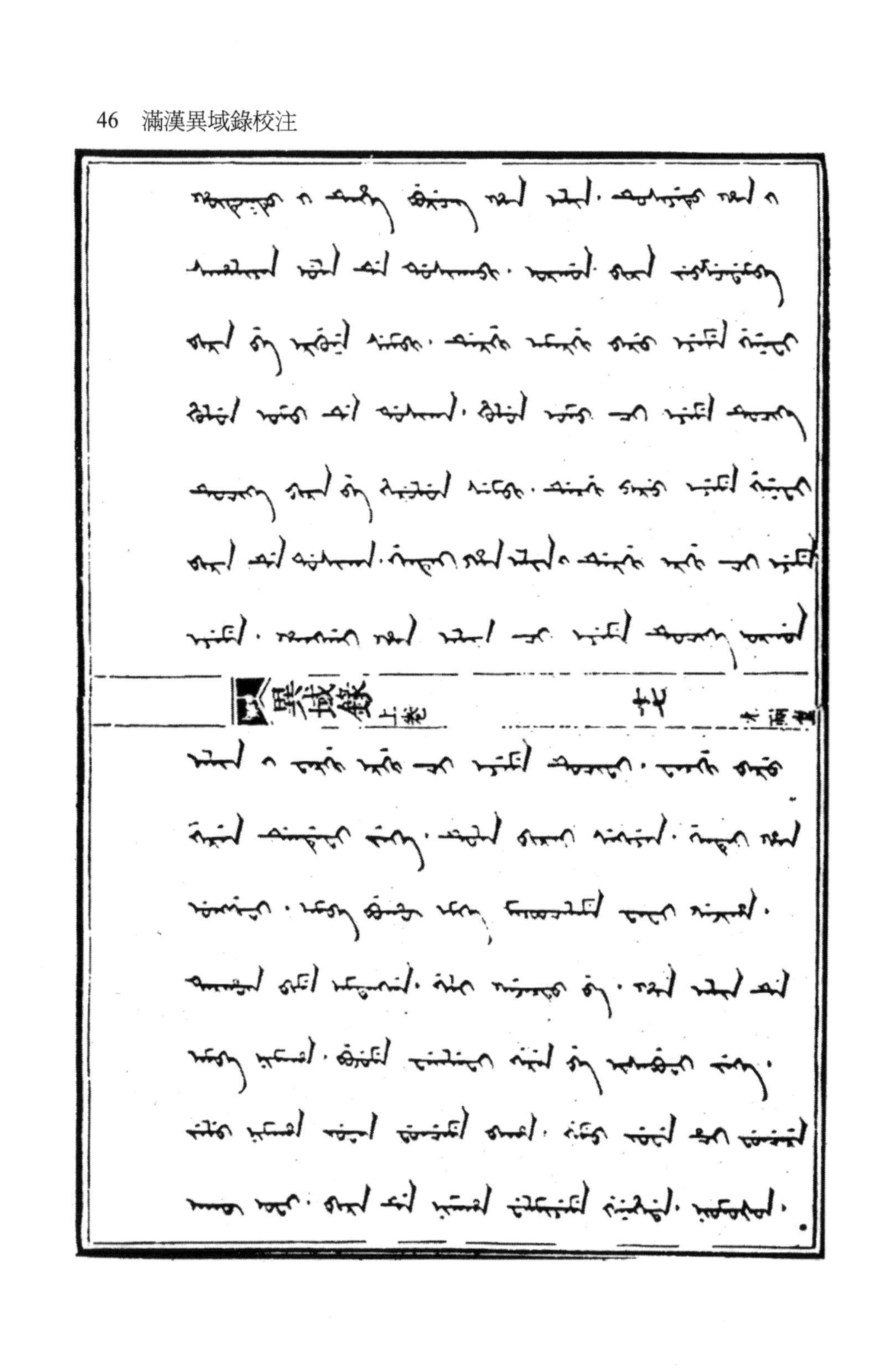

異域錄 上卷

akū ofi, bira de nimaha welmiyeme genehede, niomošon, jelu nimaha juwan funceme baha, gemu juwe cy funcere amba nimaha, bujume weilefi geren be isabufi jeke, tarhūn bime amtangga, geli gajartu be, han alin de unggifi, amba buhū emke miyoocalame wafi gajiha, geren dendefi jeke, tula birai sekiyen, gentei han alin i wargi ergi ci eyeme tucifi, wargi baru eyeme, hanggai han alin ci eyeme tucike orgon bira de dosika, gentei han alin i dergi ergi ci eyeme tucike bira be herulun sembi, dergi baru eyeme genefi hulun omo de dosika, hulun omo ci eyeme tucike bira be ergune sembi, dergi amargi baru eyeme genefi, sahaliyan ula de dosikabi, orgon bira jebdzundamba hūtuktu i tehe burung han alin, tusiyetu han i

---

之暇，往釣河濱，獲樺魚、鱔魚十數尾，皆二尺許，命烹之以飼眾，極其肥美。又遣噶扎爾圖往汗山，用鳥鎗捕得大鹿一隻，分而食之。土喇河自根特山右發源，向西流，入杭愛汗山流出之鄂爾渾河，根特山之左流出之河（註二四），名曰黑魯倫，向東流入呼倫湖。自呼倫湖流出之河，名曰額爾古納，向東北流入黑龍江，其鄂爾渾河，環流哲布尊丹木巴呼圖克圖所居之布隆汗山，及圖謝土汗

之暇，往钓河滨，获桦鱼、鳝鱼十数尾，皆二尺许，命烹之以饲众，极其肥美。又遣噶扎尔图往汗山，用鸟鎗捕得大鹿一只，分而食之。土喇河自根特山右发源，向西流，入杭爱汗山流出之鄂尔浑河，根特山之左流出之河（注二四），名曰黑鲁伦，向东流入呼伦湖。自呼伦湖流出之河，名曰额尔古纳，向东北流入黑龙江，其鄂尔浑河，环流哲布尊丹木巴呼图克图所居之布隆汗山，及图谢土汗

註二四：根特山（gentei han alin），又作「肯特山」（kentei han alin）。

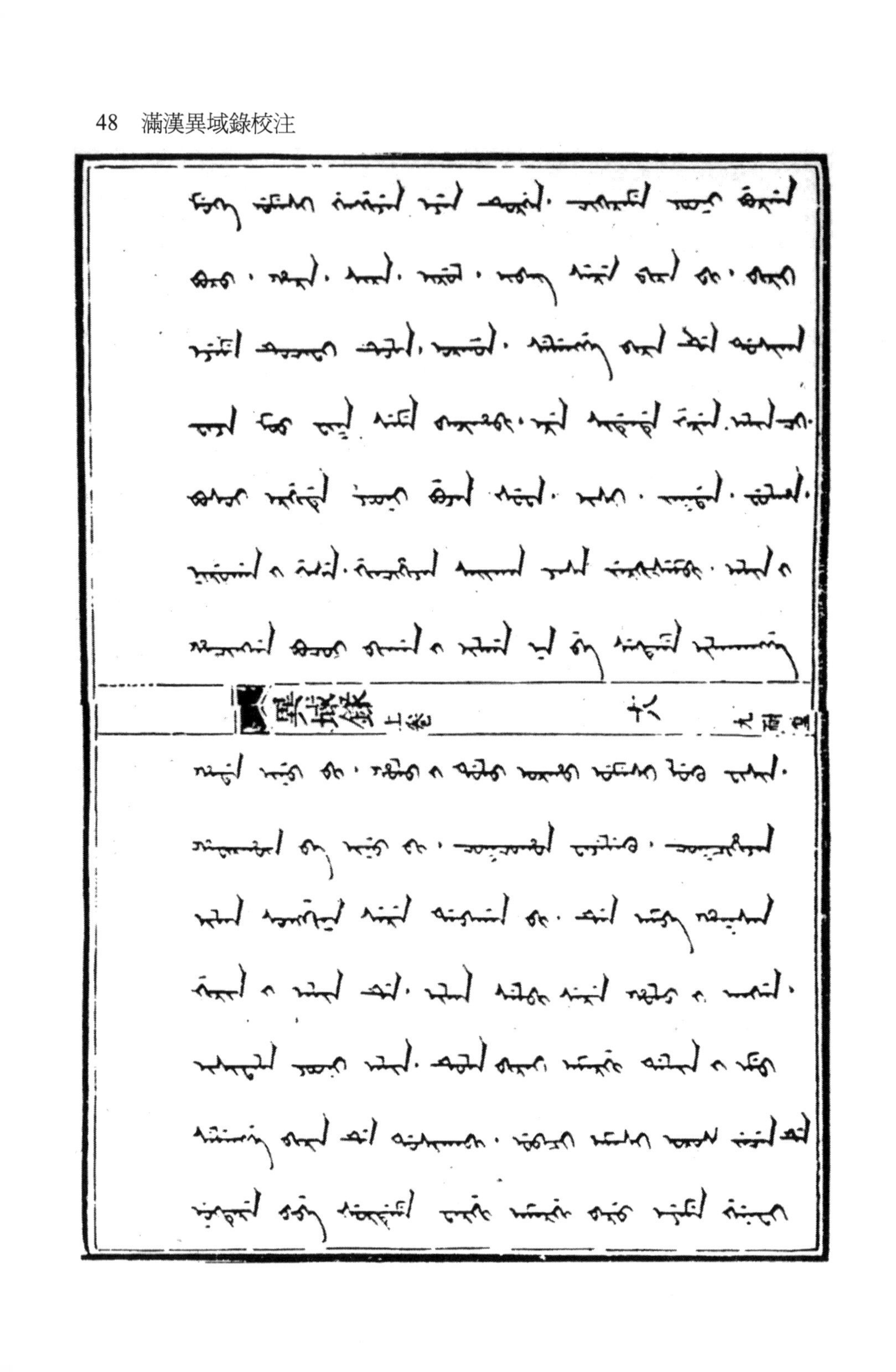

異域錄 上卷 十八

nuktere babe šurdeme wargi amargi baru eyeme genefi selengge bira de dosikabi, ubaci amasi oros jecen de isitala yooni alin, tula birai amargi dalin i emu girin i alin de, ilan selbi sere holo i angga, ilan songgina sere dabagan bi, den amba haksan hafirahūn ba inu bi, cokcohon fiyeleku, cokcihiyan hada inu bi, holo i dolo orho umesi luku fisin, hacingga bocoi bigan i ilga na be sekteme ilakangge nirugan i gese, gincihiyan saikan yasa jerkišembi, alin i bosoi ergide yooni bujan šuwa, isi, jakdan, fulha, fiya moo fik seme banjihabi, ere sidende geren alin ci eyeme tucifi, tula, orgon, selengge bira de dosika boro, hara, sira, irul, ibang sere bira bi, birai muke umesi genggiyen, eyen turgen, cikirame yooni burga

---

遊牧地方，向西北流入色楞格河，自此而北，以至鄂羅斯國界，皆山，土喇河北岸諸山，有色爾畢谷口三處，及松吉納山嶺三處，有極高危險之處，亦有峰巒聳峻之處，谷內之草暢茂，野卉爛熳，鋪地如畫，鮮耀奪目。其山之陰皆叢林，有杉松、馬尾松、楊、樺樹，極其森鬱。其間自各山發源流入土喇、鄂爾渾、色楞格河之小河，則有博羅、哈拉、席喇、伊魯爾、伊邦等河，其水清而溜急，兩岸皆叢柳，

游牧地方，向西北流入色楞格河，自此而北，以至鄂罗斯国界，皆山，土喇河北岸诸山，有色尔毕谷口三处，及松吉纳山岭三处，有极高危险之处，亦有峰峦耸峻之处，谷内之草畅茂，野卉烂熳，铺地如画，鲜耀夺目。其山之阴皆丛林，有杉松、马尾松、杨、桦树，极其森郁。其间自各山发源流入土喇、鄂尔浑、色楞格河之小河，则有博罗、哈拉、席喇、伊鲁尔、伊邦等河，其水清而溜急，两岸皆丛柳，

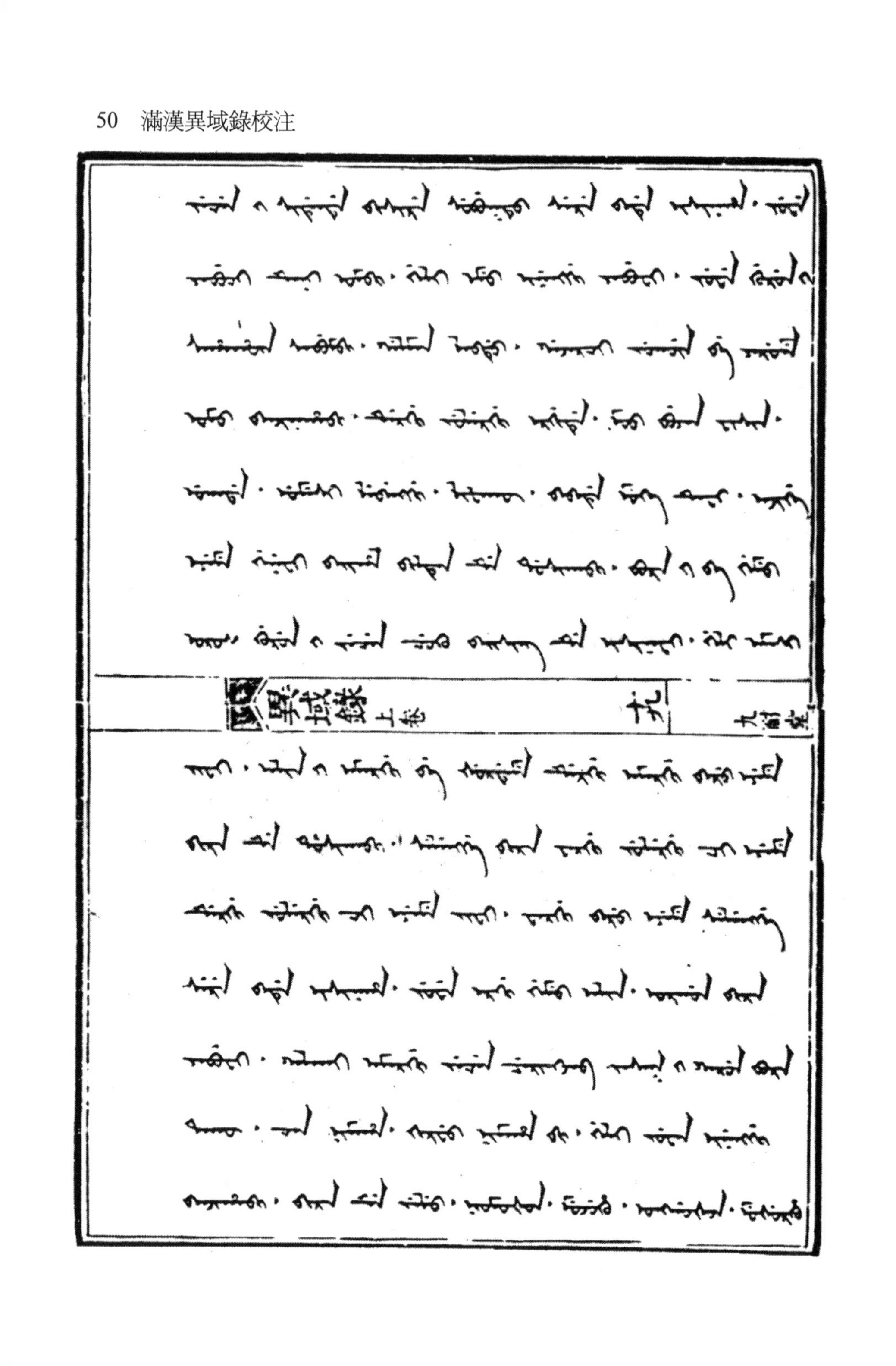

banjihabi, bira de jelu, niomošon, mujuhu, onggošon, mušurhu, takū, can nimaha, kirfu nimaha bi, geli juwan inenggi yabufi, kalkai amargi jecen ceringjab jasak i karun bora sere bade isinaha, juwe ergi gemu alin, orgon bira dergi julergi ci eyeme jifi, wargi baru eyeme selengge bira de dosikabi, selengge bira wargi julergi ci eyeme jifi, alin i amargi be šurdeme dergi amargi baru eyeme, oros gurun i jecen cuku baising de isinafi, geli amasi eyeme genefi baihal bilten de dosikabi, bora i ba gemu ukada, umesi lebenggi lifakū, babade muke tefi, ajige omo banjinahabi, dergi julergi ergide, moo bujan fisin, sahahūn sabumbi, galman labdu, gajarci jugūn be yarume yabuci teni ombi, geli emu inenggi yabufi, juwe gurun i jecen i sidende bisire subuktu sere bade isinaha, juwe

---

產樺、魚魯、鯉、鯽、鱓、蛔等魚。又行十日，至喀爾喀之北界，車陵扎布部長之邊界博拉地方，兩傍皆山，鄂爾渾河來自東南，向西流入色楞格河，色楞格河來自西南，環繞山北，向東北流過鄂羅斯國界之楚庫栢興，又向北流入栢海兒湖（註二五），其博拉地方皆草墩，甚泥濘，潦水成澤，其東南林木森密，望之鬱然，多蚊虻，賴嚮導指引而行。又行一日，至兩國接壤之蘇布克圖地方，

产桦、鱼鲁、鲤、.鲫、鳝、蛔等鱼。又行十日，至喀尔喀之北界，车陵扎布部长之边界博拉地方，两傍皆山，鄂尔浑河来自东南，向西流入色楞格河，色楞格河来自西南，环绕山北，向东北流过鄂罗斯国界之楚库栢兴，又向北流入栢海儿湖（注二五），其博拉地方皆草墩，甚泥泞，潦水成泽，其东南林木森密，望之郁然，多蚊虻，赖向导指引而行。又行一日，至两国接壤之苏布克图地方，

註二五：栢海兒湖（baihal bilten），案叢書集成簡編、小方壺齋輿地叢鈔作「北興兒湖」。

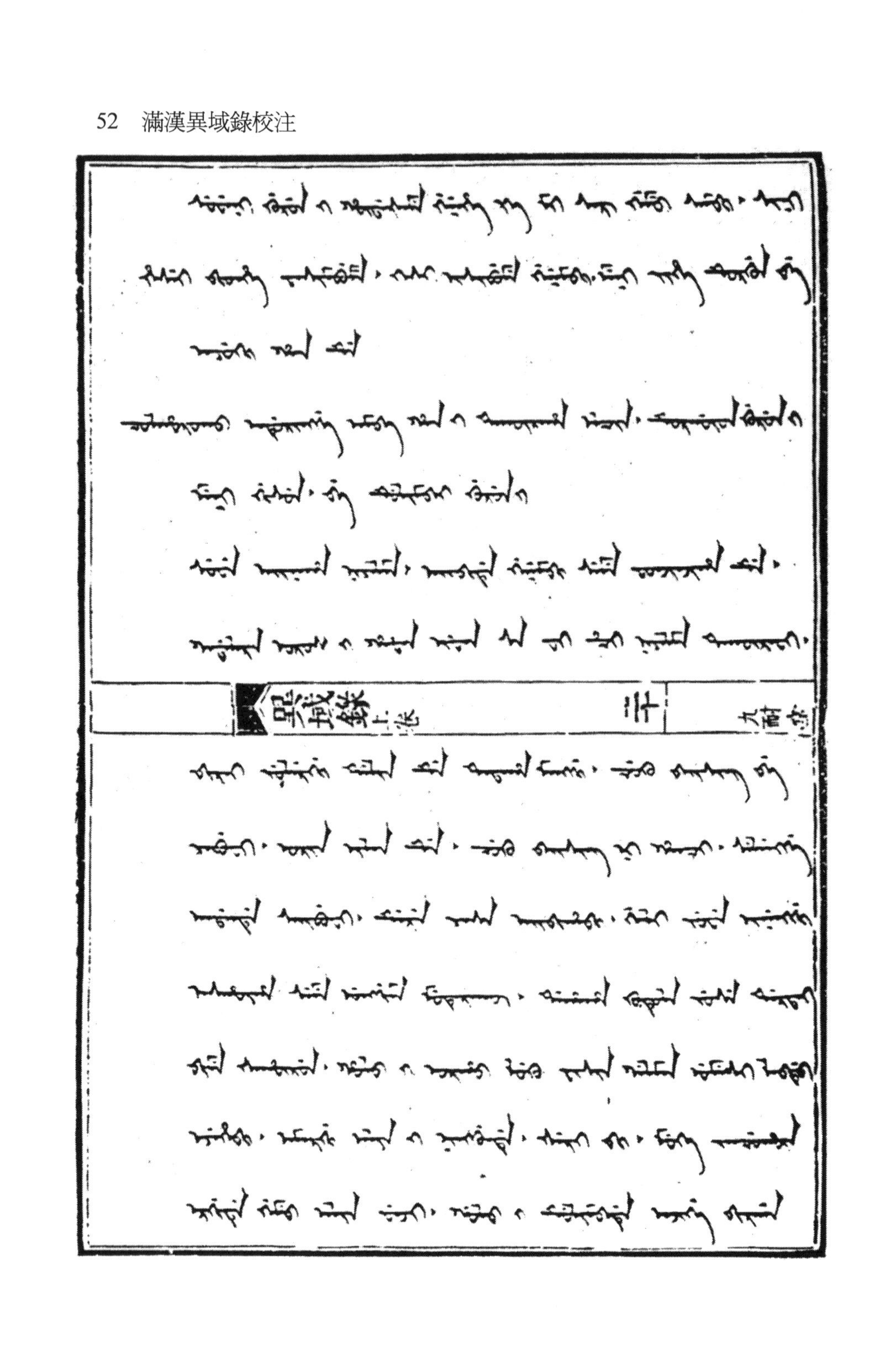

異域錄 上卷 二十

ergide gemu alin weji, holo i dulimbade ajige birgan eyehebi, amargi alin i ninggunde, šeri bi, muke jancuhūn bime šahūrun, holo i orho luku fisin, galman umesi labdu, ashūha seme unggime muterakū, dahaha kutule juse dartai andande saibufi, dere yasa aibihabi, geli juwe inenggi yabufi, orin ilan de, cuku baising ni hanci, selengge birai julergi dalin de tataha manggi, cuku baising be kadalara oros i hafan ifan sa fi cy niyalma takūrafi, suwe ainaha niyalma, aibide genembi seme fonjinjiha de, meni gisun, be dulimbai gurun i colhoroko enduringge amba han i takūraha elcin, turgūt gurun i ayuki han de hesei bithe wasimbume, kesi isibume genembi, meni jihe turgun be suweni gurun i hūdašame genehe k'a mi sar gemu sambi, sini

---

兩傍皆山林，谷中有溪河，北山之上有泉，其水甘而涼，谷內之草暢茂，蚊虻甚多，揮之不暇，跟役人等，片時被嘬，面目皆腫。又越二宿，于二十三日，至楚庫栢興相近色楞格河之南岸駐扎，管理楚庫栢興鄂羅斯官衣番薩非翅（註二六），差人問曰：爾等係何人？往何處去？我等回言，是中國至聖大皇帝欽差天使，前往土爾虎特國阿玉氣汗處，頒發諭旨，並賜恩賞（註二七），我等所來情由，爾國之貿易商人哈密薩兒儘知，

两傍皆山林，谷中有溪河，北山之上有泉，其水甘而凉，谷内之草畅茂，蚊虻甚多，挥之不暇，跟役人等，片时被嘬，面目皆肿。又越二宿，于二十三日，至楚库栢兴相近色楞格河之南岸驻扎，管理楚库栢兴鄂罗斯官衣番萨非翅（注二六），差人问曰：尔等系何人？往何处去？我等回言，是中国至圣大皇帝钦差天使，前往土尔虎特国阿玉气汗处，颁发谕旨，并赐恩赏（注二七），我等所来情由，尔国之贸易商人哈密萨儿尽知，

註二六：衣番薩非翅，案叢書集成簡編、小方壺齋輿地叢鈔作「衣宛薩委翅」，同音異譯。

註二七：並賜恩賞，滿文作"kesi isibume genembi"，叢書集成簡編、小方壺齋輿地叢鈔作「並蒙恩賞賜我等」，與滿文頗有出入。

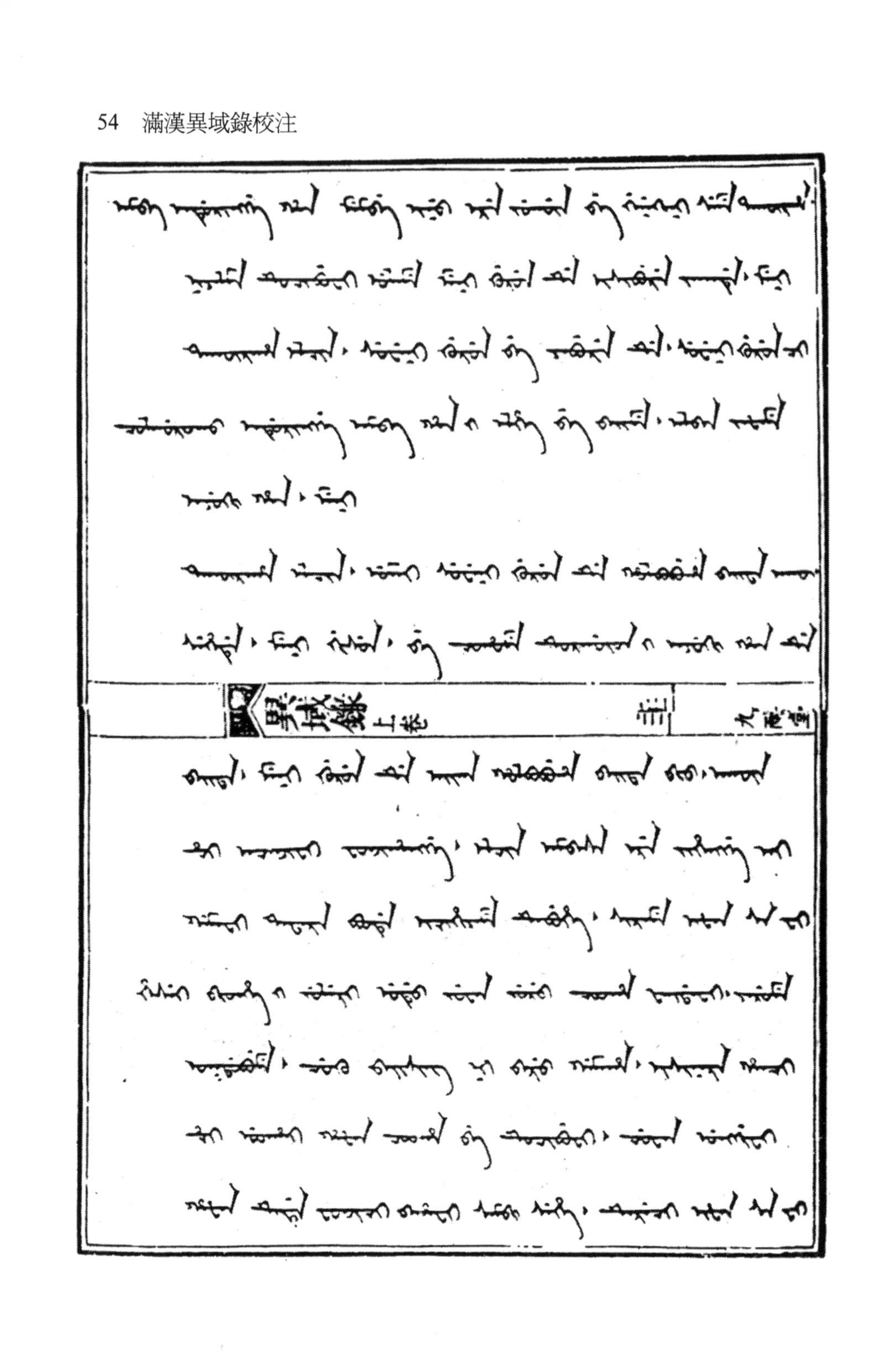

異域錄 上卷

hafan tede fonjici bahafi sambi sehe, tereci ifan sa fi cy uthai hafan cooha be tucibufi, cuwan unggifi okdobume, cuku baising ni baru gamaha, isinara hanci hesei bithe i juleri udu juwan juru cooha faidafi, yarume gamafi tatara boode icihiyame tebuhe, sirame ifan sa fi cy acanjifi fonjihangge, elcin ambasa ere jihengge ai baita, meni gurun de aika holbobuha baita bio, akū̃n sehede, meni gisun, be cohohome turgūt i ayuki han de takūraha elcin, umai suweni gurun de holbobuha baita akū̃, ayuki han, meni colgoroko enduringge amba han i elhe be baime, alban jafame takūraha elcin, suweni gurun be yabure de, suweni gurun ci niyalma tucibufi ulame meni gurun de isibure jakade, meni amba enduringge han, membe inu ere jugūn be genekini seme takūraha,

---

你頭目問他，即便得知，于是衣番薩非翅即遣官兵撥船隻迎接，至楚庫栢興，將到時，諭旨前排列十數對兵丁引導，'送至公署安歇後，衣番薩非翅來見，問曰：天使之來有何事故？有干我國之事否？我等答曰：我等係特差前往土爾虎特國阿玉氣汗處欽命使者，于爾國並無甚事，因阿玉氣汗特遣使恭請我至聖大皇帝萬安，進貢方物，由爾國經過，爾國特差人轉送至我中國，所以我大皇帝亦由此路差我等前來，

你头目问他，即便得知，于是衣番萨非翅即遣官兵拨船只迎接，至楚库栢兴，将到时，谕旨前排列十数对兵丁引导，'送至公署安歇后，衣番萨非翅来见，问曰：天使之来有何事故？有干我国之事否？我等答曰：我等系特差前往土尔虎特国阿玉气汗处钦命使者，于尔国并无甚事，因阿玉气汗特遣使恭请我至圣大皇帝万安，进贡方物，由尔国经过，尔国特差人转送至我中国，所以我大皇帝亦由此路差我等前来，

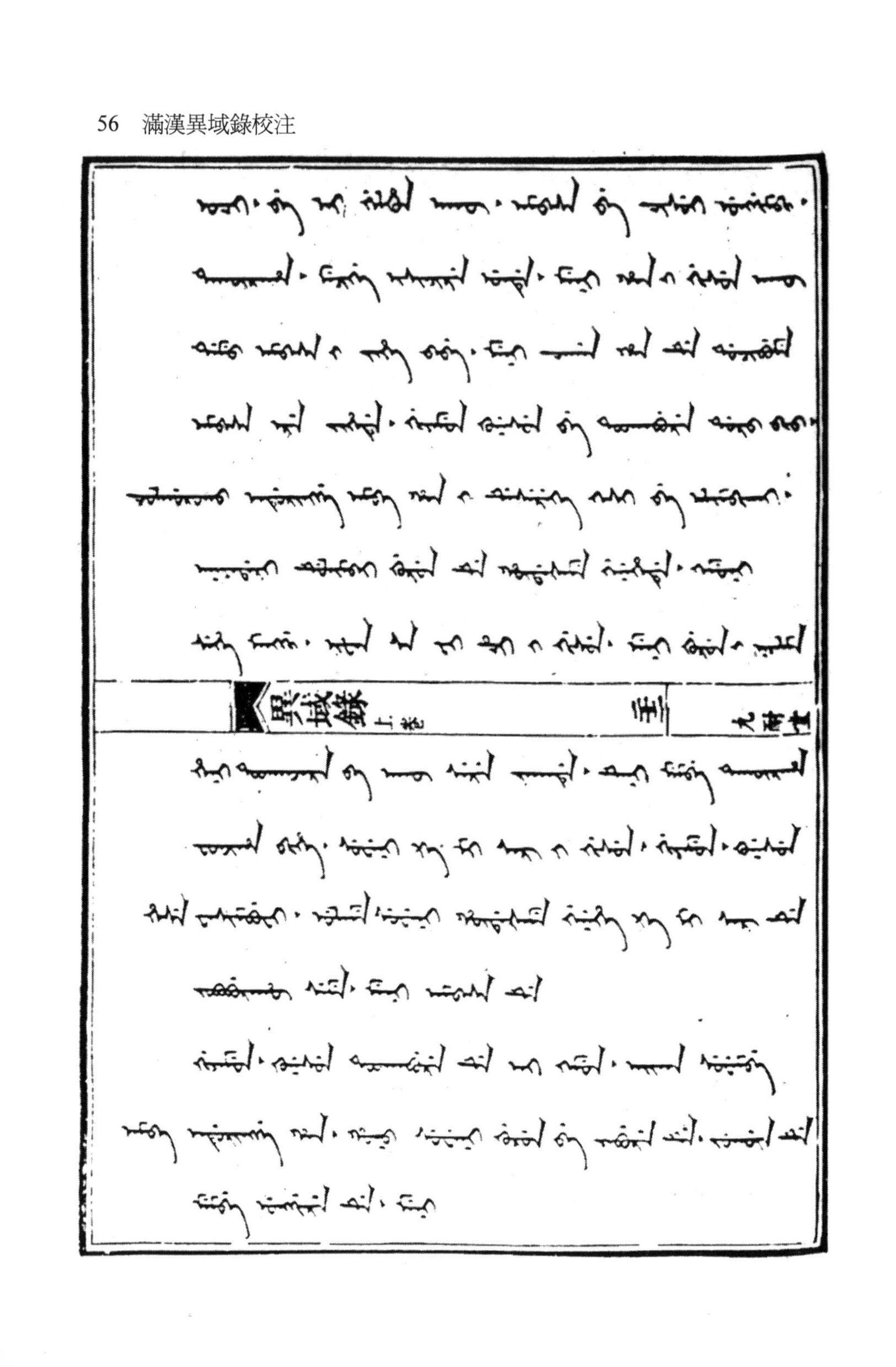

異域錄 上卷

membe unggire de, meni amba enduringge han, hono sūweni gurun be yabure de, jugūn de giyamun, kunesun tookabure de ai kemun, aika suwembe joboburahū seme, meni ambasa de hese wasimbufi, ulame suweni hūdašame genehe k'a mi sar de fonjiha bihe, suweni k'a mi sar i gisun, giyamun kunesun heni tookanjara ba akū sere jakade, teni membe takūraha sehe manggi, ifan sa fi cy i gisun, meni gurun i niyalma aniyadari dulimbai gurun de hūdašame genehede, kemuni colgoroko enduringge amba han i desereke kesi be alimbikai, ambasa ere jihede, giyamun kunesun be tookabure doro bio, damu ambasa i jihe babe, meni cagan han de donjibume takūraha, mejige isinjire unde, meni han i gisun akū oci, be ai gelhun akū, ambasa be cisui unggimbi,

---

來時，我大皇帝猶恐從爾國經過，沿途馬匹供應，不能接濟，騷擾爾等，特宣旨大臣傳詢爾商人哈密薩兒，爾哈密薩兒云：一應馬匹供應，斷不致悞。因此方遣我等前來，衣番薩非翅耑：我國人每年往中國貿易，屢蒙至聖大皇帝深恩，天使此來，一切馬匹供用，豈有遲悞之理，但天使前來情由，業已差人報知我國察罕汗，至今回信未至，我等未奉我汗之言，不敢擅令天使前往，

来时，我大皇帝犹恐从尔国经过，沿途马匹供应，不能接济，骚扰尔等，特宣旨大臣传询尔商人哈密萨儿，尔哈密萨儿云：一应马匹供应，断不致悮。因此方遣我等前来，衣番萨非翅端：我国人每年往中国贸易，屡蒙至圣大皇帝深恩，天使此来，一切马匹供用，岂有迟悮之理，但天使前来情由，业已差人报知我国察罕汗，至今回信未至，我等未奉我汗之言，不敢擅令天使前往，

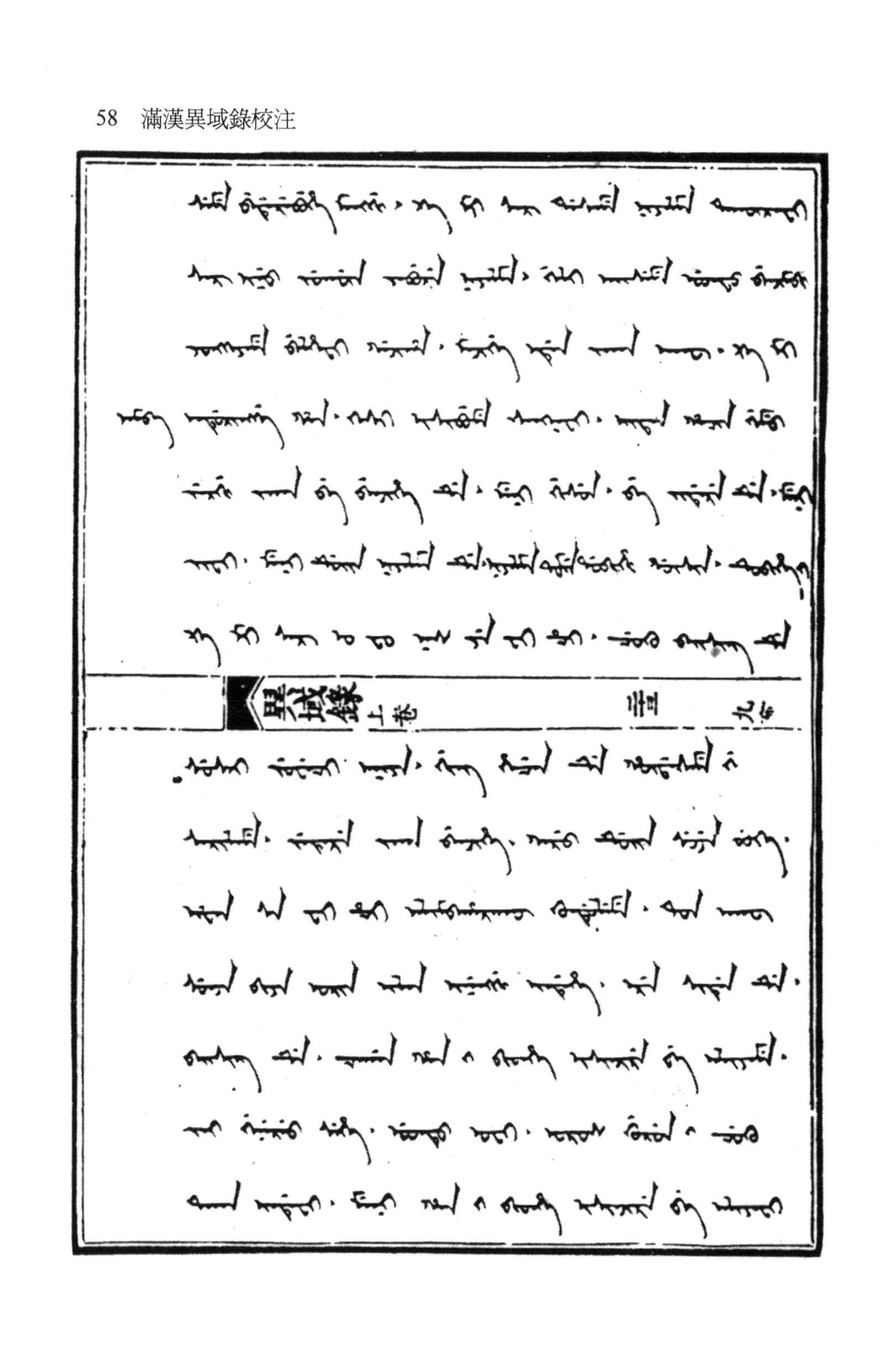

異域錄　上卷　　　九

taka indefi, meni han i bithe isinjire be aliyafi jai genereo sehe, uttu ofi, oros gurun i cuku baising de, cagan han i bithe isinjire be aliyame, sunja biya orin ilan inenggi indehe, ere siden de, ifan sa fi cy alimbaharakū kunduleme, ton akū sarilame, jetere jaka benjihe, karu duin suje buhe, susai juweci aniya, ging hecen de hūdašame genehe k'a mi sar o fo nas ye fi cy cuku baising de jifi, meni duin niyalma de, niyalma tome dobihi gūsin, tubihe i jergi jaka be benjihe de, meni gisun, be jidere de, meni amba enduringge han, kesi isibume šangnafi, eiten hacin gemu yongkiyame belhefi gajiha, majige eden jaka akū, k'a mi sar inu jugūn yabure niyalma, geli aiseme uttu benjimbi seme bederebuhe manggi, k'a mi sar dasame niyalma takūrafi

---

只得暫駐，俟我察罕汗信到，方可前往，因此在楚庫栢興地方（註二八），俟察罕汗信，一住五箇月零三日（註二九）。其間衣番薩非翅甚是欽敬，不時備宴延請，餽送食物，給與緞四疋。五十二年，往京師貿易之哈密薩兒、臥佛那斯夜非翅（註三〇），至楚庫栢興，于我四人處，各送白狐皮三十張，並某品等物，我等言來時蒙我大皇帝恩賜，一切所用什物，俱已全備，並無缺乏，爾哈密薩兒亦係行路之人，何勞如此餽送，璧辭，哈密薩兒遣人

只得暂驻，俟我察罕汗信到，方可前往，因此在楚库栢兴地方（注二八），俟察罕汗信，一住五个月零三日（注二九）。其间衣番萨非翅甚是钦敬，不时备宴延请，馈送食物，给与缎四疋。五十二年，往京师贸易之哈密萨儿、卧佛那斯夜非翅（注三〇），至楚库栢兴，于我四人处，各送白狐皮三十张，并某品等物，我等言来时蒙我大皇帝恩赐，一切所用什物，俱已全备，并无缺乏，尔哈密萨儿亦系行路之人，何劳如此馈送，璧辞，哈密萨儿遣人

註二八：楚庫栢興，案滿文作「鄂羅斯國楚庫栢興」，漢文刪略「鄂羅斯國」字樣"又案蒙古語「栢興」（baising）意即固定家屋，轉為村落之意。

註二九：五個月零三日，案滿文作「五個月二十三日），圖理琛等至楚庫栢興在康熙五十一年七月二十三日，翌年一月十六日起程，計住宿五個月又二十三日。

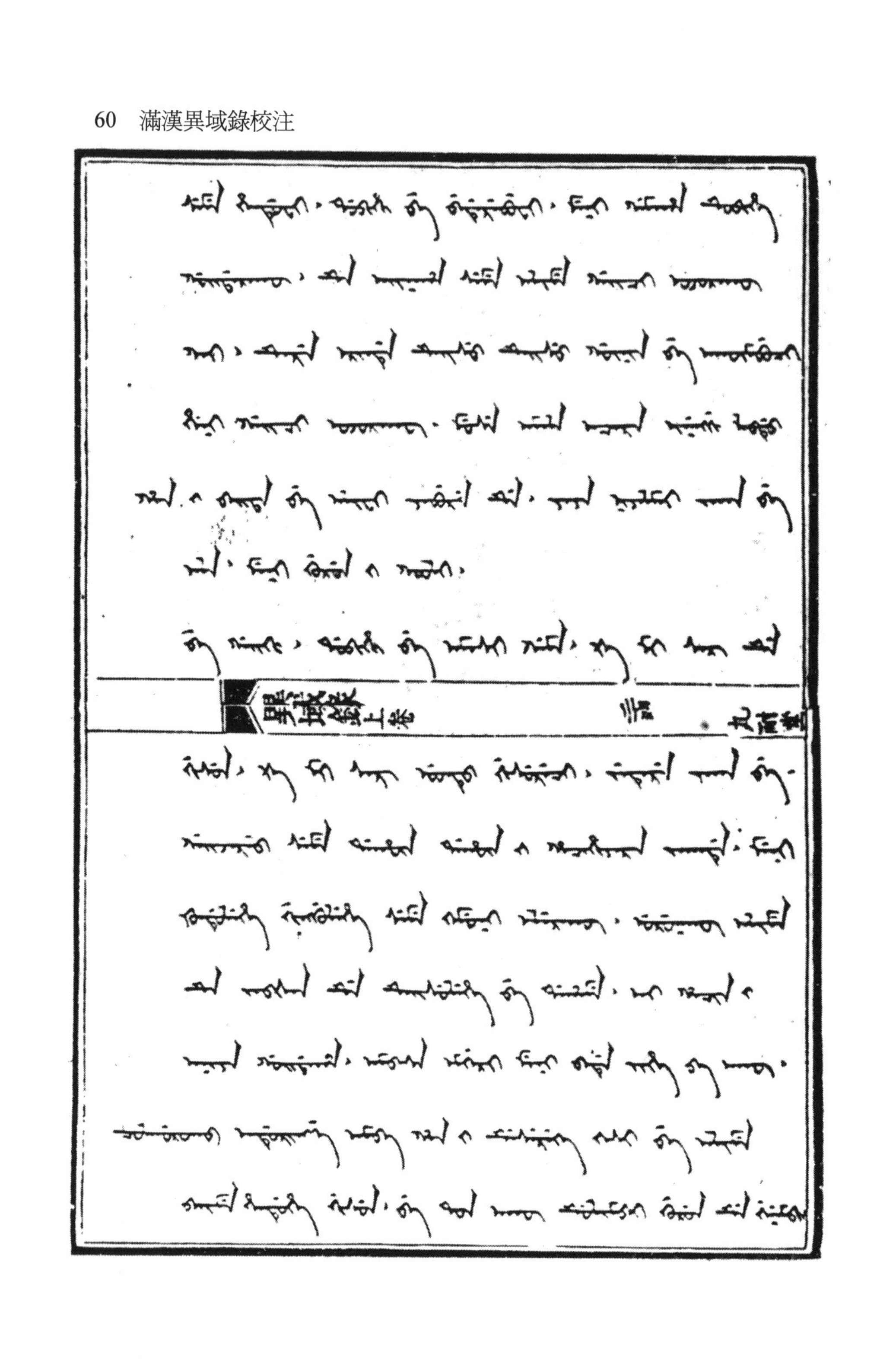

baime henduhe gisun, be ton akū dulimbai gurun de genembi, colgoroko enduringge amba han i desereke kesi be alime aniya goidaha, ambasa emgeri meni bade jihe ba akū, te jabšan de teisulehe be dahame, ai hacin i kundulehe ginggulehe seme kemuni elerakū, urunakū alime gaijareo seme dahūn dahūn i hacihiyara jakade, meni gisun, k'a mi sar uttu gisureci, jetere jaka be, be gaiki, dobihi be amasi gama, k'a mi sar de ala, meni gurun i kooli, han i baita be alifi yabure de, yaya niyalmai jaka be heni gaici ojorakū, muse amala acara inenggi labdu kai, tere erinde teisu teisu gūnin be akūmbuci goidarakū, te ainaha seme alime gaici ojorakū seme hendufi, dobihi be bederebufi, meni gamaha tubihe

---

復懇曰：我等不時往中國貿易，屢沾至聖大皇帝深恩有年，天使並不曾到我國地方，今既幸遇，雖盡心恭奉，猶爲不足，伏乞辱納，再三懇乞，我等言哈密薩兒既如此說，將食物收受，其狐皮發回，告爾哈密薩兒，我中國向來凡奉君命差遣人員，一切禮物毫不敢受，我等日後相見處甚多，彼時各自盡心，亦未爲晚，目下毫不敢受，卻其狐皮，荅以菓餅。

复恳曰：我等不时往中国贸易，屡沾至圣大皇帝深恩有年，天使并不曾到我国地方，今既幸遇，虽尽心恭奉，犹为不足，伏乞辱纳，再三恳乞，我等言哈密萨儿既如此说，将食物收受，其狐皮发回，告尔哈密萨儿，我中国向来凡奉君命差遣人员，一切礼物毫不敢受，我等日后相见处甚多，彼时各自尽心，亦未为晚，目下毫不敢受，却其狐皮，荅以菓饼。

（註三〇）臥佛那斯夜非翅，人名，鄂羅斯文作“Gregoire Afonasev Oskolkov”。

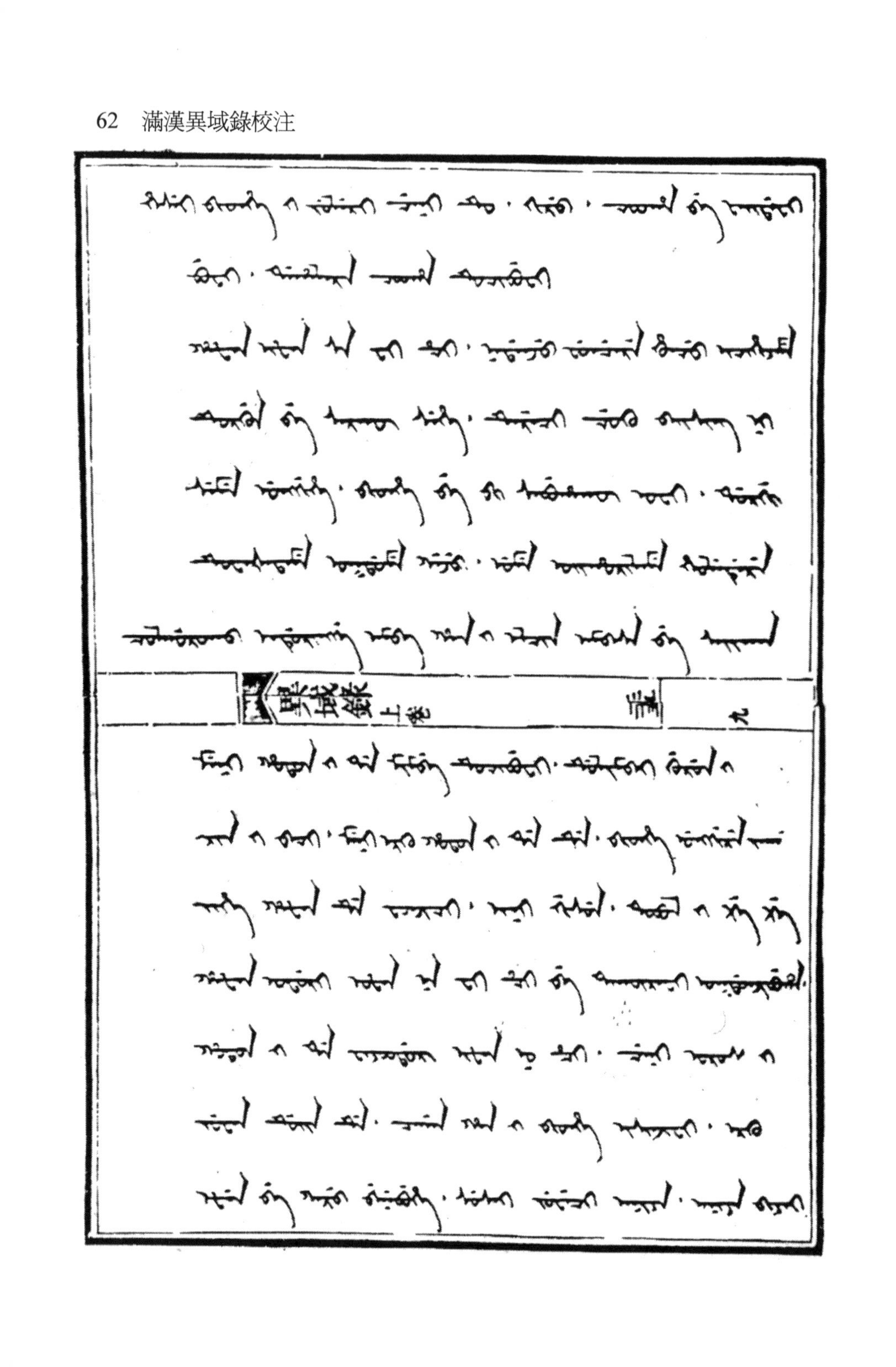

異域錄 上卷

efen be karu benebuhe, susai juweci aniya, aniya biyai juwan duin de, cagan han i bithe isinjifi, erku hoton i da fiyoodor ifan no cy, ceni oros i hafan undori ofan na fi cy be takūrafi okdonjibuha, jihe hafan de fonjici, ini gisun, tobol i g'a g'a rin i baci, meni erku hoton i da de, bithe unggire jakade, meni hoton i da mimbe tucibufi, dulimbai gurun i cologoroko enduringge amba han i elcin ambasa be saikan tuwašatame okdome gaju, ume oihorilame heoledere seme unggihe, bithe be bi sabuhakū ofi, dorgi turgun be sarkū sehe, tereci cuku baising ni hafan ifan sa fi cy, nadanju funcere huncu icihiyame bufi, dahalara cooha tucibufi hesei bithe i juleri ceni tu, kiru, cooha be faidafi

---

五十二年正月十四日，察罕汗信到，厄爾庫城頭目費多爾伊番訥翅（註三一），差伊鄂羅斯官溫多里臥番那非翅前來迎接。問其來歷，答曰：因托波兒總管噶噶林（註三二），移會厄爾庫城頭目，所以我頭目差我前來迎接至聖大皇帝天使，令我用心敬奉，不可輕慢，來文我不曾見，其中情由，不能得知，于是楚庫栢興官衣番薩非翅撥給拖床七十餘輛，並跟隨兵丁勃書前排列伊國旗幟兵丁

五十二年正月十四日，察罕汗信到，厄尔库城头目费多尔伊番讷翅（注三一），差伊鄂罗斯官温多里卧番那非翅前来迎接。问其来历，答日：因托波儿总管噶噶林（注三二），移会厄尔库城头目，所以我头目差我前来迎接至圣大皇帝天使，令我用心敬奉，不可轻慢，来文我不曾见，其中情由，不能得知，于是楚库栢兴官衣番萨非翅拨给拖床七十余辆，并跟随兵丁勃书前排列伊国旗帜兵丁

註三一：厄爾庫城，案叢書集成簡編、小方壺齋輿地叢鈔作「厄爾口城」，同音異譯。

註三二：托波兒，滿文讀如“tobol”，鄂羅斯文作“Tobolsk”。噶噶林，滿文讀如“g'a g'a rin”，其全名為“Methiev Pe-trovitch Gagarin”。

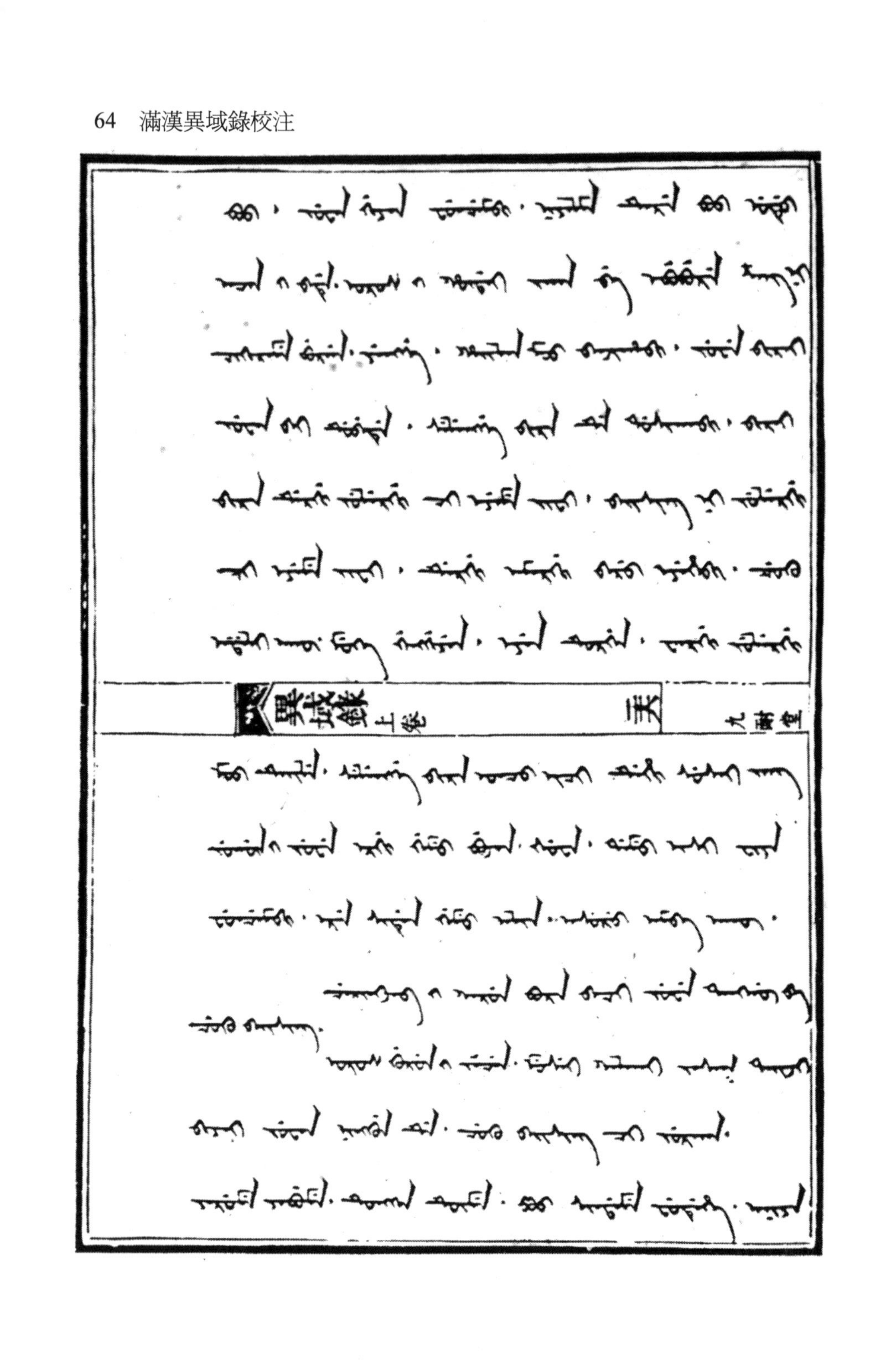

異域錄 上卷

yarume yabume, tungken tūme, poo sindame fudehe, aniya biyai juwan ninggun de, cuku baising ci juraka, cuku baising, oros gurun i jecen, musei kalkai jasak taiji ceringjab i karun bora baci juwe tanggū ba funcembi, ere siden gemu alin, asuru amba akū, jugūn i juwe ergi gemu bujan, šuwa, damu isi, fiya moo teile, selengge bira onco ici dehi susai jang adali akū, muke genggiyen, eyen turgen, wargi julergi ci eyeme jifi, dergi amargi baru eyehebi, cuku bira dergi julergi ci eyeme jifi, baising ni julergi juwan bai dubede, selengge bira de dosikabi, birai cikirame burga, yengge, hailan moo banjihabi, juwe birai acan i bade, oros i hūdai jaka be ebubure ts'ang ni boo, juwan giyan funcembi, niyalma tere boo udu

---

引導，擂鼓放炮相送，于正月十六日自楚庫栢興起程。楚庫栢興，係鄂羅斯國界，相隔我國喀爾喀部長台吉車陵扎布之邊界博拉地方二百餘里，其間皆山，不甚大，沿途皆林藪，惟有杉松樺樹而已，色楞格河寬四五十丈不等，水清溜急，自西南向東北而流，楚庫河來自東南，流至栢興之南十里外，歸入色楞格河，沿岸皆叢柳、櫻薁（註三三）、榆樹，二河交匯處有鄂羅斯收貯貨物倉房十餘間，居舍數間，

引导，擂鼓放炮相送，于正月十六日自楚库栢兴起程。楚库栢兴，系鄂罗斯国界，相隔我国喀尔喀部长台吉车陵扎布之边界博拉地方二百余里，其间皆山，不甚大，沿途皆林薮，惟有杉松桦树而已，色楞格河宽四五十丈不等，水清溜急，自西南向东北而流，楚库河来自东南，流至栢兴之南十里外，归入色楞格河，沿岸皆丛柳、樱薁（注三三）、榆树，二河交汇处有鄂罗斯收贮货物仓房十余间，居舍数间，

註三三：櫻薁，滿文讀如"ycnggc"，清文總彙謂"ycnggc"為野葡萄，生於樹，味澁，黑色，能治瀉，亦名臭李子，五體清文鑑作「稠李子」。

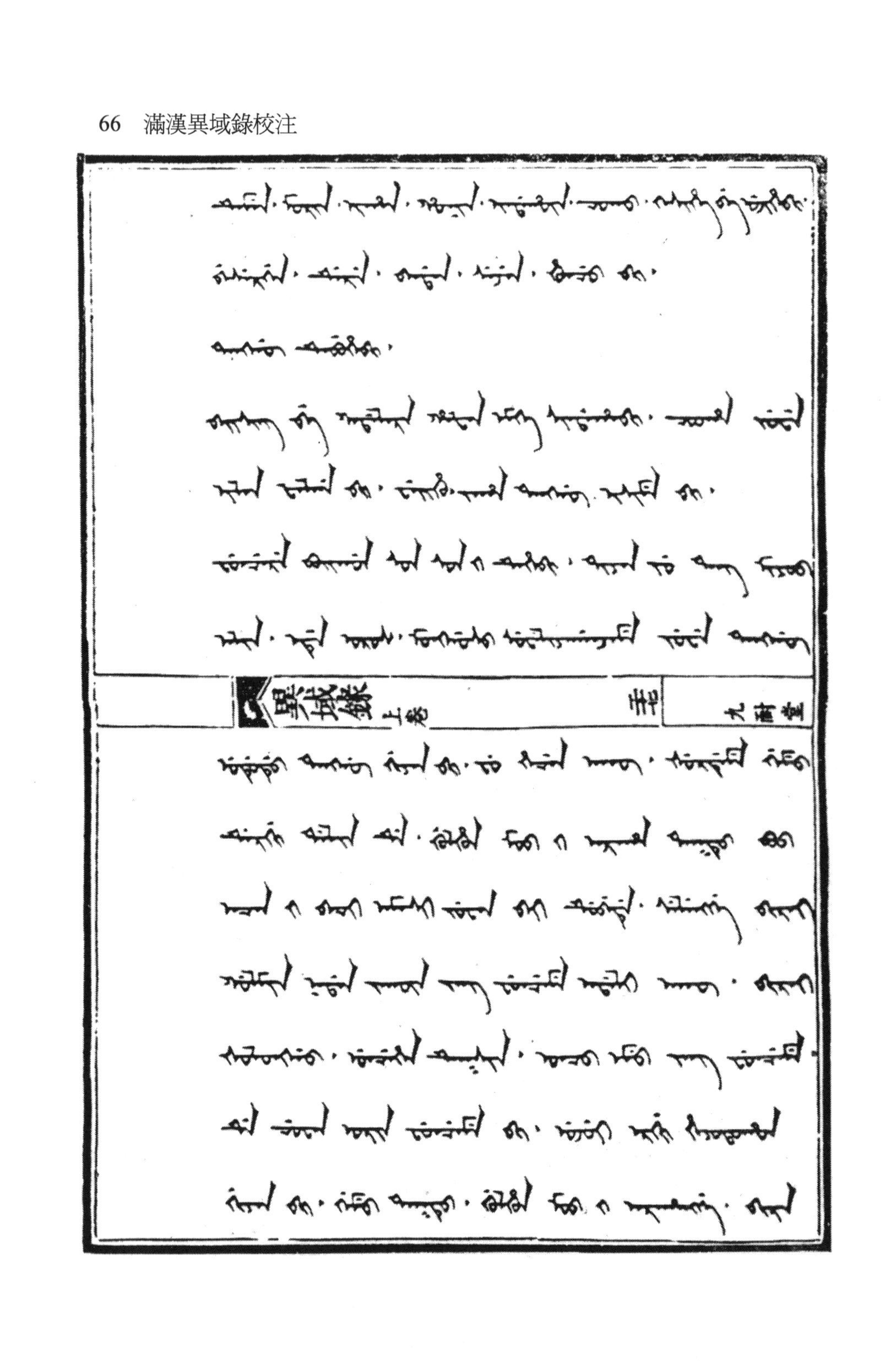

異域錄 上卷

giyan bi, gemu taktu, gulhun moo i arahangge, bira de cuwan orin funceme bi, ujui ergi hiyotohon šolonggo, uncehen teksin, onco emu jang funceme, golmin nadan jakūn jang funceme adali akū, birai acan i baci amasi juwan bai dubede, selengge birai dergi dalin de, gulhun moo i araha taktu boo ududu tanggū giyan bi, fu hecen akū, šurdeme gemu alin, ede oros, monggoso suwaliyaganjame juwe tanggū funcere boigon son son i tehebi, tiyan ju tang miyoo ilan falga bi, weihu, jaha tanggu isime bi, baising be kadalara hafan emke sindahabi, cooha juwe tanggū tebuhebi, besergen, dere, bandan, sejen, huncu bi. temen, morin, ihan, honin, indahūn, coko, kesihe be ujihebi.

皆樓房，用大木營治。河內有船二十餘隻，其船頭聳尾齊，寬丈餘，長七八丈不等。自二河交匯處以北十里外，色楞格河之東岸，有大木營治樓房百餘間，無城垣，四面皆山，此處鄂羅斯與蒙古人等二百餘戶相雜散處，有天主堂三座，小舟艇數百隻，設管轄栢興頭目一員，駐兵二百名。器用有床、桌、櫈、車、拖床。畜駝、馬、牛、羊、犬、雞、貓。

皆楼房，用大木营治。河内有船二十余只，其船头耸尾齐，宽丈余，长七八丈不等。自二河交汇处以北十里外，色楞格河之东岸，有大木营治楼房百余间，无城垣，四面皆山，此处鄂罗斯与蒙古人等二百余户相杂散处，有天主堂三座，小舟艇数百只，设管辖栢兴头目一员，驻兵二百名。器用有床、桌、櫈、车、拖床。畜驼、马、牛、羊、犬、鸡、猫。

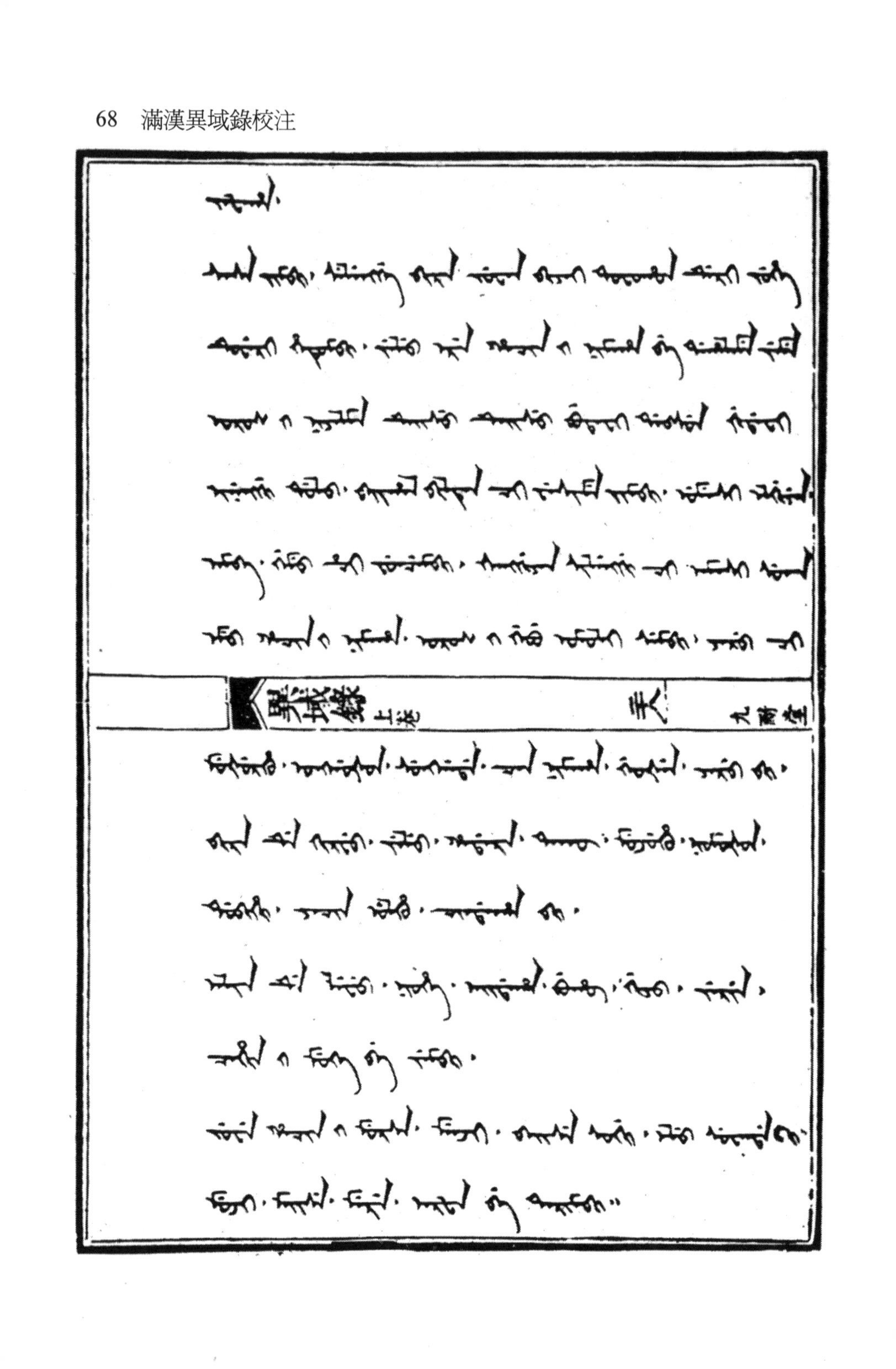

muji, maise, mere, arfa be tarimbi. juwe hacin i mursa, menji, baise sogi, elu, suwanda bi. cahin i muke be jembi. alin de lefu, niohe, aidahan, buhū, giyo, jerin, dobihi, yacin ulhu, cindahan bi. bira de kirfu, jelu, hadara, takū, mujuhu, niomošon, mušurhu, onggošon, sunggada, can nimaha, geošen, yaru bi. emu hacin i nimaha, oros i gebu omoli sembi, yaru ci amba, gemu cy funcembi, šanggiyan silenggi ci amasi sunja inenggi dolo, baihal bilten ci wesime jimbi, umesi elgiyen, oros i niyalma teisu teisu butafi dabsun gidafi tuweri hetumbi, jelu ere hacin i nimaha be dahalame jeme sasa jimbi, selengge bira juwan biyai tofohon deri juhe jafaha.

種大麥、小麥、蕎麥、油麥。有兩種蘿蔔、蔓青、白菜、葱、蒜（註三四）。山中有熊、狼、野豬、鹿、狍、黃羊、狐狸、灰鼠、白兔。河內有鯝魚、鰌魚魯魚、哈打拉魚、他庫魚、鯉魚、石斑魚、穆舒兒呼魚、鯽魚、松阿打魚、禪魚、勾深魚、牙魯魚。一種魚鄂羅斯呼爲鄂莫裏，大似牙魯，長尺餘（註三五），于白露後五日內，由栢海兒湖逆流而來，甚多，鄂羅斯國人各行漁捕，醃以度臘，鰌魚魯以此魚爲食，相繼而來，其色楞格河于十月中旬始凍。

种大麦、小麦、蕎麦、油麦。有两种萝卜、蔓青、白菜、葱、蒜（注三四）。山中有熊、狼、野猪、鹿、狍、黄羊、狐狸、灰鼠、白兔。河内有鯝鱼、鰌鱼鲁鱼、哈打拉鱼、他库鱼、鲤鱼、石班鱼、穆舒儿呼鱼、鲫鱼、松阿打鱼、禅鱼、勾深鱼、牙鲁鱼。一种鱼鄂罗斯呼为鄂莫里，大似牙鲁，长尺余（注三五），于白露后五日内，由栢海儿湖逆流而来，甚多，鄂罗斯国人各行渔捕，腌以度腊，鰌鱼鲁以此鱼为食，相继而来，其色楞格河于十月中旬始冻。

註三四：滿文於蔥蒜一句之後接“cahin i muke be jembi”，意即「飲用井水」，漢文刪略未譯。

註三五：長尺餘，案叢書集成簡編作「長丈餘」，小方壺齋輿地叢鈔亦作「長丈餘」，俱誤。

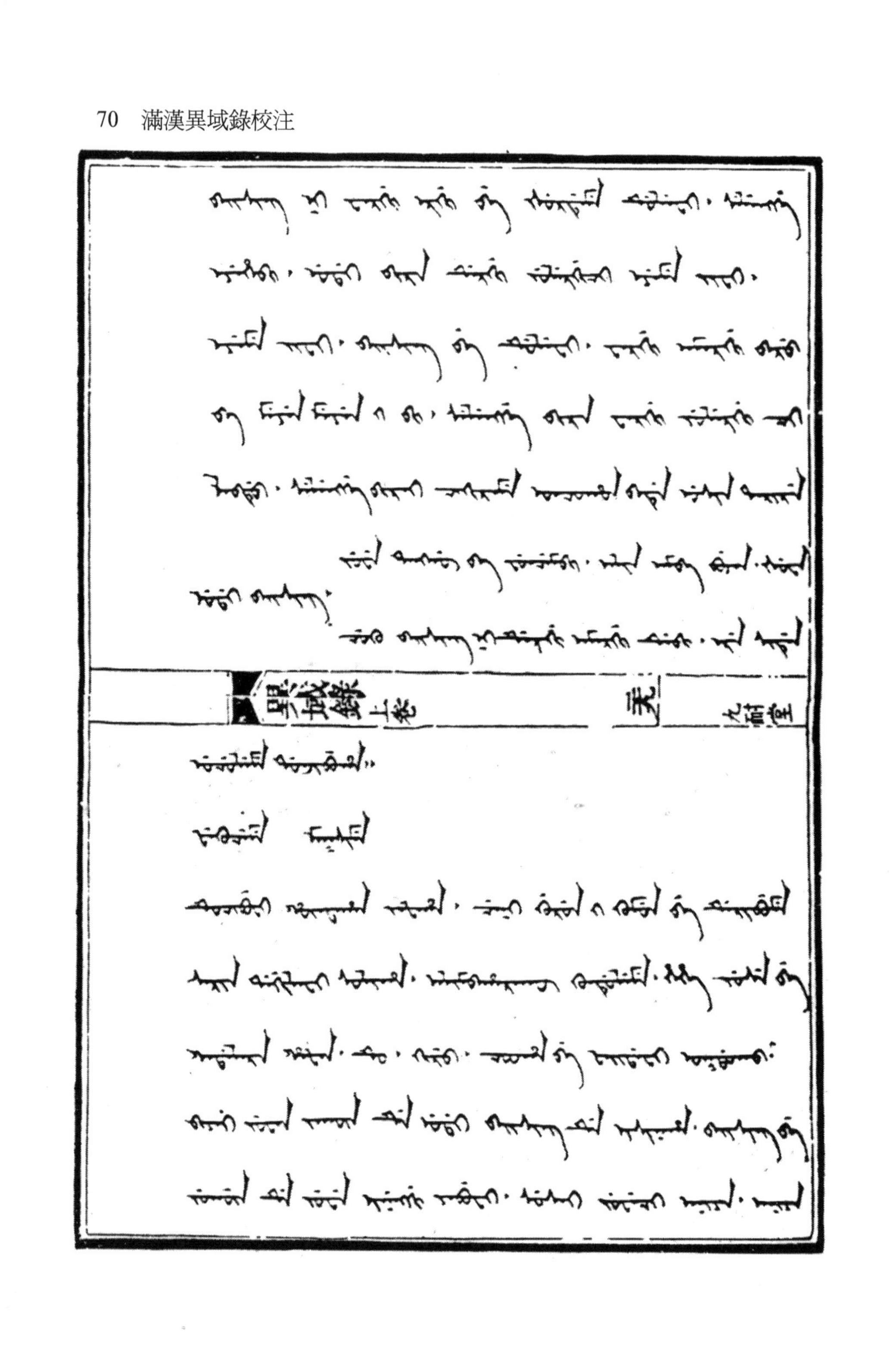

異域錄 上卷

jugūn de juwe inenggi yabufi, susai juweci aniya, aniya biyai juwan jakūn de udi baising de isinaha, baising be kadalara hafan, tu kiru cooha be faidafi okdoko, sarin dagilafi soliha, alimbaharakū kundeleme, hehe juse be tucibufi hūntahan jafaha, ceni gurun i kumun be deribume fekuceme maksime uculeme donjibuha. udi baising, cuku baising ni dergi amargi debi, ere siden juwe tanggū ba funcembi, alin amba, bujan šuwa labdu, selengge birai cikirame oncohon bade usin tarire ba meyen meyen i bi, selengge bira wargi julergi ci eyeme jifi, baising be dulefi, wargi amargi baru eyehebi, udi bira dergi julergici eyeme jifi, baising ni wargi ergi be šurdeme dulefi, selengge

---

途中行二日，於十八日至烏的栢興（註三六），管栢興官排兵列幟迎接訖，設宴欵待，深加欽敬，出其妻子獻酒，作伊國之音樂，跳躍以爲娛。烏的栢興，在楚庫栢興之東北，相去二百餘里，山高大，多林藪，色楞格河邊寬闊之處，間有田畝，色榜格河自西南流過栢興（註三七），向西北而流，烏的河自東南來，于栢興之西，遶流歸入色楞格

途中行二日，于十八日至乌的栢兴（注三六），管栢兴官排兵列帜迎接讫，设宴欵待，深加钦敬，出其妻子献酒，作伊国之音乐，跳跃以为娱。乌的栢兴，在楚库栢兴之东北，相去二百余里，山高大，多林薮，色楞格河边宽阔之处，间有田亩，色榜格河自西南流过栢兴（注三七），向西北而流，乌的河自东南来，于栢兴之西，遶流归入色楞格

註三六：於十八日至烏的栢興，滿文作「於五十二年正月十八日至烏的栢興」，漢文刪略年月。

註三七：色榜格河，案叢書集成簡編作「色楞格河」，滿文讀如“se-lengge”，此「榜」當作「楞」。

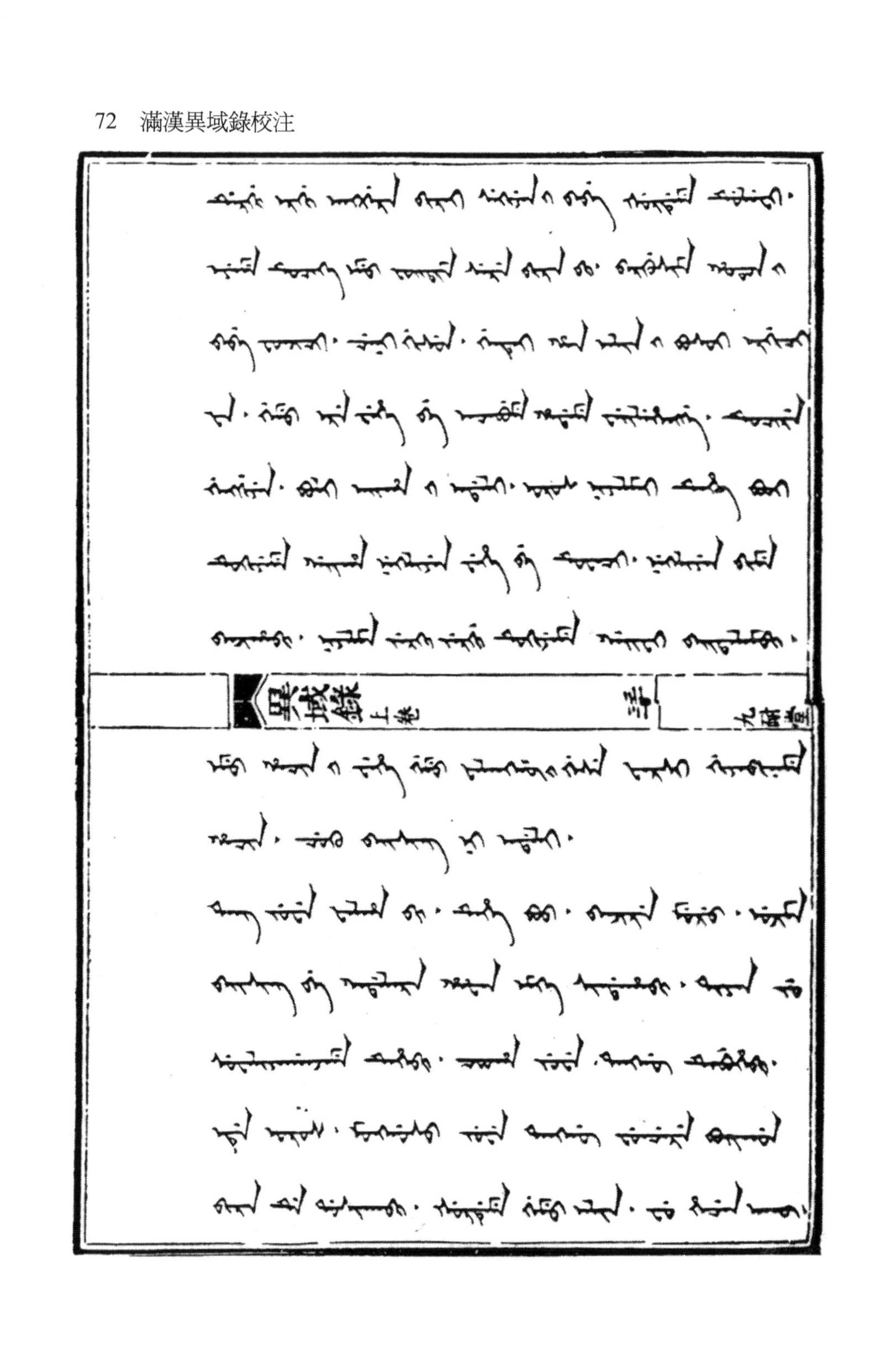

bira de dosikabi, šurdeme gemu alin, fu hecen akū, ede oros, monggoso juwe tanggū funcere boigon suwaliyaganjame tehebi, cooha juwe tanggū tebuhebi, baising be kadalara hafan emke sindahabi, tiyan ju tang juwe falha bi, tehe boo, banjire muru, ujima hacin, cuku baising ni adali. emu hacin i wehe gemu falanggū i gese farsi giyapiname banjihabi, niyalma jergi jergi tukiyeme gaifi baitalambi, tukiyeme gaiha nekeliyen wehe be tuwaci, nekeliyen bime genggiyen, boli aiha i adali, oros niyalmai tehe booi fa, gemu ere wehe be acabume hadame weilehengge, tucire babe fonjici, ceni gisun, gentei han alin i bosoi ergici eyeme tucike emu foitim sere bira bi, bargusim hoton i dergi ergi anggara birai sekiyen i babe šurdeme dulefi,

---

河，四面皆山，無城垣，此處鄂羅斯與蒙古人等二百餘戶雜處，駐兵二百名，設管轄栢興頭目一員，有天主堂二座，其廬舍、生計、牲畜，與楚庫植興同。一種石片，其大如掌，層疊而生，人皆按層揭取而用，視其所揭石片，薄而透明，似玻璃琉璃之類，鄂羅斯國人所居廬舍之意牖，皆以此石片合釘爲之，問其所出，言有一費提穆河，自根特汗山之陰流出，由巴爾古西穆城之東，繞過昂噶拉河源，

河，四面皆山，无城垣，此处鄂罗斯与蒙古人等二百余户杂处，驻兵二百名，设管辖栢兴头目一员，有天主堂二座，其庐舍、生计、牲畜，与楚库植兴同。一种石片，其大如掌，层迭而生，人皆按层揭取而用，视其所揭石片，薄而透明，似玻璃琉璃之类，鄂罗斯国人所居庐舍之意牖，皆以此石片合钉为之，问其所出，言有一费提穆河，自根特汗山之阴流出，由巴尔古西穆城之东，绕过昂噶拉河源，

異域錄 上卷

jurge bira de dosikabi, ere birai dalirame bisire alin de, ere wehe tucimbi, mosk'owa, tobol i jergi bade gemu erebe baitalambi sembi, geli ilan inenggi yabufi, orin emu de, baihal bilten i julergi dalin i bosolisk'o sere bade tataha, jugūn i unduri gemu amba alin, weji, jugūn i dalbade gemu usin tarihabi, ere siden dzeyanghai, hara gol sere juwe gašan bi, gemu oros tehebi, asuru labdu akū, baihal bilten be tuwaci šurdeme geren alin sireneme banjihabi, duin dere niowari niori, sukdun suman buruhun i borgohobi, moo bujan luku fisin, boljon colkon umesi amba, hūwai seme jecen dalin akū. baihal bilten, udi baising ci wargi amargi baru ilan tanggū ba funceme yabuha manggi isinambi, jugūn i juwe ergi gemu amba alin, bujan šuwa, ere siden ajige baising

---

歸入朱爾克河，其沿河山內產此石片，莫斯科窪城、托波兒等處，皆用此石。又越三宿，于二十一日至栢海兒湖之南岸博索兒伊斯科地方（註三八），沿途皆大山林藪，路傍俱田畝，此間有則陽海及哈拉果兒兩村落，皆鄂羅斯居住，不甚稠密，其栢海兒湖週圍，諸山連繞，四面菁蔥，嵐氛杳靄，林木蒼鬱，波浪浩瀚，極目無際。栢海兒湖，自烏的梧興向西北行三百餘里方至，沿途皆大山林藪，其間有小栢興

归入朱尔克河，其沿河山内产此石片，莫斯科洼城、托波儿等处，皆用此石。又越三宿，于二十一日至栢海儿湖之南岸博索儿伊斯科地方（注三八），沿途皆大山林薮，路傍俱田亩，此间有则阳海及哈拉果儿两村落，皆鄂罗斯居住，不甚稠密，其栢海儿湖周围，诸山连绕，四面菁葱，岚氛杳霭，林木苍郁，波浪浩瀚，极目无际。栢海儿湖，自乌的梧兴向西北行三百余里方至，沿途皆大山林薮，其间有小栢兴

註三八：博索兒伊斯科，案叢書集成簡編作「博索爾斯科」，小方壺齋輿地叢鈔同。

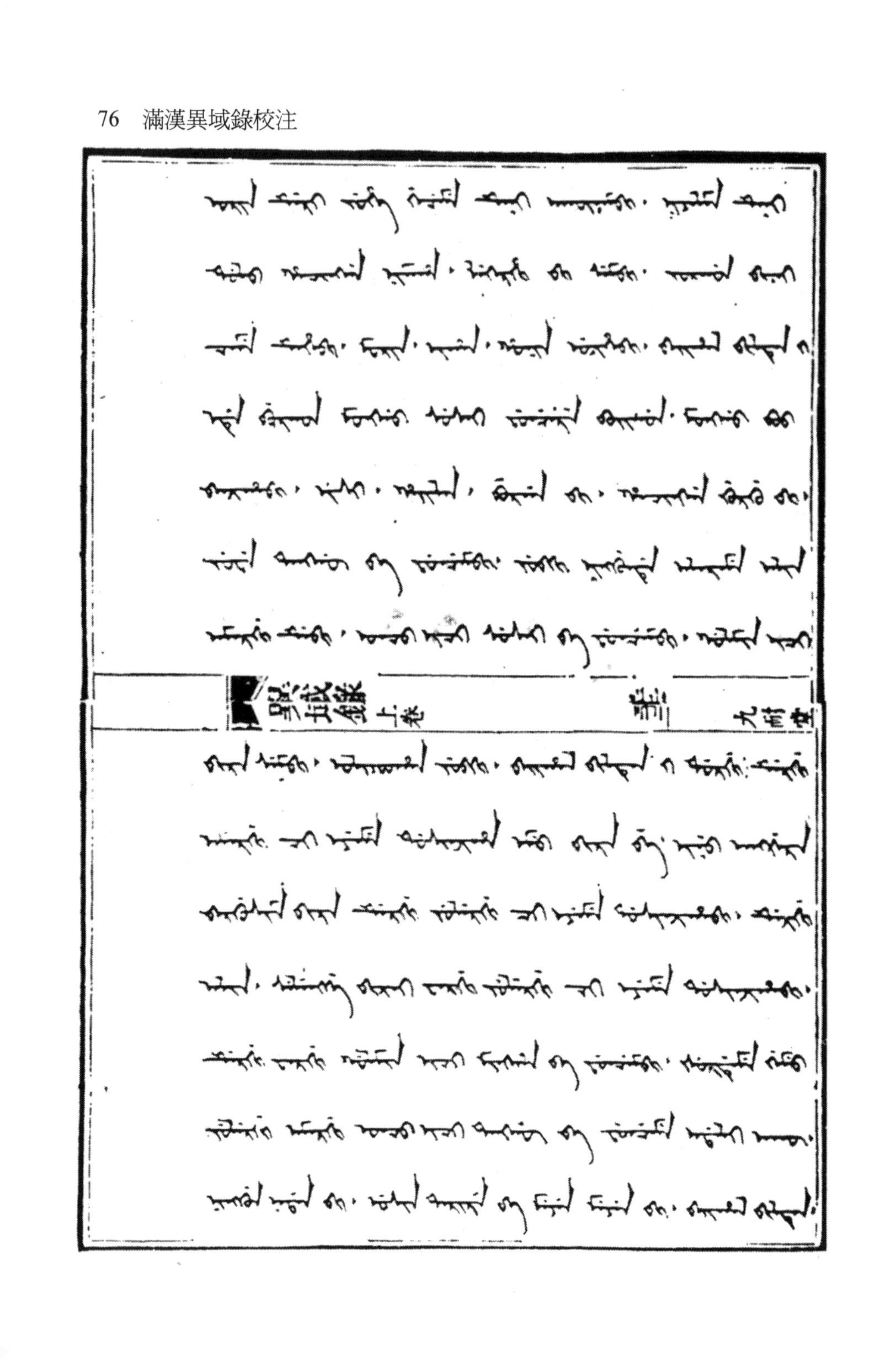

異域錄　上卷

ninggun nadan bi, usin tarire ba meyen meyen bi, baihal bilten, julergi amargi onco ici tanggū ba funceme adali akū, dergi wargi golmin ici minggan ba funcembi, šurdeme gemu alin, selengge birai wargi julergi ci eyeme dosinjihabi, bargusim bira dergi julergi ci eyeme dosinjihabi, dergi amargi ci eyeme dosinjiha emu bira be, inu angg'ara bira sembi, oliyoohan jubki, baihal bilten i dorgi dergi amargi debi, onco ici susai ba funcembi, golmin ici juwe tanggū ba funcembi, jubki ninggunde alarame alin banjihabi, isi hailan burga bi, hacingga gurgu bi, ede burat monggo susai funcere boigon, monggo boo came tehebi, morin ihan honin ujihebi, baihal bilten i dolo hacingga nimaha lekerhi bi sembi, jorgon biyai orin deri juhe geceme teni akūnambi, niyalma teni

---

六七處，間有田畝，栢海兒湖南北有百餘里不等，東西有千餘里，四面皆山，色楞格河自西南流入，其巴爾古西穆河自東南流入，從東北流入，又有一河名曰昂噶拉河，鄂遼漢洲居栢海兒湖內之東北，瀾五十餘里，長二百餘里，其洲之上有山崗，產杉、松、榆樹、叢柳，並各種野獸，布拉特蒙古五十餘戶遊牧于此，畜牛羊馬匹。栢海兒湖內產各種魚及獺，于十二月下旬冰始結實，人方

六七处，间有田亩，栢海儿湖南北有百余里不等，东西有千余里，四面皆山，色楞格河自西南流入，其巴尔古西穆河自东南流入，从东北流入，又有一河名曰昂噶拉河，鄂辽汉洲居栢海儿湖内之东北，澜五十余里，长二百余里，其洲之上有山岗，产杉、松、榆树、丛柳，并各种野兽，布拉特蒙古五十余户游牧于此，畜牛羊马匹。栢海儿湖内产各种鱼及獭，于十二月下旬冰始结实，人方

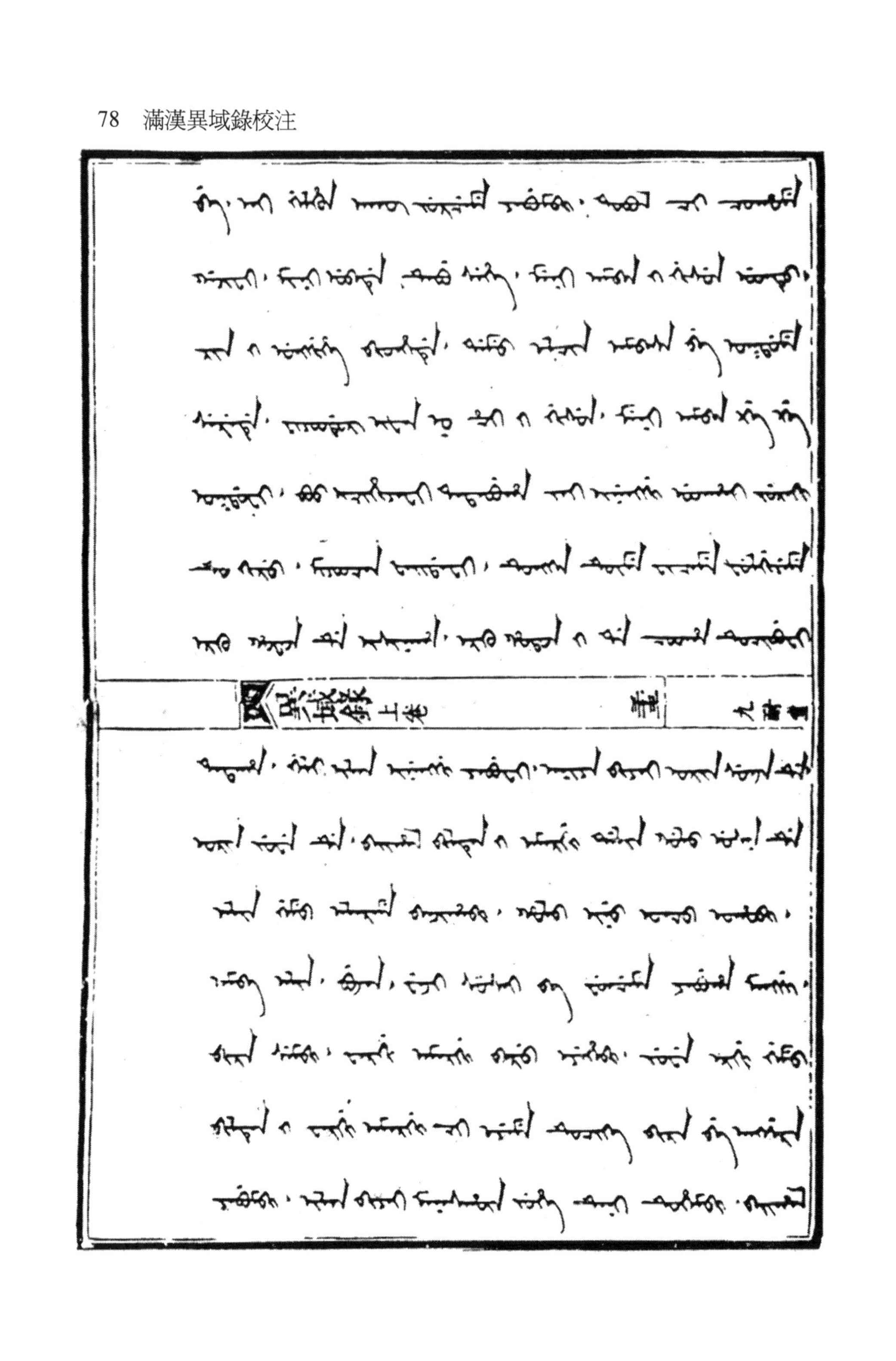

yabumbi, ilan biyai manashūn juhe teni tuhembi, baihal bilten i wargi amargi ci eyeme tucike bira be angg'ara bira sembi, wargi amargi baru eyehebi, juwe ergi gemu amba alin, bujan weji, susai ba funceme yabuha manggi, alin gemu alarame banjihabi, holo inu onco ohobi. orin juwe de, baihal bilten i amargi dalin golo usna de tataha, geli ilan inenggi yabufi, aniya biyai orin sunja de, erku hoton de isinaha, erku hoton i da, cooha tucibufi tu kiru, miyoocan faidafi, tungken tūme ficame fulgiyeme okdofi, boo icihiyafi tatabuha, jai inenggi uthai juraki serede, fiyoodor ifan no cy i gisun, meni amban g'a g'a rin i unggihe bithede, damu elcin ambasa be okdome gajifi, mini ubade tebu sehe, meni amban i gisun uttu, be ai gelhun akū jurceme yabumbi, tobol ci cohome

---

行走，三月盡，冰始解，栢海兒湖之西北，流出一河，亦名曰昂噶拉河，向西北而流，兩岸皆大山林藪，約行五十餘里，皆山崗，川谷寬濶。二十二日，至栢海兒湖之北岸果落烏斯那地方，又越三宿，于二十五日（註三九），至厄爾庫城，其頭目排列旗幟鳥鎗（註四〇），鼓吹而迎，鋪設公署，欵留安歇，即欲起程（註四一），費多爾衣番訥翅曰：我國總管噶噶林來文，只教將天使等接來此處居住，總管之言如此，我不敢少違，偰托波兒處特差

行走，三月尽，冰始解，栢海儿湖之西北，流出一河，亦名曰昂噶拉河，向西北而流，两岸皆大山林薮，约行五十余里，皆山岗，川谷宽澜。二十二日，至栢海儿湖之北岸果落乌斯那地方，又越三宿，于二十五日（注三九），至厄尔库城，其头目排列旗帜鸟鎗（注四〇），鼓吹而迎，铺设公署，欵留安歇，即欲起程（注四一），费多尔衣番讷翅曰：我国总管噶噶林来文，只教将天使等接来此处居住，总管之言如此，我不敢少违，偰托波儿处特差

註三九：二十五日，滿文作「正月二十五日」，漢文刪略月分。

註四〇：其頭目排列旗幟鳥鎗，滿文作「厄爾庫城頭目派出士兵排列旗幟鳥鎗」，漢文簡略。

註四一：即欲起程，滿文作「次日即欲起程」，漢文刪略「次日」字樣。

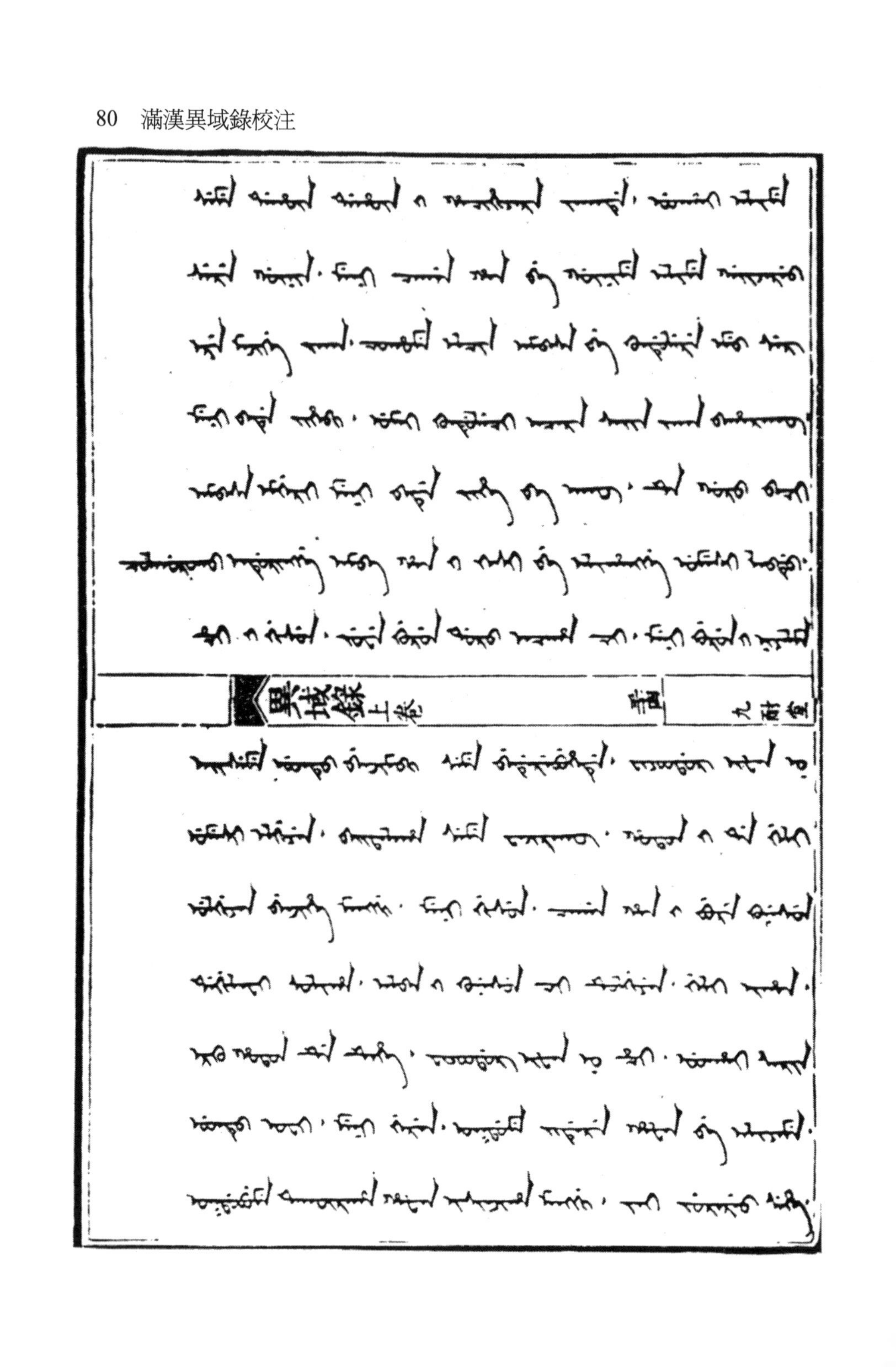

異域錄 上卷

okdobume takūraha hafan isinjiha manggi, jai jurareo sehe, uttu ofi, meni geren, okdome jidere hafan be aliyame, erku hoton de tehe, fiyoodor ifan no ci, uthai sarin dagilafi soliha, alban i kunesun ci tulgiyen, geli ihan, ulgiyan benjihe manggi, meni gisun, cagan han i bure kunesun umesi elgiyen, baitalaha seme wajirakū, hoton i da geli aiseme uttu benjimbi seme bederebuhede, fiyoodor ifannocyigisun, juwe gurun doro acaha ci, meni gurun i niyalma colgoroko enduringge amba han i kesi be alihangge umesi labdu, ambasa emgeri meni bade jihe ba akū, te goro baci meni bade jihebi, umai kunduleci acara sain jaka baharakū, ere majige jaka, cohome elcin ambasa be kundulere emu ser sere gūnin, meni cagan han be gūnime alime gaijareo seme dahūn dahūn i hacihiyara jakade, uthai alime

---

迎接官員到日，方可起行，于是因候迎接官到駐扎厄爾庫城，費多爾衣番訥翅備宴延請，于官給之外，又送牛豕，我等言爾國察罕汗供給之物甚是豐裕，不可勝用，頭目又何必如此餽送，遂卻之。費多爾衣番訥翅曰：自兩國和議以來，我國人民蒙至聖大皇帝恩澤甚多，天使從未一至，今遠降敝處，並無佳品可獻，此些微之物，乃奉敬天使微忱，念我國察罕汗，望乞辱留，再三懇求，遂俱受之。

迎接官员到日，方可起行，于是因候迎接官到驻扎厄尔库城，费多尔衣番讷翅备宴延请，于官给之外，又送牛豕，我等言尔国察罕汗供给之物甚是丰裕，不可胜用，头目又何必如此馈送，遂却之。费多尔衣番讷翅曰：自两国和议以来，我国人民蒙至圣大皇帝恩泽甚多，天使从未一至，今远降敌处，并无佳品可献，此些微之物，乃奉敬天使微忱，念我国察罕汗，望乞辱留，再三恳求，遂俱受之。

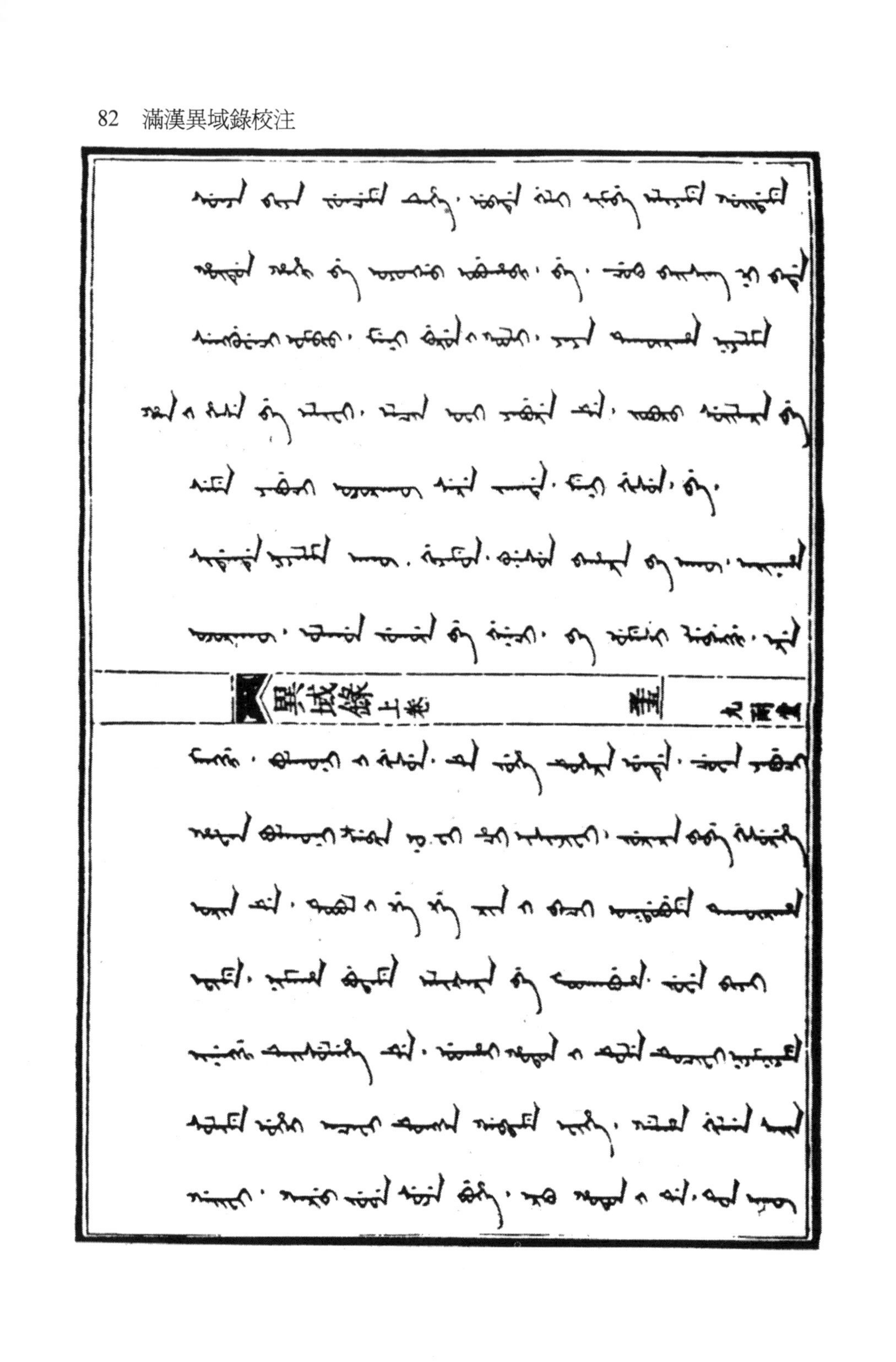

異域錄上卷

gaifi, karu juwe suje buhe, erku hoton i da, ton akū solime uhei acafi tungken gabtame efihe, galga gilga sain inenggi teisulehe de, uthai hoton i tule tucifi, niyamniyame efime, nimaha butame ališara be tookabuha, juwe biyai orin de, tobol i g'a g'a rin i baci okdobume takūraha hafan bolkoni ts'ebin no fi cy isinjifi, jurara babe gisurehe manggi, bolkoni i gisun, te juhe tuhere unde, cuwan yabuci ojorakū, olgon jugūn be geneci, ba umesi lebenggi, ere sidende niyalma akū, giyamun, kunesun bahara ba akū, ainaha seme yabuci ojorakū sere jakade, meni gisun, be, han i hese be alifi, elcin ofi yabure de, joboro suilara be sengguweci ombio, meni gurun i kooli, yaya takūraha niyalma hūdun hahi be oyonggo obuhabi, be, cuku baising ni bade sunja biya funceme tehe, ubade geli simbe aliyame goidame

---

酬緞二疋，厄爾庫城頭目不時邀請，會同射的，每遇天氣晴朗之時，即出城外騎射捕魚以適懷。二月二十二日（註四二），托波兒處噶噶林差迎接官博兒科泥冊班訥非翅至（註四三），即欲起程，博兒科泥曰：今河泳未泮，舟不能行，陸路泥陷，人烟斷絕，一切馬匹供用，難于置辦，斷不可行，我等言奉君命差使，豈憚勞苦，況我中國凡奉差人員俱以急速爲務，我等在楚庫栢興地方，已住五月有餘，在此又久候爾等，

酬缎二疋，厄尔库城头目不时邀请，会同射的，每遇天气晴朗之时，即出城外骑射捕鱼以适怀。二月二十二日（注四二），托波儿处噶噶林差迎接官博儿科泥册班讷非翅至（注四三），即欲起程，博儿科泥曰：今河泳未泮，舟不能行，陆路泥陷，人烟断绝，一切马匹供用，难于置办，断不可行，我等言奉君命差使，岂惮劳苦，况我中国凡奉差人员俱以急速为务，我等在楚库栢兴地方，已住五月有余，在此又久候尔等，

註四二：二月二十二日，滿文作「二月二十日」，滿漢文日期歧異。

註四三：博兒科泥冊班訥非翅，案叢書集成簡編作「博爾果付泥克四鐵斑訥委翅」。

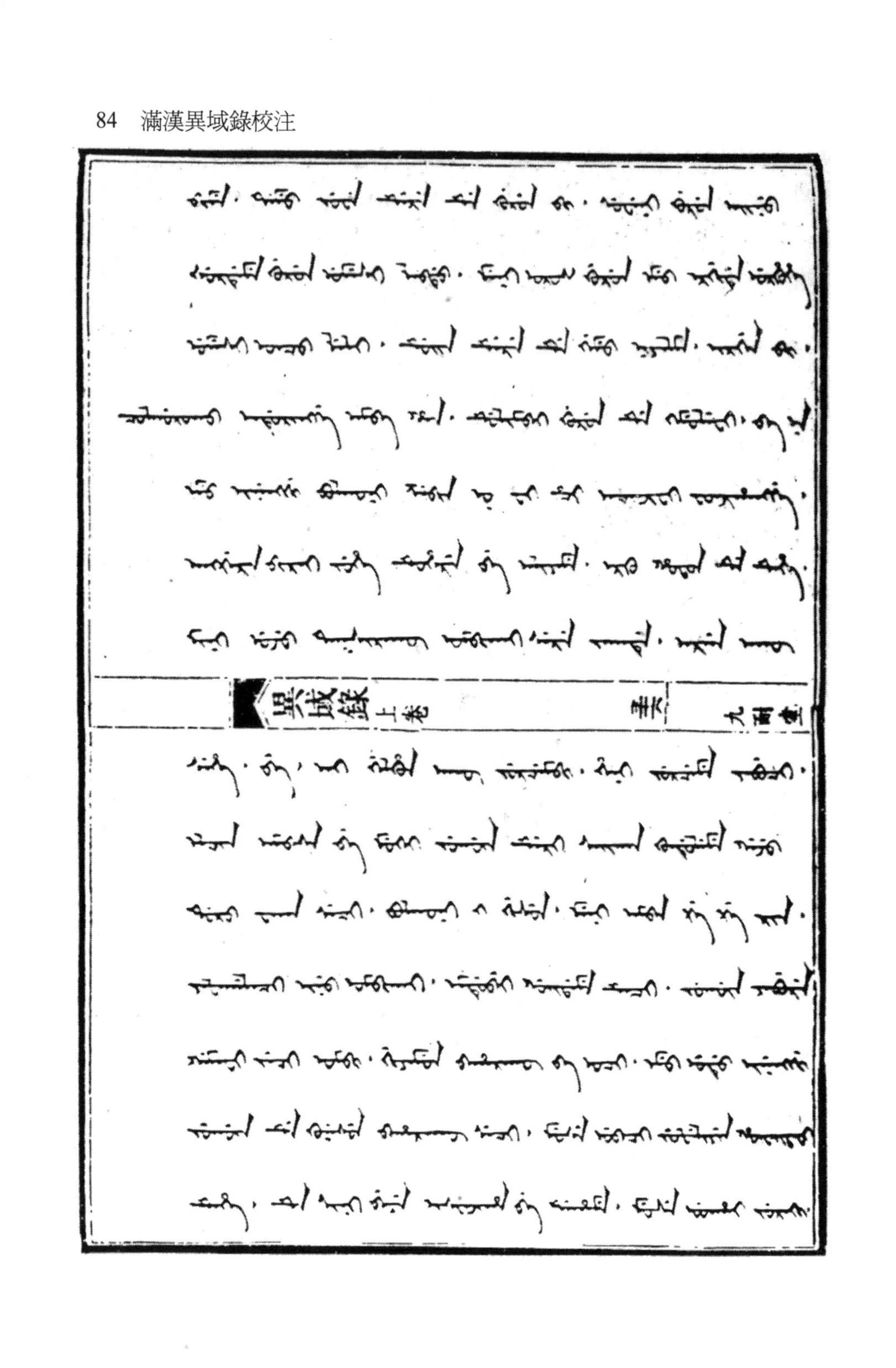

tehe, te sini beye isinjiha be dahame, muse uthai juraki, jugūn de kunesun baharakū seci, muse ubaci jufeliyen hūwaitafi gamafi jeci ombi, giyamun baharakū ba oci, emu udu inenggi yafagalaci inu ombikai, emdubei goidame teci, jugūn yabure doro waka seci, bolkoni i gisun, meni amban g'a g'a rin, elcin ambasa be mukei jugūn deri saikan kunduleme gaju sehe, be, ai gelhun akū jurcembi, heni jurceme yabuci, mini uju taksirakū ombikai sere jakade, arga akū angg'ara birai juhe tuhere be aliyame, ekru hoton de tehe, emu inenggi bolkoni ts'ebin no fi cy acanjifi fonjihangge, colgoroko enduringge amba han, dulimbai gurun de kemulefi, ba na umesi onco leli, duin dere de gemu niyalma irgen bi, šurdeme gurun umesi labdu, meni oros gurun emu ergide urhuhe bime, damu juwe dere de gurun bi, suweni gurun ainu

---

今爾已到，即可起行，若途中不得供用之物，即于此處攜帶乾糧可食，倘不得馬匹，雖步行幾日亦可，只管久住，非行路之計，于我中國之例甚屬不便。博爾科泥曰：我國總管噶噶林吩咐將天使大人由水路接來，須深加欽敬，不可少有怠忽，怎敢違拗，稍有違拂，我身首難保，于是住厄爾庫城候昂噶拉河泳解。一日，博爾科泥冊班訥非翅來見，問中國至聖大皇帝建都中華，幅幀遼濶，四面皆有人民，週圍國度甚多，我鄂羅斯國偏僻一方，止兩面有國度，爾中國何

今尔已到，即可起行，若途中不得供用之物，即于此处携带干粮可食，倘不得马匹，虽步行几日亦可，只管久住，非行路之计，于我中国之例甚属不便。博尔科泥曰：我国总管噶噶林吩咐将天使大人由水路接来，须深加钦敬，不可少有怠忽，怎敢违拗，稍有违拂，我身首难保，于是住厄尔库城候昂噶拉河泳解。一日，博尔科泥册班讷非翅来见，问中国至圣大皇帝建都中华，幅帧辽润，四面皆有人民，周围国度甚多，我鄂罗斯国偏僻一方，止两面有国度，尔中国何

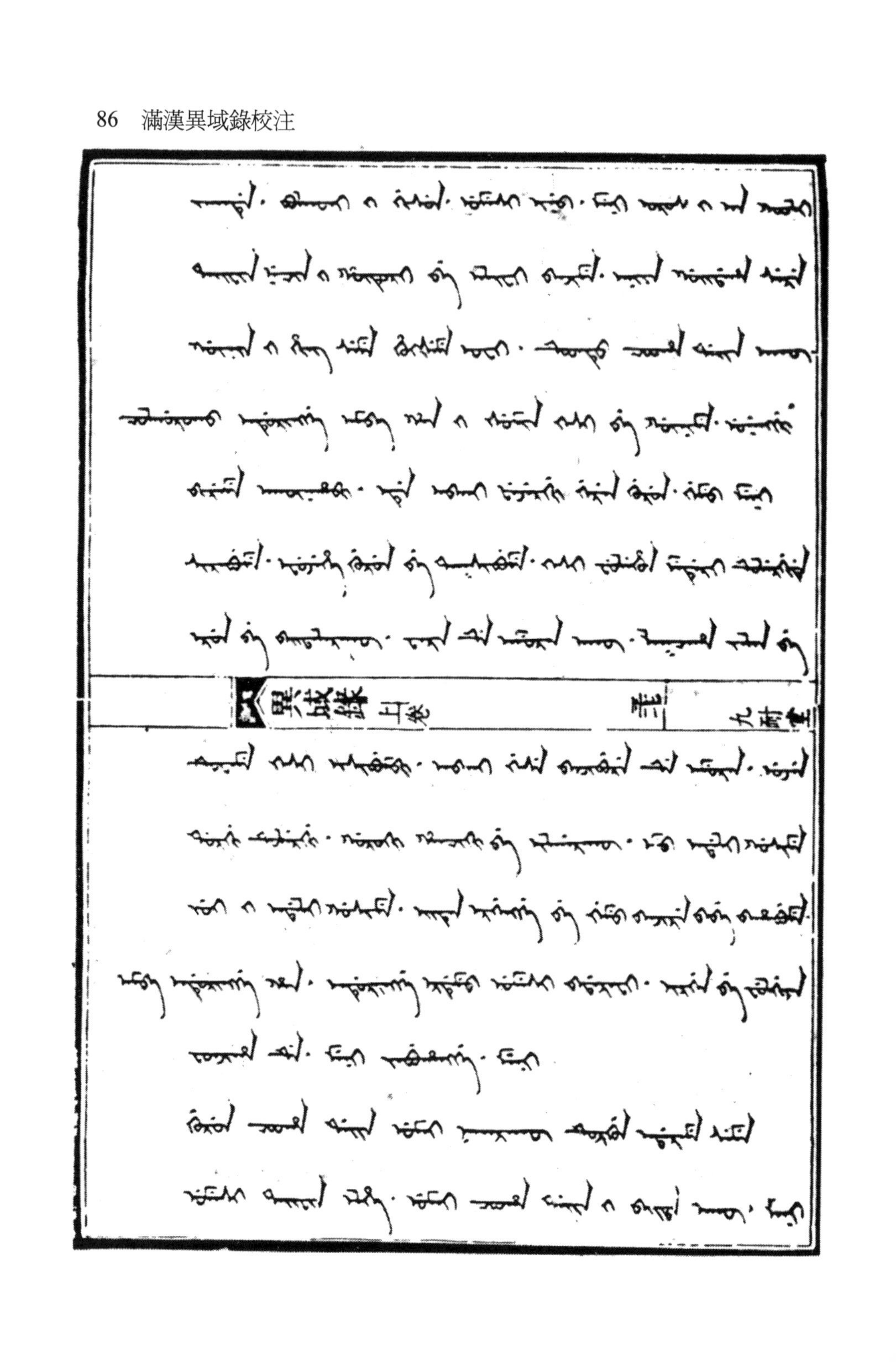

異域錄 上卷

umesi taifin elhe, umai cooha dain i baita akū, meni gurun cooha dain umai nakarakū turgun adarame seme fonjiha de, meni jabuhangge, meni amba enduringge han, enduringge erdemu umesi badarafi, irgen be fulgiyan jui i adali gosime, eiten ergengge be gemu banjire babe bahabume, dorgi tulergi, goroki hanciki be ilgarakū, emu adali gosime tuwame kesi isibumbi, abkai gese banjibure de amuran, ujen erun be baitalarakū, wara de amuran akū, lakcaha jalan be sirabume, efujehe gurun be taksibume, kesi fulehun mederi tulergide bireme akūnahabi, ede abkai fejergi geren gurun, gemu meni cologoroko enduringge amba han i šumin kesi be gūnime, unenggi gūnin i hing seme hukšeme ofi, tuttu cooha dain akū, taifin necin i hūturi be alifi banjime, aniya goidaha sere jakade, bolkoni i gisun, umesi inu, meni oros i an kooli

---

以無干戈之事，極其奠安，我國戰爭之事，總無休息，此係何故？我等答曰：我大皇帝聖德廣運，愛民如子，凡有血氣者，俾皆得生計，不分內外遠近，一視同仁，遍施恩德，好生如天，無重刑，不嗜殺，繼絕世，舉廢國，膏澤洽於海外，所以天下諸國，皆感仰我至聖大皇帝深恩，心悅誠服，是以永無征伐之事，常享昇平之福已久，博爾科泥曰：然，我鄂羅斯國風俗殊

以无干戈之事，极其奠安，我国战争之事，总无休息，此系何故？我等答曰：我大皇帝圣德广运，爱民如子，凡有血气者，俾皆得生计，不分内外远近，一视同仁，遍施恩德，好生如天，无重刑，不嗜杀，继绝世，举废国，膏泽洽于海外，所以天下诸国，皆感仰我至圣大皇帝深恩，心悦诚服，是以永无征伐之事，常享升平之福已久，博尔科泥曰：然，我鄂罗斯国风俗殊

異域錄　上卷

encu, untuhun gebu be kicere, etere de amuran ojoro jakade, tuttu afame dailame nakarakū, cooha dain wajire inenggi akū ohobi sehe, ilan biyai orin sunja de, angg'ara birai juhe tuheke manggi, uthai jurara babe hacihiyame gisurehede, fiyoodor ifan no cy, bolkoni ts'ebin no fi cy i gisun, ubaci tobol de genere de, wargi amargi baru yabumbi, ubai juhe udu majige tuhecibe, ubaci amasi juhe kemuni wacihiyame tuhere unde, te ainaha seme yabuci ojorakū, meni ba na be dahame, be sarangge getuken, yabuci ojoro erinde isinaha manggi, be ai gelhun akū tookabumbi sehe, duin biyai tofohon ci cuwan dasatame deribufi, biyai manashūn dasatame wajifi, mende duin cuwan icihiyame bufi, cooha tucibufi, tu kiru faidafi, poo miyoocan sindame tungken tūme, ficame fulgiyeme fudehe, sunja biyai ice duin de,

---

異，務虛好勝，所以兵甲無休息之日，至今戰爭不已。三月二十五日，昂噶拉河泳解，我等催促起程，費多里衣番訥翅及博爾科泥冊斑訥非翅日：自此往托波兒去，向西北行，此處泳雖稍解，自此以北，尚未全浮，現今斷難起行，我國地方，我等切知，如可行時，何敢躭悞。四月十五日，修葺船隻起至月盡完備，撥給船四隻，排兵列幟，鳴炮放鎗，鼓吹而送，于五月初四日

异，务虚好胜，所以兵甲无休息之日，至今战争不已。三月二十五日，昂噶拉河泳解，我等催促起程，费多里衣番讷翅及博尔科泥册斑讷非翅日：自此往托波儿去，向西北行，此处泳虽稍解，自此以北，尚未全浮，现今断难起行，我国地方，我等切知，如可行时，何敢躭悞。四月十五日，修葺船只起至月尽完备，拨给船四只，排兵列帜，鸣炮放鎗，鼓吹而送，于五月初四日

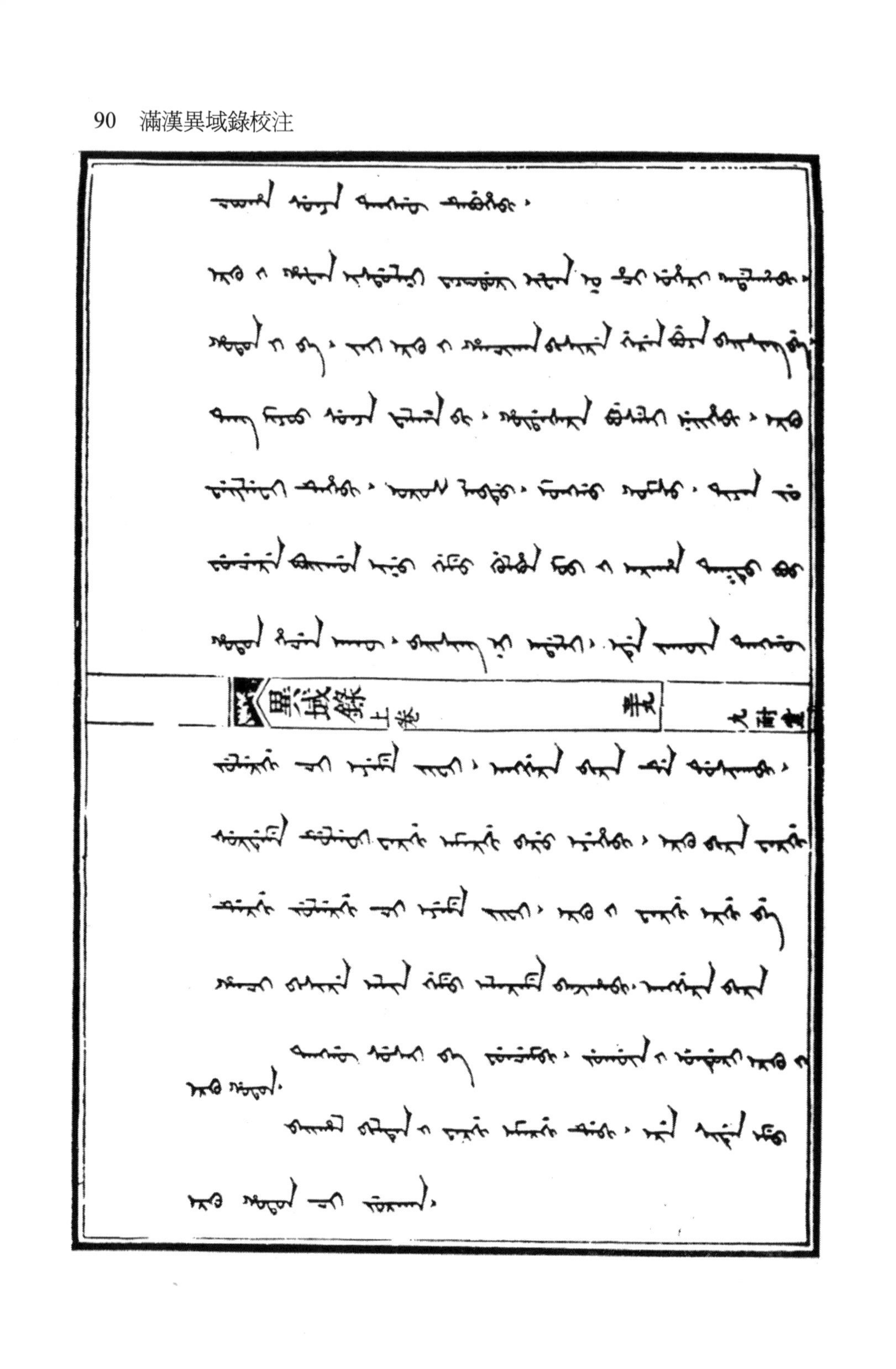

異域錄 上卷

erku hoton ci juraka, erku hoton, baihal bilten i wargi amargi debi, ere siden emu tanggū susai ba funcembi, jugūn i unduri, erku i hanci bisire alin gemu alarame banjihabi, ángg'ara bira dergi julergi ci eyeme jifi, erku i wargi ergi be šurdeme dulefi wargi amargi baru eyehebi, erku bira wargi julergi ci eyeme jifi, angg'ara bira de dosikabi, hoton hecen akū, baising ni adali, ede jakūn tanggū funcere boigon inu gemu gulhun moo i araha taktu boo weilefi tehebi, oros labdu, monggo komso, tiyan ju tang miyoo sunja falga bi, hūdašara puseli neihebi, erku hoton i ba, jai erku i hancikan bisire geren buya baising be, erku i hafan isdolni fiyoodor ifan no cy uheri kadalahabi, cooha sunja tanggū tebuhebi,

自厄爾庫城起程。厄爾庫城（註四四），在栢海兒湖之西北，相去一百五十餘里，沿途及附近厄爾庫城之山，不甚大，皆平坂山岡，昂噶拉河來自東南，繞過厄爾庫城，西向西北而流，厄爾庫河來自西南，入昂噶拉河，無城垣，似栢興，居住八百餘戶，皆樓房，俱係大木營治，大半鄂羅斯，蒙古人少，有天主堂五座，有市廛，厄爾庫城及附近小栢興地方，皆屬厄爾庫城之頭目伊斯多爾尼衣番訥翅統轄，駐兵五百名。

自厄尔库城起程。厄尔库城（注四四），在栢海儿湖之西北，相去一百五十余里，沿途及附近厄尔库城之山，不甚大，皆平坂山冈，昂噶拉河来自东南，绕过厄尔库城，西向西北而流，厄尔库河来自西南，入昂噶拉河，无城垣，似栢兴，居住八百余户，皆楼房，俱系大木营治，大半鄂罗斯，蒙古人少，有天主堂五座，有市尘，厄尔库城及附近小栢兴地方，皆属厄尔库城之头目伊斯多尔尼衣番讷翅统辖，驻兵五百名。

註四四：厄爾庫城，鄂羅斯文作“Irkutsk”，滿文作“erku hoton”。

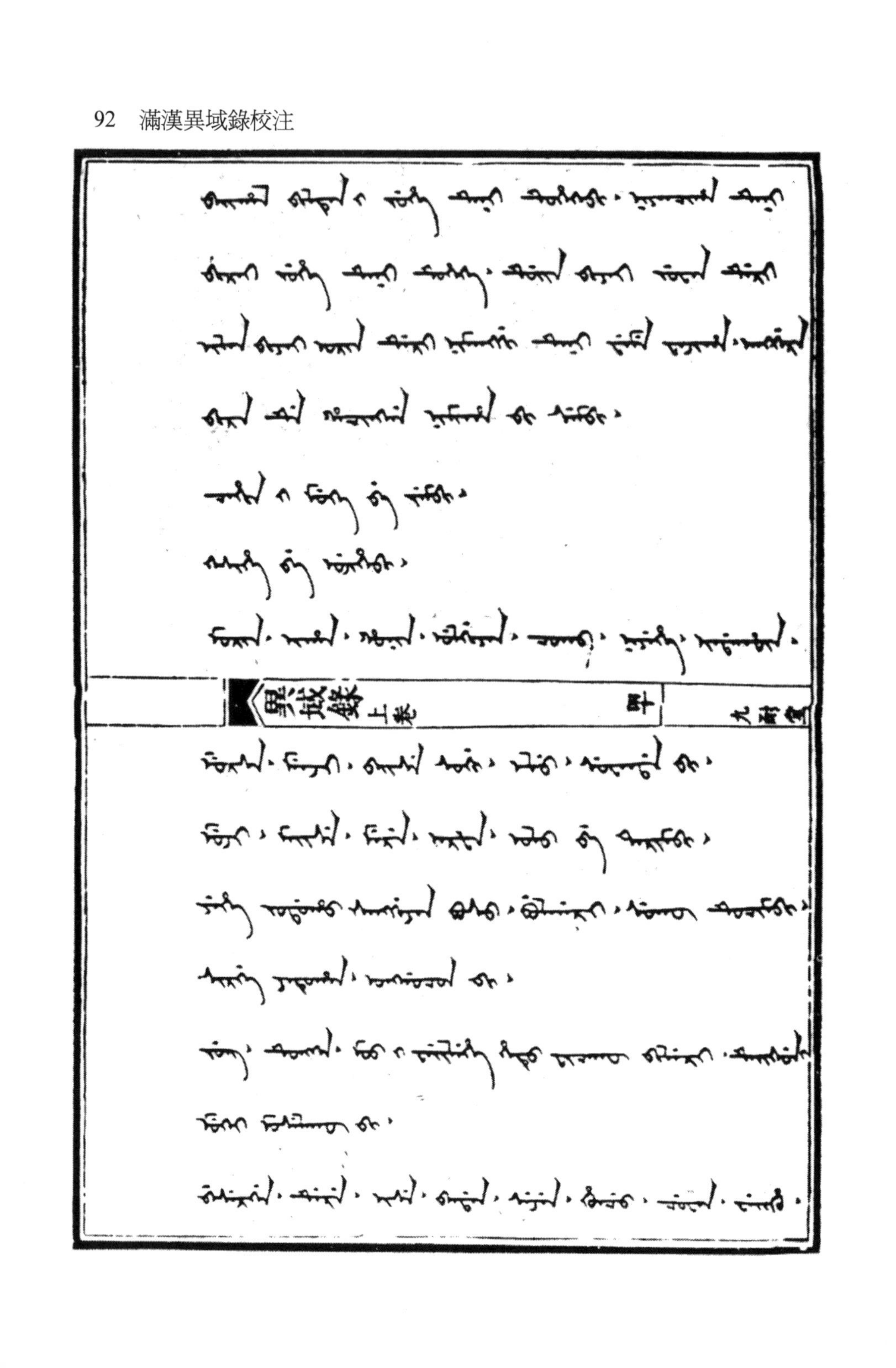

[illegible]

[illegible]

[illegible]

[illegible]

[illegible]

[illegible]

[illegible]

[illegible]

[illegible]

[illegible]

[illegible]

[illegible]

[illegible]

besergen, dere, ise, bandan, sejen, huncu, cuwan, weihu, mukei moselakū bi, jung, tungken, moo i weilehe hetu ficakū, bileri, teisun i sirge yatuhan, onggocon bi. yehe jodoho šanggiyan boso, bulgari sukū tucimbi. muji, maise, mere, arfa, olo be tarimbi. mursa, menji, baise sogi, elu, suwanda bi. morin, ihan, honin, ulgiyan, coko, niyehe, indahūn, kesihe be ujihebi. cahin i muke be jembi. bira de hacingga nimaha bi sembi. ilan biyai orin deri nimanggi teni weme wajiha, angg'ara birai juhe teni tuheke, duin biyai juwan deri baihal bilten i juhe teni tuhekebi, niyanciha teni

---

器用有床、桌、椅、櫈、車、拖床、船、舟艇、水磨。樂有鐘、鼓、木笛、嗩吶、銅絃箏、胡琴。產紵麻、布、熏牛皮。種大麥、小麥、薔麥、油麥、蔴、蘿蔔、蔓青、白菜、蔥、蒜。畜馬、牛、羊、豕、雞、鴨、犬、貓。食方木井水。河內產各種魚。三月下旬，雪始化盡，昂噶拉河冰始解。四月上旬，栢海兒湖冰始解，草始

器用有床、桌、椅、櫈、车、拖床、船、舟艇、水磨。乐有钟、鼓、木笛、唢呐、铜弦筝、胡琴。产纻麻、布、熏牛皮。种大麦、小麦、蔷麦、油麦、麻、萝卜、蔓青、白菜、葱、蒜。畜马、牛、羊、豕、鸡、鸭、犬、猫。食方木井水。河内产各种鱼。三月下旬，雪始化尽，昂噶拉河冰始解。四月上旬，栢海儿湖冰始解，草始

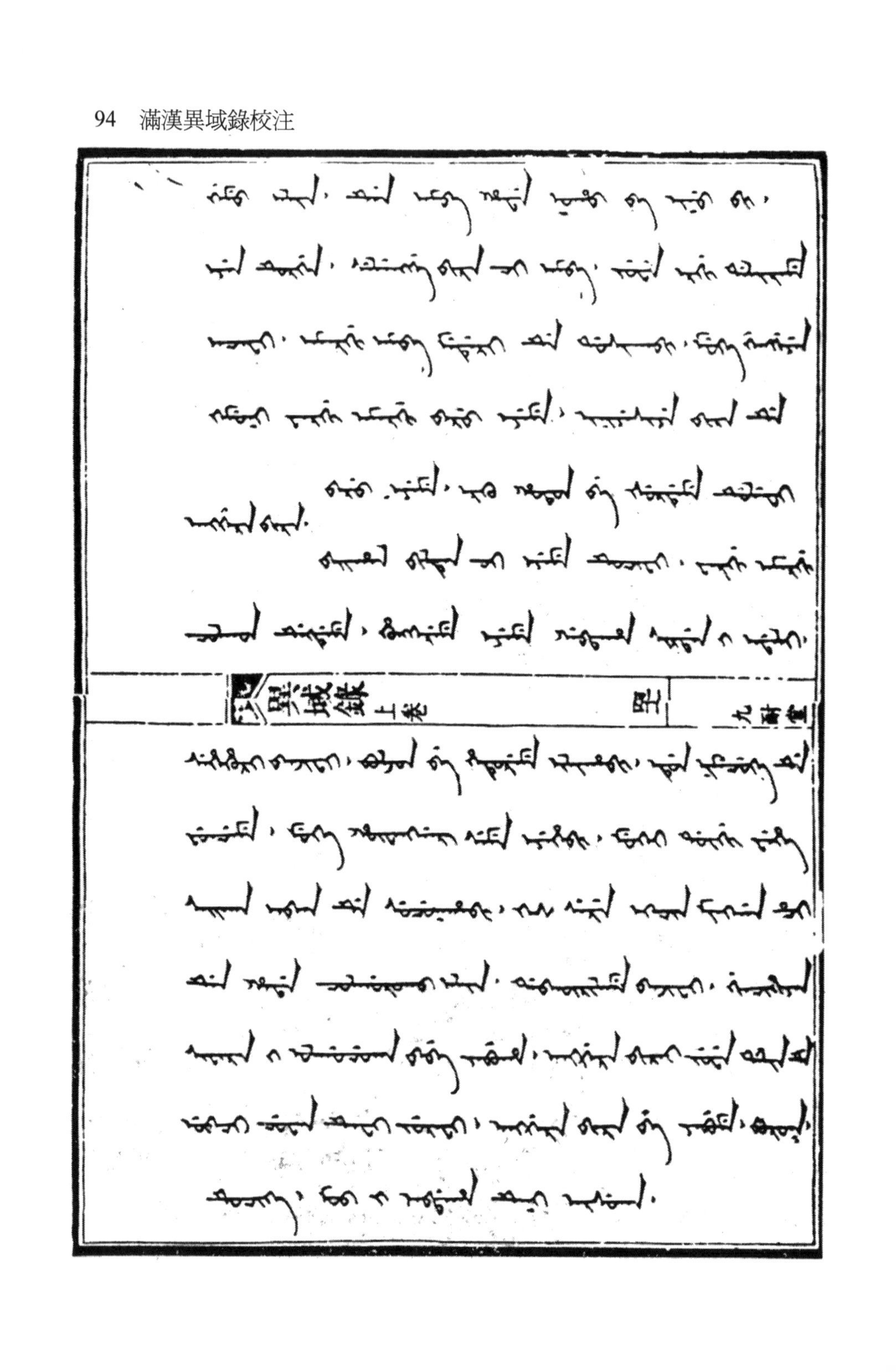

tucike, moo i abdaha teni arsuka. ubaci cuwan tefi jurafi, angg'ara bira be yabume, porok, sifira i olgocuka babe yabuha, angg'ara birai juwe dalin de den hada colgoroko alin, dabkurilame banjifi, gincihiyan saikan abka de sucunahabi, kes sere ekcin minggan cy funceme, muke hūwanggar seme eyehebi, mukei dorgi wehe sehehuri banjifi, boljon be hetureme ilihabi, edun nimecuke de colkon dekdeme, hungkereme eyeme gabtaha sirdan i adali. angg'ara bira, baihal bilten ci eyeme tucifi, wargi amargi baru eyeme, erku hoton be šurdeme dulefi kemuni wargi amargi baru eyeme, iniyesiye bira de acafi, amargi amba mederi de dosikabi, muke genggiyen eyen turgen, selengge bira ci amba, juwe ergi dalirame gemu alin, den amba hada noho ba inu bi,

---

萌，樹始發。自此乘舟起程，由昂噶拉河過破落克、西費喇諸危險之處。其昂噶拉河兩岸，奇巒絕壁，疊秀橫空，斷岸千尺，水聲淙淙，巉石嵯峨，橫波峭立，風高浪激，奔注如矢。昂噶拉河，自栢海兒湖流出，向西北，遶過厄爾庫城，仍向西北而流，匯于伊聶謝河，歸入北海，水清溜急，大于色楞格河，兩岸皆山，有高峻峯巒，

萌，树始发。自此乘舟起程，由昂噶拉河过破落克、西费喇诸危险之处。其昂噶拉河两岸，奇峦绝壁，迭秀横空，断岸千尺，水声淙淙，巉石嵯峨，横波峭立，风高浪激，奔注如矢。昂噶拉河，自栢海儿湖流出，向西北，遶过厄尔库城，仍向西北而流，汇于伊聂谢河，归入北海，水清溜急，大于色楞格河，两岸皆山，有高峻峯峦，

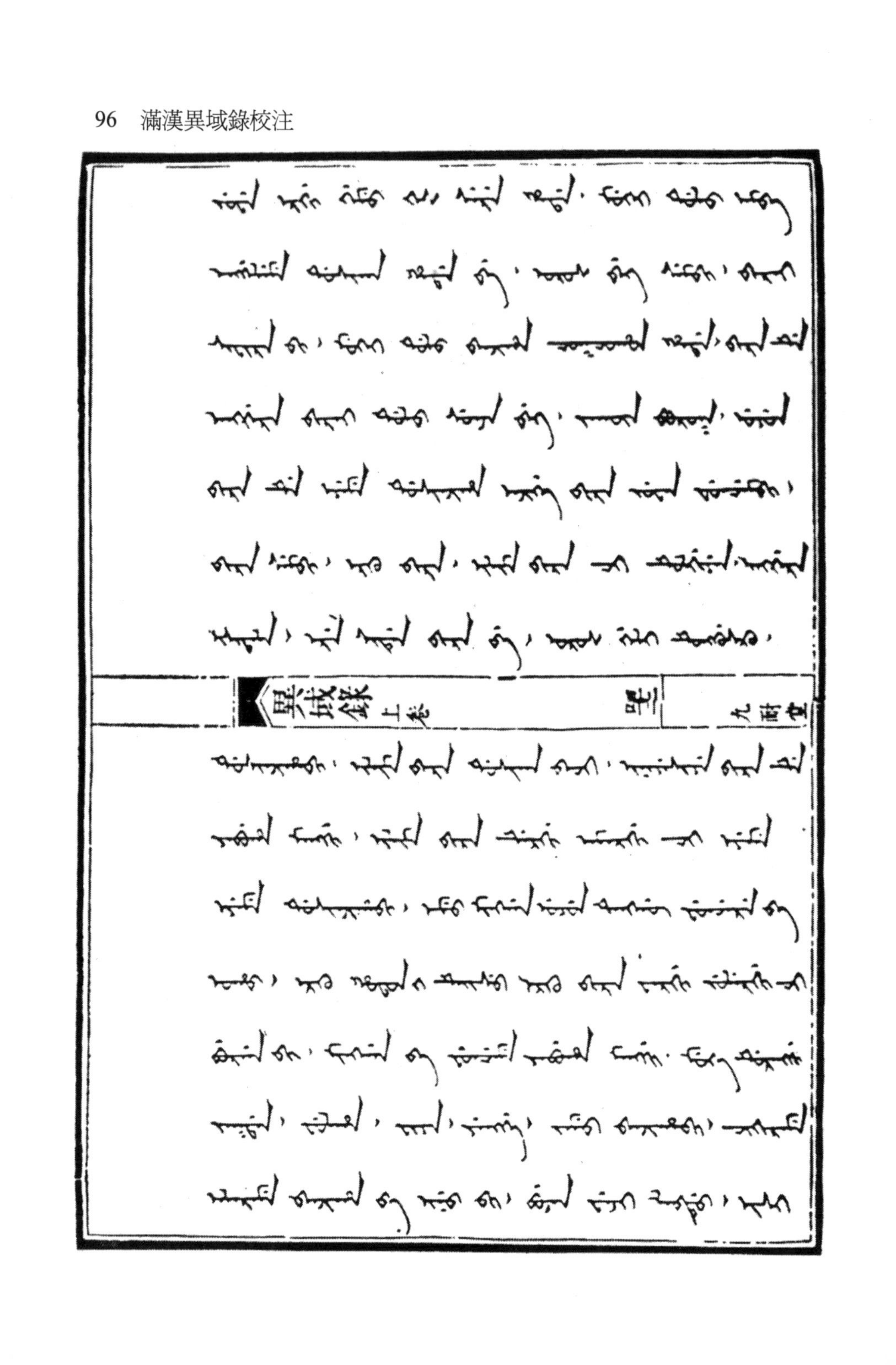

異域錄 上卷 卌 九畹堂

alarame banjiha ba inu bi, bujan weji labdu, isi, jakdan, fulha, fiya, yengge, jamu banjihabi, cikirame burga bi, minggan ba funceme yabuha manggi, muke duranggi oho, erku hoton i teisu erku bira wargi julergi ci eyeme dosinjihabi, emu minggan uyun tanggū funcere ba yabuha manggi, ilim bira dergi amargi ci eyeme dosinjihabi, ilim bira dosika baci, iniyesiye bira de isitala, ere siden bira be, oros geli tunggusk'o bira sembi, erku bira, ilim bira ci tulgiyen, angg'ara bira de eyeme dosinjiha ajige bira juwan funcembi, angg'ara birai dolo sunja bek, jakūn porok, uyun sifira bi, mukei dolo banjiha cokcohon hada, bira de enggeleme dosika hada be, oros bek sembi, birai juwe ergi gemu kes sere hada, mukei dolo amba

---

亦有平坂山岡，多林藪，有杉、松、馬尾松、楊、樺、櫻薁、刺玫，岸有叢柳。行千餘里，水漸濁，厄爾庫河自厄爾庫城之處歸入。又行一千九百餘里，伊里穆河自東北歸入，自伊里穆河歸入之處，以至伊聶謝河，其間之河，鄂羅斯又呼爲通古斯科河，除厄爾庫河、伊里穆河，又有十餘小河，皆歸入昂噶拉河，昂噶拉河內有伯克五處，破落克八處，西費喇九處，河內高峯及臨水懸崖，鄂羅斯人名之曰伯克（註四五），河兩邊皆峭壁，中有大

亦有平坂山冈，多林薮，有杉、松、马尾松、杨、桦、樱薁、刺玫，岸有丛柳。行千余里，水渐浊，厄尔库河自厄尔库城之处归入。又行一千九百余里，伊里穆河自东北归入，自伊里穆河归入之处，以至伊聂谢河，其间之河，鄂罗斯又呼为通古斯科河，除厄尔库河、伊里穆河，又有十余小河，皆归入昂噶拉河，昂噶拉河内有伯克五处，破落克八处，西费喇九处，河内高峯及临水悬崖，鄂罗斯人名之曰伯克（注四五），河两边皆峭壁，中有大

（註四五）伯克，案叢書集成簡編作「碑克」，同音異譯。

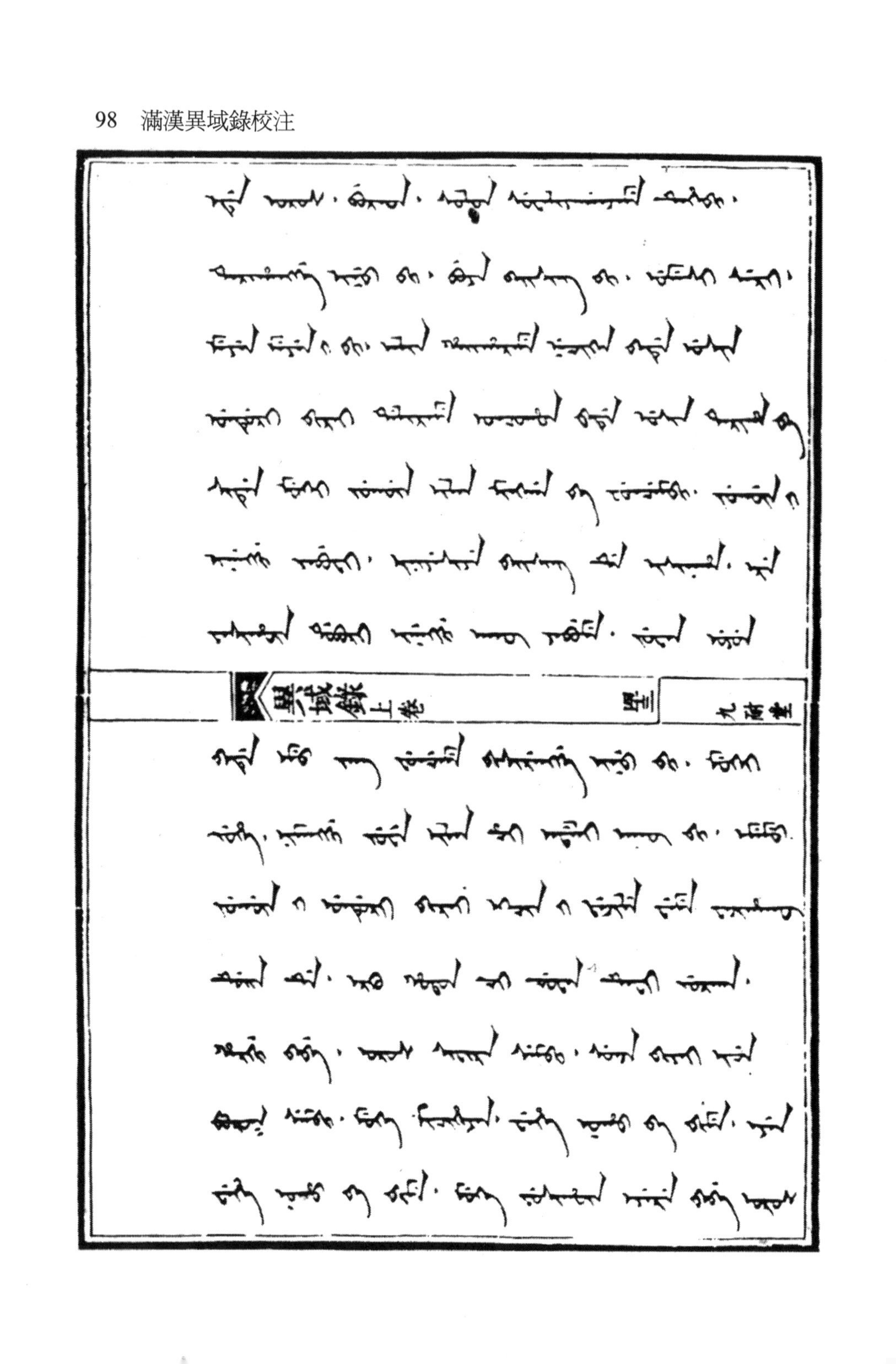

異域錄　上卷　四三　九簡堂

wehe noho ba bime, muke fusihūn eyere babe oros porok sembi, muke micihiyan, wehe noho ba bime, eyen hargi babe, oros sifira sembi, sunja biyai ice duin de, erku hoton ci cuwan tefi juraka, jugūn i unduri birai ekcin i fejile weme wajihakū juhe, nimanggi juwe ilan cy adali akū bi, ememu bade emu jang funceme bisirengge inu bi, mukei wasihūn dobori inenggi akū yabume, juwan uyun inenggi yabufi, iniyesiye baising de isinaha, ere siden mukei jugūn ilan minggan ba funcembi, jugūn i unduri birai dalirame oncohon bade usin tariha ba meyen meyen i bi, alin haiharame neciken bade usin tarihangge inu bi, buya baising bi, umesi seri, ede oros, burat, solon suwaliyaganjame tehebi.

石，水直陟下流者，鄂羅斯人名之曰破落克，水淺有石水緊溜急之處，鄂羅斯人名之曰西費喇」五月初四日，自厄爾庫城船起程，沿途河岸之下未消之冰雪，尚有二三尺不等，亦有至丈餘之處，順流晝夜行，十九日，至伊聶謝栢興地方，其間水程三千餘里，沿途河岸寬闊之處，間有田畝，其山陂少平之處，亦有耕種者，有小栢興甚稀，鄂羅斯與布喇特及索倫人等雜處。

石，水直陟下流者，鄂罗斯人名之曰破落克，水浅有石水紧溜急之处，鄂罗斯人名之曰西费喇」五月初四日，自厄尔库城船起程，沿途河岸之下未消之冰雪，尚有二三尺不等，亦有至丈余之处，顺流昼夜行，十九日，至伊聂谢栢兴地方，其间水程三千余里，沿途河岸宽阔之处，间有田亩，其山陂少平之处，亦有耕种者，有小栢兴甚稀，鄂罗斯与布喇特及索伦人等杂处。

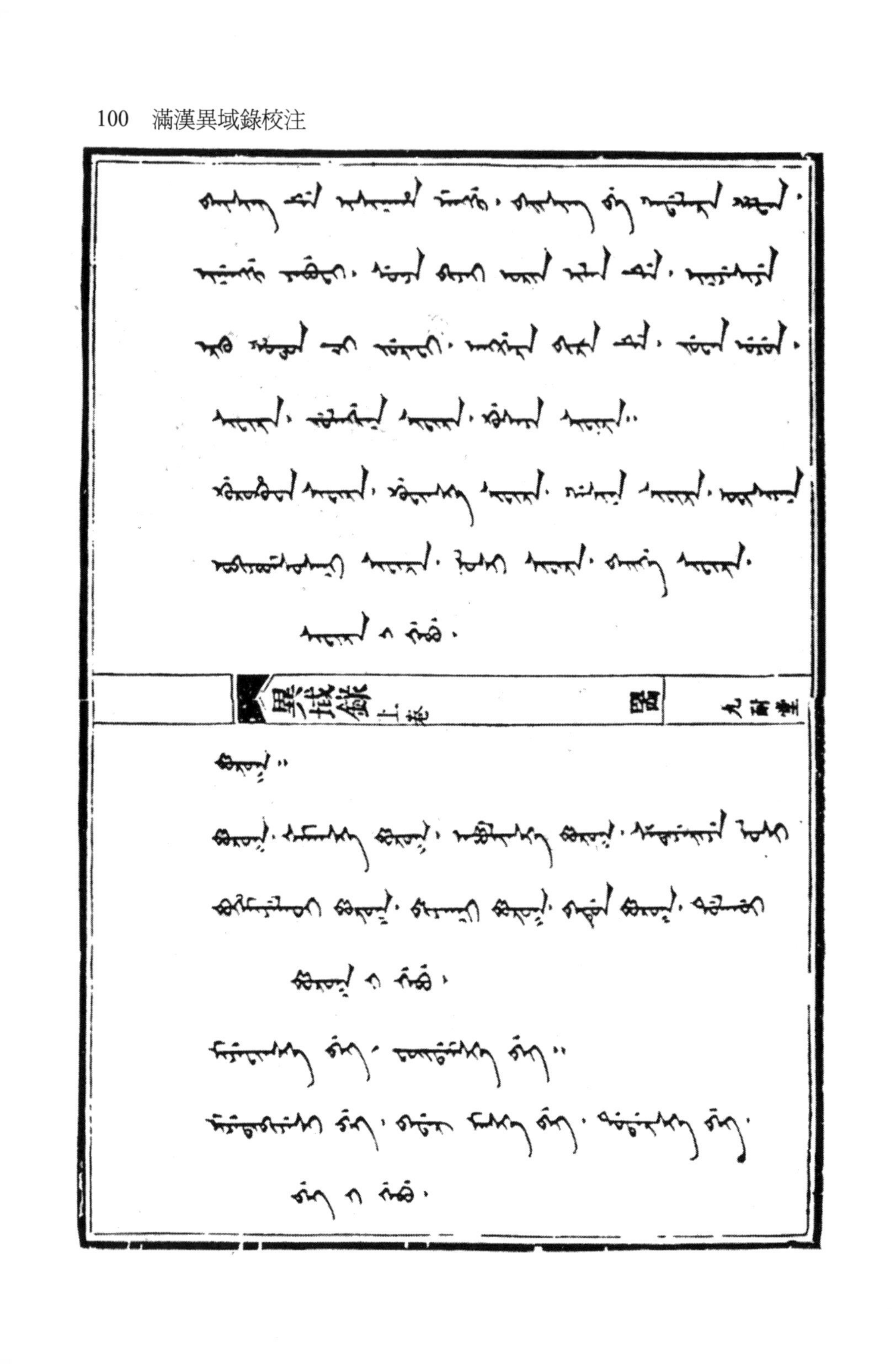

異域錄 上卷　四　九[illegible]堂

bek i gebu, miyetibiyesi bek, badar manske bek, dodarske bek, miyefinske bek, foidamske bek. porok i gebu, bohemiyelnoi porok, piyanai porok, badun porok, dolgoi porok, šamanske porok, apolinske porok, sytiyeriye losi porok. sifira i gebu, obiyoomsosnai sifira, losi sifira, baige sifira, g'orohowa sifira, g'ofinske sifira, gasina sifira, ofisiyana sifira, julagina sifira, g'osaya sifira. erku hoton ci jurafi, angg'ara bira de, juwan uyun inenggi yabufi, sunja biyai orin ilan de, iniyesiye baising de isinaha manggi, baising be kadalara hafan,

---

五伯克之名：滅提別西伯克、巴達爾滿斯克伯克、多達兒斯克伯克、滅費斯克伯克、費達穆克伯克。八破落克之名：
博合滅爾訥破落克、皮牙乃破落克、巴敦破落克、多爾規破落克、沙滿斯克破落克、阿普林斯克破落克、木爾蘇克破落克、四鐵烈洛什破落克。九西費喇之名（註四六）：鄂標穆索斯奈西費喇、洛什西費喇、栢格西費喇、郭洛活瓦西費喇、郭費殷斯克西費喇、噶什那西費喇、鄂費夏那西費喇、鄂爾吉那西費喇、郭薩牙西費喇。由昂噶拉河水行十九日，于五月二十三日至伊聶謝栢興地方（註四七），管栢興官

五伯克之名：灭提别西伯克、巴达尔满斯克伯克、多达儿斯克伯克、灭费斯克伯克、费达穆克伯克。八破落克之名：
博合灭尔讷破落克、皮牙乃破落克、巴敦破落克、多尔规破落克、沙满斯克破落克、阿普林斯克破落克、木尔苏克破落克、四铁烈洛什破落克。九西费喇之名（注四六）：鄂标穆索斯奈西费喇、洛什西费喇、栢格西费喇、郭洛活瓦西费喇、郭费殷斯克西费喇、噶什那西费喇、鄂费夏那西费喇、鄂尔吉那西费喇、郭萨牙西费喇。由昂噶拉河水行十九日，于五月二十三日至伊聂谢栢兴地方（注四七），管栢兴官

註四六：案滿文作「伯克之名」，「破落克之名」，「西費喇之名」，漢文標明數詞。

註四七：伊聶謝栢興，鄂羅斯語作“Yeniseisk”，漢譯作「葉尼塞斯克」。

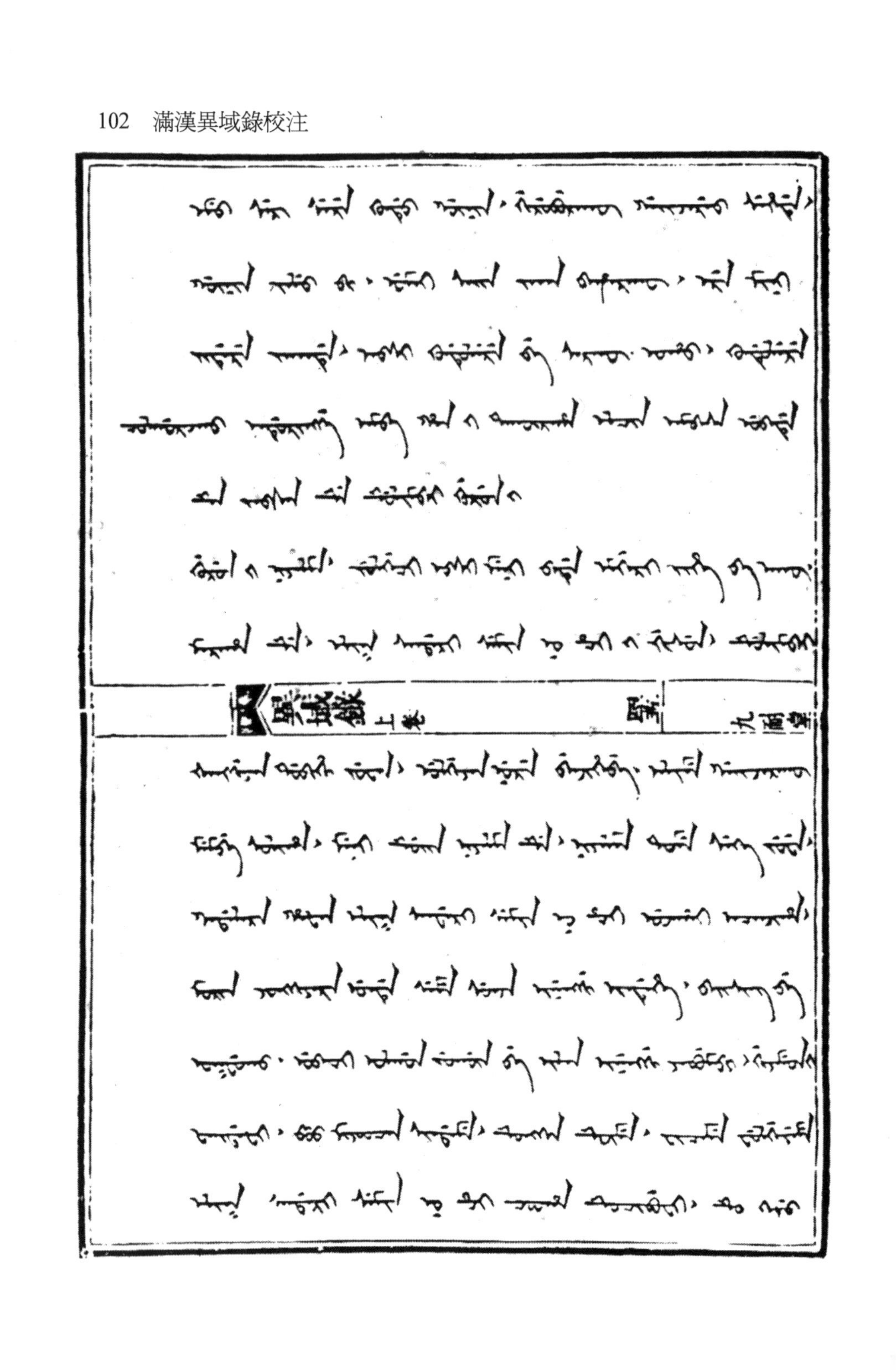

elik sandari semin no cy cooha tucibufi, tu kiru faidafi, poo miyoocan sindame, tungken tūme, ficame fulgiyeme okdoko, ubaci olgon jugūn be ilan inenggi yabumbi, giyamun i morin yongkiyara unde seme sunja inenggi indehe, baising be kadalara hafan elik sandari semin no cy uthai acanjiha, membe soliha, meni duin niyalma de, niyalma tome seke juwe, šanggiyan dobihi juwan, ulgiyan nure benjihebe, alime gaijarakū maraha de, elik sandari semin no cy i gisun, dulimbai gurun i niyalma, julgeci ebsi meni bade emgeri jihe ba akū, te jabšan de dulimbai gurun i colgoroko enduringge amba han i takūraha elcin ambasa ubade jidere jakade, absi kundulere be sarkū oho, kundulere gūnin jalu bi, umai sain jaka baharakū, ere mini emu ser sere kundu gūnin, giruburakū gaijareo sehede,

---

厄里克三達兒色敏訥翅（註四八），排兵列幟，鳴炮放鎗，鼓吹迎接。自此前往，有陸路三日，因馬匹未齊，住候五日，管栢興官厄里克三達兒色敏訥翅來見，遂請筵宴，于我四人處各送貂皮二張、白狐皮十張，及豬酒，俱卻不受，厄里克三達兒色敏訥翅曰：中國之人，自古未到我國地方，今幸遇中國至聖大皇帝遣天使大人至此，不知作何敬奉，欽敬之心甚切，但不得美品，此係我一點微誠敬儀，望乞辱納。

厄里克三达儿色敏讷翅（注四八），排兵列帜，鸣炮放鎗，鼓吹迎接。自此前往，有陆路三日，因马匹未齐，住候五日，管栢兴官厄里克三达儿色敏讷翅来见，遂请筵宴，于我四人处各送貂皮二张、白狐皮十张，及猪酒，俱却不受，厄里克三达儿色敏讷翅曰：中国之人，自古未到我国地方，今幸遇中国至圣大皇帝遣天使大人至此，不知作何敬奉，钦敬之心甚切，但不得美品，此系我一点微诚敬仪，望乞辱纳。

註四八：厄里克三達兒色敏訥翅，案叢書集成簡編作「阿列克散忒爾色敏訥委翅」，同音異譯。

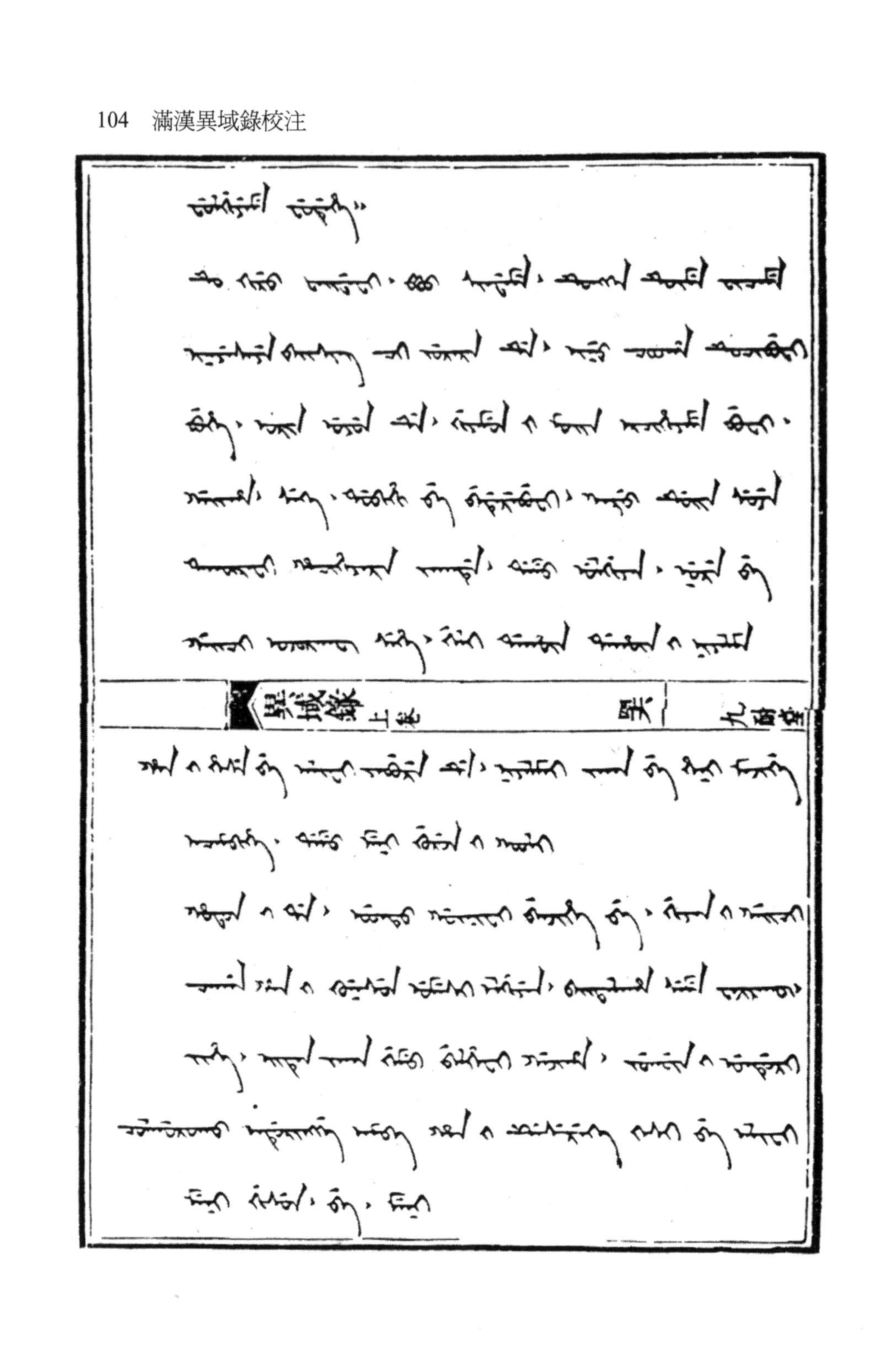

meni gisun, be meni colgoroko enduringge amba han i desereke kesi be alifi jihe, eiten jaka gemu belhefi gajiha, jugūn i unduri cagan han i kunesun umesi elgiyen, baitalaha seme wajirakū, hoton i da, uttu gūnifi benjihe be, giyan i gaici acambihe, damu meni gurun i kooli, han i hese be alifi yabure de, niyalmai jaka be heni majige gaici ojorakū sehe, geli dahūn dahūn i niyalma takūrafi hacihiyara jakade, damu ulgiyan, nure be gaiha, seke, dobihi be bederebufi, karu duin suje buhe, orin uyun de, giyamun i morin icihiyame bufi, iniyesiye baising ci jurara de, inu cooha tucibufi, tu kiru faidafi, poo sindame, tungken tūme ficame fulgiyeme fudehe.

我等言：俱各蒙至聖大皇帝恩賜而來，一應用度之物，俱已全備，途中有察罕汗供給等項，用之不竭，頭目所餽禮物，理宜相受，但我國凡奉君命差遣，一切餽送禮物，毫不敢受，因其遣人再三懇乞，只留豬酒，卻其貂狐皮張，酬緞四疋。二十九日，撥給馬匹，自伊聶謝栢興地方起程，亦排兵列幟，鳴炮鼓吹而送。

我等言：俱各蒙至圣大皇帝恩赐而来，一应用度之物，俱已全备，途中有察罕汗供给等项，用之不竭，头目所馈礼物，理宜相受，但我国凡奉君命差遣，一切馈送礼物，毫不敢受，因其遣人再三恳乞，只留猪酒，却其貂狐皮张，酬缎四疋。二十九日，拨给马匹，自伊聂谢栢兴地方起程，亦排兵列帜，鸣炮鼓吹而送。

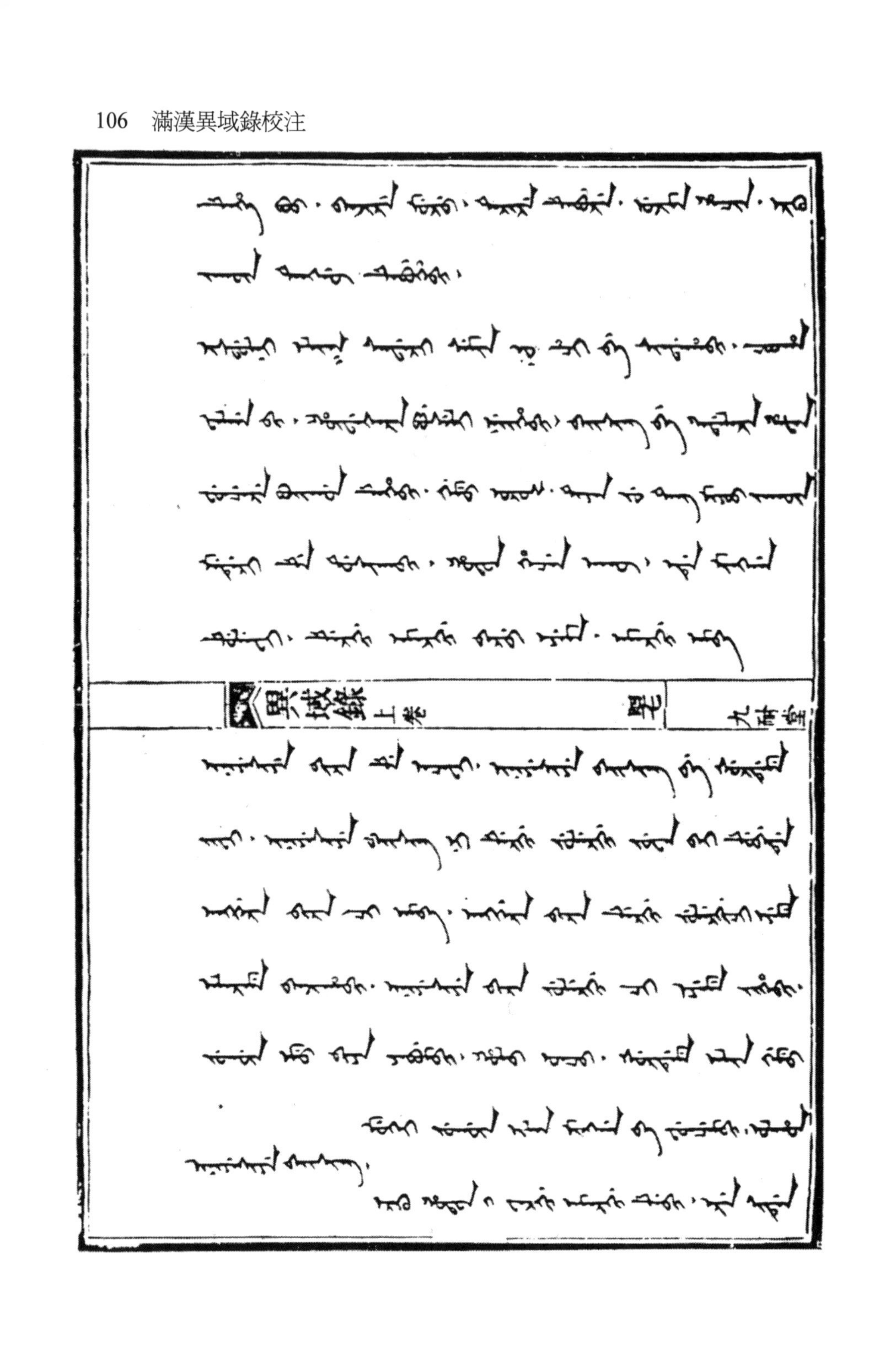

異域錄 上卷 九

iniyesiye baising, erku hoton i wargi amargi debi, ere siden mukei jugūn ilan minggan ba funcembi, olhon jugūn emu biya yabumbi, holo onco, šurdeme alin gemu alarame banjihabi, iniyesiye bira julergi ci eyeme jihebi, angg'ara bira ci amba, angg'ara bira dergi julergici eyeme jifi, iniyesiye baising ni dergi julergi juwan bai dubede iniyesiye bira de acafi, iniyesiye baising be šurdeme dulefi, dergi amargi baru eyeme, amargi amba mederi de dosikabi, hoton hecen akū, ede minggan funcere boigon tehebi, gemu oros, tiyan ju tang miyoo jakūn falga bi, hūdašara puseli neihebi, baising be kadalara hafan isdolni elik sandari semin no cy be sindahabi, cooha jakūn tanggū tebuhebi, tehe boo, banjire muru, tarire tebure, ujima hacin, erku

---

伊聶謝栢興，在厄爾庫城之西北，其間水程三千餘里，陸路一月程，川谷寬闊，四面皆山岡。伊聶謝河自南流來，大于昂噶拉河，其昂噶拉河來自東南，離植興十餘里，歸入伊聶謝河，又邊過栢興，向東北流入北海，無城郭，居住千有餘戶，俱鄂羅斯，有天主堂八座，有市廛，設管轄栢興頭目一員，伊斯多爾尼厄里克三達兒色敏訥翅，駐兵八百名，其居住廬舍、生計、種植、牲畜等項，與厄爾庫

伊聂谢栢兴，在厄尔库城之西北，其间水程三千余里，陆路一月程，川谷宽阔，四面皆山冈。伊聂谢河自南流来，大于昂噶拉河，其昂噶拉河来自东南，离植兴十余里，归入伊聂谢河，又边过栢兴，向东北流入北海，无城郭，居住千有余户，俱鄂罗斯，有天主堂八座，有市廛，设管辖栢兴头目一员，伊斯多尔尼厄里克三达儿色敏讷翅，驻兵八百名，其居住庐舍、生计、种植、牲畜等项，与厄尔库

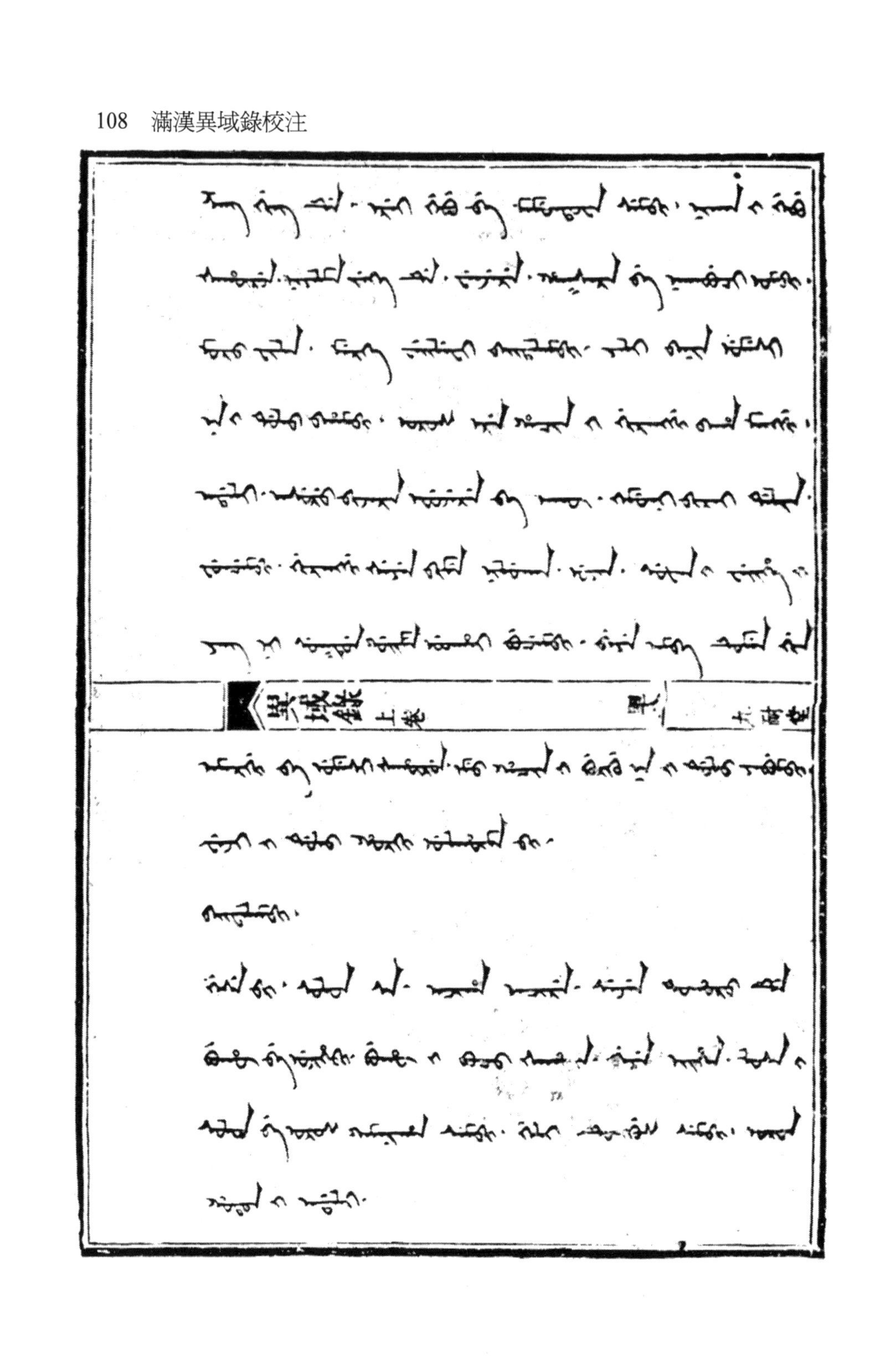

異域錄 上卷

hoton i adali, solon be oros kamnihan sembi, geli tunggus sembi, oron buhū be ujihebi, buhū i boco šahūn, beye eihen, losa i gese bi, solon sa, aciha acire, sejen tohoro de baitalambi, weji i dolo horki ulhūma bi. amargi ba umesi šahūrun, emu hacin i gurgu na i dolo yabumbi, yang ni sukdun goime uthai bucembi, beye amba tumen gin funcembi, giranggi šeyen bime nilukan, uyan, sufan i weihe i adali, asuru bijara efujere ba akū, kemuni birai dalin, na i dolo bahambi, oros ere hacin i giranggi baha manggi, moro fila, merke weilefi baitalambi, yali banin umesi šahūrun, niyalma jeke de, wenjere, haksara be nakabuci ombi, dzang ging de, erei gebu be mamuntowa sembi, nikan i gebu

---

城同。鄂羅斯呼索倫爲喀穆尼漢，又呼爲通古斯，俱畜鹿以供乘馭馱載，其鹿灰白色，形似驢騾，有角，名曰倫（註四九），林藪之內有曷鳥雞（註五〇）。北地最寒，有一種獸，行地內，遇陽氣即死，身大，重萬斤，骨色甚白潤，類象牙，質柔，不甚傷損，每于河濱土內得之，鄂羅斯獲其骨，製碗碟梳篦用之，肉性最寒，人食之可除煩熱，梵名麻門橐窪，華名

城同。鄂罗斯呼索伦为喀穆尼汉，又呼为通古斯，俱畜鹿以供乘驭馱载，其鹿灰白色，形似驴骡，有角，名曰伦（注四九），林薮之内有曷鸟鸡（注五〇）。北地最寒，有一种兽，行地内，遇阳气即死，身大，重万斤，骨色甚白润，类象牙，质柔，不甚伤损，每于河滨土内得之，鄂罗斯获其骨，制碗碟梳篦用之，肉性最寒，人食之可除烦热，梵名麻门橐洼，华名

註四九：俄倫，滿文讀如“oron buhū”，清文總彙譯作「角鹿」，公母頭上俱有角，吃苔，可供役使。

註五〇：鶡鵝，滿文讀如“horki”，清文總彙譯作「鶡鳺」，灰色，身大¥，掌爪有毛，尾長，生於深林寒地。

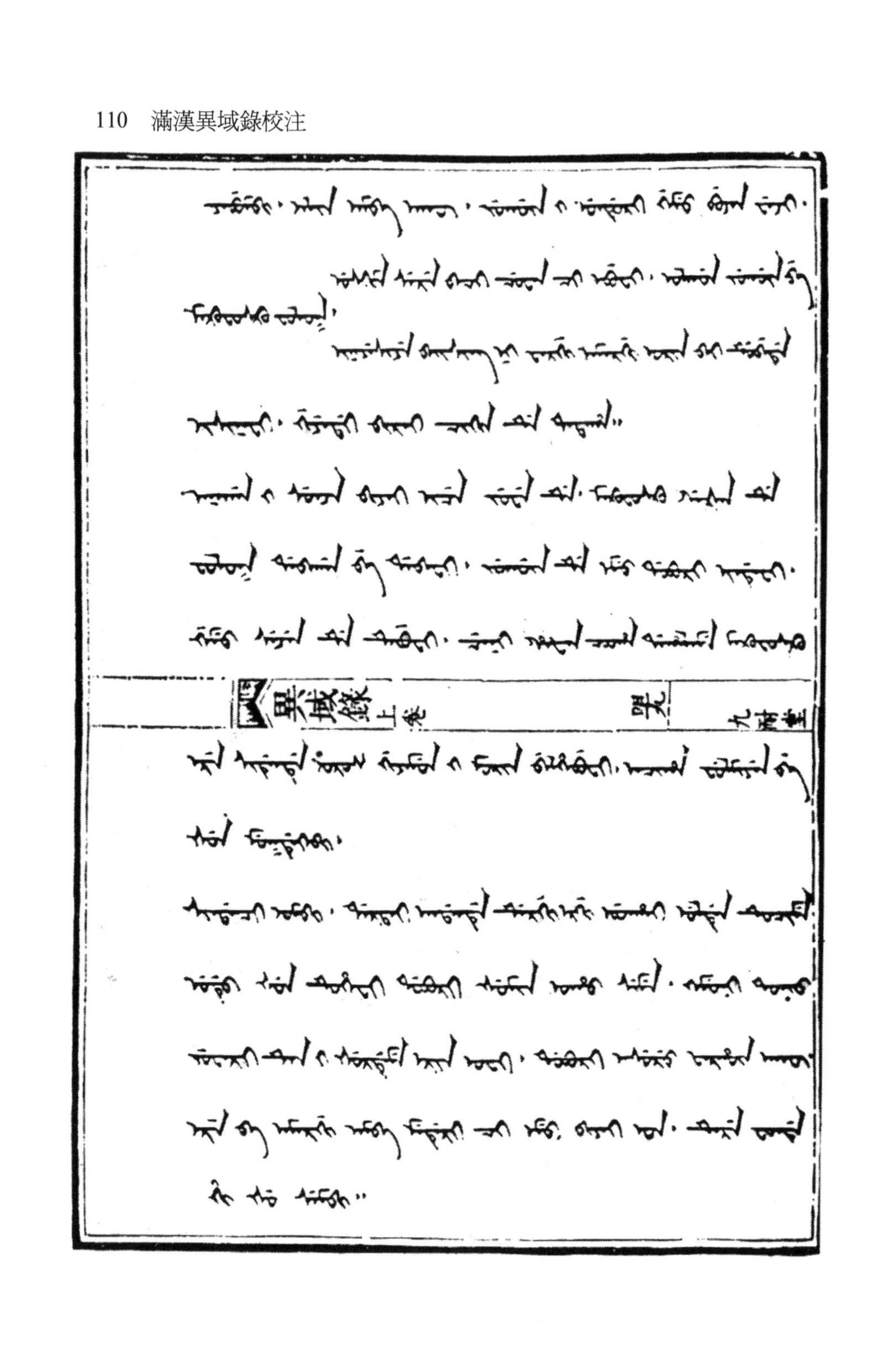

異域錄 上卷

hi šu sembi. ere ba amargi amba mederi ci emu biyai on, tere fonde juwari ten i šurdeme erin ofi, dobori asuru farhūn akū, udu šun tuhefi dobori šumin oho seme, kemuni tonio sindaci ombi, dartai andande dergi ergi uthai ulden tucime šun mukdekebi, ere sidende oros giyamun i morin belhebufi, aciha fulmiyen be gemu sejen de tebufi, ceni hafan cooha dahalame mak'ofosk'o folok dabagan be dabafi, jugūn de emu dobori indefi, anagan i sunja biyai ice juwe de, mak'ofosk'o gašan de isinafi, giyedi birai cikin de tataha. mak'ofosk'o folok, iniyesiye baising ni wargi amargi orin bai dubede uskim sere baci cuwan ci ebufi, olgon jugūn be yabumbi, alin amba akū, jugūn i unduri gemu bujan weji,

---

鼷鼠（註五一），此地相去北海大洋一月程，時夏至前後，夜不甚暗，雖日落夜深，猶可博奕，不數刻，東方即曙而日出矣。因候辦供給（註五二），住二日，備辦馬匹停妥，行李載于車內，官兵護送，過麻科佛斯科嶺，途中住一宿，于閏五月初二日至麻科佛斯科村落之揭的河岸駐扎。麻科佛斯科嶺，在伊聶謝西北二十里外烏斯乞木地方，下船陸行，山不甚大，沿途俱林藪，

鼷鼠（注五一），此地相去北海大洋一月程，时夏至前后，夜不甚暗，虽日落夜深，犹可博奕，不数刻，东方即曙而日出矣。因候办供给（注五二），住二日，备办马匹停妥，行李载于车内，官兵护送，过麻科佛斯科岭，途中住一宿，于闰五月初二日至麻科佛斯科村落之揭的河岸驻扎。麻科佛斯科岭，在伊聂谢西北二十里外乌斯乞木地方，下船陆行，山不甚大，沿途俱林薮，

註五一：鼷鼠，滿文讀如"mamuntowa"，案西伯利亞語"mamuntu"，意即「地下居住者」，此 mamuntowa"即由"mamuntu"而得名。太平廣記畜獸條謂「北方層冰萬里後百丈有鼷鼠，在冰下土中，其形如鼠，食草木，肉重百斤，可以作脯，食之已熱，其毛八尺，可以為褥，臥之卻寒，其皮可以蒙鼓。」

註五二：因候辦供給，滿文謂「其間鄂羅斯預備驛馬」，漢文簡略。

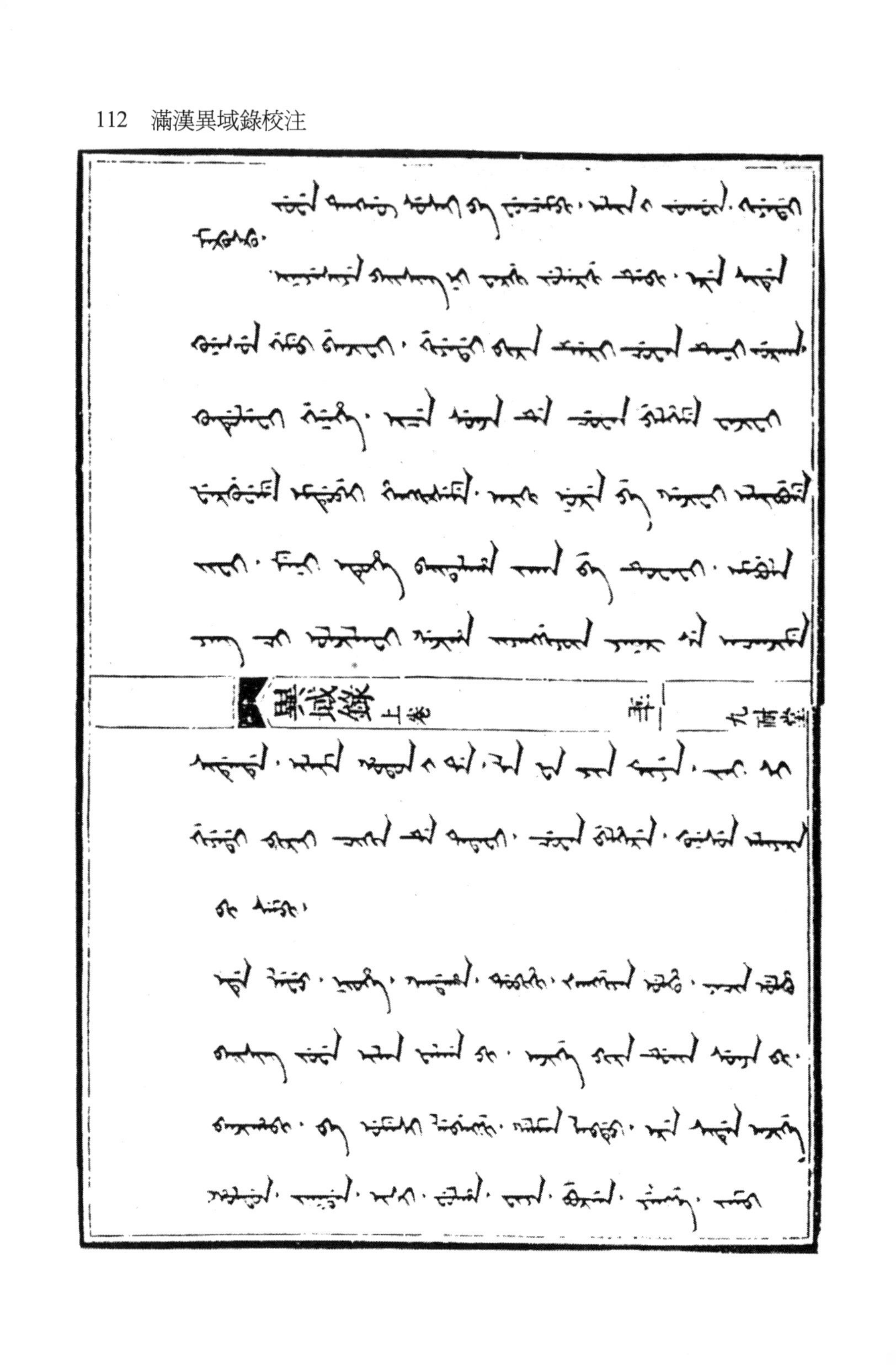

異域錄 上卷

holdon, jakdan, isi, fulha, fiya, burga, yengge, jamu banjihabi, ba umesi lebenggi, galman labdu, ere siden ajige baising juwe ilan falga bi, ajige bira duin sunja bi, ede lefu, niohe, kandahan, dobihi, šanggiyan ulhu, yacin ulhu bi sembi. giyedi birai cikin de tatafi cuwan belhere, kunesun aliyara sidende, ilim hoton i da, la fa rin tiye, jai si yang ci oljilafi gajiha jiyanggiyūn yanar se acanjime jifi, meni etuhe baitalaha jaka be tuwafi, ambula ferguweme emdubei hengkišeme, arki nure be gajifi alibume kundulefi genehe, ice sunja de cuwan belheme wajifi, kunesun gemu benjifi, giyedi bira deri cuwan tefi juraka. mak'osk'o, iniyesiye baising ni wargi julergi debi, ere siden juwe tanggū susai ba funcembi, alin i jugūn, giyedi

---

有果松、馬尾松、杉松（註五三）、楊、樺、柳、櫻薁、刺玫。地甚泥濘，多蚊虻，其間有小栢興兩三處，溪河四五道，產熊、狼、堪達韓（註五四）、狐狸、銀鼠、灰鼠。在揭的河岸駐扎，候彼預備船隻供給之時，伊里穆城頭目喇往林帖，帶領被擄西洋將軍牙那爾等來謁，見我等衣冠用度齊楚，不勝仰慕，叩頭獻酒而去。初五日，一切船隻供給完備，自揭的河登舟起行（註五五）。麻科斯科（註五六），在伊聶謝之西北，相去二百五十餘里，皆山路，揭的

有果松、马尾松、杉松（注五三）、杨、桦、柳、樱薁、刺玫。地甚泥泞，多蚊虻，其间有小栢兴两三处，溪河四五道，产熊、狼、堪达韩（注五四）、狐狸、银鼠、灰鼠。在揭的河岸驻扎，候彼预备船只供给之时，伊里穆城头目喇往林帖，带领被掳西洋将军牙那尔等来谒，见我等衣冠用度齐楚，不胜仰慕，叩头献酒而去。初五日，一切船只供给完备，自揭的河登舟起行（注五五）。麻科斯科（注五六），在伊聂谢之西北，相去二百五十余里，皆山路，揭的

註五三：杉松，滿文讀如"isi"，為落葉松，清文總彙謂"isi"小矮木，樹似杉松而重，其嫩皮，蒙古用以熬茶，葉至冬凋落，生於苦寒處。

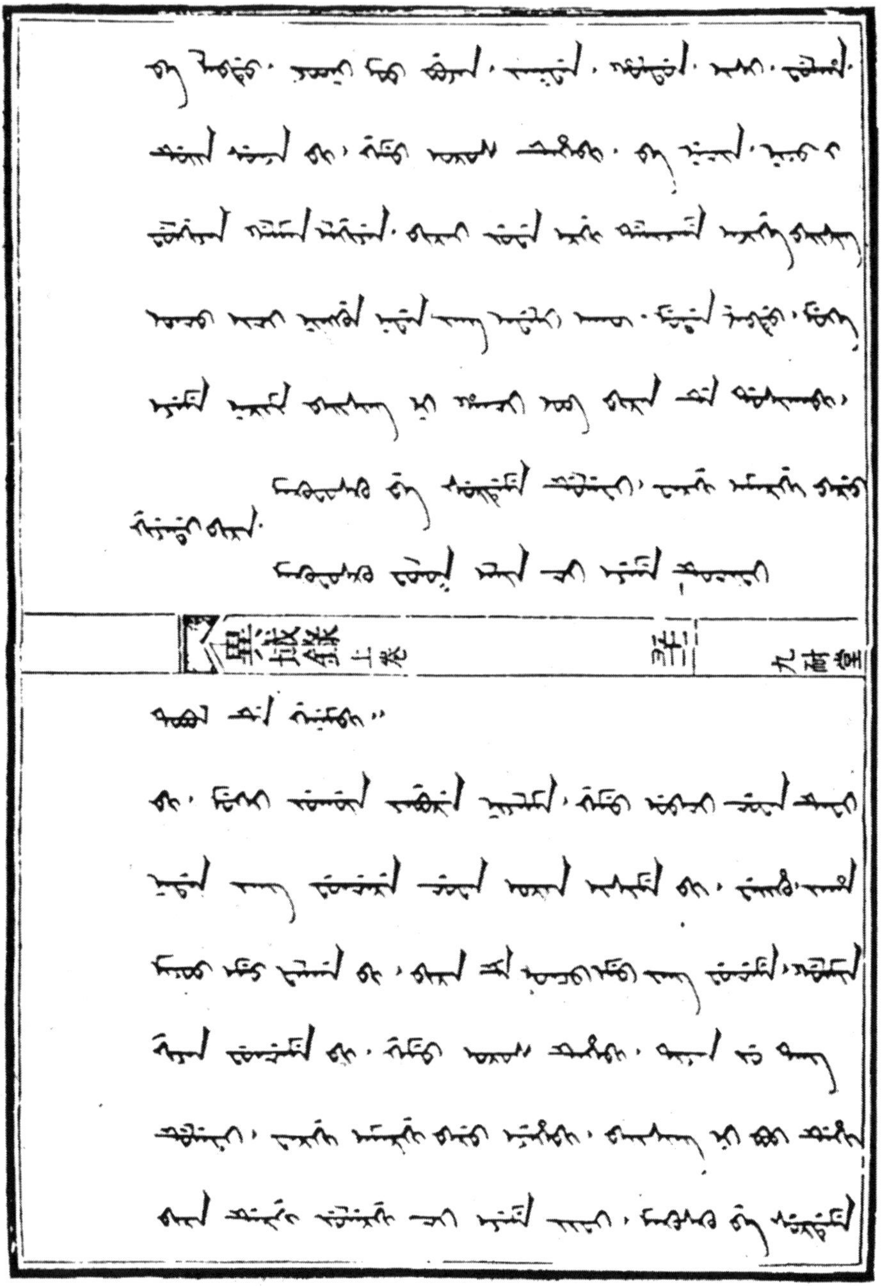

異域錄　上卷　三十　九[illegible]堂

bira, dergi julergi ci eyeme jifi, mak'osk'o be šurdeme dulefi, wargi amargi baru eyehebi, baising ni boo dehi giyan funceme bi, gemu oros tehebi, tiyan ju tang miyoo emu falga bi, bira de onco emu jang funceme, golmin nadan jang funcere cuwan orin isime bi, weihu, jaha bi, mukei jugūn yabure niyalma, gemu ubaci cuwan tefi tobol de genembi. giyedi bira, mak'ofosk'o folok alin ci eyeme tucifi mak'ofosk'o be šurdeme dulefi, wargi amargi baru eyeme narim baising ni hanci ob bira de dosikabi, onco ici ninggun nadan jang adali akū, mudan labdu, muke fulgiyan, galman elgiyen, birai juwe ergi dalirame ajige baising duin sunja bi, gemu oros tehebi, ba necin, niyo i ba labdu, yooni moo bujan jakdan, holdon, isi, fulha,

---

河來自東南，邊過麻科斯科，向西北而流，栢興內有廬舍四十餘間，俱鄂羅斯居住，有天主堂一座，其河內有寬一丈、長七丈許船二十餘隻，舟艇甚多，由‘水路之人，俱于此處登舟，赴托波兒城。揭的河，自麻科佛斯科佛落克嶺發原，環流麻科佛斯科向西北而流，至那里穆栢興附近，歸入鄂布河，寬六七丈不等，多灣曲，水色赤，蚊虻甚多，沿河有小栢興四五處，俱鄂羅斯居住，其地平坦，水窪處甚多，皆林藪，有馬尾松、果松、衫松、楊、

河来自东南，边过麻科斯科，向西北而流，栢兴内有庐舍四十余间，俱鄂罗斯居住，有天主堂一座，其河内有宽一丈、长七丈许船二十余只，舟艇甚多，由‘水路之人，俱于此处登舟，赴托波儿城。揭的河，自麻科佛斯科佛落克岭发原，环流麻科佛斯科向西北而流，至那里穆栢兴附近，归入鄂布河，宽六七丈不等，多湾曲，水色赤，蚊虻甚多，沿河有小栢兴四五处，俱鄂罗斯居住，其地平坦，水洼处甚多，皆林薮，有马尾松、果松、衫松、杨、

註五四：堪達韓，獸名，屬偶蹄類，滿文讀如“kandahan”，即四不像，頭似鹿而非鹿，尾似驢而非驢，背似駱駝而非駱駝，蹄似牛而非牛，故名。

註五五：自「在褐的河岸駐扎」至「自揭的河登舟起行」一段，漢文本移置「麻科斯科」一段之末。揭的河即 R. ket。

註五六：麻科斯科，滿文讀如“mak' osk' o”，鄂羅斯語作“Makovs-koye”，又作“Makotosko”。

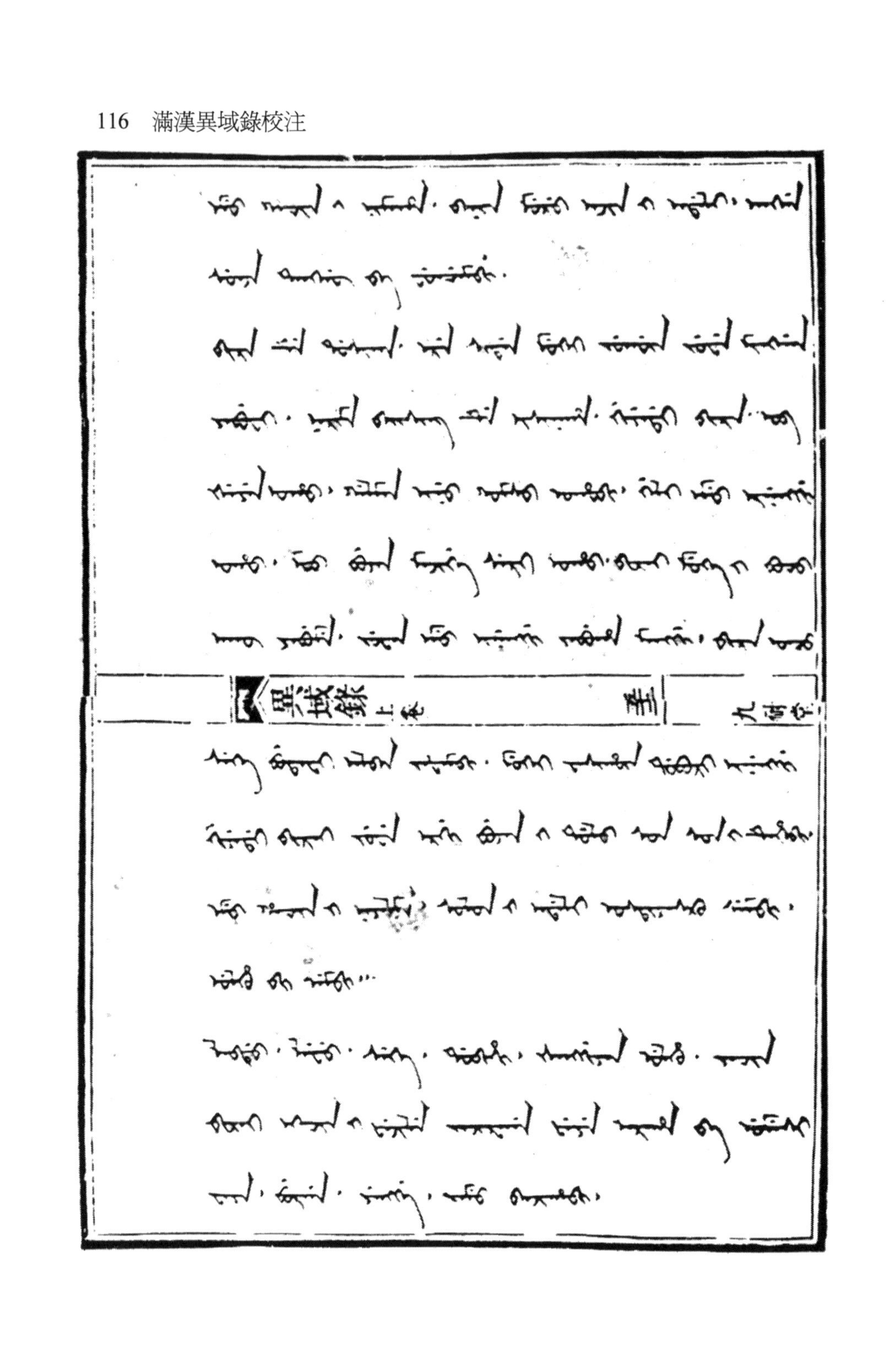

異域錄 上卷

fiya, burga, yengge, jamu banjihabi. birai ekcin i fejile jijirgan feye araha ba umesi labdu, lefu, seke, dobihi, šanggiyan ulhu, yacin ulhu bi sembi. emu hacin i niyalma, solon i adali ostiyask'o sembi, giyedi birai juwe ergi bujan i dolo son son i tehebi, seke butafi alban jafambi, mukei wasihūn dobori inenggi akū yabume, juwan emu inenggi yabuha manggi, bira onco oho, moo bujan majige seri oho, birai muke i boco šeyen oho, galman inu komso ohobi, geli emu inenggi yabufi, narim baising de isinaha, giyedi bira, ob bira de dosika, ere siden mukei jugūn juwe minggan sunja tanggū ba funcembi, emu hacin i nimaha, banin muru ajin i adali, angga

---

樺、柳、櫻薁、刺玫，河崖下土燕之巢穴甚多，產熊、貂鼠、狐狸、銀鼠、灰鼠。有一種人，類乎索倫，名曰鄂斯提牙斯科，在揭的河兩岸林木內散處，捕貂作貢。順流無晝夜行十一日，河面遂寬，林木漸稀，河內水色漸白，蚊虻亦少，再行一日，至那里穆栢興，揭的河歸入鄂布河，其間水程二千五百餘里。一種魚，形類鱘魚，口

桦、柳、樱薁、刺玫，河崖下土燕之巢穴甚多，产熊、貂鼠、狐狸、银鼠、灰鼠。有一种人，类乎索伦，名曰鄂斯提牙斯科，在揭的河两岸林木内散处，捕貂作贡。顺流无昼夜行十一日，河面遂宽，林木渐稀，河内水色渐白，蚊虻亦少，再行一日，至那里穆栢兴，揭的河归入鄂布河，其间水程二千五百余里。一种鱼，形类鲟鱼，口

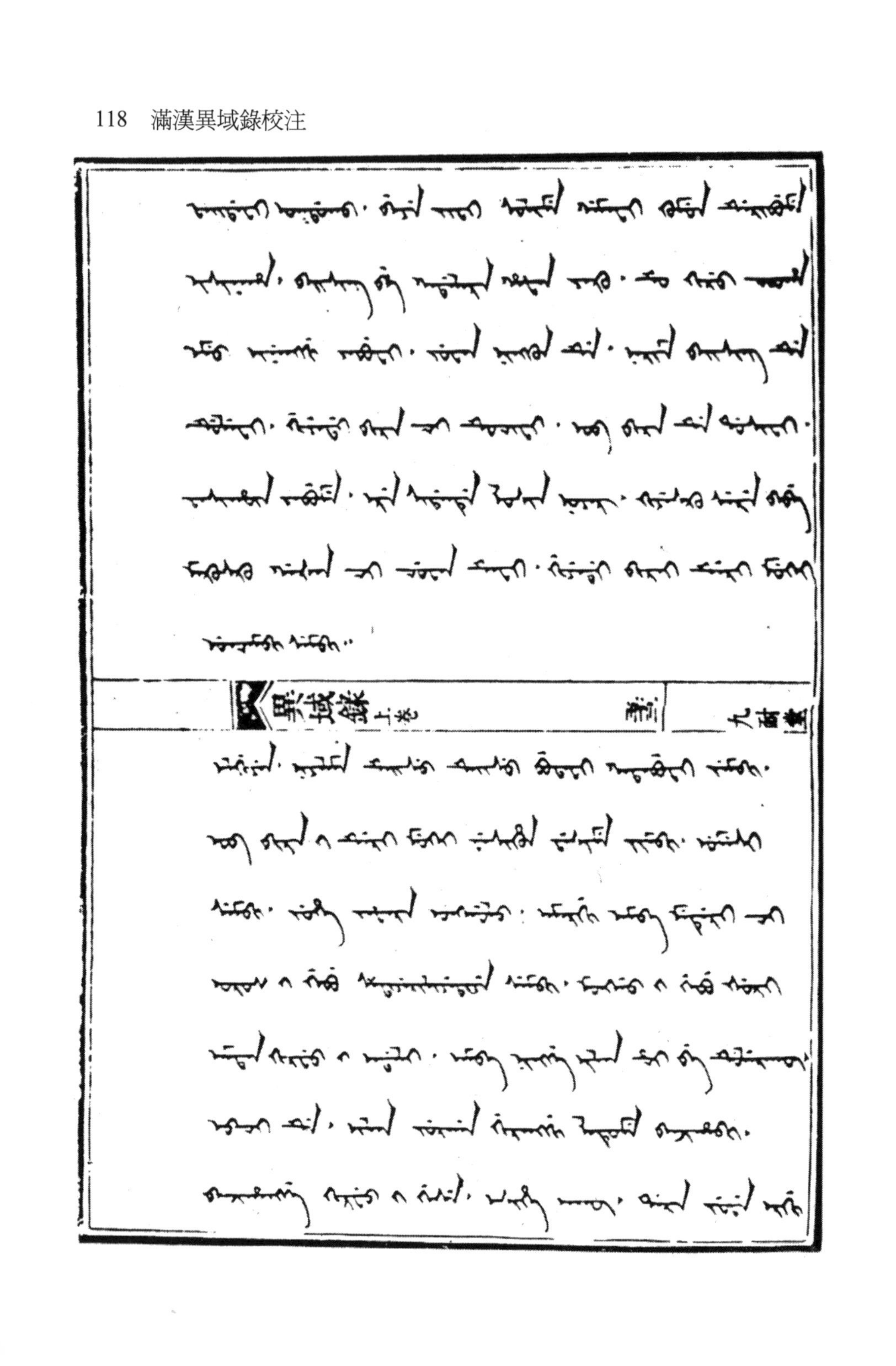

異域錄 上卷

banjihangge kirfu i gese, esihe akū, dara juwe ergi ebci de, ilan jurgan giranggi latume banjihabi, amtan kirfu i adali, amba ningge ilan cy be dulerakū, oros i gebu sytiyeriliyetiye sembi, monggo i gebu šuri sembi, juhe jafara onggolo, amargi amba mederi ci ob bira i deri mukei wesihun wesime jimbi, umesi elgiyen, niyalma teisu teisu butafi katabufi jembi, uncambi sembi. mak'osk'o gašan ci cuwan tefi, giyedi birai deri mukei wasihūn yabume, ere sidende losin noyar, kiyesk'o sere babe dulefi, giyedi bira ci tucifi, ob bira de dosifi, emu inenggi yabufi, juwan ninggun de, narim baising de isinaha, baising be kadalara hafan yak'o, tu kiru cooha faidafi okdoko, beye jifi solime gamafi kumun deribume

---

似鮰，無鱗，脊上並兩肋有骨三條連生，肉味同于鮰魚，大者不過三尺，鄂羅斯名之曰四帖里烈帖，蒙古人名之曰舒里，于未凍河之前從北海由鄂布河遡流而來，甚多，人皆漁捕，曝乾爲食，亦貨賣。自麻科斯科村登舟，由揭的河順流而行，此間經羅新訥雅爾及茄斯科村落，出揭的河，入鄂布河，行一日，于十六日至那里穆栢興，管栢興官雅科（註五七），排列旂幟兵丁迎接，請至伊家，作樂

似鮰，无鳞，脊上并两肋有骨三条连生，肉味同于鮰鱼，大者不过三尺，鄂罗斯名之曰四帖里烈帖，蒙古人名之曰舒里，于未冻河之前从北海由鄂布河遡流而来，甚多，人皆渔捕，曝干为食，亦货卖。自麻科斯科村登舟，由揭的河顺流而行，此间经罗新讷雅尔及茄斯科村落，出揭的河，入鄂布河，行一日，于十六日至那里穆栢兴，管栢兴官雅科（注五七），排列旗帜兵丁迎接，请至伊家，作乐

註五七：雅科，案叢書集成簡編作「雅果付」，小方壺齋輿地叢鈔同，同音異譯。

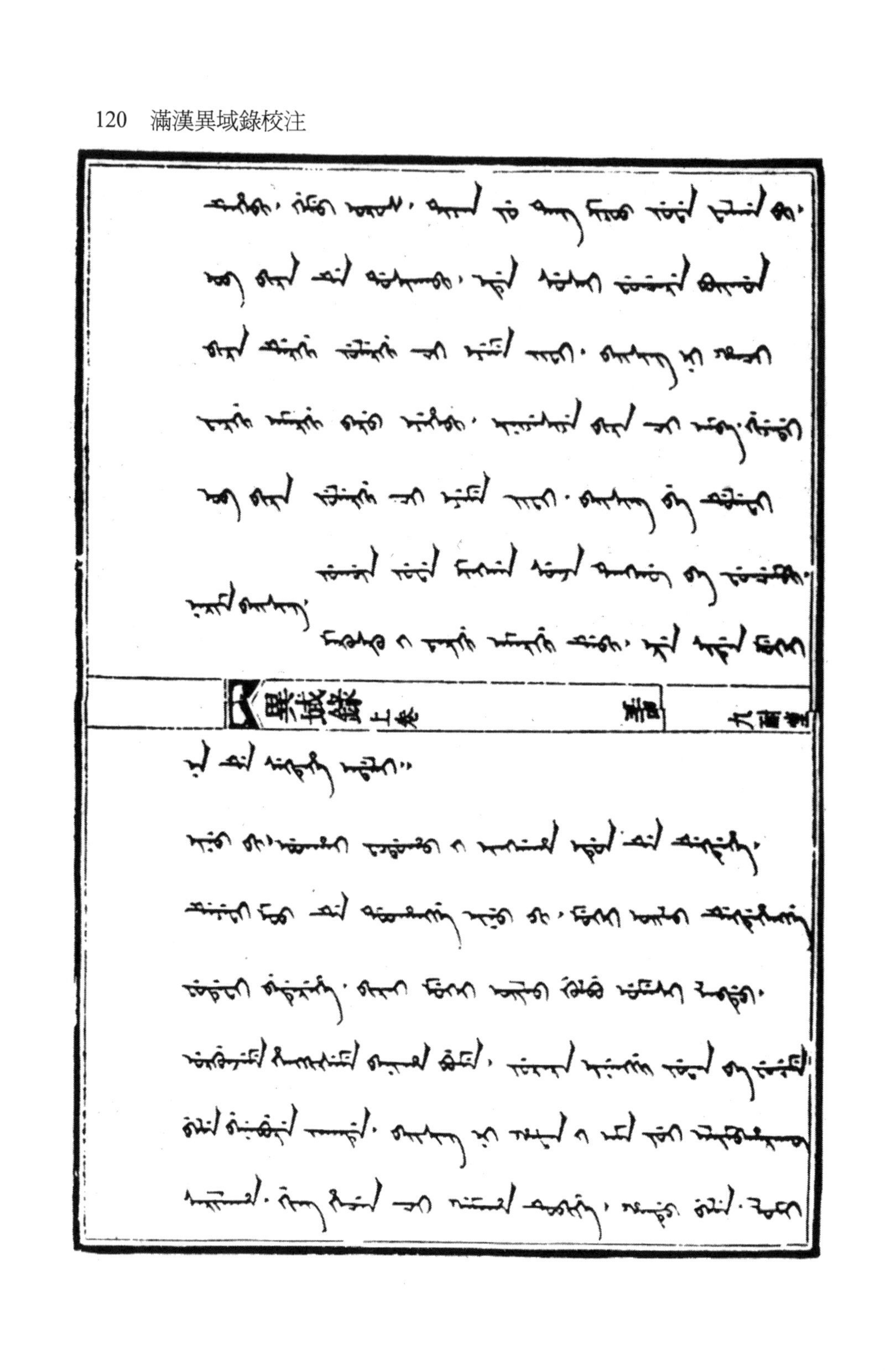

sarilaha, ging hecen ci gamaha tubihe, handu bele, lomi bele benebure jakade, baising ni hafan i ama jui alimbaharakū urgunjeme hengkišeme baniha bume, jurara inenggi juwan ba funceme fudefi bederehe, birai mukei oilo gulbu umesi labdu, deyefi moo de doohangge inu bi, mukei oil dekdehengge inu bi, uthai fodoho i inggaha edun de dekdehe, na de sektehe adali. narim baising, mak'osk'o i wargi amargi debi, ere siden mukei jugūn juwe minggan sunja tanggū ba funcembi, ob bira julergi ci eyeme jifi, baising be dulefi wargi amargi baru eyehebi, iniyesiye bira ci amba, giyedi bira dergi julergi ci eyeme jifi, baising ni hanci ob bira de dosikabi, ede susai funcere boigon tehebi, gemu oros, tiyan ju tang miyoo juwe falga bi,

---

筵宴，因將京都帶去果品、並粳米、老米，遣人酬送，管栢興官父子甚喜，叩頭致謝，起程之日，送十餘里辭歸，河內水面白蛾甚多，或飛樹上，或浮水面，似柳絮乘風，楊花鋪地。那里穆栢興，在麻科斯科之西北，其間水程二千五百餘里，鄂布河自南流來，過栢興，向西北而流，大于伊聶謝河，揭的河來自東南，流至栢興附近，歸入鄂布河，居住四五十戶，俱鄂羅斯，有天主堂二座，

筵宴，因将京都带去果品、并粳米、老米，遣人酬送，管栢兴官父子甚喜，叩头致谢，起程之日，送十余里辞归，河内水面白蛾甚多，或飞树上，或浮水面，似柳絮乘风，杨花铺地。那里穆栢兴，在麻科斯科之西北，其间水程二千五百余里，鄂布河自南流来，过栢兴，向西北而流，大于伊聂谢河，揭的河来自东南，流至栢兴附近，归入鄂布河，居住四五十户，俱鄂罗斯，有天主堂二座，

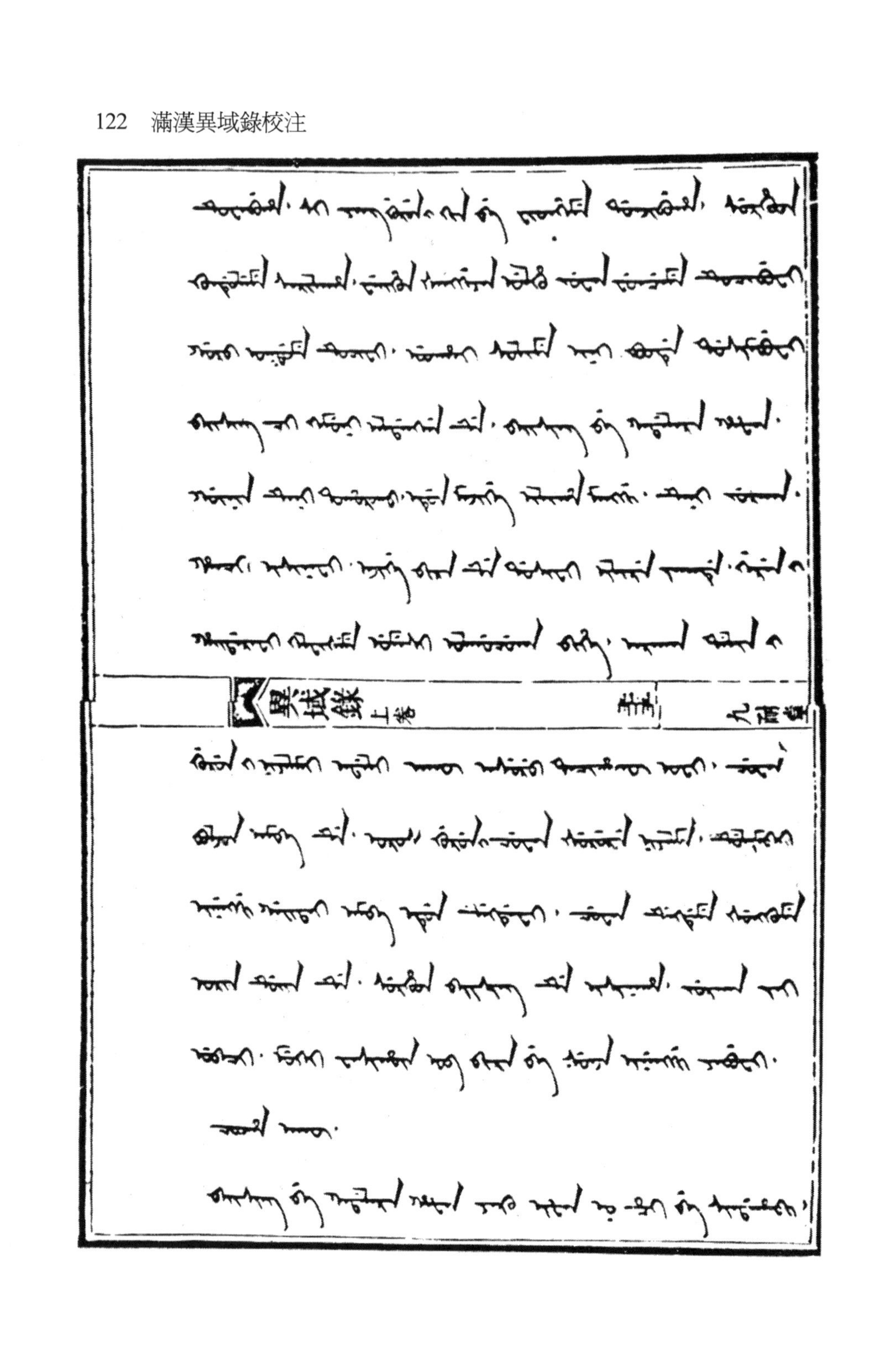

異域錄 上卷

baising be kadalara hafan yak'o ifan no cy be sindahabi, cooha akū. ubaci mukei wasihūn ob bira be sunja inenggi yabufi, orin duin de, surhut baising de isinaha, juraka jai inenggi gaitai amba edun dekdefi, cuwan dekdeme šungkume boljon amba de, oros gurun i cuwan surure niyalma, dulimbai gurun i niyalmai adali akū asuru tacihakū ofi, cuwan haidarafi kelfišeme umesi olgocuka bihe, arkan dalin i hanci isinafi, ajige bira de dosifi ilire jakade, geren i gūnin teni tohoroko, edun majige iliha manggi, teni juraka, baising ci kemuni aldangga de, baising be kadalara hafan, goro okdome tucifi, uthai solime ini boode dosimbufi kunduleme sarilaha, weihun šanggiyan ulhu juwan funceme tucibufi tuwabuha, si yang gurun i kin be fitheme donjibuha, surhut

---

設管轄佰興頭目一員，名雅科伊番訥赤（註五八），無兵。從此處由鄂布河順流而下，行五日，于二十四日，至蘇爾呼忒栢興，起程之次日（註五九），忽颶風大作，波濤洶湧，舟楫傾欹，上下浮沉，鄂羅斯人操舟，不似中國人諳練，幾至于危殆，倖得傍岸，避入小河，眾心始安，去栢興尚遠，管栢興官出迎，請至伊宅，設宴欵待，出十數活銀鼠視之，鼓西洋琴以獻，蘇爾呼忒

设管辖佰兴头目一员，名雅科伊番讷赤（注五八），无兵。从此处由鄂布河顺流而下，行五日，于二十四日，至苏尔呼忒栢兴，起程之次日（注五九），忽飓风大作，波涛汹涌，舟楫倾欹，上下浮沉，鄂罗斯人操舟，不似中国人谙练，几至于危殆，幸得傍岸，避入小河，众心始安，去栢兴尚远，管栢兴官出迎，请至伊宅，设宴欵待，出十数活银鼠视之，鼓西洋琴以献，苏尔呼忒

註五八：雅科伊番訥赤，案叢書集成簡編、小方壺齋輿地叢鈔作「雅果付衣宛薩委翅」，同音異譯。

註五九：起程之次日，滿文本同，叢書集成簡編、小方壺齋輿地叢鈔俱作「起程之日」，疑誤。

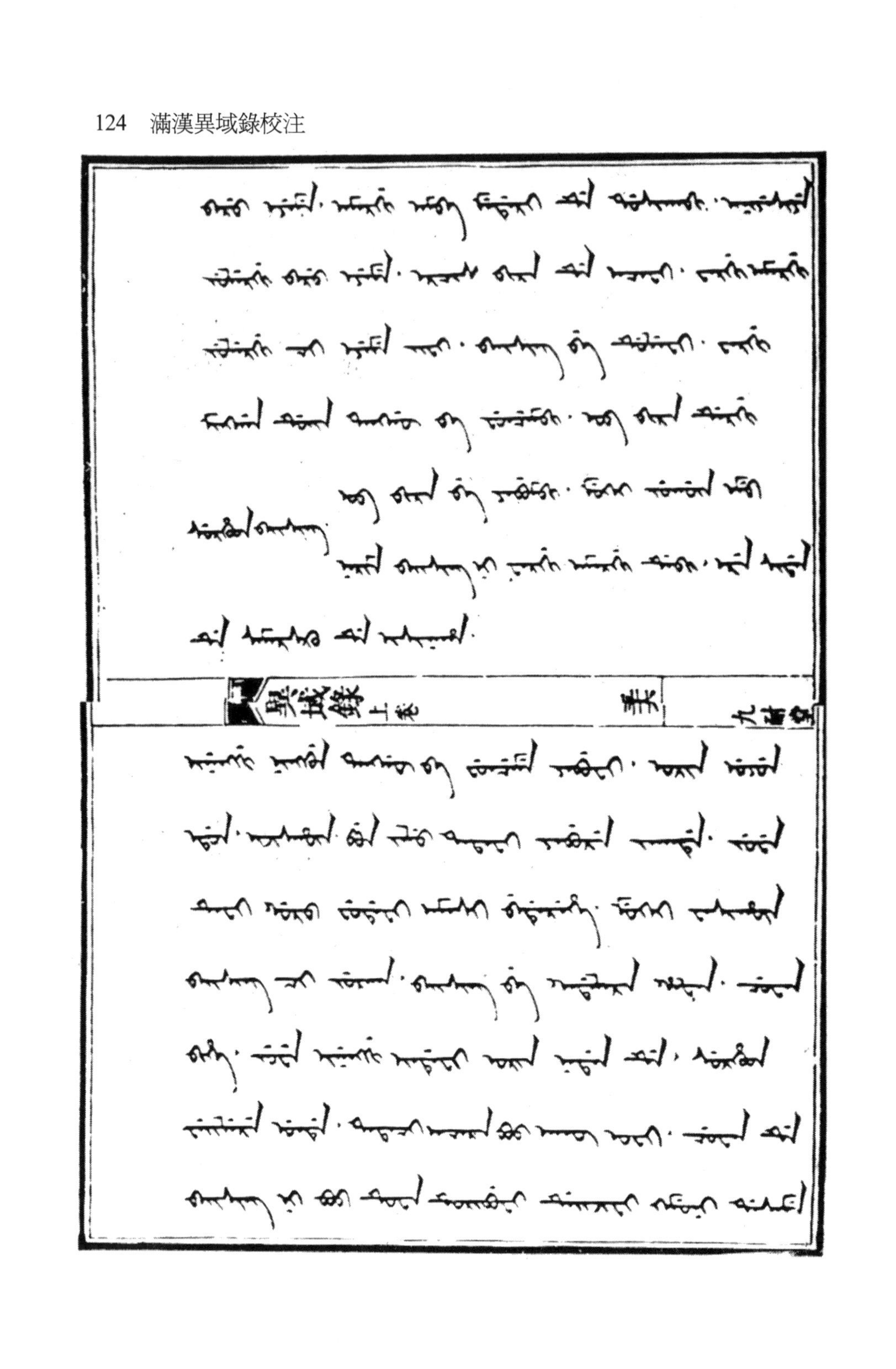

異域錄　上卷

九

baising ni boo tuwa turibufi deijifi, kemuni dasame weilere unde, tataci acara boo akū ofi, cuwan de bihe, juwe inenggi indefi orin nadan de, surhut baising ci juraka, baising be kadalara hafan, cuwan tefi goro fudefi amasi bederehe, mukei wasihūn edun ijishūn, pun jalu tatafi yabure jakade, juwe inenggi ninggun tanggū ba funceme yabufi, orin uyun de samarsk'o de isinaha. surhut baising, narim baising ni wargi amargi debi, ere siden ob bira be yabumbi, mukei jugūn emu minggan duin tanggū ba funcembi, ob bira dergi julergi ci eyeme jifi, baising be dulefi, wargi julergi baru eyeme, ercis bira de acafi, wargi amargi baru eyeme, amargi amba mederi de dosikabi, iniyesiye

---

廬舍回祿，尚未修葺，無可歇公署，居舟中，越二宿，于二十七日，自蘇爾呼次起程，管栢興官駕舟遠送辭歸，順流乘風，揚帆而行，兩日行六百餘里，于二十九日，至薩馬爾斯科。蘇爾呼忒栢興，在那里穆栢興之西北，其間由鄂布河舟行，水程一千四百餘里，其鄂布河來自東南，流過栢興，向西南與厄爾齊斯河合流，復向西北，流入北海，大于伊聶謝

庐舍回禄，尚未修葺，无可歇公署，居舟中，越二宿，于二十七日，自苏尔呼次起程，管栢兴官驾舟远送辞归，顺流乘风，扬帆而行，两日行六百余里，于二十九日，至萨马尔斯科。苏尔呼忒栢兴，在那里穆栢兴之西北，其间由鄂布河舟行，水程一千四百余里，其鄂布河来自东南，流过栢兴，向西南与厄尔齐斯河合流，复向西北，流入北海，大于伊聂谢

異域錄 上卷

bira ci amba, muke duranggi, eyen nesuken, muke biltefi babade garganame eyehebi, tun i ba labdu, jugūn i unduri birai juwe ergi dalirame ba necin, gemu moo bujan, isi, fulha, fiya, yengge banjihabi, cikirame burga labdu, ostiyask'o sere niyalma, gemu bujan i dolo son son i tehebi, birai amargi dalin de, baising ni boo weilefi juwe tanggū funcere boigon tehe bihe, tiyan ju tang miyoo ilan falga bihe, tuwa turibufi gemu deijihebi, komso dulin icemleme boo weilefi tehebi, amba dulin eye arafi tehebi, gemu oros, baising be kadalara hafan emke sindahabi, cooha tanggū tebuhebi. samarsk'o de isinaha inenggi, baising ni hafan geri g'ori goro okdome tucifi, solime ini boode dosimbufi sarilaha, ini sargan be tucibufi darabuha, geli solifi

---

河，水濁溜緩，水脹四溢，洲渚甚多，沿河兩岸地勢平坦，皆林木，有杉松、楊、樺、櫻薁，河邊多叢柳。有一種鄂斯提牙斯科人，在林內散處，河之北岸，向有栢興廬舍，居二百餘戶，天主堂三座，因失火燒毀，少半新結廬舍居住，餘皆穴處，俱鄂羅斯，設管轄栢興頭目一員，駐兵百名。至薩馬爾斯科之日，管栢興官葛禮果禮（註六〇），遠來迎接，請至伊家欵宴，出其妻子獻酒，又請

河，水浊溜缓，水胀四溢，洲渚甚多，沿河两岸地势平坦，皆林木，有杉松、杨、桦、樱薁，河边多丛柳。有一种鄂斯提牙斯科人，在林内散处，河之北岸，向有栢兴庐舍，居二百余户，天主堂三座，因失火烧毁，少半新结庐舍居住，余皆穴处，俱鄂罗斯，设管辖栢兴头目一员，驻兵百名。至萨马尔斯科之日，管栢兴官葛礼果礼（注六〇），远来迎接，请至伊家欵宴，出其妻子献酒，又请

註六〇：葛禮果禮，案叢書集成簡編、小方壺齋輿地叢鈔作「濟爾果付」，譯音頗有出入。

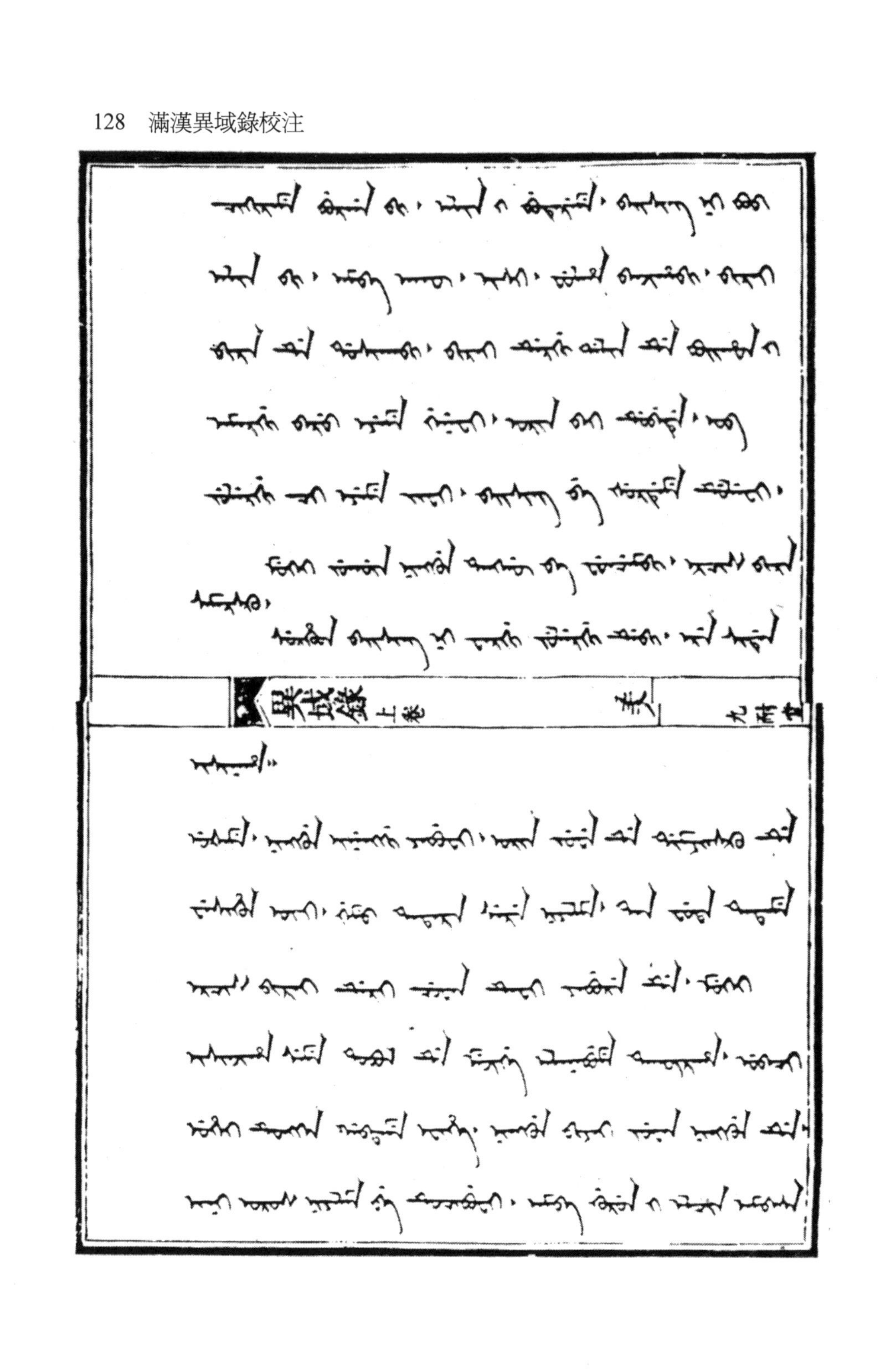

異域錄 上卷

ini oros niyalma be tucibufi, amba gurun i elcin ambasa uhei tungken gabtame efihe, ninggun biyai juwan ninggun de, isinjiha seme tobol de mejige alanabume takūraha, ubaci ercis birai deri cuwan tefi yabure de, mukei wesihun ofi, gemu tatara sere niyalma, tan futa tatame ušame, ninggun inenggi yabufi, orin juwe de dimyansk'o de isinaha. samarsk'o, surhut baising ni wargi julergi debi, ere siden mukei jugūn ninggun tanggū ba funcembi, ercis bira julergi ci eyeme jifi, baising be šurdeme dulefi, amargi baru eyeme genefi, orin bai dubede, ob bira de dosikabi, birai dergi dalin de boihon i alin bi, amba akū, isi, fulha banjihabi, birai cikirame burga bi, alin i butereme, baising ni boo

---

會同射的。六月十六日，差伊鄂羅斯人往托波兒城，通報大國使臣已到緣由（註六一），自此處由厄爾齊斯河遡流而行，俱塔塔拉之人挽縴，越六宿，于二十二日，至狄穆演斯科。薩馬爾斯科，在蘇爾呼忒栢興西南，其間水程六百餘里，厄爾齊斯河自南流來，遶過栢興，向西北流二十餘里，歸入鄂布河，其河東岸之上有土山，不甚大，有杉松、楊樹，河邊有叢柳，山麓一帶，有廬舍，

会同射的。六月十六日，差伊鄂罗斯人往托波儿城，通报大国使臣已到绿由（注六一），自此处由厄尔齐斯河遡流而行，俱塔塔拉之人挽纤，越六宿，于二十二日，至狄穆演斯科。萨马尔斯科，在苏尔呼忒栢兴西南，其间水程六百余里，厄尔齐斯河自南流来，遶过栢兴，向西北流二十余里，归入鄂布河，其河东岸之上有土山，不甚大，有杉松、杨树，河边有丛柳，山麓一带，有庐舍，

註六一：滿文第一行第三行謂「差伊鄂羅斯人，大國使臣會同射的為娛，六月十六日通報托波兒已到，」敘事錯亂，當據漢文改正。

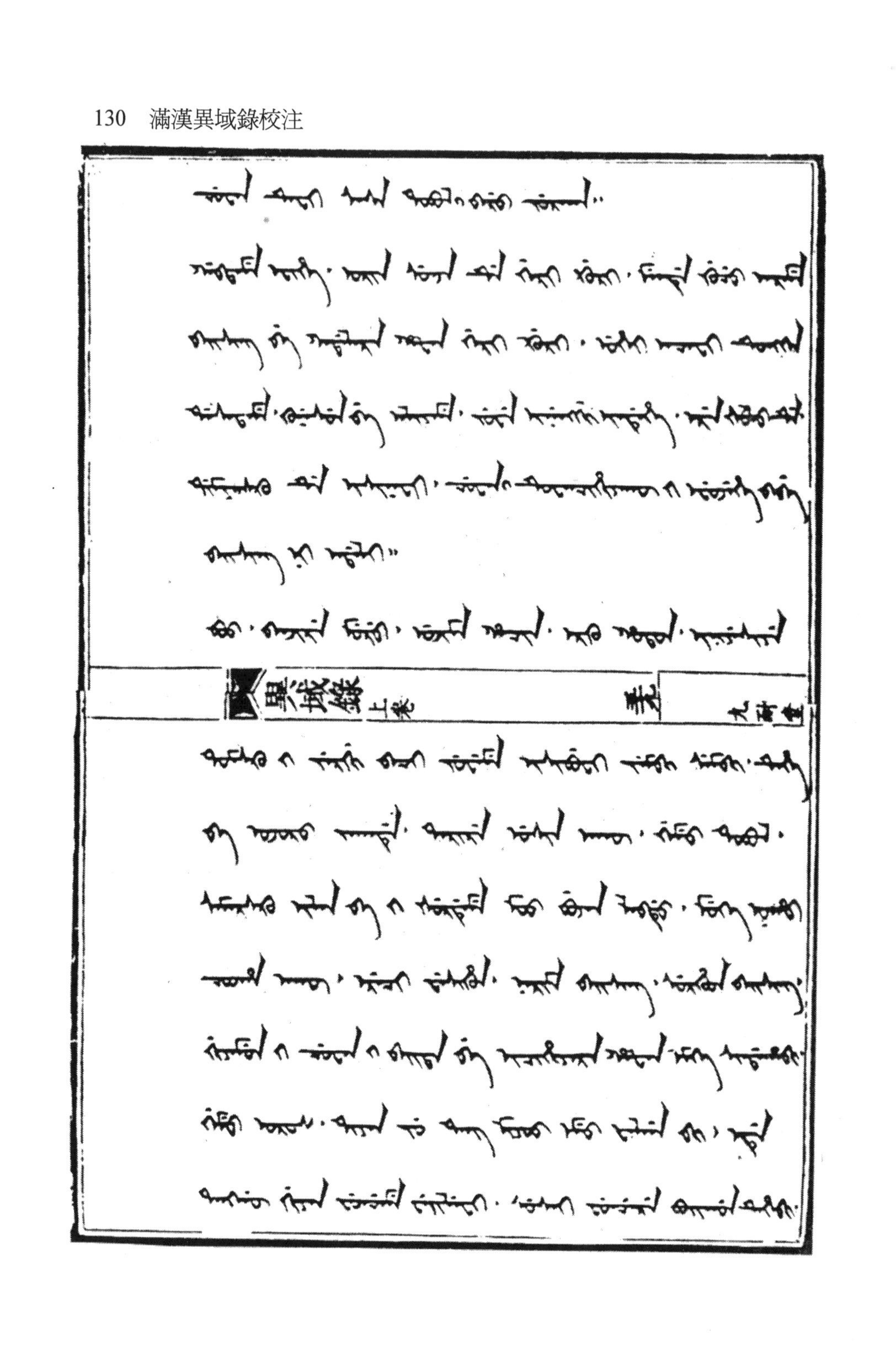

異域錄　上卷

tanggū giyan funceme weilefi, susai funcere boigon tehebi, gemu oros, tiyan ju tang miyoo emu falga bi, ede giyamun i cuwan i baita be icihiyara hafan emke sindahabi, cooha akū, ereci wesihun, narim baising, surhut baising, samarsk'o ilan ba i šurdeme moo bujan labdu, muke noho ba ojoro jakade, tarire usin akū, gemu tobol, tomsk'o i jergi baci juweme isibufi jembi sembi, tehe boo, banjire muru, ujima hacin, erku hoton, iniyesiye baising ni adali. dimyansk'o de isinafi, cuwan i tuwancihiyakū i efujehe babe dasatame, kunesun be aliyame, juwe inenggi indehe, ere šolo de, baising be kadalara hafan geri g'ori, uhei acafi tungken gabtame efihe, orin sunja de geri g'ori, mende gucu arame cuwan tefi sasa tobol i baru juraka.

百餘間，居五十餘戶，皆鄂羅斯，有天主堂一座，設管理驛站船隻頭目一員，無兵，以上三處（註六二），林木甚多，係水窪地方，無耕種田畝，俱從托波兒、托穆斯科等處挽運麥石而食，其廬舍、生計、牲畜等項，與厄爾庫城、伊聶謝栢興同。在狄穆演斯科修理船舵損壞之處，並俟供給，止二宿，閒暇時，管栢興官葛禮果禮相約射的爲娛，二十五日，葛禮果禮乘舟相伴同赴托波兒城。

百余间，居五十余户，皆鄂罗斯，有天主堂一座，设管理驿站船只头目一员，无兵，以上三处（注六二），林木甚多，系水洼地方，无耕种田亩，俱从托波儿、托穆斯科等处挽运麦石而食，其庐会、生计、牲畜等项，与厄尔库城、伊聂谢栢兴同。在狄穆演斯科修理船舵损坏之处，并俟供给，止二宿，闲暇时，管栢兴官葛礼果礼相约射的为娱，二十五日，葛礼果礼乘舟相伴同赴托波儿城。

註六二：以上三處，滿文作「以上那里穆栢興、蘇爾呼忒栢興、薩馬爾斯科三處」，漢文簡略。

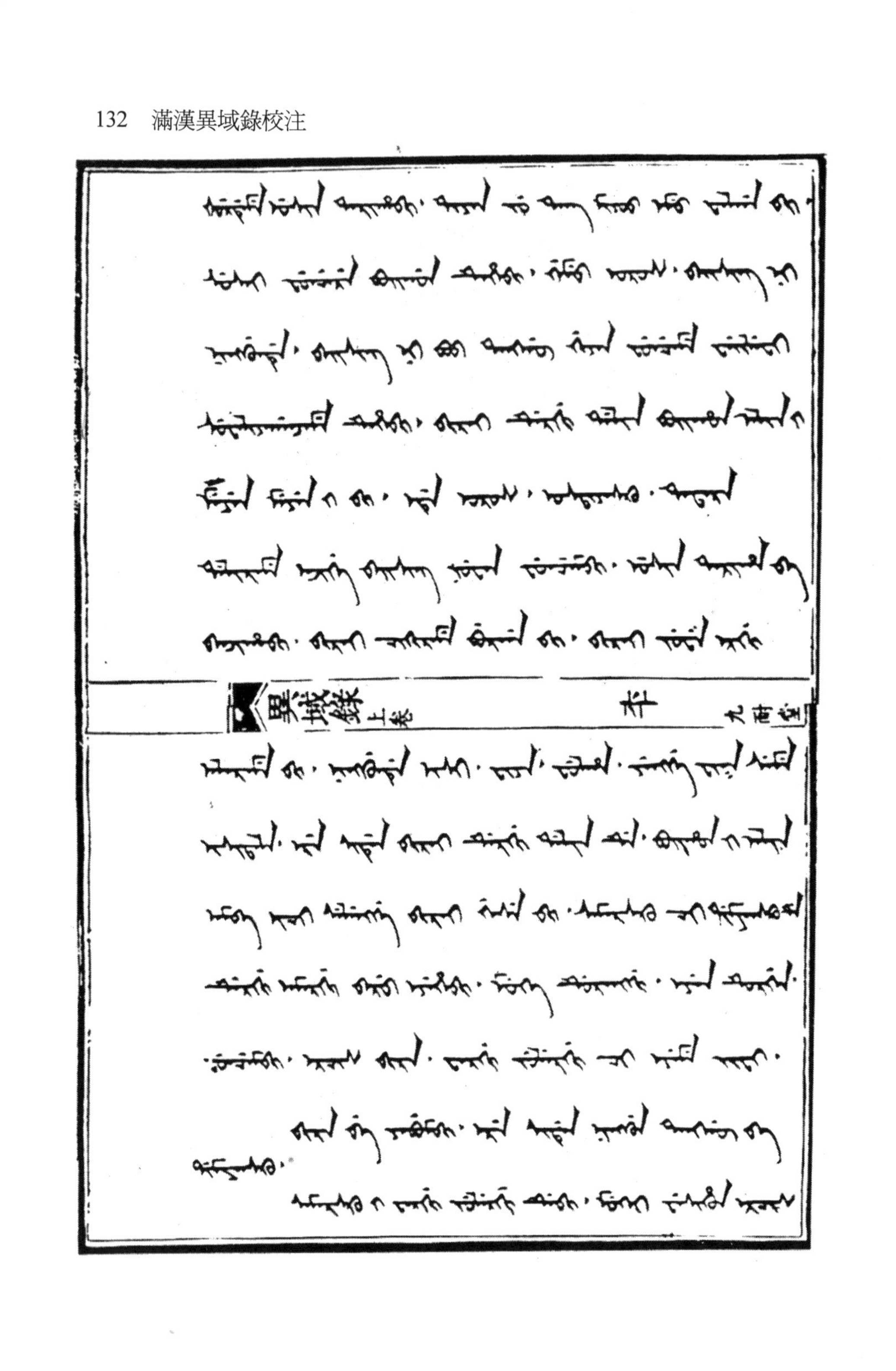

dimyansk'o, samarsk'o i wargi julergi debi, mukei wesihun ercis bira be yabumbi, ere siden ninggun tanggū ba funcembi, ercis bira, wargi julergi ci eyeme jifi, dergi amargi baru eyehebi, muke duranggi, eyen turgen, amba ici selengge birai gese bi, samarsk'o ci dimyansk'o de isitala, ere siden birai dergi dalin de, boihon i alin alaramebi, ninggunde isi, fiya, fulha, yengge fik seme banjihabi, birai cikirame burga bi, birai juwe ergi dalirame ajige baising juwan funcembi, usin tariha ba meyen meyen i bi, ede oros, ostiyask'o, tatara suwaliyaganjame tehebi, birai dergi dalin boihon alin i ninggunde, baising ni boo tanggū giyan funceme weilefi susai funcere boigon tehebi, gemu oros, baising ni šurdeme usin tarihabi, tiyan ju tang miyoo emu falga bi,

---

狄穆演斯科，在薩馬爾斯科之西南（註六三），由厄爾齊斯河遡流而上，相去六百餘里，厄爾齊斯河來自西南，向東北而流，水濁溜急，其大如色楞格河，自薩馬爾斯科至狄穆演斯科，沿河一帶，東岸之上，皆土山平坂，有杉松、楊、樺、櫻薁等樹，甚密，河邊皆叢柳，兩岸有小栢興十餘處，間有田畝，鄂羅斯與鄂斯提牙斯科，並塔塔拉人雜處，其河東岸土山之上，有廬舍百餘間，居五十餘戶，皆鄂羅斯，栢興之四面皆田畝，有天主堂一座，

狄穆演斯科，在萨马尔斯科之西南（注六三），由厄尔齐斯河遡流而上，相去六百余里，厄尔齐斯河来自西南，向东北而流，水浊溜急，其大如色楞格河，自萨马尔斯科至狄穆演斯科，沿河一带，东岸之上，皆土山平坂，有杉松、杨、桦、樱薁等树，甚密，河边皆丛柳，两岸有小栢兴十余处，间有田亩，鄂罗斯与鄂斯提牙斯科，并塔塔拉人杂处，其河东岸土山之上，有庐舍百余间，居五十余户，皆鄂罗斯，栢兴之四面皆田亩，有天主堂一座，

註六三：西南，滿文本同，叢書集成簡編、小方壺齋輿地叢鈔作「西北」，疑誤。

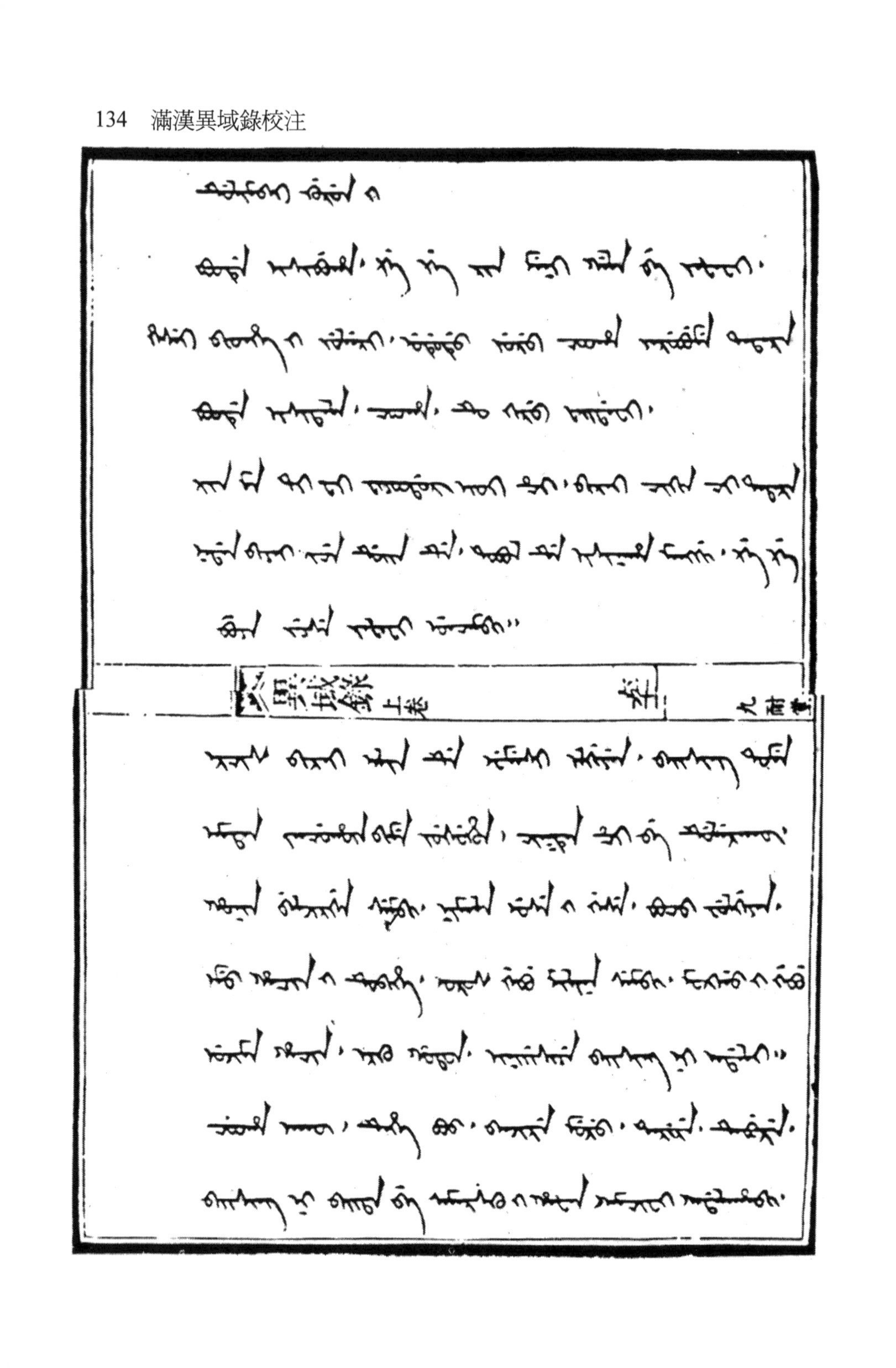

異域錄 上卷

九

baising ni baita be samarsk'o i hafan kamcifi kadalahabi, cooha akū, tehe boo, banjire muru, tarire, tebure, ujima hacin, erku hoton, iniyesiye baising ni adali. emu hacin i tubihe, oros gebu milina sembi, monggo i gebu honin beljirgen sembi, nimala use i gese, boco fulgiyan, amtan jancuhūn bime jušuhun, cikten cy be dulerakū, ercis birai alin de umesi elgiyen, baising tome buya juse jafafi uncambi. nadan biyai ice duin de, tobol de isinaha manggi, g'a g'a rin ma ti fi fiyoodor ioi cy, birai cikin ci tatara boode isitala, cooha, tu kiru faidafi, hesei bithe i juleri, ududu juru cooha yarubume tatara boode isibuha, g'a g'a rin meni gala be jafafi, dulimbai gurun i

---

其栢興事務，係薩馬爾斯科頭目兼管，無兵（註六四）。一種草果，鄂羅斯名之日馬里那，蒙古人名之曰和尼栢兒濟爾根，形似桑椹，色赤，味甘酸，幹不盈尺，其厄爾齊斯河岸之山內甚多，栢興各處，小兒鬻賣。于七月初四日，至托波兒地方，噶噶林馬提飛費多里魚翅遣所屬鄂羅斯官衣番鄂番那西赤迎接問候，自河岸至公署，排兵列幟，諭旨前排列數對兵丁導引，送至公署，噶噶林執手叩請中國

其栢兴事务，系萨马尔斯科头目兼管，无兵（注六四）。一种草果，鄂罗斯名之日马里那，蒙古人名之曰和尼栢儿济尔根，形似桑椹，色赤，味甘酸，干不盈尺，其厄尔齐斯河岸之山内甚多，栢兴各处，小儿鬻卖。于七月初四日，至托波儿地方，噶噶林马提飞费多里鱼翅遣所属鄂罗斯官衣番鄂番那西赤迎接问候，自河岸至公署，排兵列帜，谕旨前排列数对兵丁导引，送至公署，噶噶林执手叩请中国

註六四：滿文本於「無兵」句末接"tehe boo, hanjire muru, tarire, tebure, ujima hacin, erku hoton, iniyesiye baising ni adali"，意即「其廬舍、生計、種植、牲畜等項，與厄爾庫城、伊聶謝栢興同。」漢文刪略未譯。

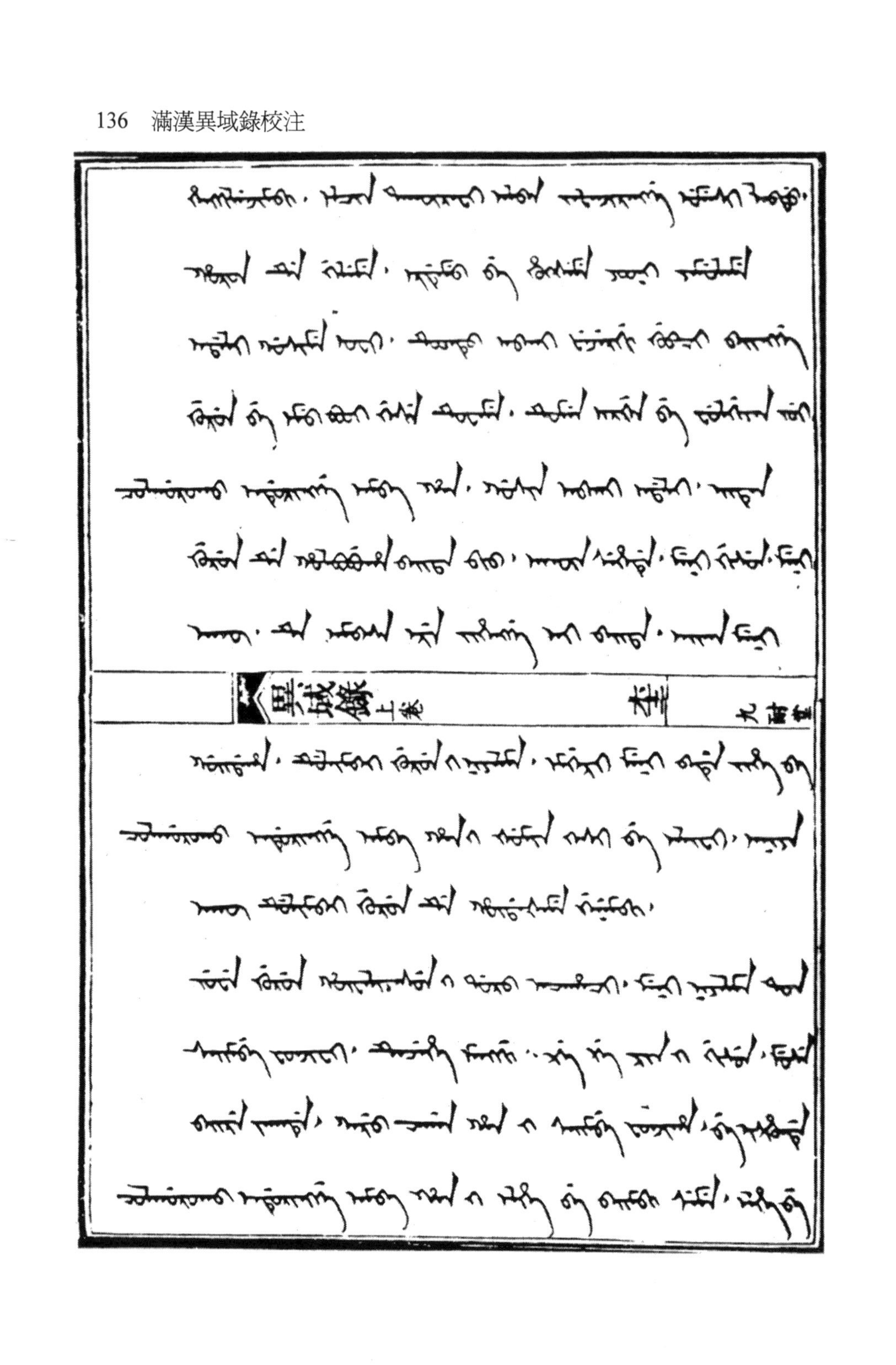

colgoroko enduringge amba han i elhe be baimbi seme, elhe be baire jakade, karu cagan han i saimbe fonjiha, be ishunde saimbe fonjifi, tecehe manggi, g'a g'a rin i gisun, muse juwe gurun hūwaliyasun i doro acahaci, meni niyalma ton akū dulimbai gurun de hūdašame genembi, colgoroko enduringge amba han i šumin kesi be alifi, aniya goidaha, dulimbai gurun i niyalma, emgeri meni bade jihe ba akū, te ambasa ere jihengge ai baita, aika meni gurun de holbobuha baita bio, akūn sehede, meni gisun, meni colgoroko enduringge amba han, gosin abkai adali, eiten gurun be emu booi gese tuwame, tumen irgen be fulgiyan jui adali gosime ofi, tuttu abkai fejergi gubci baingge horon de geleme, erdemu be hukšeme yooni yamulame hengkilenjimbi, elcin takūrafi alban jafanjirangge umesi labdu,

---

至聖大皇帝萬安，于是我等問察罕汗起居，互相敘寒溫，坐畢，噶噶林曰：兩國自和議之後，我國人民不時往中國貿易，屢沾至聖大皇帝深恩有年，中國人並不曾一至我國地方，今天使大人此來，有何事故？或有干預我國之事否？我等答曰：我至聖大皇帝其仁如天，視萬國猶一家，保萬民如赤子，是以普天率土，莫不畏威懷德，來享來王，其遣使進貢朝覲者甚眾

至圣大皇帝万安，于是我等问察罕汗起居，互相叙寒温，坐毕，噶噶林曰：两国自和议之后，我国人民不时往中国贸易，屡沾至圣大皇帝深恩有年，中国人并不曾一至我国地方，今天使大人此来，有何事故？或有干预我国之事否？我等答曰：我至圣大皇帝其仁如天，视万国犹一家，保万民如赤子，是以普天率土，莫不畏威怀德，来享来王，其遣使进贡朝觐者甚众

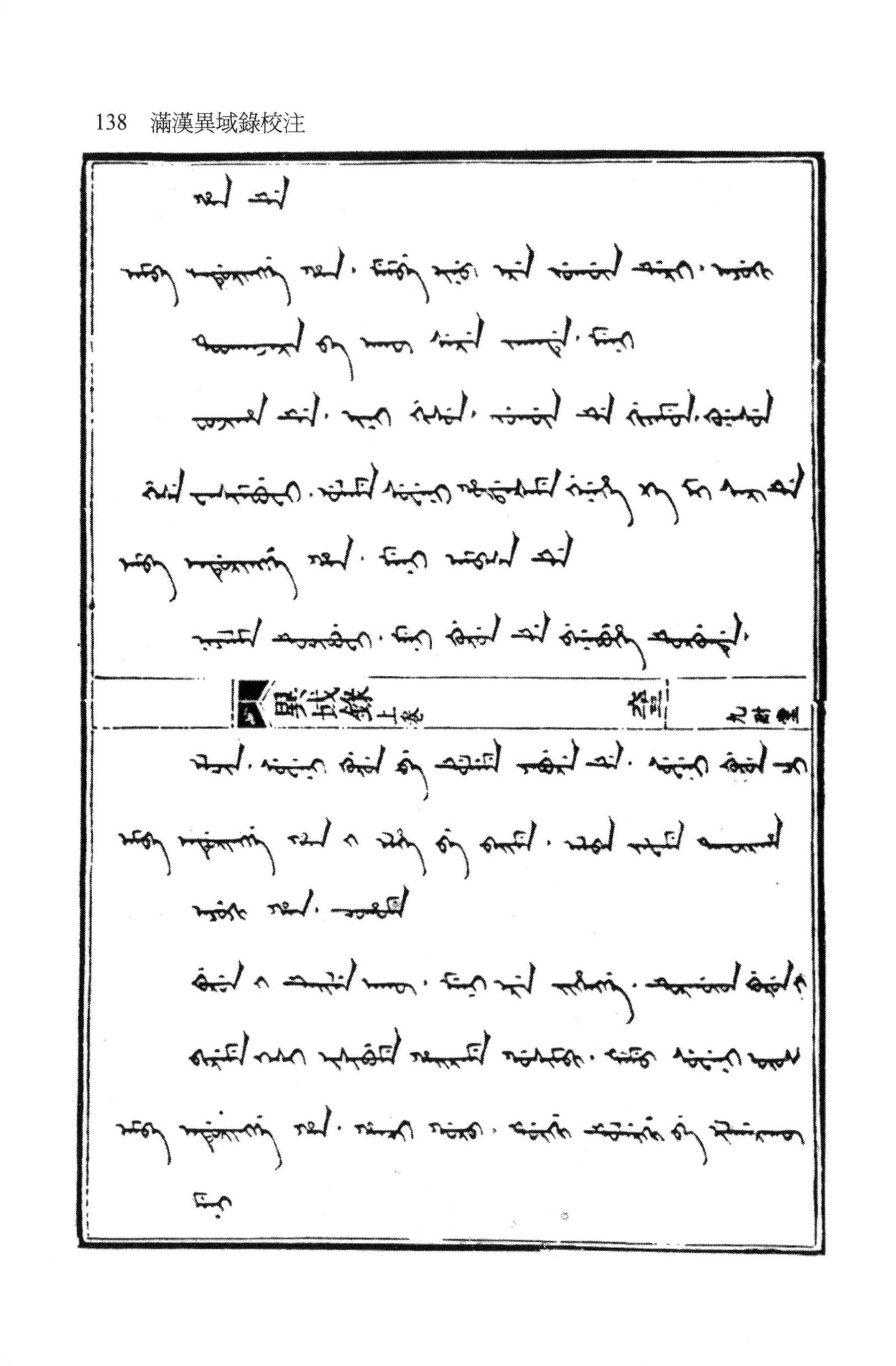

meni amba enduringge han, hanci goro, dorgi tulergi be ilgarakū, bireme kesi isibume hairame gosimbi, damu suweni oros gurun i teile akū, meni ere jihengge, turgūt gurun i ayuki han, cohome amba enduringge han i elhe be baime, alban jafame takūraha elcin, suweni gurun be duleme yabure de, suweni gurun ci niyalma tucibufi, meni gurun de benebuhe turgunde, amba enduringge han, meni ambasa de hese wasimbufi, ulame suweni hūdašame genehe k'a mi sar de fonjiha de, ini gisun, jugūn de giyamun, kunesun tookanjara ba akū sere jakade, meni amba enduringge han, membe inu ere jugūn deri, ayuki han de

---

我大皇帝無論遠近內外，俱一體加恩愛恤，不止爾鄂羅斯一國，我等此來，因土爾虎特國阿玉氣汗特遣使往中國，恭請大皇帝萬安，貢進方物之人，由爾國經過，爾國遣人轉送至中國，所以我大皇帝勅諭我國大臣，傳詢爾國前往貿易之商人哈密薩兒，言沿途馬匹供應不致違誤，是以我大皇帝亦由此路遣我等前往阿玉氣汗處，

我大皇帝无论远近内外，俱一体加恩爱恤，不止尔鄂罗斯一国，我等此来，因土尔虎特国阿玉气汗特遣使往中国，恭请大皇帝万安，贡进方物之人，由尔国经过，尔国遣人转送至中国，所以我大皇帝勅谕我国大臣，传询尔国前往贸易之商人哈密萨儿，言沿途马匹供应不致违误，是以我大皇帝亦由此路遣我等前往阿玉气汗处，

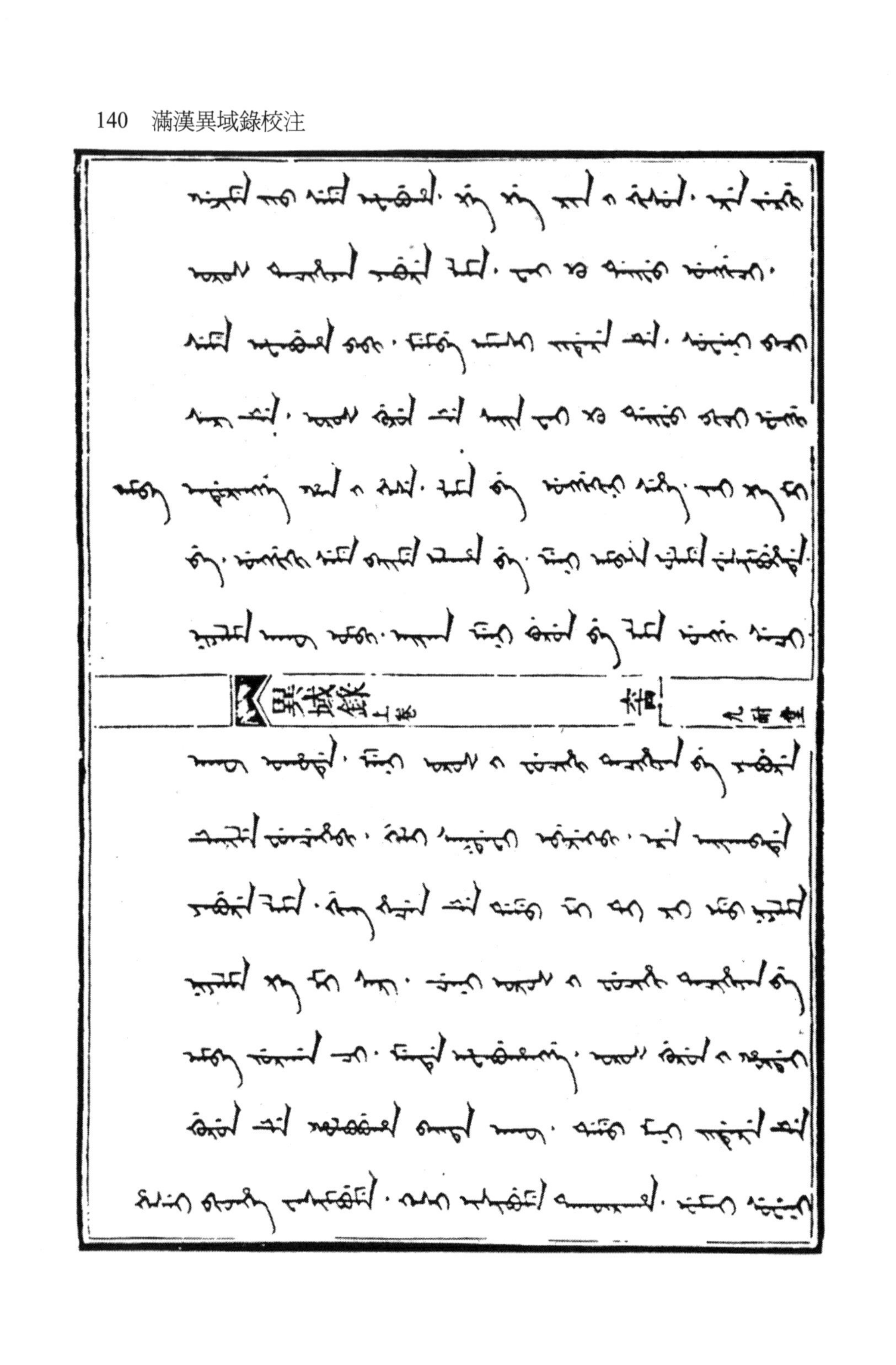

異域錄 上卷

hesei bithe wasimbume, kesi isibume takūraha, umai suweni gurun de holbobuhe baita akū, damu meni jidere de amba jurgan ci, mende afabuhangge, oros gurun i hūdai niyalma k'a mi sar, ceni oros i fucihi tacihiyan be yabure lama, ging hecen de damu mi ti ri emu niyalma teile funcehebi, geli sakdafi eberekebi, ere aikabade akū ohode, meni oros i fucihi tacihiyan be yabure niyalma akū ombi, aika meni gurun be lama unggi seci, be, unggiki seme baime alaha be, meni ambasa ulame wesimbuhede, amba enduringge han i hese, lama be unggikini sehe, jai k'a mi sar de, oros gurun de sain wai k'o daifu bici unggi seme afabuha babi, membe, amasi jidere de, suweni baci oros tacihiyan yabure lama, wai k'o daifu unggici, gajime jio seme afabuha, g'a g'a rin i gisun, ere jergi

---

頒發諭旨，並賜恩賞，于爾國無事，但我等來時，我大部交付，有鄂羅斯國商人哈密薩兒乞請，行鄂羅斯佛教番僧在京師者，止有米提理一人，年已老邁，倘有不測，則行我鄂羅斯佛教之人，必致斷絕，若准我國送番僧前來，我即送來等語，我國大臣轉奏，蒙大皇帝恩准著送番僧前來，又曾交付爾商人哈密薩兒，爾國若有外科良醫，一併送來，我等事竣還朝時，爾國若將行教番僧、外科醫士給發，令我等帶去，噶噶林曰：是此等

颁发谕旨，并赐恩赏，于尔国无事，但我等来时，我大部交付，有鄂罗斯国商人哈密萨儿乞请，行鄂罗斯佛教番僧在京师者，止有米提理一人，年已老迈，倘有不测，则行我鄂罗斯佛教之人，必致断绝，若准我国送番僧前来，我即送来等语，我国大臣转奏，蒙大皇帝恩准着送番僧前来，又曾交付尔商人哈密萨儿，尔国若有外科良医，一并送来，我等事竣还朝时，尔国若将行教番僧、外科医士给发，令我等带去，噶噶林曰：是此等

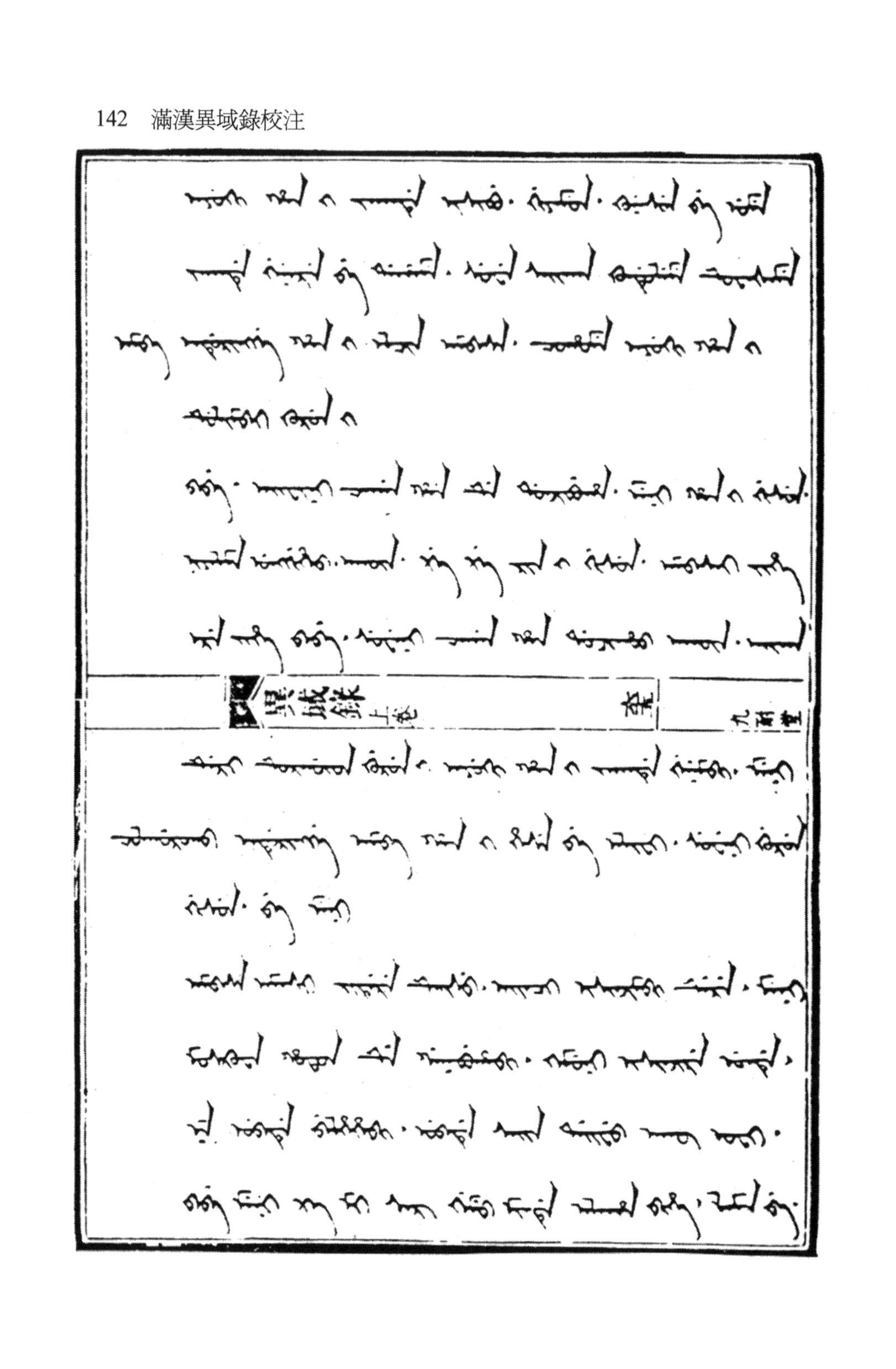

babe meni k'a mi sar gemu minde alaha bihe, lama be, ne ubade belhehebi, ubade sain daifu akū ofi, mosk'owa hoton de ganabuhabi, kemuni isinjire unde, ambasa amasi jidere teisu, ainci isinjimbi dere, meni gisun, be meni colgoroko enduringge amba han i hese be alifi, suweni gurun deri turgūt gurun i ayuki han i jakade genembi, meni ere jihe babe, suweni cagan han donjihoo akūn, aika niyalma unggiheo, akūn, g'a g'a rin i gisun, ambasai jihe babe, aifini cagan han de donjibuha, meni han i gisun, dulimbai gurun i amba enduringge han i elcin ambasa, cohome ayuki han i jakade genere be dahame, suwe saikan kunduleme tuwašame ayuki han i jakade isibu, giyamun, kunesun be ume

---

情節，我哈密薩兒俱曾告訴，番僧現今在此預備，醫士此處無甚良者，已差往莫斯科窪城調取，尚未曾到，天使大人回時，可以到此。我等言：我等奉至聖大皇帝命，路經爾國，往土爾虎特國阿玉氣汗處去，我等此來，爾國察罕汗可曾聽見否？曾差人來否？噶噶林曰：天使大人前來之處，已報知我國察罕汗，我察罕汗說，中國大皇帝命天使大人特往阿玉氣汗處去，爾等須當欽敬，護送至阿玉氣汗處，一應馬匹供用，不可

情节，我哈密萨儿俱曾告诉，番僧现今在此预备，医士此处无甚良者，已差往莫斯科洼城调取，尚未曾到，天使大人回时，可以到此。我等言：我等奉至圣大皇帝命，路经尔国，往土尔虎特国阿玉气汗处去，我等此来，尔国察罕汗可曾听见否？曾差人来否？噶噶林曰：天使大人前来之处，已报知我国察罕汗，我察罕汗说，中国大皇帝命天使大人特往阿玉气汗处去，尔等须当钦敬，护送至阿玉气汗处，一应马匹供用，不可

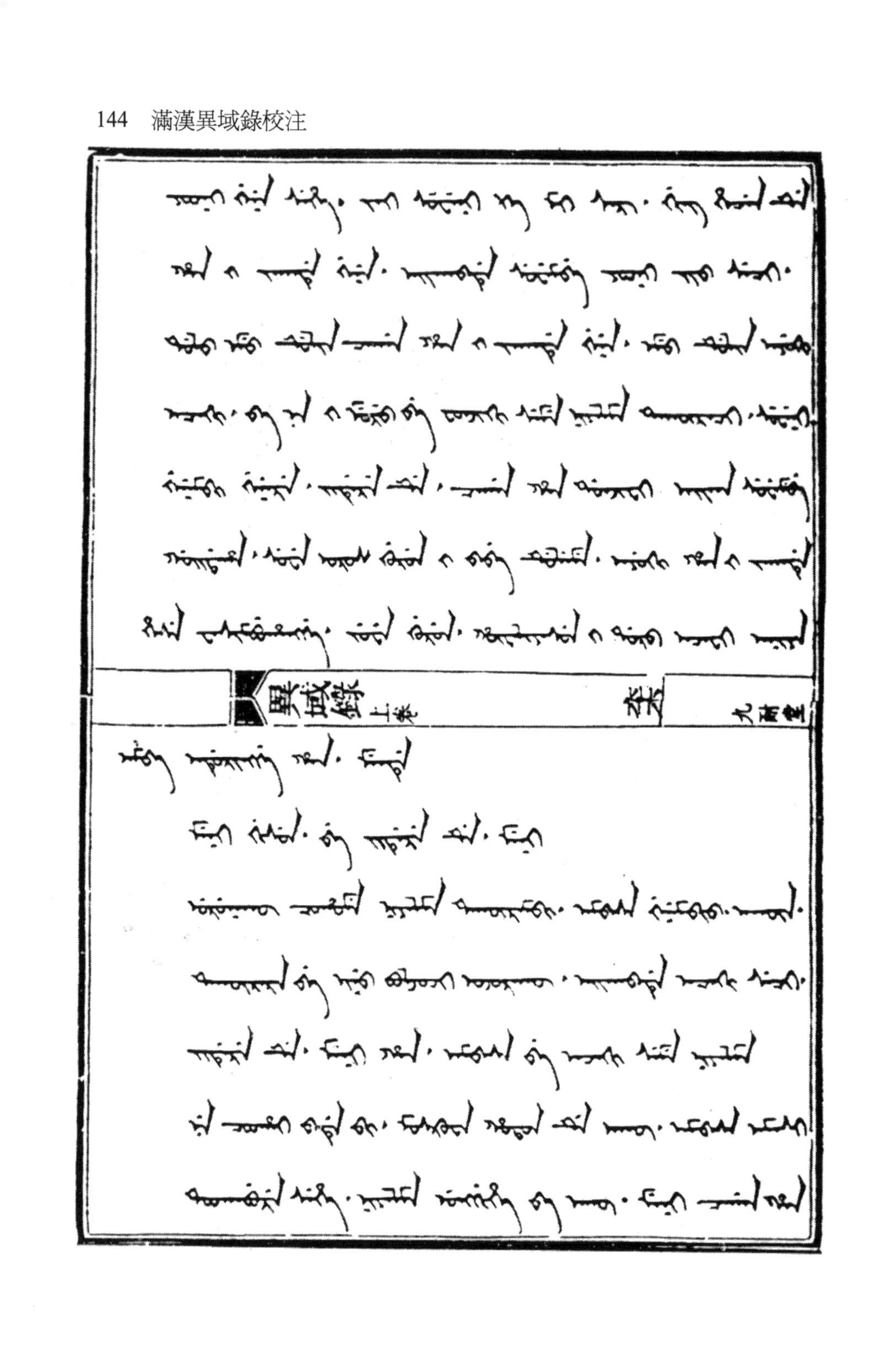

異域錄 上卷

tookabure sehe, niyalma unggihe ba akū, meni cagan han ne coohai bade bi, mosk'owa hoton de akū, ambasa amasi jidere de, meni han, ambasa be acaki seme niyalma takūrara be inu boljoci ojorakū, aikabade acaki seci, urunakū cohome niyalma takūrambi, ambasa genembio, akūn meni gisun, be jidere de, meni amba enduringge han, mende hese wasimbuhangge, juwe gurun, hūwaliyasun i doro acafi aniya goidaha, suwe oros gurun i babe duleme, ayuki han i jakade genembi, genere, jidere de, cagan han donjifi aika suwembe acaki, ba na i muru be fonjiki seme niyalma takūraci, suweni dolo emu dulin cagan han i jakade gene, emu dulin ayuki han i jakade gene, aikabade suwembe yooni jio seci, yooni gene sehe, jai suweni k'a mi sar, ging hecen de

---

遲誤，但未曾遣人來，我察罕汗不在莫斯科窪城，現在軍前，天使大人回來時我察罕汗欲會天使大人，亦未可定，若欲相會，自當特遣人來，不知天使大人去否？我等答曰：來時奉大皇帝諭旨，兩國和議已久，爾等過鄂羅斯國地方，往阿玉氣汗處去，若去來之際，察罕汗得知，差人邀會，詢問地理情形，爾等分一半人往察罕汗處去，一半人往阿玉氣汗處去，若請爾等全去，即著前往，及爾國商人哈密薩兒在京師

迟误，但未曾遣人来，我察罕汗不在莫斯科洼城，现在军前，天使大人回来时我察罕汗欲会天使大人，亦未可定，若欲相会，自当特遣人来，不知天使大人去否？我等答曰：来时奉大皇帝谕旨，两国和议已久，尔等过鄂罗斯国地方，往阿玉气汗处去，若去来之际，察罕汗得知，差人邀会，询问地理情形，尔等分一半人往察罕汗处去，一半人往阿玉气汗处去，若请尔等全去，即着前往，及尔国商人哈密萨儿在京师

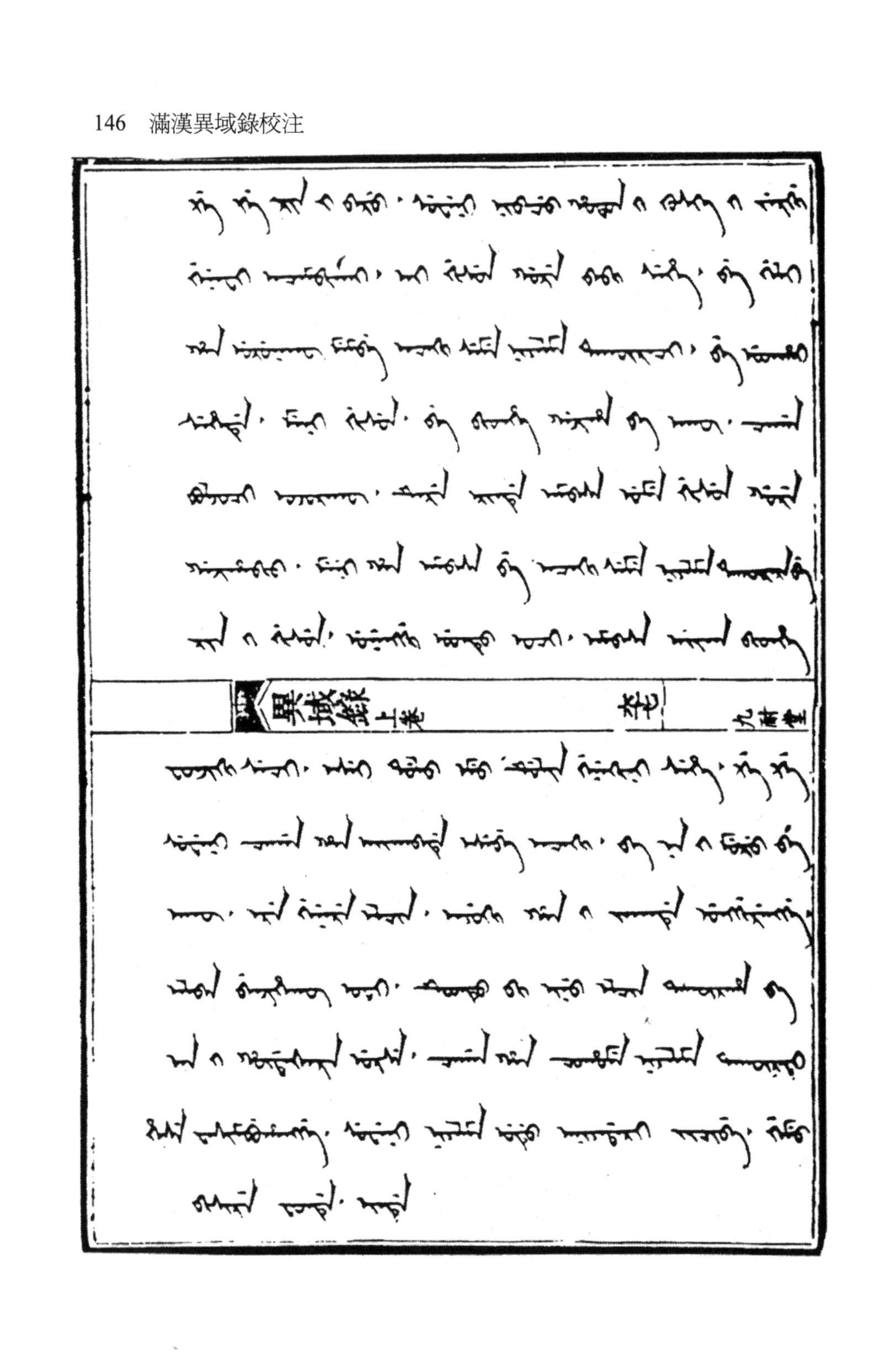

bisire fonde, inde hese wasibuhangge, suweni niyalma udu aniyadari jicibe, gemu an i hūdašara urse, cagan han cohome niyalma takūrafi alban benjihekū ofi, tuttu bi inu elcin takūraha ba akū, ere genere elcin, ayuki han i jakade unggirengge, suweni cagan han aikabade esebe acaki, ba na i muru be fonjiki seci, esei dolo emu dulin genekini sehe, g'a g'a rin i gisun, unenggi uttu oci, ambasa aika bithe gajihabio, meni han ambasa be acaki seme niyalma takūrara be boljoci ojorakū, tere erinde ambasa ume gisun gore sehede, meni gisun, be bithe gajiha ba akū, cagan han urunakū membe acaki seme niyalma takūraci, be uthai genefi acambikai, ai gisun gore babi sehe, be geli g'a g'a rin i baru, suweni nibcu hoton i kuske i jergi

---

時，亦曾有諭旨，爾國人民雖每歲前來貿易，俱係平素商賈，察罕汗並未特遣人進貢，所以朕亦不曾遣使，此所遣使者，是往阿玉氣汗處去的，爾察罕汗如欲相會，詢問地理情形，著其中一半人前往相見。噶噶林曰：如此，天使大人可曾帶得印文來否？我察罕汗欲會天使特差人來請，亦未可定，彼時天使不可食言。我等答曰：不曾帶甚文書來，爾察罕汗必欲相會，差人前來，我等即前往相會，有何食言之處，我等向噶噶林言，爾國所屬之泥布楚城居住之庫似克等。

時，亦曾有諭旨，爾國人民雖每歲前來貿易，俱係平素商賈，察罕汗並未特遣人進貢，所以朕亦不曾遣使，此所遣使者，是往阿玉氣汗處去的，爾察罕汗如欲相會，詢問地理情形，著其中一半人前往相見。噶噶林曰：如此，天使大人可曾帶得印文來否？我察罕汗欲會天使特差人來請，亦未可定，彼時天使不可食言。我等答曰：不曾帶甚文書來，爾察罕汗必欲相會，差人前來，我等即前往相會，有何食言之處，我等向噶噶林言，爾國所屬之泥布楚城居住之庫似克等。

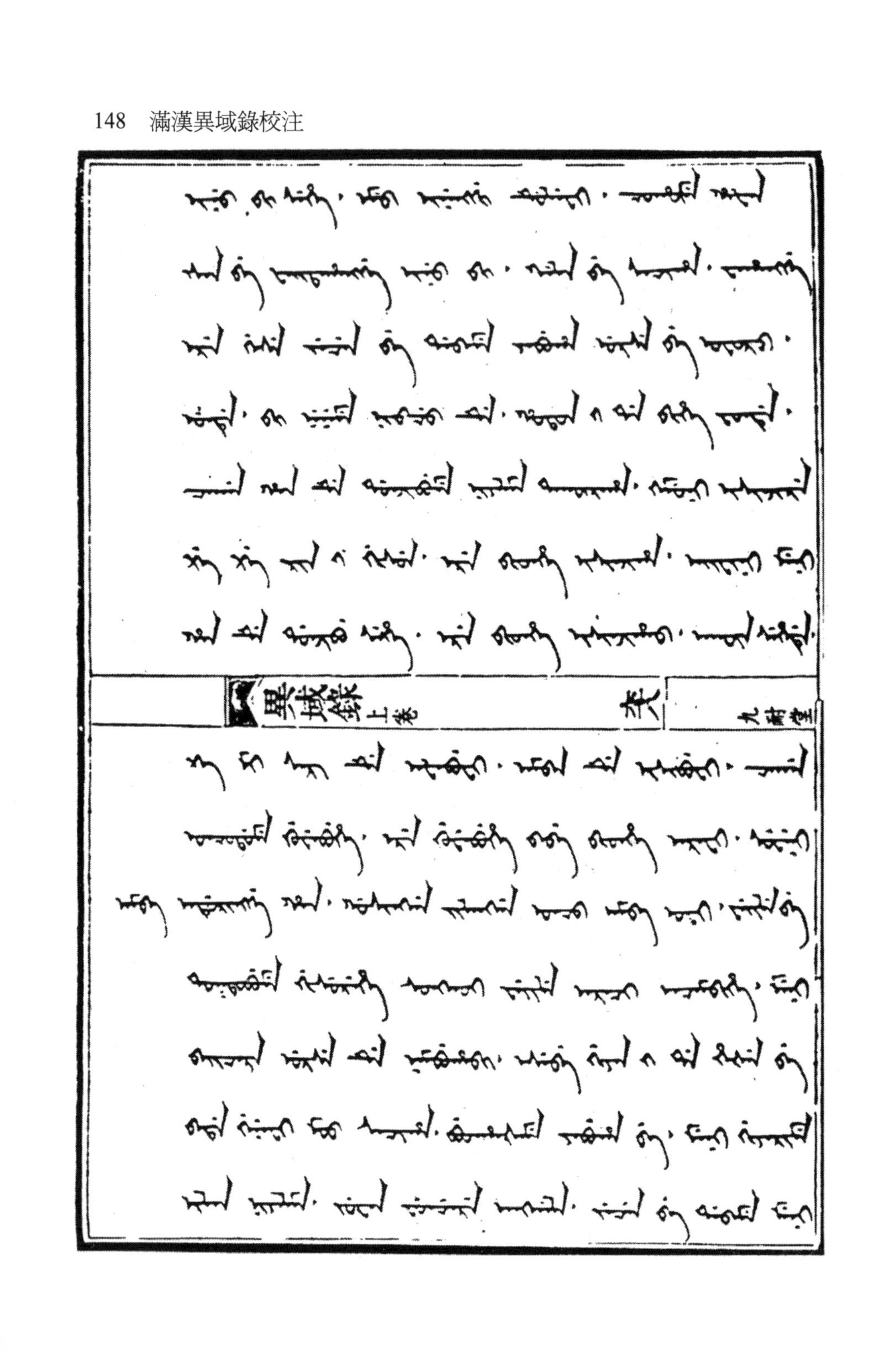

異域錄　上卷　[illegible]　九[illegible]堂

ilan niyalma, juwan funcere anggala, jecen be dabame meni bade genefi moo saciha, buthašame yabuha be, meni giyarime baicara urse de nambuhabi, esebe giyan i da hešen be toktobume gisurehe songkoi weile araci acambihe, meni amba enduringge han, gosingga jilangga onco amba ofi, weile be oncodome guwebuhe, ere guwebuhe babe bithe arafi, suweni k'a mi sar de afabufi, amban de isibufi, cagan han de donjibu sehe, ere bithe isinjihao, akūn sehede, g'a g'a rin i gisun, ere bithe isinjiha, aifini meni cagan han de donjibume niyalma takūraha, kemuni isinjire unde,bi neneme nibcu de, hoton i da bihe fonde, ere gese jecen be dabame yabuha urse be oforo, šan be faitahangge inu bi, gala be saciha, wahangge inu bi sehe, emu inenggi dulefi, cohome hafan

---

共十口（註六五），越境至中國地方伐木打牲，被我巡邏兵役拿獲，理應遵定邊界和議之欵治罪，我大皇帝仁慈寬大，姑宥其罪其寬免情由，曾有文書交與商人哈密薩兒帶來，使爾知會爾察罕汗，此文書曾到否？噶噶林曰：文書已到，業已差人稟知我察罕汗去了，其回信尚未曾到，我從前在泥布楚城作頭目時，似此等私行越境人，亦有割耳鼻者，亦有砍手者，大辟者。越一日，特遣官

共十口（注六五），越境至中国地方伐木打牲，被我巡逻兵役拿获，理应遵定边界和议之欵治罪，我大皇帝仁慈宽大，姑宥其罪其宽免情由，曾有文书交与商人哈密萨儿带来，使尔知会尔察罕汗，此文书曾到否？噶噶林曰：文书已到，业已差人禀知我察罕汗去了，其回信尚未曾到，我从前在泥布楚城作头目时，似此等私行越境人，亦有割耳鼻者，亦有砍手者，大辟者。越一日，特遣官

註六五：庫似克等共十口，滿文謂「庫似克等三人十餘口」，此刪略「三人」字樣。

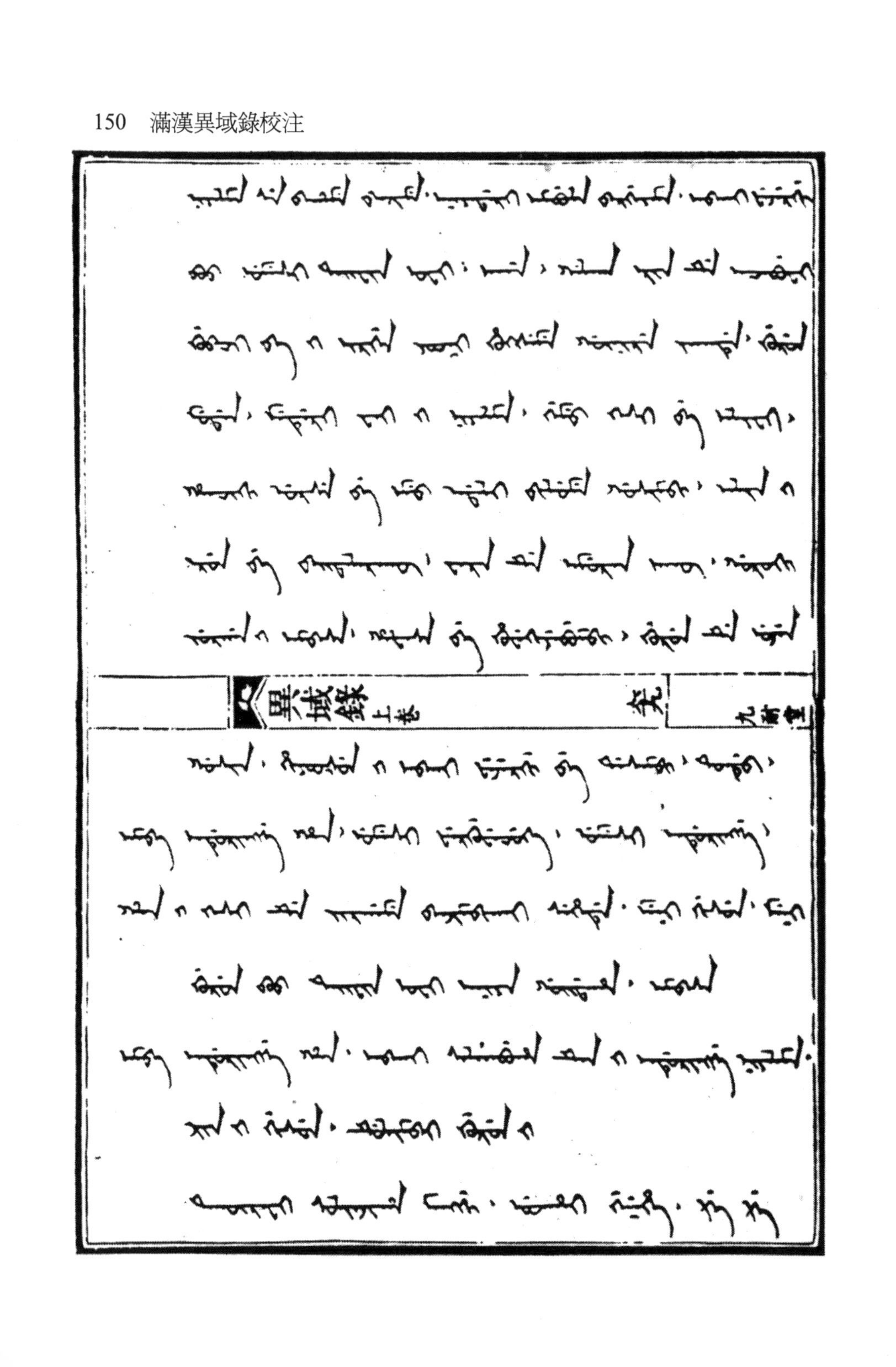

異域錄 上卷

takūrafi solinjiha manggi, uthai genehe, g'a g'a rin i gisun, dulimbai gurun i amba enduringge han, abkȧi salgabuha ten i enduringge niyalma, gurun boo taifin ofi aniya goidaha, ambasa han i kesi de jirgame banjimbikai sehede, meni gisun, meni amba enduringge han, umesi ferguwecuke, umesi enduringge, gosin, hiyoošun i abkai fejergi be dasambi, tondo, jurgan i ambasa, hafasa be huwekiyebumbi, gurun de ujen erun be baitalarakū, wara de amuran akū, goroki hanciki urse be emu adali bilume gosimbi, alin i mudan, mederi wai i niyalma, gemu kesi be alifi, gubci ba i irgen yooni hukšeme gūnire jakade, gurun boo umesi taifin ofi, aga, galaka erin de acabufi, niyalma se bahame banjime, aniyadari ambula bargiyame abkai fejergi

---

前來請會，于是前往。噶噶林問曰：中國大皇帝天縱至聖，國家享承平已久，天使大人受皇帝恩澤，享用安逸。我等答曰：我大皇帝至聖至神，以仁孝治天下，以忠義勵臣僚，國無重刑，不嗜殺戮，無間遐邇，一體同仁，山陬海隅，罔不沾恩被澤，薄海人民，皆中心感戴，所以國家雍熙，雨暘時若，人壽年豐，宇內

前来请会，于是前往。噶噶林问曰：中国大皇帝天纵至圣，国家享承平已久，天使大人受皇帝恩泽，享用安逸。我等答曰：我大皇帝至圣至神，以仁孝治天下，以忠义励臣僚，国无重刑，不嗜杀戮，无间遐迩，一体同仁，山陬海隅，罔不沾恩被泽，薄海人民，皆中心感戴，所以国家雍熙，雨旸时若，人寿年丰，宇内

異域錄 上卷 廿

taifin necin i hūturi be alihabi, be jalan halame meni amba enduringge han i šumin kesi be alihai jihe, te jabšan de wesihun forgon de teisulebufi, meni beye teile amba enduringge han i kesi be alifi, jirgame sebjeleme banjimbi sere anggala, juse sargan booi gubci, sakda asigan ci aname, gemu meni amba enduringge han i jiramin kesi de, banjire de elhe, hethe de sebjelembi, meni amba enduringge han i den jiramin kesi be toloho seme wajirakū, meni sebjeleme banjire babe inu wacihiyame alame muterakū sehe, g'a g'a rin i gisun, inu, dulimbai gurun i amba enduringge han umesi gosingga, umesi enduringge, gurun bayan, ba na taifin, ambasa urgun sebjen i banjire be, bi donjifi goidaha, meni nenehe cagan han bisire fonde, gurun de

---

咸享昇平之福，我等世戴大皇帝深恩，今幸際盛世，不但我等身沐皇恩，受享安逸，即舉家老幼妻子，無不沾我大皇帝厚澤，安居樂業，我大皇帝聖恩高厚，不能枚舉，即我等安享樂業之處，亦難殫述。噶噶林日：誠然，中國大皇帝至聖至神，舉國殷富，四方寧謐，天使大人等俱安享樂業，聞之已久，我先察罕汗在時，國家

咸享升平之福，我等世戴大皇帝深恩，今幸际盛世，不但我等身沐皇恩，受享安逸，即举家老幼妻子，无不沾我大皇帝厚泽，安居乐业，我大皇帝圣恩高厚，不能枚举，即我等安享乐业之处，亦难殚述。噶噶林日：诚然，中国大皇帝至圣至神，举国殷富，四方宁谧，天使大人等俱安享乐业，闻之已久，我先察罕汗在时，国家

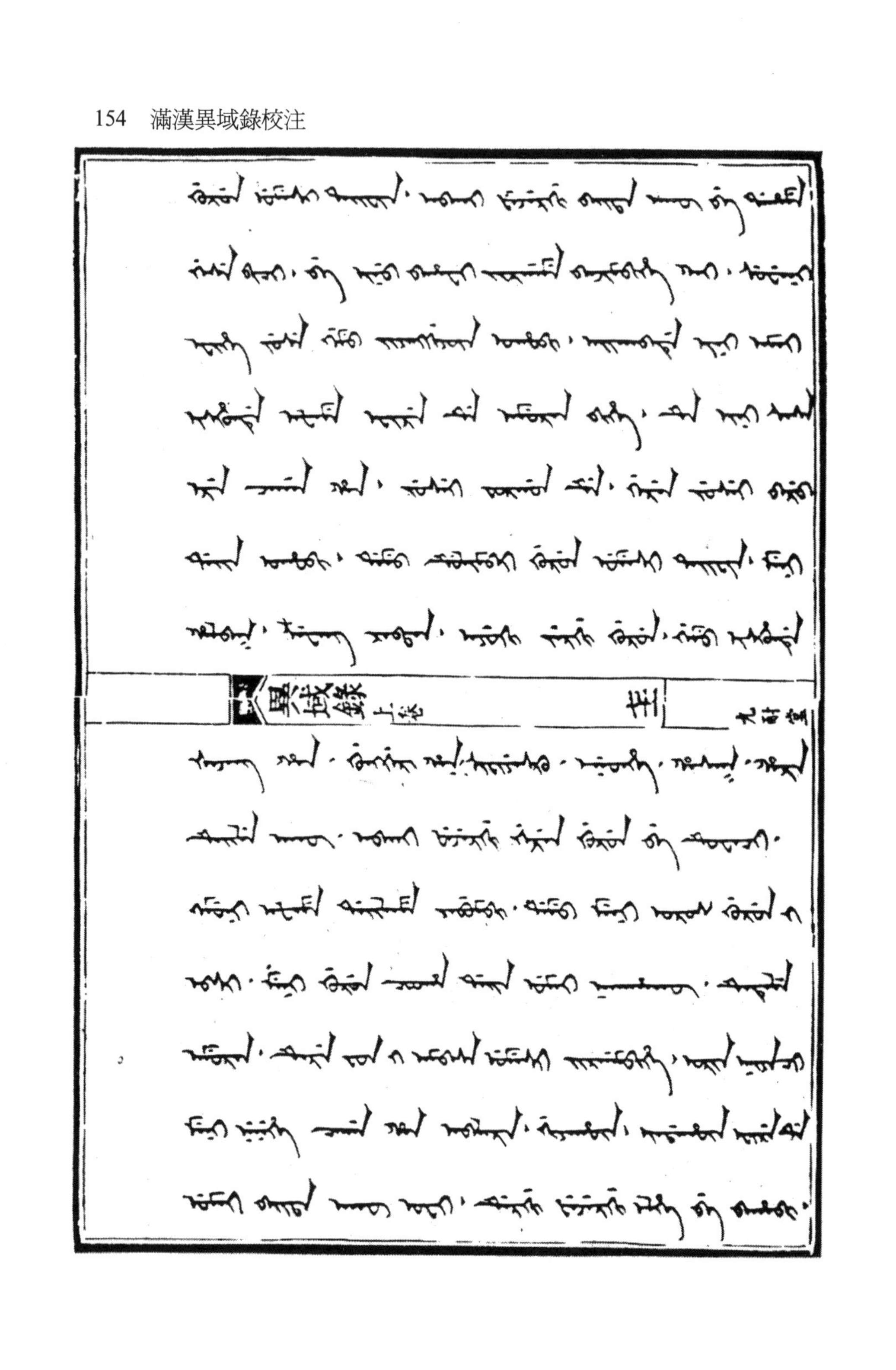

異域錄 上卷 卅

umai baita akū ofi, dergi fejergi elhe be bahabi, meni nenehe cagan han abalara, giyahūn, indahūn efire de amuran, tere fon i ambasa umesi jirgambihe, orin aniya ci ebsi, meni gurun cooha dain umai nakahakū, tetele kemuni afame dailame yabumbi, damu meni oros gurun i teile akū, abkai fejergi geren gurun be tuwaci, šajang han, gungg'ar han, sifiyesk'o enethe, hasak, hara halbak, ts'ewang rabtan, ayuki jergi gurun, gemu ishunde dain ohobi, damu dulimbai gurun umesi taifin, meni ere cagan han, jusei forgon de, geren jusei baru ishunde afame efire de amuran bihe, te ini sasa efihe juse gemu jiyanggiyun ohobi, aikabade ini amai gese bici, be inu bahafi jirgame banjimbihe kai, suweni gurun umesi taifin, abkai fejergi baita akū be dahame

---

無事，上下相安，先察罕汗喜射獵，好鷹犬，當時臣宰俱享安逸，二十年來，我國兵甲之事，全無休息，至今猶征戰，不但我鄂羅斯國，觀天下諸國，沙漳汗、恭喀兒汗、西費也斯科國、厄納特赫國、哈薩克國、哈拉哈兒叭國、策旺拉布坦、阿玉氣等國，皆互相爭鬭，獨中國甚是寧謐，目今察罕汗幼稚時，最喜與兒童爲戰鬭戲，從前同戲諸兒，今皆作將軍，若似乃父行事，我等亦可受享安逸矣，爾中國寧靖，宇內無事，

无事，上下相安，先察罕汗喜射猎，好鹰犬，当时臣宰俱享安逸，二十年来，我国兵甲之事，全无休息，至今犹征战，不但我鄂罗斯国，观天下诸国，沙漳汗、恭喀儿汗、西费也斯科国、厄纳特赫国、哈萨克国、哈拉哈儿叭国、策旺拉布坦、阿玉气等国，皆互相争鬬，独中国甚是宁谧，目今察罕汗幼稚时，最喜与儿童为战鬬戏，从前同戏诸儿，今皆作将军，若似乃父行事，我等亦可受享安逸矣，尔中国宁靖，宇内无事，

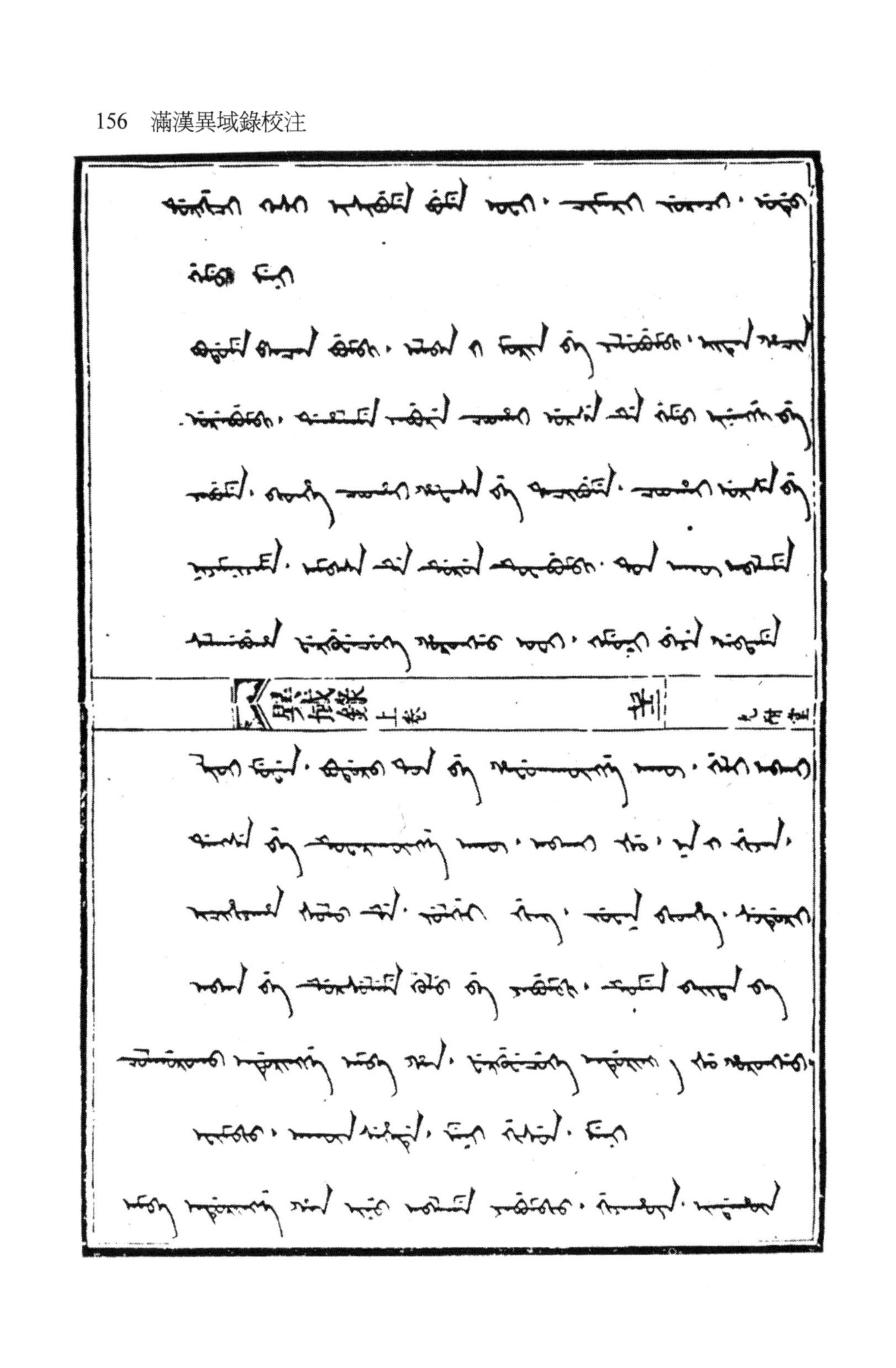

amba enduringge han inu abalame yabumbio, giyahūn, indahūn efimbio, akūn sehede, meni gisun, meni cologoroko enduringge amba han, ferguwecuke enduringge šu horonggo, abka be dursuleme gulu be yabumbi, tumen baita be icihiyaha šolo de, julgei ging, juwan bithe, suduri dangse be tuwarakūngge akū, abkai šu, na i giyan, lioi mudan, bodoro ton be hafukakūngge akū, geli abkai salgabuha ferguwecuke horonggo ofi, kemuni beye gabtame niyamniyame, ambasa de durun tuwabumbi, ton akū abalame yabume, bithe coohai hafasa be tacibume, coohai urse be urebumbi, dahalame yabure coohai urse de gemu inenggi be bodome pancan bumbi, alban i morin be yalubumbi, eiten hacin gemu meni dorgici kesi isibume bume ofi, cimari juraci, udu

---

大皇帝亦射獵否？亦養鷹犬否？我等答曰：我至聖大皇帝聖神文武，法天行健，每于萬幾餘暇，古來經傳史冊，無不經覽，天文地理，律呂數術，無不貫通，又天縱神武，常親騎射，以教習臣庶，不時圍獵，獎勵文武，而訓練兵將，凡扈從士卒，俱按日官給盤費，又給與官馬乘騎（註六六），雖今日下令，明早起

大皇帝亦射猎否？亦养鹰犬否？我等答曰：我至圣大皇帝圣神文武，法天行健，每于万几余暇，古来经传史册，无不经览，天文地理，律吕数术，无不贯通，又天纵神武，常亲骑射，以教习臣庶，不时围猎，奖励文武，而训练兵将，凡扈从士卒，俱按日官给盘费，又给与官马乘骑（注六六），虽今日下令，明早起

註六六：滿文本於「給與官馬乘騎」後接「一應俱係內府恩賜官給」一句，漢文本移置於「無些毫遲誤」之後。

異域錄 上卷

eneṅggi tucibucibe, heni majige tookanjara ba akū, te bicibe, be jidere de, eiten baitalara jaka be, meni amba enduringge han kesi isibume yooni šangnara jakade, be damu beyei teile hūsun bure dabala, heni majige facihiyašara ba akū, meni amba enduringge han, inu haicing, nacin, giyahūn, indahūn ujimbi, aicing šanggiyan ningge inu bi, cikiringge inu bi, an i haicing inu bi, damu ulhūma de sindambi, gemu heture erin de butahangge, haicing de ebte akū, giyahūn de ebte bi, jafata inu bi, ulhūma, gūlmahūn de gemu sindambi, indahūn oci, tasha, niohe, buhū, giyo de sindarangge inu bi, dobi gūlmahūn de sindarangge inu bi, jai mukei gasha, bigan i niongniyaha, niyehe de nacin sindambi, meni meni sindaci acara erin bi, donjici suweni

---

行，亦無些毫遲誤，一應俱係內府恩賜官給，即我等一切應用諸物，亦皆係大皇帝恩賞，我等隻身効力，毫無拮据，大皇帝亦養海東青、鴉虎、鷹犬，海東青有雪白者，有蘆花者，有本色者，單放野雞，俱係過時捕得，無窩雛，惟鷹有窩雛，亦有捕得者，亦放野雞，亦捉走兔，犬內有捉虎狼鹿狍者，有捉狐兔者，至于水禽雁鴨，俱放鴉虎按時放捉，聞爾

行，亦无些毫迟误，一应俱系内府恩赐官给，即我等一切应用诸物，亦皆系大皇帝恩赏，我等只身効力，毫无拮据，大皇帝亦养海东青、鸦虎、鹰犬，海东青有雪白者，有芦花者，有本色者，单放野鸡，俱系过时捕得，无窝雏，惟鹰有窝雏，亦有捕得者，亦放野鸡，亦捉走兔，犬内有捉虎狼鹿狍者，有捉狐兔者，至于水禽雁鸭，俱放鸦虎按时放捉，闻尔

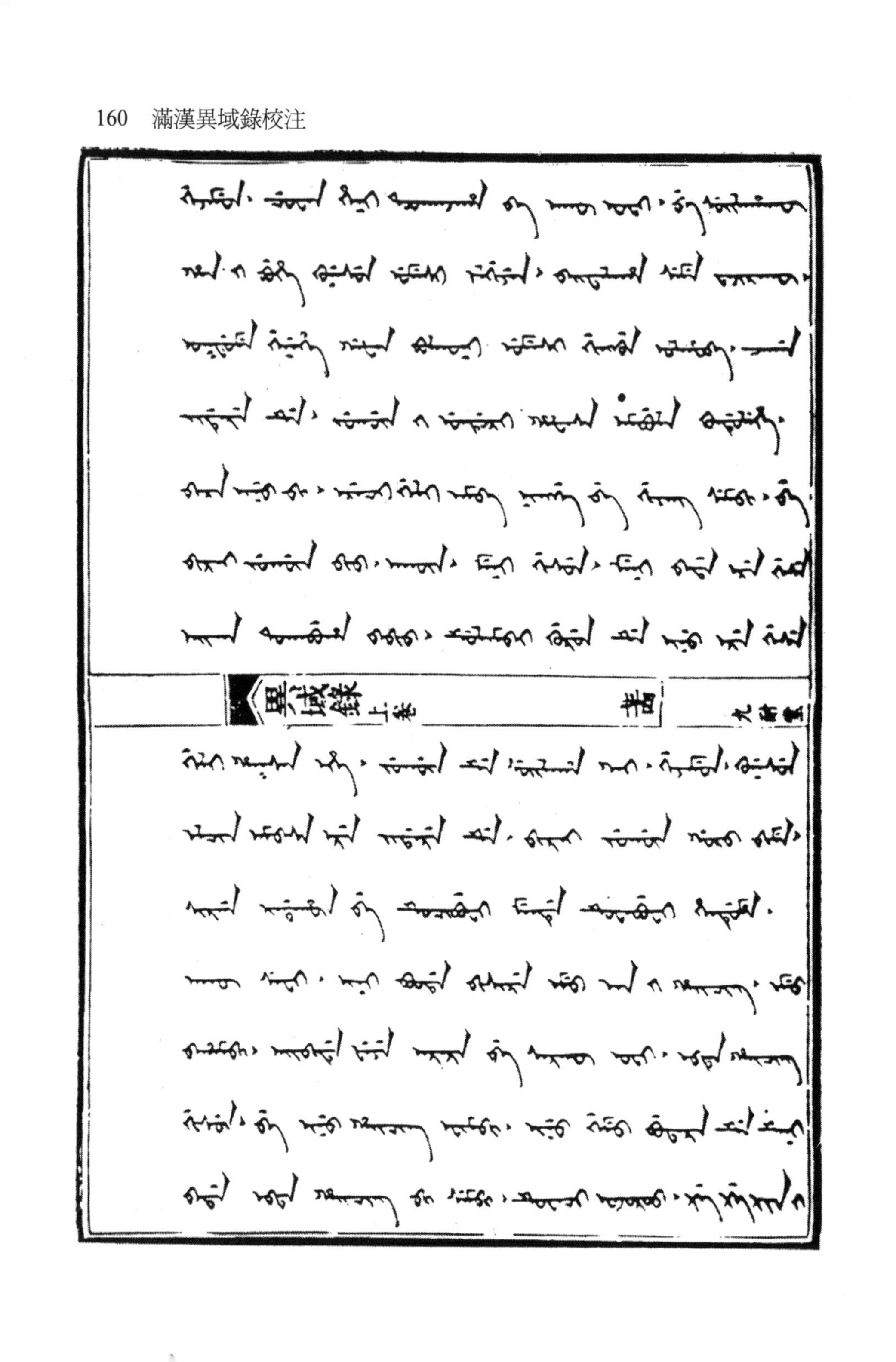

異域錄 上卷

bade ebte haicing bi sembi, tuwaci ojoroo, g'a g'a rin i gisun, be inu haicing efimbi, inu gemu butara de teni bahambi, aibide feye arara be sarkū ofi, ebte haicing akū sefi, ini boode bisire emu an i haicing, emu sirga indahūn be tucibufi mende tuwabufi hendume, elcin ambasa ere jidere de, birai jugūn goro bime, geli haksan ehe, jugūn de suilaha kai, giyamun, kunesun aika tookabuha babio, dulimbai gurun de inu ere gese birai jugūn bio, akūn, meni gisun, meni bade ere gese bira inu bi, ereci geli amba ningge be giyang sembi, be jidere de, jugūn i unduri hafasa ambula kundulehe, okdome genehe hafan bolkoni umesi ginggun olhoba, cagan han i buhe kunesun umesi elgiyen, baitalaha seme wajirakū, giyamun, cuwan heni tookanjaha ba akū ofi, be suilahakū

國有窩雛海青，可取來一觀”噶噶林日：我等亦養海青，亦係捕捉方得，並無窩雛，不知在何處結巢，隨將所養本色海青及一草白犬出視，曰：天使大人此來，河路迢遠，最屬險惡，途中勞苦，一切馬匹供應，可有遲誤否？中國亦有如此河路否？我等答曰：我中國似此等大河亦有，更有大于此者，名爲長江，我等來時，沿途官員甚是欽敬，迎接官博爾科泥甚是勤慎，爾國察罕汗供給豐裕，不可勝用，馬匹船隻，並無遲誤，是以我等不勞

国有窝雏海青，可取来一观”噶噶林日：我等亦养海青，亦系捕捉方得，并无窝雏，不知在何处结巢，随将所养本色海青及一草白犬出视，曰：天使大人此来，河路迢远，最属险恶，途中劳苦，一切马匹供应，可有迟误否？中国亦有如此河路否？我等答曰：我中国似此等大河亦有，更有大于此者，名为长江，我等来时，沿途官员甚是钦敬，迎接官博尔科泥甚是勤慎，尔国察罕汗供给丰裕，不可胜用，马匹船只，并无迟误，是以我等不劳

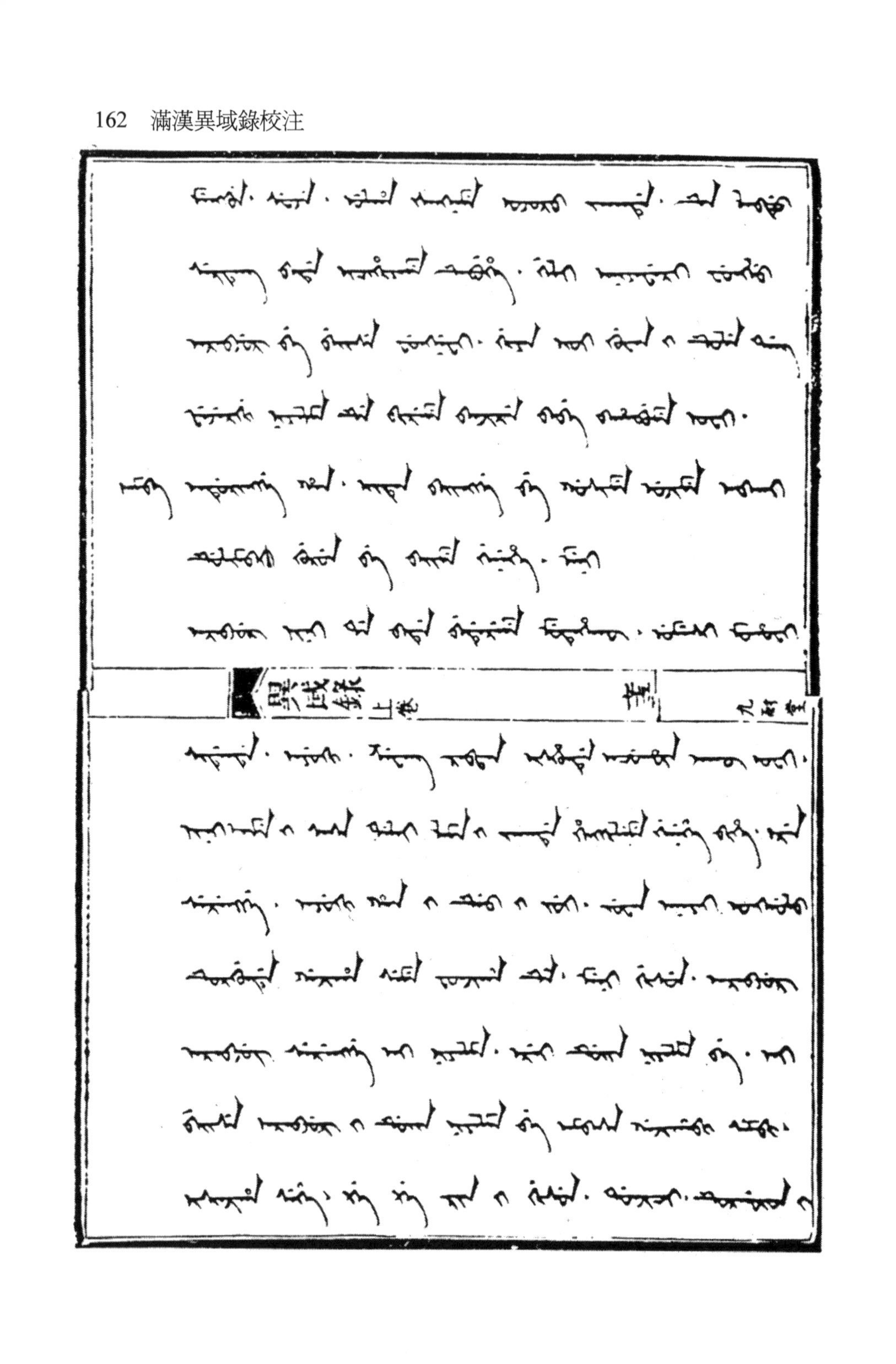

異域錄 上卷

isinjiha sehe, g'a g'a rin i gisun, donjici, turgūt i beise arabjur i duin niyalma be ambasa gajihabi, sembi, arabjur serengge ai niyalma, erei duin niyalma be, ai turgunde gajiha seme fonjiha de, meni gisun, arabjur serengge, ayuki han i deo i jui, juwan aniyai onggolo ini eme i sasa dalai lama i jakade hengkileme genehe bihe, ere sidende, ayuki, ts'ewang rabtan ishunde acuhūn akū ofi, arabjur ini da bade bedereme mutehekū, umesi mohofi dulimbai gurun be baime genehe, meni amba enduringge han, eiten baingge be gosime ujime abkai fejergi niyalma de bireme banjire babe bahabume ofi, arabjur be beise fungnefi, giya ioi guwan i tule dang serteng bade icihiyame tebuhe geli aniyadari funglu menggun, suje, ulha šangname ǫjoro jakade, te labdu

---

而至。噶噶林曰：聞得土爾虎特國貝子阿拉布珠兒之四人，天使大人帶來，其阿拉布珠兒是何人？將他四人帶來，是何情由？我等答曰：阿拉布珠兒係阿玉氣汗之姪，十年前，同乃母往西藏謁見達賴喇嘛，其間策旺拉布坦與阿玉氣汗不睦，所以阿拉布珠兒不能歸其原籍，窮迫至極，故此投往中國，我大皇帝仁育萬方，務使天下人居無一夫不得其所，所以將阿拉布珠兒封爲貝子，于嘉峪關外黨色爾騰地方安置，每歲賞給俸銀緞疋生畜，今甚

而至。噶噶林曰：闻得土尔虎特国贝子阿拉布珠儿之四人，天使大人带来，其阿拉布珠儿是何人？将他四人带来，是何情由？我等答曰：阿拉布珠儿系阿玉气汗之侄，十年前，同乃母往西藏谒见达赖喇嘛，其间策旺拉布坦与阿玉气汗不睦，所以阿拉布珠儿不能归其原籍，穷迫至极，故此投往中国，我大皇帝仁育万方，务使天下人居无一夫不得其所，所以将阿拉布珠儿封为贝子，于嘉峪关外党色尔腾地方安置，每岁赏给俸银缎疋生畜，今甚

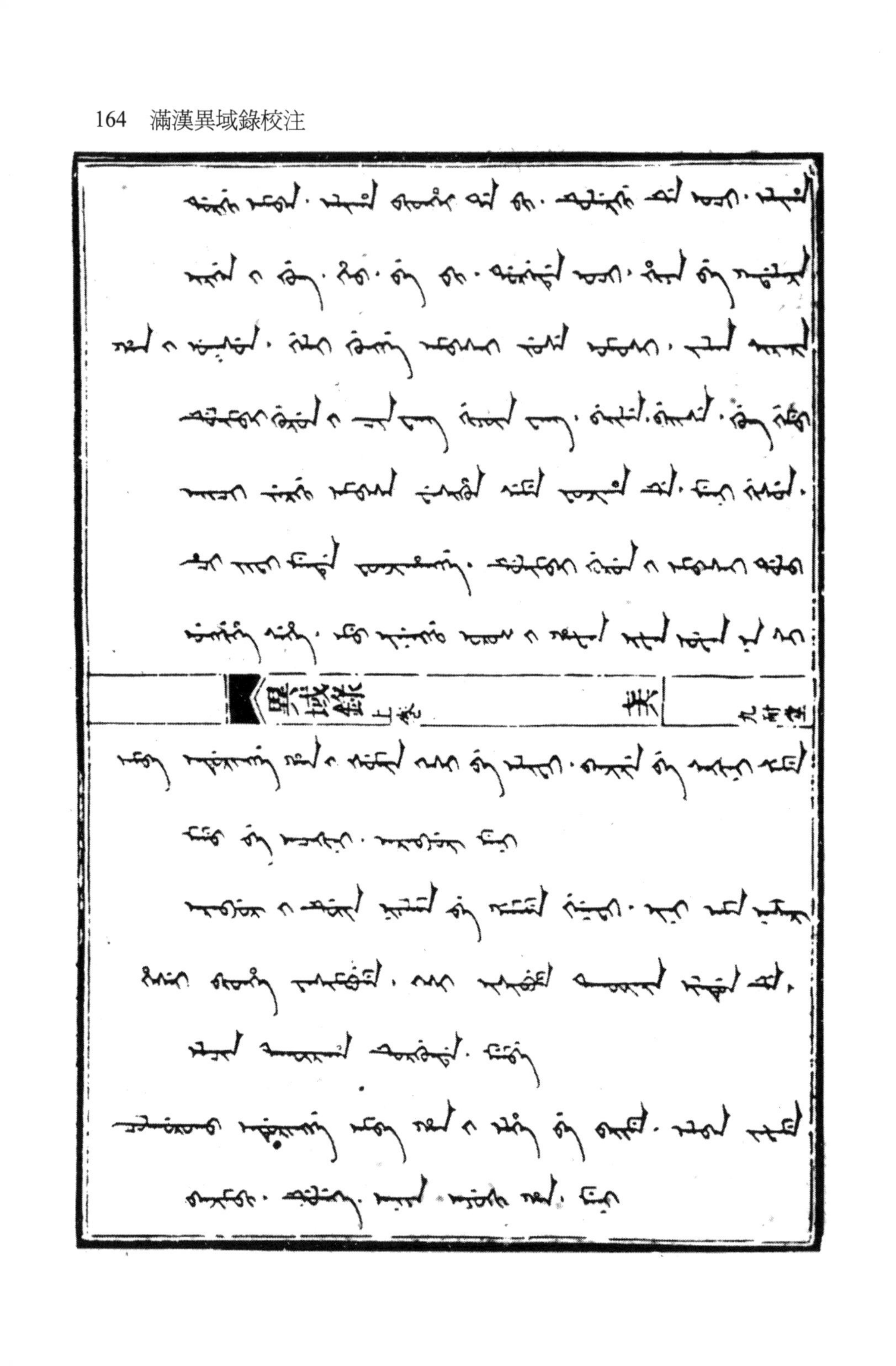

異域錄 上卷

banjimbi, duleke aniya ayuki han, meni colgoroko enduringge amba han i elhe be baime, alban jafame elcin takūraha turgunde, membe, hesei bithe wasimbume, kesi isibume takūrara ildun de, arabjur i duin niyalma be gamame genefi, ini ama nadzar mamu be acakini, arabjur, meni amba enduringge han i šumin kesi be alifi, banjire be sakini seme unggihe sehe, emu inenggi oros i hafan ifan ofan na si cy jifi mende fonjihangge, dulimbai gurun i ambasai dolo aici jergi ambasa wesihun seme fonjiha de, meni gisun, dulimbai gurun i cin wang, giyūn wang, beile, beise, gung gemu han i uksun, geli gungge ambasai juse omosi, jalan sirara irgen i gung, heo, be bi, dorgide oci, hiya be kadalara dorgi amban, aliha bithei da bi, tulergi de oci, aliha

---

殷實，去歲阿玉氣汗特遣使恭請我至聖大皇帝萬安，貢進方物，因此遣我等頒發論旨，並賜恩賞之便，將阿拉布珠兒四人帶去，見乃父那呭爾厤木，令其知阿拉布珠兒蒙我大皇帝深恩，其身依然無恙耳。一日，有鄂羅斯國官衣番鄂番那西赤者來見，問曰：中國大臣內何等品級方爲尊爵？我等答曰：我中國親王、郡王、貝勒、貝子、國公，俱係宗室，天潢一派，其功臣子孫，有世襲民公侯伯者，內有領侍衛內大臣、大學士，外有

殷实，去岁阿玉气汗特遣使恭请我至圣大皇帝万安，贡进方物，因此遣我等颁发论旨，并赐恩赏之便，将阿拉布珠儿四人带去，见乃父那呭尔麻木，令其知阿拉布珠儿蒙我大皇帝深恩，其身依然无恙耳。一日，有鄂罗斯国官衣番鄂番那西赤者来见，问曰：中国大臣内何等品级方为尊爵？我等答曰：我中国亲王、郡王、贝勒、贝子、国公，俱系宗室，天潢一派，其功臣子孙，有世袭民公侯伯者，内有领侍卫内大臣、大学士，外有

amban, gūsai ejen, galai amban, tui janggin, yafahan coohai uheri da bi, golo de oci, jiyanggiyūn, dzungdu, tidu bi, ere gemu uju jergi ambasa sehe, ifan ofan na si cy i gisun, meni oros gurun de, cagan han i hanci bisire duin amban bi, eiten baita be, han de donjiburakū uthai salifi yabuci ombi, dulimbai gurun de inu ere gese amban bio, akūn, teike ambasai alaha, suweni ambasai dolo, yaci ambasa umesi wesihun sehede, meni gisun, meni dulimbai gurun de, umai ere gese baita be salifi yabure amban akū, amba ajige baita be bodorakū gemu hese be baime wesimbufi han i lashalara be aliyafi, ambasa gingguleme dahame yabumbi, gelhun akū salifi yabuci ojorakū, meni ambasai dolo

---

尙書、都統、前鋒統領、護軍統領（註六七），外省有將軍、總督、提督，此皆係頭等品級大臣。衣番鄂番那西赤曰：我鄂羅斯察罕汗侍近有大臣四員，一應事務，不用通知國王，即可專擅行事，中國亦有此等臣宰否？適聞天使大人所言大臣內何等大臣最尊？我等答曰：我中國並無如此專擅行事之臣宰，事無大小，皆具題請旨，恭候上裁，臣宰欽遵施行，不敢專擅行事，大臣內

尚书、都统、前锋统领、护军统领（注六七），外省有将军、总督、提督，此皆系头等品级大臣。衣番鄂番那西赤曰：我鄂罗斯察罕汗侍近有大臣四员，一应事务，不用通知国王，即可专擅行事，中国亦有此等臣宰否？适间天使大人所言大臣内何等大臣最尊？我等答曰：我中国并无如此专擅行事之臣宰，事无大小，皆具题请旨，恭候上裁，臣宰钦遵施行，不敢专擅行事，大臣内

註六七：滿文本於護軍統領下接“yafahan coohai uheri da”，意即「步軍統領」，漢文脫漏未譯。

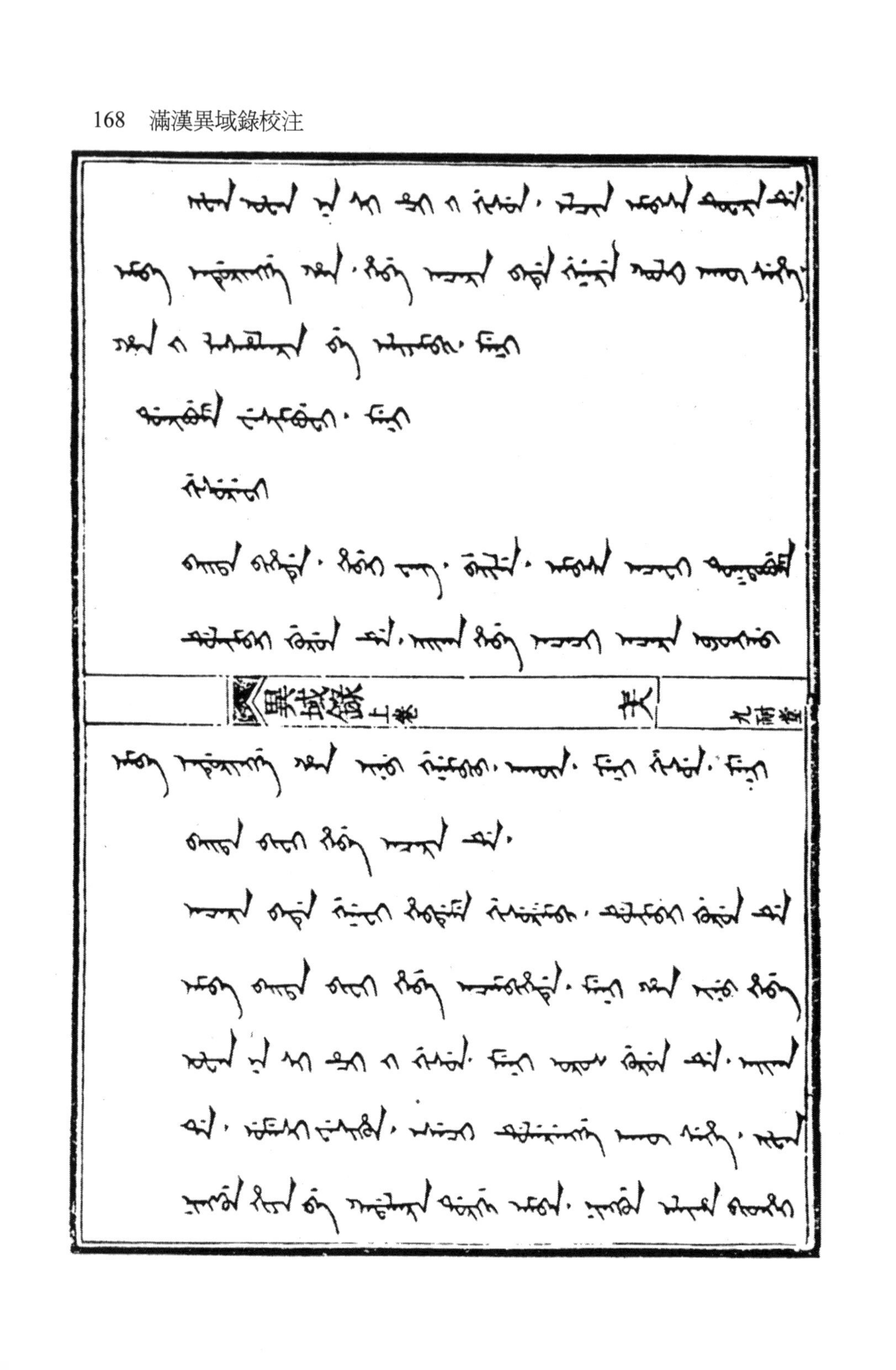

異域錄 上卷

ninggun hiya be kadalara dorgi amban, ninggun aliha bithei da, umesi wesihun, eseci dulerengge akū sehe, ifan ofan na si cy i gisun, meni oros gurun de, aika amba baita bifi hebe acambihede, meni han inu hebe acara bade genefi hebdeme gisurembi, dulimbai gurun de baita bifi hebe acara de, amba enduringge han inu genembio, akūn, meni gisun, meni dulimbai gurun de, aika hebe acaci acara oyonggo baita bihede, hebei wang, beile, ambasa acafi toktobume gisurefi donjibume wesimbufi, meni han i lasharara be aliyambi, meni amba enduirngge han, hebe acara bade genere kooli akū sehe, ifan ofan na si cy i gisun, elcin ambasa tuwara de,

---

領侍衛內大臣，六位大學士，六位最尊，無過于此者。衣番鄂番那西赤曰：我鄂羅斯國若有大事會議，汗亦前往公同會議，中國有事會議，大皇帝亦往同議否？我等答曰國家倘有議政要務，有議政王貝勒大臣會同議定奏聞，皆聽皇上裁奪，我國大皇帝無前往同議之理。衣番鄂番那西赤曰：天使大人看來，

领侍卫内大臣，六位大学士，六位最尊，无过于此者。衣番鄂番那西赤曰：我鄂罗斯国若有大事会议，汗亦前往公同会议，中国有事会议，大皇帝亦往同议否？我等答曰国家倘有议政要务，有议政王贝勒大臣会同议定奏闻，皆听皇上裁夺，我国大皇帝无前往同议之理。衣番鄂番那西赤曰：天使大人看来，

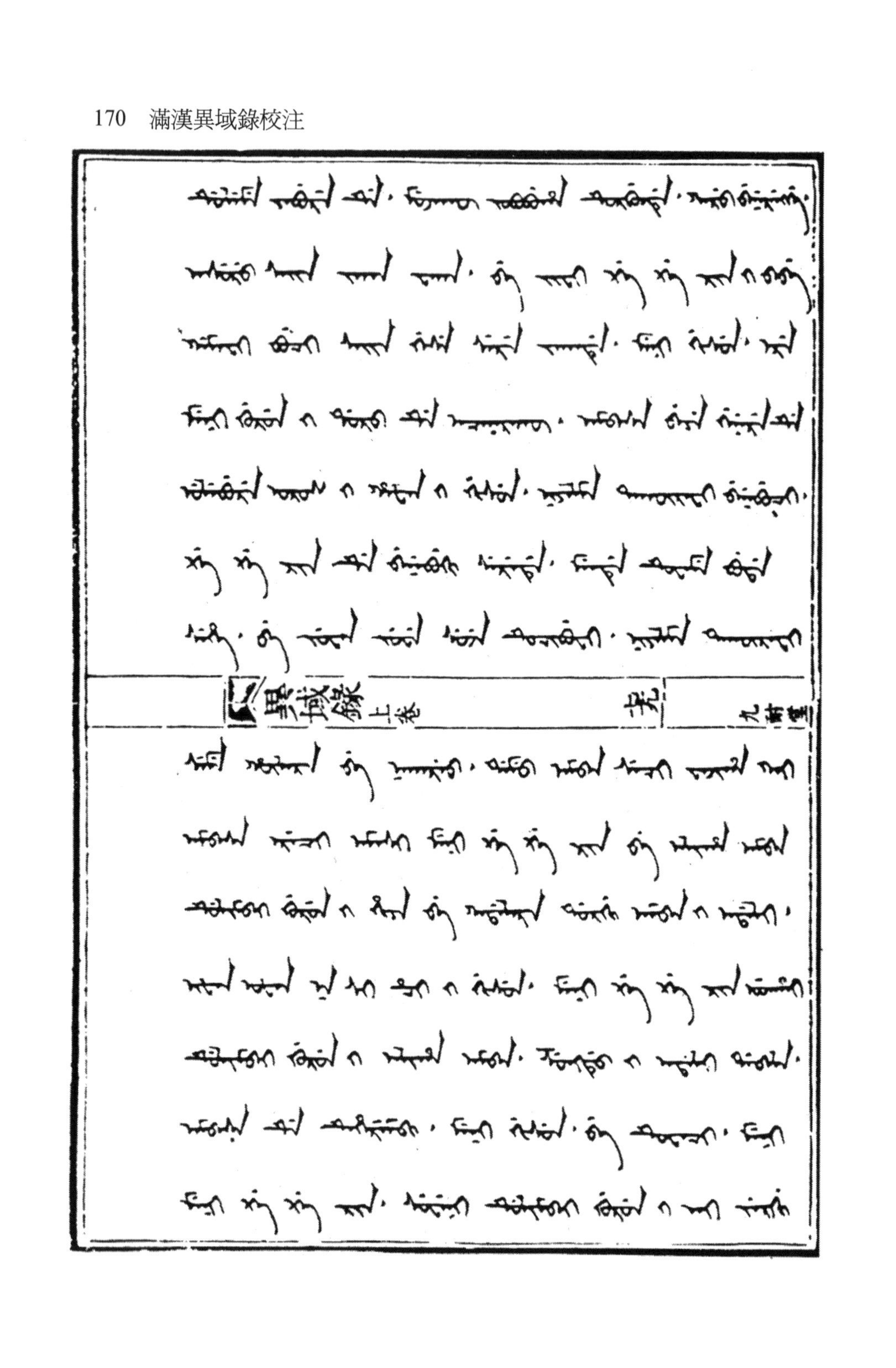

異域錄 上卷 卅九 九[illegible]堂

meni g'a g'a rin, suweni dulimbai gurun i ai jergi ambasa de teherembi, meni gisun, be tuwaci, meni dulimbai gurun i aliha amban, dzungdu i adali dabala, ifan ofan na si cy i gisun, meni g'a g'a rin uthai dulimbai gurun i hiya be kadalara dorgi amban i adali, ambasa ereci amasi meni g'a g'a rin be aliha amban seme hūlara be nakareo, damu amban seci wajiha kai sehe, be juwan juwe suje tucibufi, niyalma takūrafi g'a g'a rin de benebuki serede, mende tuwame buda ulebure oros i hafan i gisun, niyalma takūrafi benebuci, meni gurun i doro de acanarakū, ambasa beye genere de gamafi buci sain gese sere jakade, meni gisun, ere asuru sain jaka waka, be jifi g'a g'a rin i babe duleme yabure de, mujakū jobobuha turgunde, karu benerengge,

---

我國噶噶林，于中國何等臣宰相似？我等言，看來類同我中國尙書、總督。衣番鄂番那西赤曰：我國之噶噶林，與中國領侍衛內大臣相似，嗣後天使大人將噶噶林不可呼爲尙書，但稱大臣可也。欲以緞十二疋差人送與噶噶林，有管待飯食鄂羅斯官曰：差人餽送，于我國理不合，天使大人親往之時帶去方可，我等言，此非佳物，我等自中國遠來，經過爾噶噶林地方，備承厚意，故以此相酬，

我国噶噶林，于中国何等臣宰相似？我等言，看来类同我中国尚书、总督。衣番鄂番那西赤曰：我国之噶噶林，与中国领侍卫内大臣相似，嗣后天使大人将噶噶林不可呼为尚书，但称大臣可也。欲以缎十二疋差人送与噶噶林，有管待饭食鄂罗斯官曰：差人馈送，于我国理不合，天使大人亲往之时带去方可，我等言，此非佳物，我等自中国远来，经过尔噶噶林地方，备承厚意，故以此相酬，

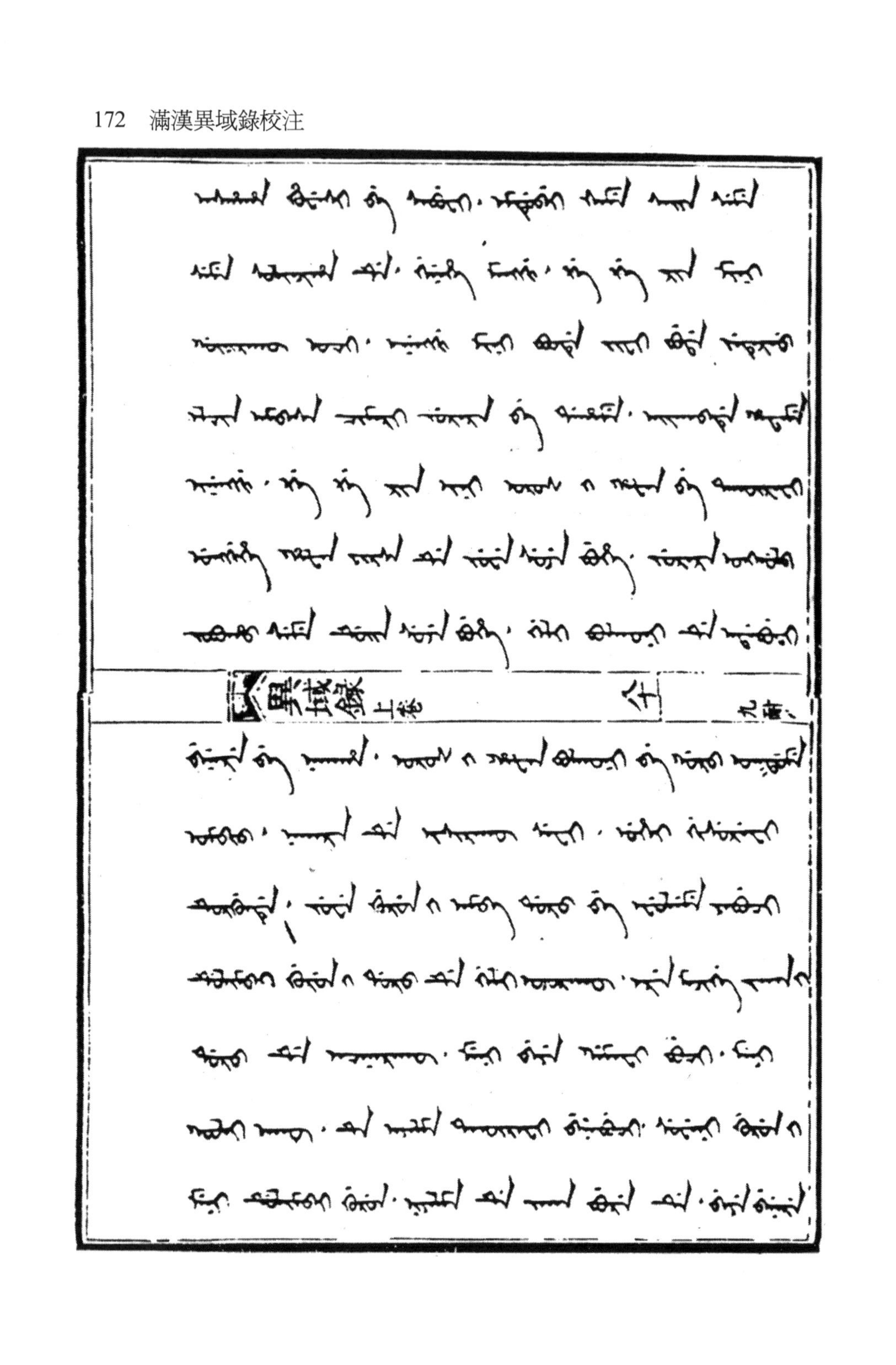

異域錄 上卷

meni dulimbai gurun, niyalma de jaka bure de, beye benere kooli akū, te niyalma takūrafi benebuci, suweni gurun i doro de acanarakū, meni beye gamafi buci, meni dulimbai gurun i doro de geli ojorakū, ere majige jaka i turgunde, juwe gurun i amba doro be efuleme yabuci ombio, nakara de isirakū sefi, uhei gisurefi benere be nakaha, oros i hafan bolkoni be goro okdome joboho seme duin suje buhe, geli bolkoni de adabufi unggihe hafan firsa de juwe suje buhe, jurara onggolo inenggi, g'a g'a rin ini oros i hafan be takūrafi, elcin ambasa cimari jurara be dahame, aikąbade hatame gūnirakū oci, enenggi mini boode jifi buda jetereo seme solinjiha de, genehe manggi, g'a g'a rin, mini ashaha huwesi be sabufi, emdubei šame sain seme

---

我中國凡以物與人，並無親送之理，今差人餽送，于爾國理不合，若我等親身帶去，又于我中國之禮有碍，以此微物，豈可壞兩國大體，不如停止，遂公議停止餽送，以鄂羅斯官博爾科泥遠接勞苦，賜與緞四疋，又賜與博爾科泥之副員非爾薩緞二疋（註六八），起程前一日，噶噶林差伊鄂羅斯官來請曰：天使大人明日起行，如蒙不棄，今日可來一飯否？于是前往，噶噶林見余所帶小刀，再三顧盼，不勝稱羨，

我中国凡以物与人，并无亲送之理，今差人馈送，于尔国理不合，若我等亲身带去，又于我中国之礼有碍，以此微物，岂可坏两国大体，不如停止，遂公议停止馈送，以鄂罗斯官博尔科泥远接劳苦，赐与缎四疋，又赐与博尔科泥之副员非尔萨缎二疋（注六八），起程前一日，噶噶林差伊鄂罗斯官来请曰：天使大人明日起行，如蒙不弃，今日可来一饭否？于是前往，噶噶林见余所带小刀，再三顾盼，不胜称羡，

註六八：非爾薩，滿文讀如“firsa”，叢書集成簡編、小方壺齋輿地叢鈔作「費耶爾索」。

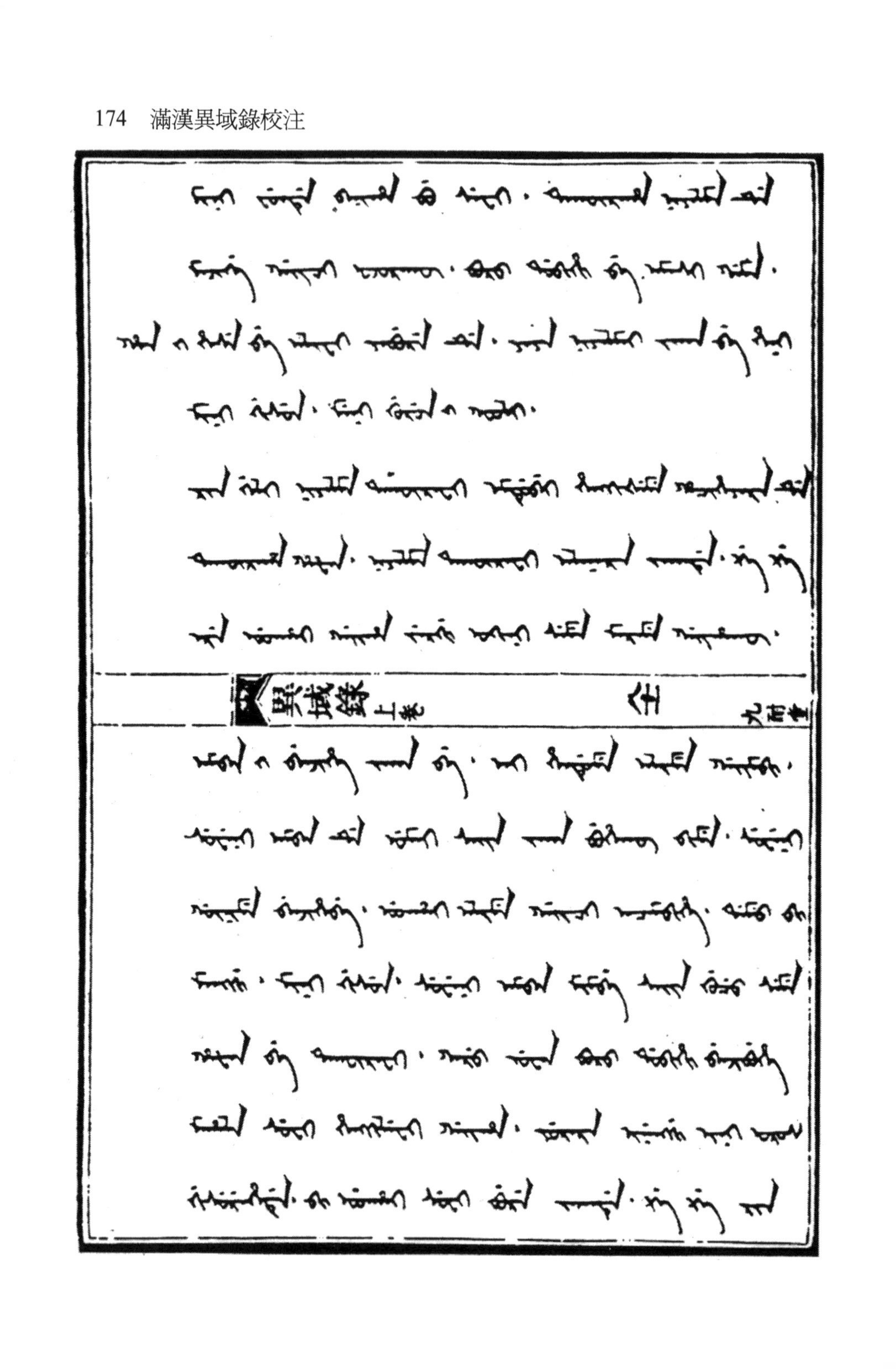

異域錄 上卷

gisurehede, bi uthai sufi bure jakade, g'a g'a rin mahala sufi hengkilefi gaiha, jurara inenggi ini oros hafan be takūrafi, karu juwan boro dobihi benjibuhe manggi, mini gisun, suweni amban, mimbe sain gucu seme gūnime benjihebe, uthai alime gaici acambihe, damu bi suweni amban de umai sain jaka buhekū bime, suweni amban i benjihe jaka be, ai hendume alime gaimbi, ere uthai gaiha jergi okini seme marame gaihakū, takūraha hafan, niyalma takūrafi alanara jakade, g'a g'a rin geli niyalma takūrafi emdubei hengkišeme hacihiyara de, mini gisun, meni gurun i kooli, han i hese be alifi yabure de, yaya niyalmai jaka be heni majige gaici ojorakū, boro dobihi be amasi gama, mini funde baniha bu sefi, takūraha niyalma de

---

即解以贈之，噶噶林免冠拜受，起程之日，特差伊鄂羅斯官答送元狐皮十張，余言爾總管念我係好友，如此餽送，理當收受，但我並不曾帶得佳物相贈，爾總管之物，如何收受，謹心領矣，遂卻之，來使遣人回覆，噶噶林復又差人再四叩懇。余言，我中國凡奉君命差遣，一切物件，毫不敢受，將皮張拿回，向爾總管爲我道謝，賜與來使

即解以赠之，噶噶林免冠拜受，起程之日，特差伊鄂罗斯官答送元狐皮十张，余言尔总管念我系好友，如此馈送，理当收受，但我并不曾带得佳物相赠，尔总管之物，如何收受，谨心领矣，遂却之，来使遣人回复，噶噶林复又差人再四叩恳。余言，我中国凡奉君命差遣，一切对象，毫不敢受，将皮张拿回，向尔总管为我道谢，赐与来使

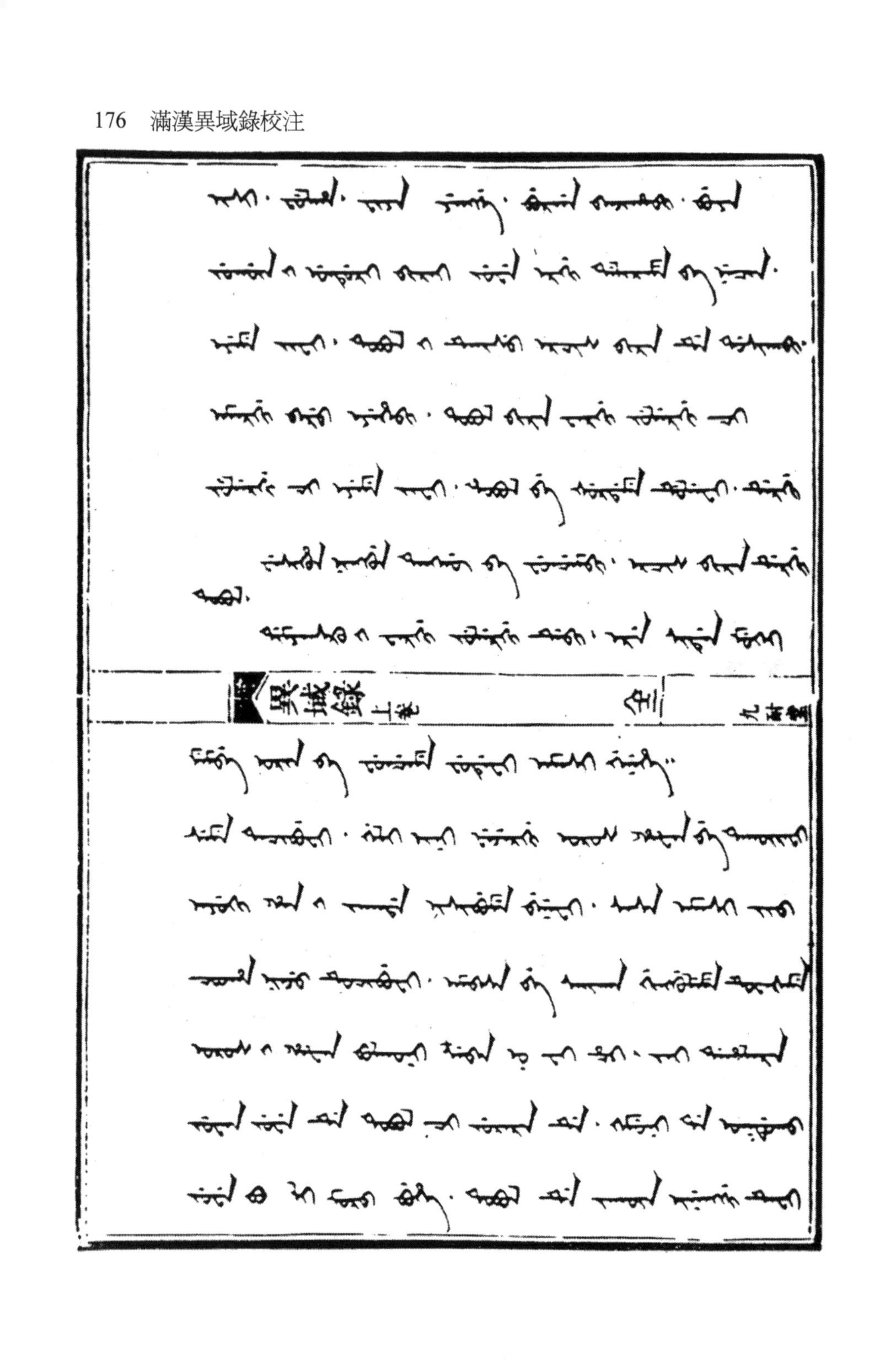

異域錄 上卷

juwe bo li moro buhe, tobol de jakūn inenggi tefi, juwan juwe de tobol ci jurara de, kemuni da okdoko oros i hafan bolkoni ts'eban no fi cy, jai dahalara cooha ninju tucibufi, ambasa be saikan gingguleme tuwašame, ayuki han i jakade isibume benefi, sasa amasi jio seme tacibufi, geli ini fejergi oros hafan be takūrafi membe orin ba funceme fudefi amasi genehe. Tobol, dimyansk'o i wargi julergi debi, ere siden mukei wesihun ninggun tanggū ba funcembi, ercis bira dergi julergi ci eyeme jifi, tobol be šurdeme dulefi, dergi amargi baru eyehebi, tobol bira wargi julergi ci eyeme jifi, tobol i teisu ercis bira de dosikabi, jugūn i unduri birai juwe ergi dalirame ba necin, isi, fulha, fiya, yengge, burga banjihabi, buya

---

玻璃碗二件，在托波兒地方住八日，于十二日，自托波兒起程，仍派原接鄂羅斯官博爾科泥冊班訥非赤撥護送兵六十名，小心防護，送至阿玉氣汗處，一併同回，又差伊所屬鄂羅斯官等送二十餘里方回。托波兒，在狄穆演斯科之西南，其間遡流行六百餘里，厄爾齊斯河來自東南，遶過托波兒，向東北而流，托波兒河來自西南，于托波兒相對地方，歸入厄爾齊斯河，沿河兩岸，地勢平坦，有杉松、楊、樺、櫻薁、叢柳，小

玻璃碗二件，在托波儿地方住八日，于十二日，自托波儿起程，仍派原接鄂罗斯官博尔科泥册班讷非赤拨护送兵六十名，小心防护，送至阿玉气汗处，一并同回，又差伊所属鄂罗斯官等送二十余里方回。托波儿，在狄穆演斯科之西南，其间遡流行六百余里，厄尔齐斯河来自东南，遶过托波儿，向东北而流，托波儿河来自西南，于托波儿相对地方，归入厄尔齐斯河，沿河两岸，地势平坦，有杉松、杨、桦、樱薁、丛柳，小

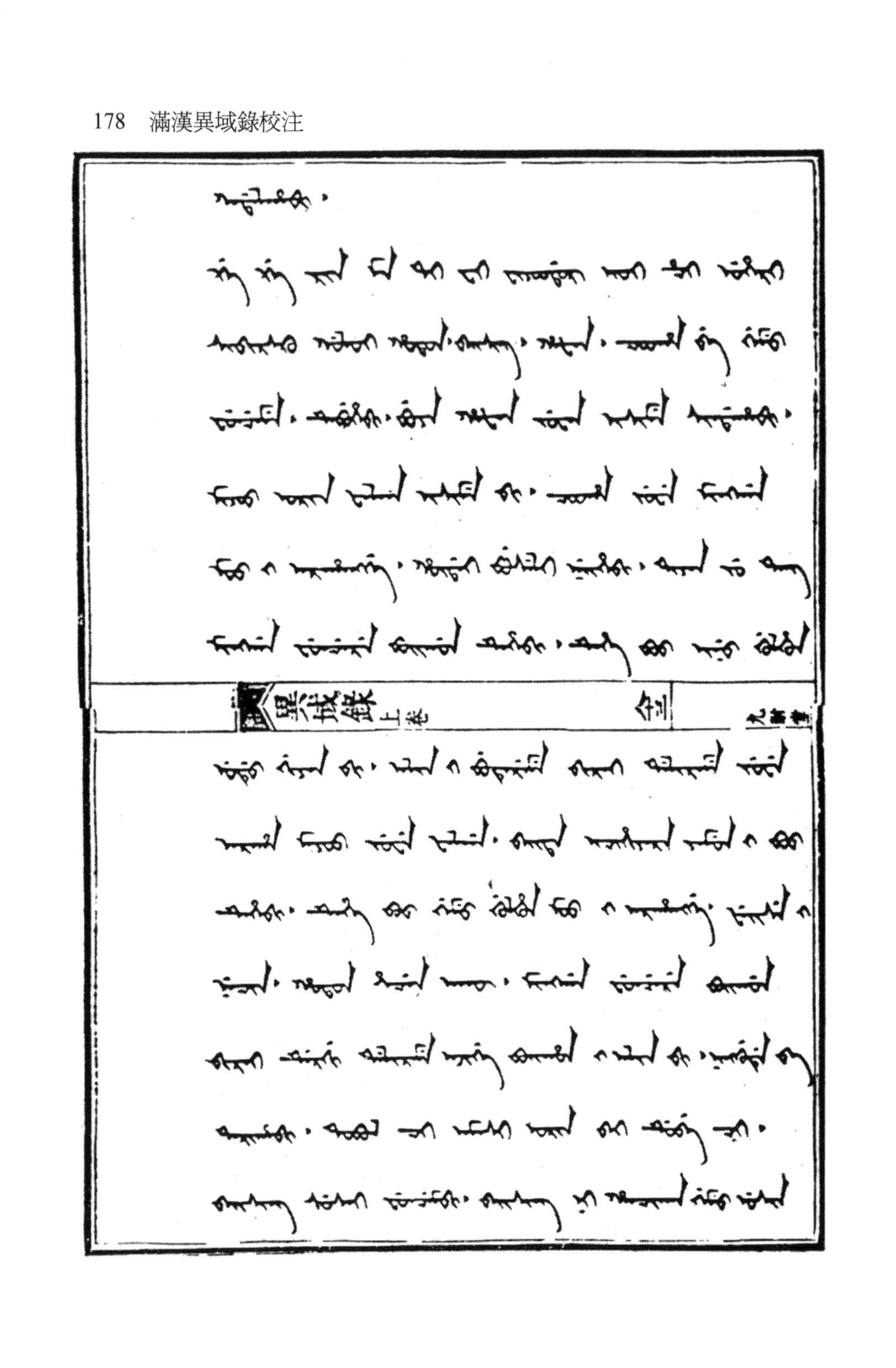

異域錄 上卷

baising susai funcembi, baising ni hancikan gemu usin tarihabi, tobol ci amasi orin bai dube ci, birai dergi dalirame ajige boihon i alin bi, ninggude ba necin, hoton hecen akū, minggan funcere boigon tehebi, tehe boo gemu gulhun moo i arahangge, feise i araha miyoo juwe falga, baita icihiyara yamun i boo udu giyan bi, alin i butereme birai dalirame juwe minggan funcere boigon tehebi, tehe boo inu gulhun moo i arahangge, hūdai puseli neihebi, tiyan ju tang miyoo orin falga isime bi, cooha juwe minggan funceme tebuhebi, buya hafan juwan isime sindahabi, sibirsk'o goloi hoton, baising, hafan, cooha be gemu g'a g'a rin ma ti fi fiyoodor ioi cy uheri kadalahabi.

栢興五十餘處，左近皆田畝，托波兒以北二十餘里，河東岸之上，有小土山，極平坦，無城郭，居千餘戶，其廬舍皆大木營治，有磚造廟宇二所，理事公署木房數間，其山麓及河岸一帶，居二千餘戶，其廬舍亦皆係大木營治，有市廛，天主堂二十餘座，駐兵二千餘名，有頭目十數員，其西畢爾斯科省城堡及栢興地方頭目兵丁，俱屬噶噶林馬提飛費多爾魚赤統轄。

栢兴五十余处，左近皆田亩，托波儿以北二十余里，河东岸之上，有小土山，极平坦，无城郭，居千余户，其庐舍皆大木营治，有砖造庙宇二所，理事公署木房数间，其山麓及河岸一带，居二千余户，其庐舍亦皆系大木营治，有市廛，天主堂二十余座，驻兵二千余名，有头目十数员，其西毕尔斯科省城堡及栢兴地方头目兵丁，俱属噶噶林马提飞费多尔鱼赤统辖。

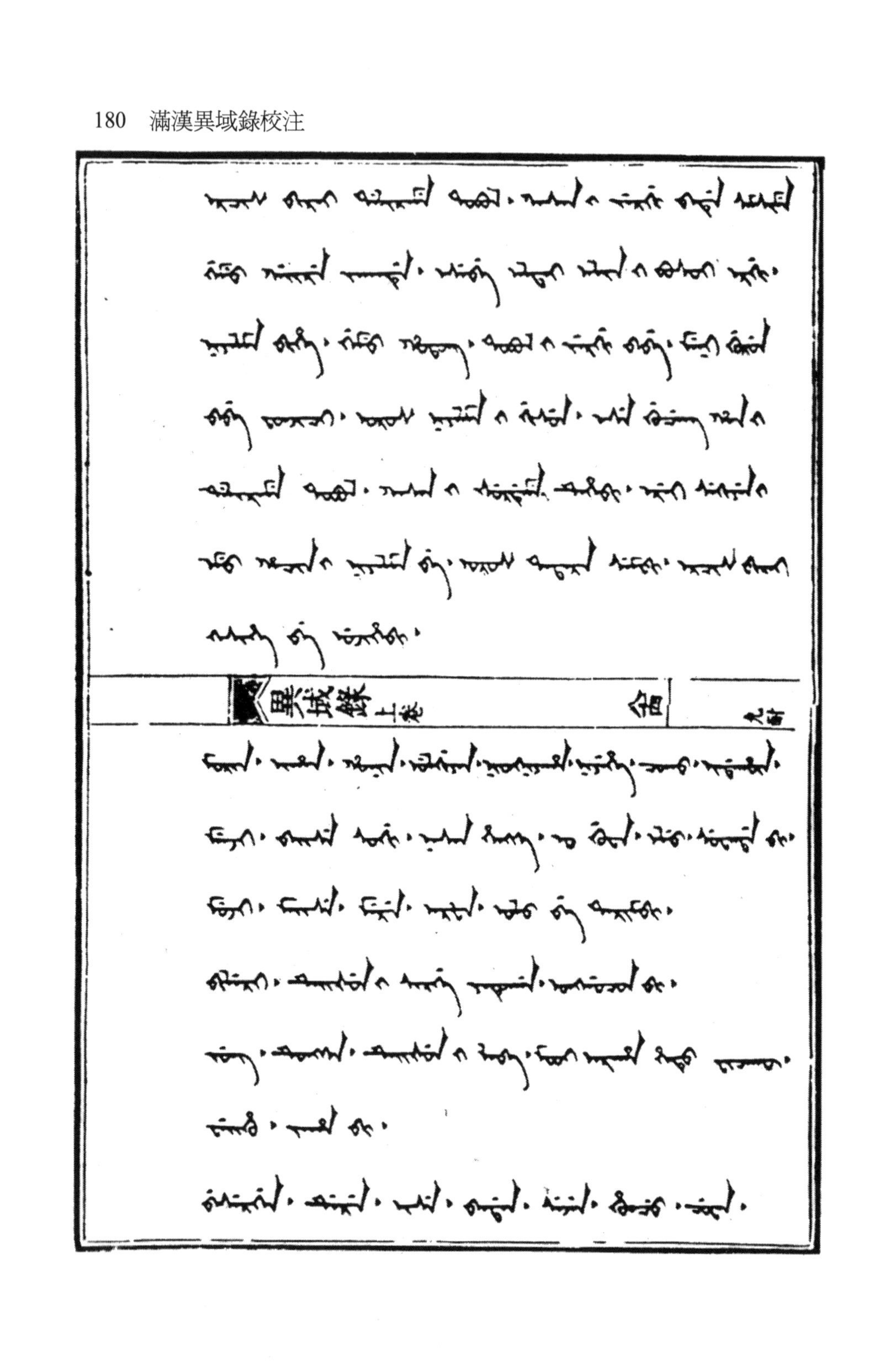

異域錄 上卷

besergen, dere, ise, bandan, sejen, huncu, cuwan, weihu, jaha bi. jung, tungken, teišun i laba, mooi araha hetu ficakū, bileri, teišun i sirge yatugan, onggocon bi. muji, maise, mere, arfa, olo be tarimbi. menji, baise sogi, nasan hengke, o guwa, elu, suwanda bi. morin, ihan, honin, ulgiyan, niongniyaha, niyehe, coko, indahūn, kesihe be ujihebi, emu hacin i niyalma be, oros tatara sembi, ercis birai dalirame tobol, kasan i šurdeme tehebi, erei sekiyen i babe fonjici, oros niyalma i gisun, ese guceng han i niyalma bihe, gemu hotong, tobol i jergi babe, meni gurun gemu gaire jakade, esebe altai alin i bosoi ergi, ercis birai dalirame tobol, kasan i jergi bade samsime

---

有床、桌、椅、櫈、車、拖床、船、舟、艇。鐘、鼓、喇叭、木笛、嗩吶、銅弦箏、胡琴。種大麥、蕎麥、油麥、蔴。產蔓菁、白菜、王瓜、羌荽（註六九）、倭瓜、蔥、蒜。畜馬、牛、羊、豬、鵝、鴨、雞、犬、貓。有一種人，鄂羅斯名之曰塔塔拉，在厄爾齊斯河沿岸，及托波兒、並喀山一帶居住，詢其來歷，鄂羅斯人曰：原係庫程汗之人，又名貨通，其托波兒等處地方，歸併我國之後，將伊等散處于阿兒台山後，沿厄爾齊斯河一帶，及托波兒、並喀山等地方，

有床、桌、椅、櫈、车、拖床、船、舟、艇。钟、鼓、喇叭、木笛、唢呐、铜弦筝、胡琴。种大麦、荞麦、油麦、麻。产蔓菁、白菜、王瓜、羌荽（注六九）、倭瓜、葱、蒜。畜马、牛、羊、猪、鹅、鸭、鸡、犬、猫。有一种人，鄂罗斯名之曰塔塔拉，在厄尔齐斯河沿岸，及托波儿、并喀山一带居住，询其来历，鄂罗斯人曰：原系库程汗之人，又名货通，其托波儿等处地方，归并我国之后，将伊等散处于阿儿台山后，沿厄尔齐斯河一带，及托波儿、并喀山等地方，

註六九：芫荽，案叢書集成簡編作「芫莞」，小方壺齋輿地叢鈔同，滿文本無羌荽字樣。

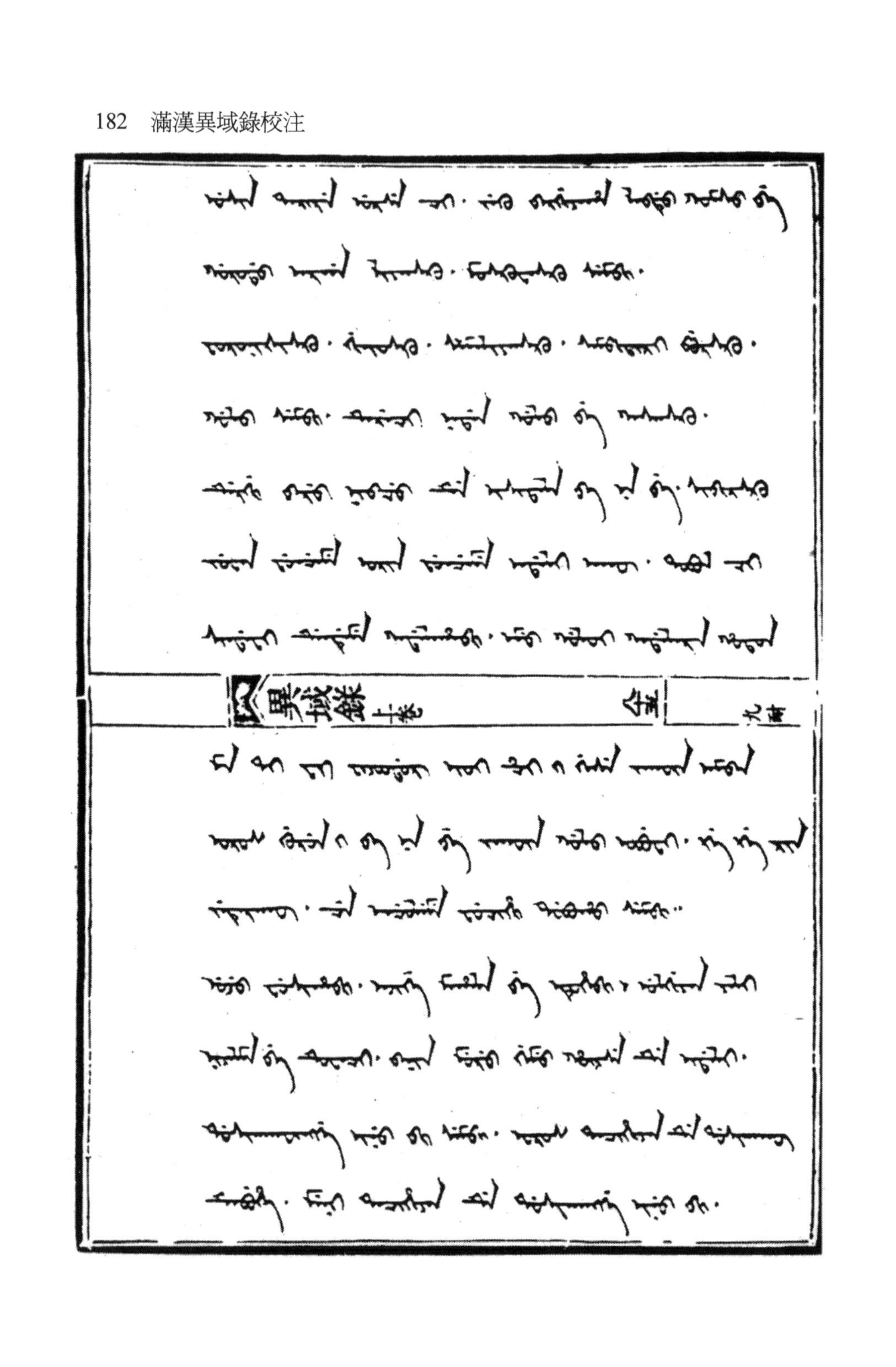

異域錄 上卷　全　[illegible]

tebuhe, meni tacihiyan de dosikangge inu bi, dosikakūngge inu bi sembi, oros tacihiyan de dosikakū niyalma be tuwaci, banin muru gemu hoise de adali, uju fusihabi, ajige mahala be etuhebi, ulgiyan yali jeterakū, ce enculeme fucihi doboho sembi. oros gurun i ba na be jakūn golo obufi, g'a g'a rin ma ti fi fiyoodor ioi cy i gese jakūn amban sindafi dendeme kadalahabi, emu goloi kadalara hoton juwan funceme, orin funceme adali akū, tobol ci dergi baru nibcu de isitala ba na be, sibirsk'o golo sembi, tereci nadan golo be kasansk'o, foronisisk'o, giyosk'o, symbaliyansk'o, sampitiri pursk'o, gorodo arga liyansk'o, mosk'owask'o sembi. usin tarire urse ci, jeku bargiyaha labdu komso be

---

其中有歸入我教者，有不曾歸入我教者，看其未入鄂羅斯教之人，貌似犭回子，俱削髮，戴小帽，不食豬肉，別供佛像。鄂羅斯國地方，分爲八道，俱設立噶噶林馬提飛費多爾魚赤等總管，八員分轄，每道所管城堡十餘處，二十餘處不等，自托波兒以東，至泥布楚地方，名曰西畢爾斯科，其七道，曰喀山斯科，曰佛羅尼使斯科，曰計由斯科，曰司馬連斯科，曰三皮提里普爾斯科（註七〇），曰郭羅多阿爾哈連斯科，曰莫斯科窪斯科。于稼穡之人，量其收穫之多寡，

其中有归入我教者，有不曾归入我教者，看其未入鄂罗斯教之人，貌似犭回子，俱削发，戴小帽，不食猪肉，别供佛像。鄂罗斯国地方，分为八道，俱设立噶噶林马提飞费多尔鱼赤等总管，八员分辖，每道所管城堡十余处，二十余处不等，自托波儿以东，至泥布楚地方，名曰西毕尔斯科，其七道，曰喀山斯科，曰佛罗尼使斯科，曰计由斯科，曰司马连斯科，曰三皮提里普尔斯科（注七〇），曰郭罗多阿尔哈连斯科，曰莫斯科洼斯科。于稼穑之人，量其收获之多寡，

註七〇：三皮提里普爾斯科，案叢書集成簡編作「三柯忒撇忒爾斯科」，小方壺齋輿地叢鈔同。

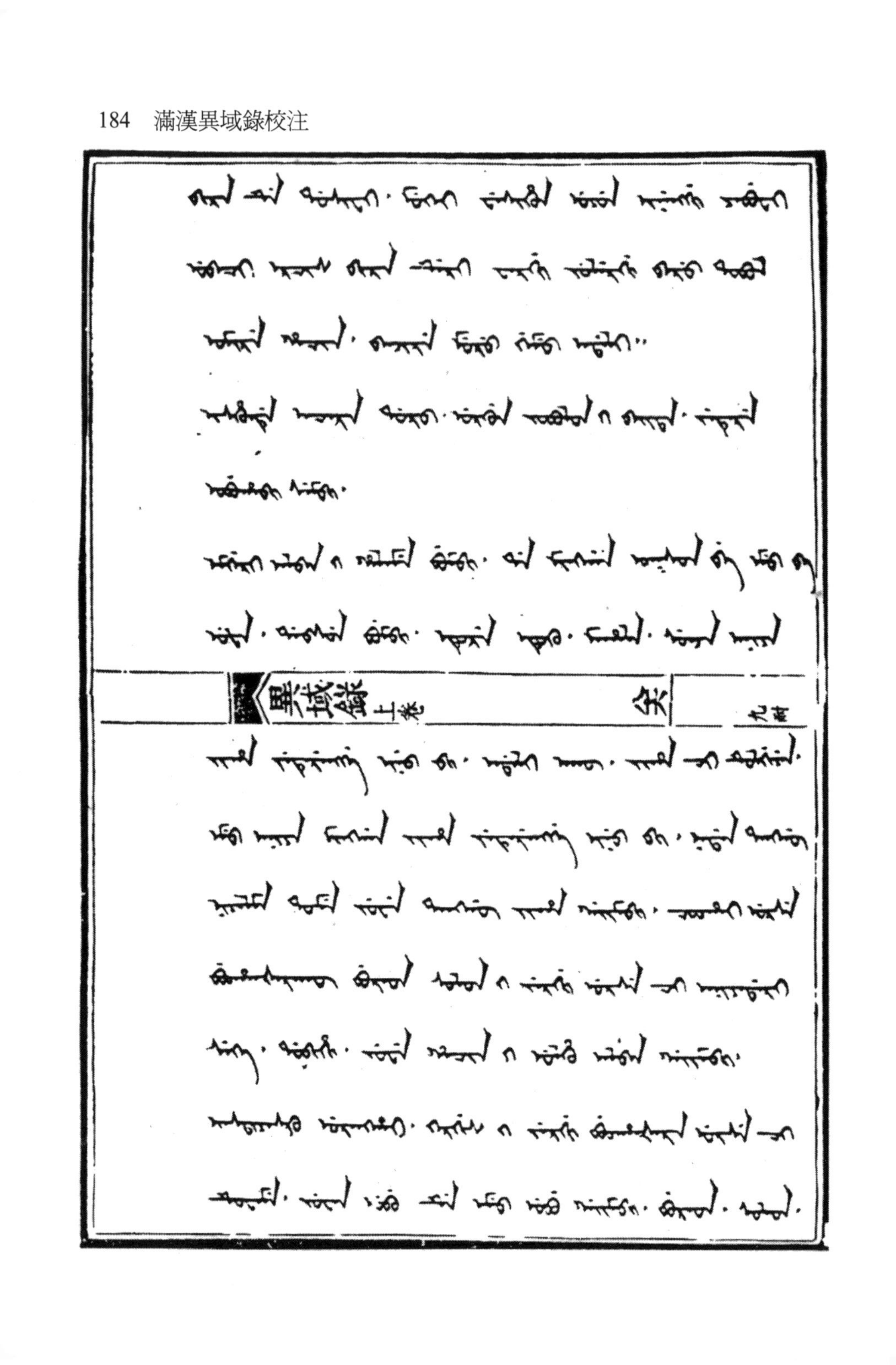

異域錄 上卷

九

tuwame, juwan ubu de emu ubu gaimbi, burat, solon, ostiyask'o uranghai, kergis i jergi buthašara urse ci seke, dobihi, juwe hacin i ulhu alban gaimbi, buthašarakū burat, solon i jergi urse ci aniyadari niyalma tome juwe tanggū jiha gaimbi, coohai urse emu aniya minggan jiha jeterengge inu bi, nadan tanggū jiha jeterengge inu bi, adali akū, jiha ci tulgiyen, ufa, dabsun bumbi, eture etuku, mahala, sunja aniya emgeri alban i halame bumbi, da minggan okson be emu ba obuhabi sembi. ishunde acara doro, urgun jobolon i baita, jetere omire hacin, banjire muru gemu adali. ubaci ercis bira deri wargi julergi baru tobol bira de dosifi, mukei wesihun uyun inenggi yabufi,

---

什一而稅，于布喇忒、索倫、鄂斯提牙斯科、兀良哈、克爾給斯等打牲人，令其交納貂鼠、狐狸、銀鼠、灰鼠皮張，不打牲之布喇忒、索倫等人，每歲人各納銀錢二百文，其兵丁每歲有食千錢者，亦有食七百文者，不等錢之外，又給與麥麵、食鹽、衣帽，五年一次，官給更換。原以千步爲一里，後改爲五百步。其相見禮儀、吉凶等事，及飲饌生計，大約皆同。自厄爾齊斯河向西南，入托波兒河遡流，越九宿，

什一而税，于布喇忒、索伦、鄂斯提牙斯科、兀良哈、克尔给斯等打牲人，令其交纳貂鼠、狐狸、银鼠、灰鼠皮张，不打牲之布喇忒、索伦等人，每岁人各纳银钱二百文，其兵丁每岁有食千钱者，亦有食七百文者，不等钱之外，又给与麦面、食盐、衣帽，五年一次，官给更换。原以千步为一里，后改为五百步。其相见礼仪、吉凶等事，及饮馔生计，大约皆同。自厄尔齐斯河向西南，入托波儿河遡流，越九宿，

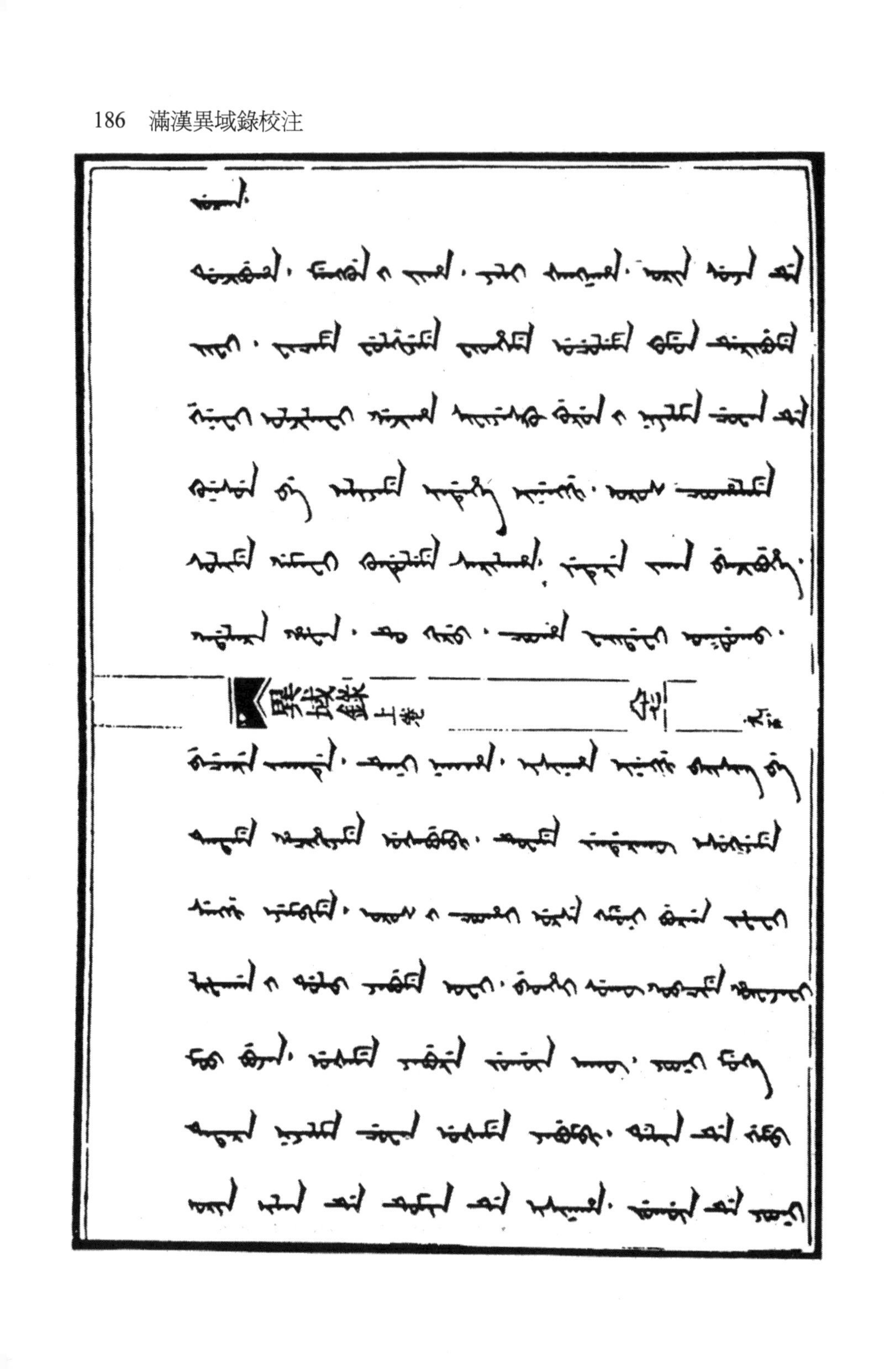

異域錄 上卷

orin ilan de tumin de isinaha, jugūn de yooni tatara niyalma cuwan ušame yabumbi, dalin de gemu moo bujan, ušame yabure jugūn akū, yooni muke lifagan i dolo yabume ofi, bethei suku kobcime hūwajafi senggi eyembime, oros i coohai urse kemuni burga jafafi tantame hacihiyame ušabumbi, tuwame jenderakū esukiyeme becere jakade, teni nakaha, isinaha inenggi baising be kadalara hafan, tu kiru, cooha faidafi okdoko, solime gamafi kunduleme sarilaha, jetere jaka benjibuhe, kunesun be aliyame indehe inenggi, oros coohalame genefi oljilafi gajiha sifiyesk'o gurun i niyalma cuwan de jifi, ficame fulgiyeme fitheme uculeme kumun deribume donjibuha, menggun i jiha, yali šangnaha, orin sunja de juraka.

于二十三日至圖敏，途中皆塔塔拉之人挽縴，岸傍林木叢密，無縴路，俱行記水之中，兩足肌膚破損，血水淋漓，鄂羅斯兵丁猶加笞楚催促，余不忍視，呵責方止，到彼之日，管栢興官排列旗幟兵丁迎接，請至伊家欵宴，復餽送食物，候供給，止宿之日，有鄂羅斯出征擄來之西費耶斯科（註七一）國數人，來舟中鼓吹絃歌，以爲娛，賞以銀錢肉食，二十五日起程。

于二十三日至图敏，途中皆塔塔拉之人挽纤，岸傍林木丛密，无纤路，俱行记水之中，两足肌肤破损，血水淋漓，鄂罗斯兵丁犹加笞楚催促，余不忍视，呵责方止，到彼之日，管栢兴官排列旗帜兵丁迎接，请至伊家欵宴，复馈送食物，候供给，止宿之日，有鄂罗斯出征掳来之西费耶斯科（注七一）国数人，来舟中鼓吹弦歌，以为娱，赏以银钱肉食，二十五日起程。

註七一：西費耶斯科，案叢書集成簡編作「式費耶忒」，小方壺齋輿地叢鈔同。

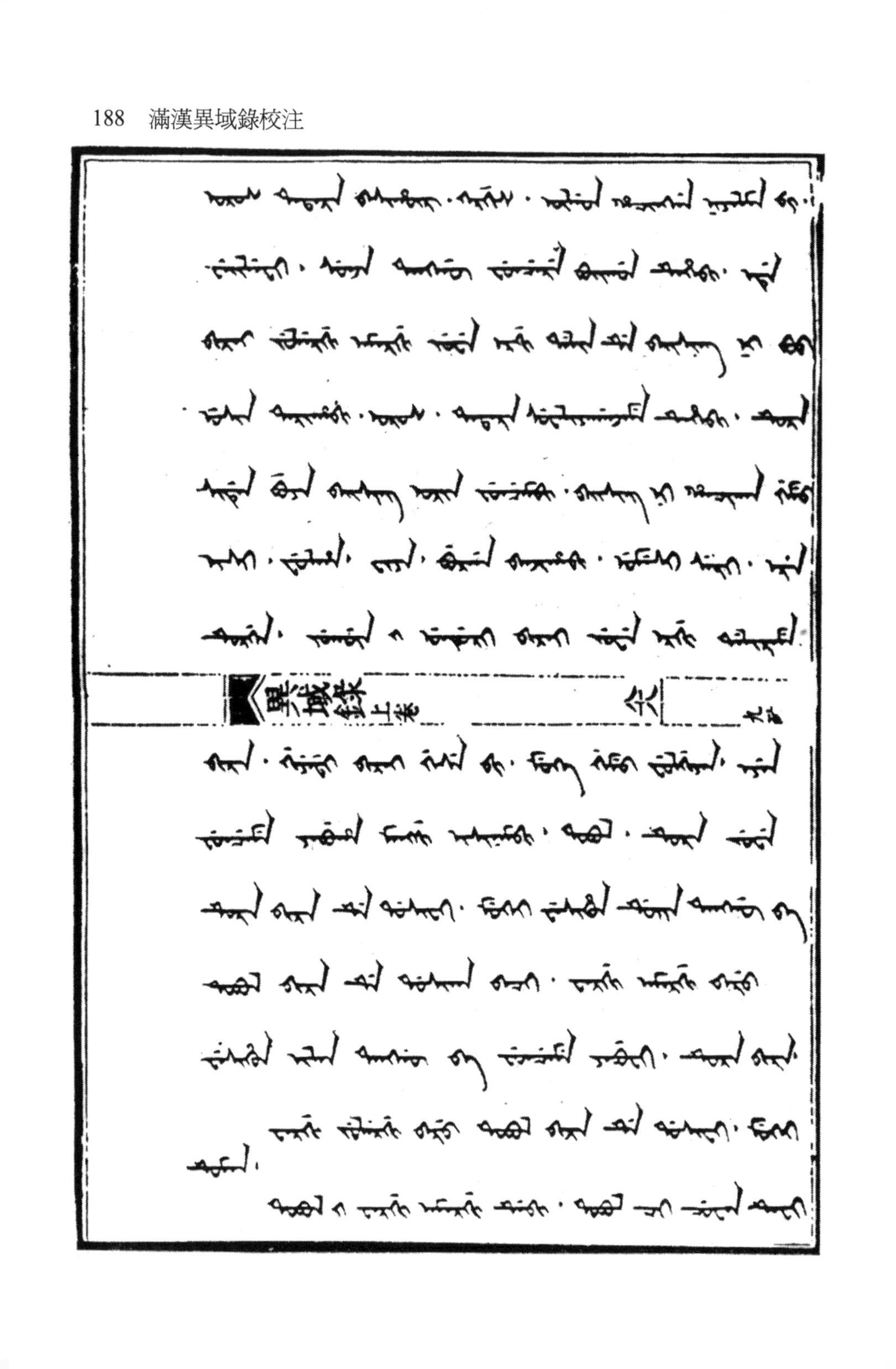

異域錄 上卷

tuman, tobol i wargi amargi debi, tobol ci cuwan tefi wargi julergi baru tobol bira de dosifi, mukei wesihun ilan tanggū ba funceme yabufi, tura bira, tobol bira de dosika baci, wargi amargi baru tura bira de dosifi, mukei wesihun duin tanggū ba funceme yabuha manggi isinambi, tobol, tura juwe bira, giyedi birai gese bi, muke gemu fulgiyan, eyen turgen, jugūn i unduri birai juwe ergi dalirame isi, fulha, fiya, burga banjihabi, umesi seri, ere siden buya baising orin funcembi, baising ni hancikan gemu usin tarihabi, oros, tatara suwaliyaganjame tehebi, tura birai julergi amargi juwe ergi dalin de baising ni boo weilefi, sunja tanggū funcere boigon tehebi, ede oros, tatara, basihūr, kergis, ūlet hacingga niyalma bi,

---

圖敏，在托波兒之西北，自托波兒登舟向西南進入托波兒河，遡流行三百餘里，自土拉河與托波兒河匯流處進入土拉河，遡流行四百餘里後抵達。托波兒、土拉二河，似褐的河，水色皆赤，溜急。途中沿河兩岸產杉松、楊、樺、叢柳，甚稀。其間小栢興二十餘處，栢興附近俱種田，鄂羅斯、塔塔拉雜處，土拉河南北兩岸有栢興廬舍，居五百餘戶，有鄂羅斯、塔塔拉、巴什虎兒、克爾給斯、厄魯特諸色人（註七二）。

图敏，在托波儿之西北，自托波儿登舟向西南进入托波儿河，遡流行三百余里，自土拉河与托波儿河汇流处进入土拉河，遡流行四百余里后抵达。托波儿、土拉二河，似褐的河，水色皆赤，溜急。途中沿河两岸产杉松、杨、桦、丛柳，甚稀。其间小栢兴二十余处，栢兴附近俱种田，鄂罗斯、塔塔拉杂处，土拉河南北两岸有栢兴庐舍，居五百余户，有鄂罗斯、塔塔拉、巴什虎儿、克尔给斯、厄鲁特诸色人（注七二）。

註七二：滿文本自“tuman”至“bi”一段，漢文俱缺，玆據滿文本譯出漢文。

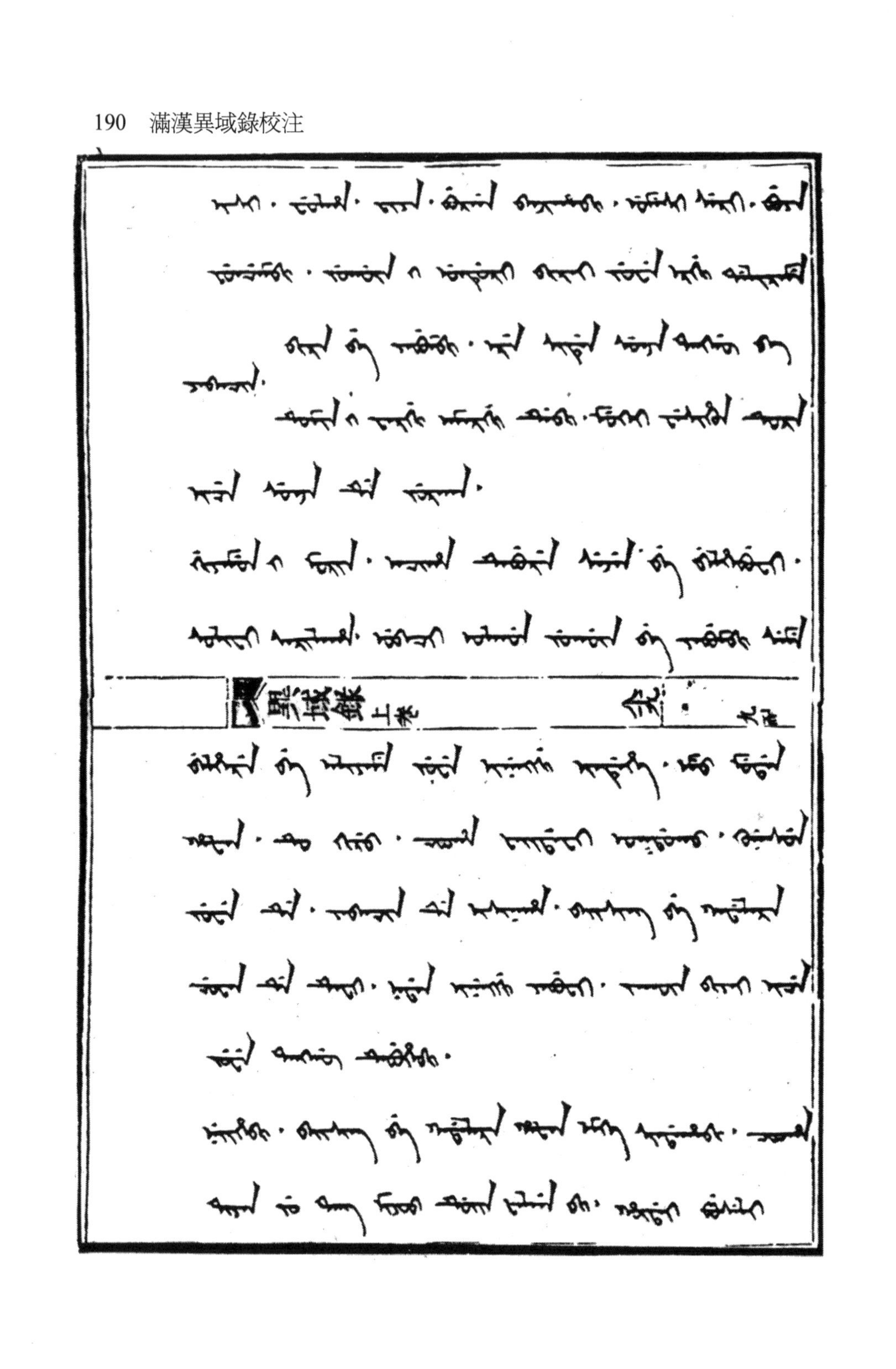

異域錄　上卷　　　　　　　　六

tiyan ju tang miyoo duin falga bi, hūdai puseli neihebi, baising be kadalara hafan emke sindahabi, cooha juwe tanggū tebuhebi. cuwan de tefi, nadan inenggi yabufi, jakūn biyai ice juwe de, yabancin de isinaha, baising be kadalara hafan, tu kiru, cooha faidafi okdoko, kunesun belhere be aliyame juwe inenggi indehe, emu mudan solifi sarilaha, ubaci olgon jugūn be yabumbi seme giyamun i morin, aciha tebure sejen be belhebufi, ice sunja de juraka. yabancin, tumin i wargi amargi debi, mukei wesihun tura bira be yabumbi, ere siden sunja tanggū ba funcembi, jugūn i unduri birai juwe ergi dalirame isi, fulha, fiya, burga banjihabi, umesi seri, buya

---

天主堂四座，有市廛，設管栢興頭目一員，駐兵二百名。登舟行七日，於八月初二日至鴉班沁，管栢興官排列旗幟兵丁迎接，候辦供給，止二宿，款宴一次，從此處由陸路行走，令人備辦驛馬、馱載車輛，於初五日起程（註七三）。鴉班沁，在圖敏之西北，由土拉河遡流，舟行五百餘里，沿河兩岸，有杉松、楊、樺、叢柳，甚稀，有小

天主堂四座，有市廛，设管栢兴头目一员，驻兵二百名。登舟行七日，于八月初二日至鸦班沁，管栢兴官排列旗帜兵丁迎接，候办供给，止二宿，款宴一次，从此处由陆路行走，令人备办驿马、驮载车辆，于初五日起程（注七三）。鸦班沁，在图敏之西北，由土拉河遡流，舟行五百余里，沿河两岸，有杉松、杨、桦、丛柳，甚稀，有小

註七三：滿文本自"tiyan ju tang"至"ice sunja de juraka"一段，漢文俱缺，此據滿文本譯出漢文。

異域錄 上卷 廿

baising orin funcembi, baising ni hancikan gemu usin tarihabi, ede oros, tatara suwaliyaganjame tehebi, tura birai wargi dalin de, baising ni boo weilefi juwe tanggū funcere boihon tehebi, gemu oros, tiyan ju tang miyoo ilan falha bi, baising be kadalara hafan emke sindahabi, cooha akū. yabancin ci cuwan ci ebufi gemu morilafi olgon be yabuha, ere siden i jugūn umesi lebenggi lifakū, emu inenggi gūsin ba tucime muterakū, emdubei wasime genembi, moo bujan fisin, gemu weji, jugūn de uyun inenggi yabufi, juwan emu de fiyerho tursk'o de isinaha, ere babe oros gurun ceni dorgi ba seme ele ginggun kundu be tuwabume, baising be kadalara hafan tu kiru cooha faidafi, kumun deribume

---

栢興二十餘處，栢興附近俱種田畝，鄂羅斯與塔塔拉雜處，土拉河之西岸，有栢興廬舍，居二百餘戶，俱鄂羅斯，有天主堂三座，設管轄栢興頭目一員，無兵，從此處捨舟陸行。自鴉斑沁捨舟，俱乘騎陸行，此間道路甚泥濘，一日止可行三十里許，地勢漸下，皆林藪，越九宿，于十一日，至費耶爾和土爾斯科地方，此處鄂羅斯謂其國之內地，愈加欽敬，管栢興官排列旂幟兵丁，鼓吹

栢兴二十余处，栢兴附近俱种田亩，鄂罗斯与塔塔拉杂处，土拉河之西岸，有栢兴庐舍，居二百余户，俱鄂罗斯，有天主堂三座，设管辖栢兴头目一员，无兵，从此处舍舟陆行。自鸦斑沁舍舟，俱乘骑陆行，此间道路甚泥泞，一日止可行三十里许，地势渐下，皆林薮，越九宿，于十一日，至费耶尔和土尔斯科地方，此处鄂罗斯谓其国之内地，愈加钦敬，管栢兴官排列旗帜兵丁，鼓吹

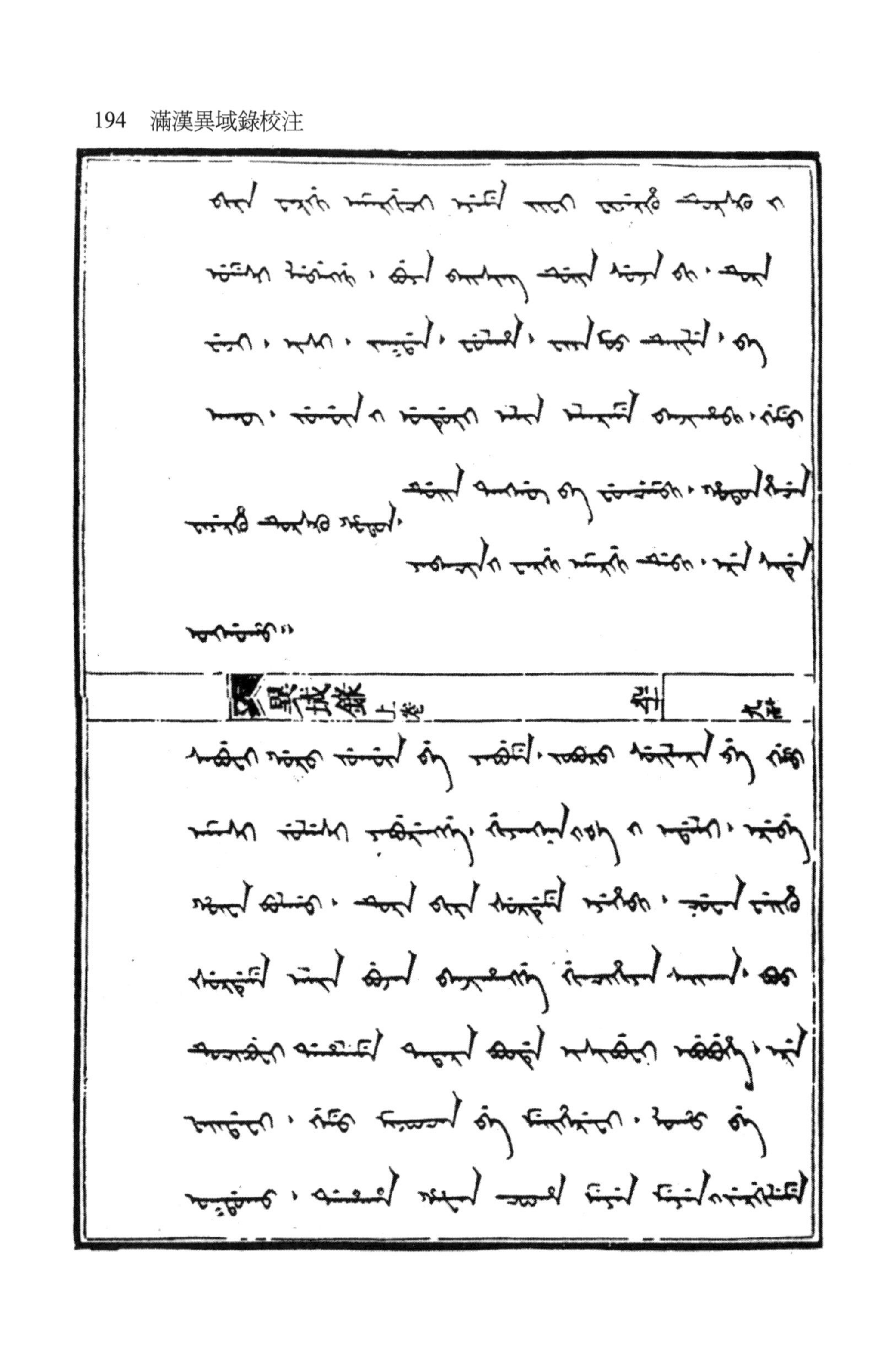

okdoko, dahaha hafan cooha meyen meyen i jergileme faidafi, gemu miyoocan be meiherefi, loho be tucibufi, dahalame tatara boode isibufi ebubuhe, ere šurdeme alin bujan banjihangge gincihiyan saikan, boo hūwa bolgo, tura bira šurdeme eyehebi, cuwan weihu amasi julesi yaburengge, giyangnan i ba i adali, erebe sabufi goro jugūn be yabume, joboro suilara be gemu onggoho. fiyerh'o tursk'o hoton, yabancin i wargi amargi debi, ere siden duin tanggū ba funcembi, hoton hecen akū, jugūn i unduri alin alarame banjihabi, gemu weji, isi, jakdan, fulha, fiya moo teile, ba umesi lebenggi, buya baising duin sunja bi, tura bira wargi amargici eyeme jifi fiyerh'o tursk'o i

---

而迎，其護從官兵，按隊層列，負鎗持刃，送至館驛安置，此處一帶，山色奇秀，室宇清潔，土拉河環抱，舟楫往來，宛如江南，應接不暇，忘異鄉行路之崎嶇。費耶爾和土爾斯科城，在鴉班沁之西北，其間四百餘里，無城郭，沿途皆山岡，多林藪，惟有杉松、馬尾松、楊、樺，地甚泥濘，有小栢興四五處，土拉河來自西北，流過費耶爾和土爾斯科城之

而迎，其护从官兵，按队层列，负鎗持刃，送至馆驿安置，此处一带，山色奇秀，室宇清洁，土拉河环抱，舟楫往来，宛如江南，应接不暇，忘异乡行路之崎岖。费耶尔和土尔斯科城，在鸦班沁之西北，其间四百余里，无城郭，沿途皆山冈，多林薮，惟有杉松、马尾松、杨、桦，地甚泥泞，有小栢兴四五处，土拉河来自西北，流过费耶尔和土尔斯科城之

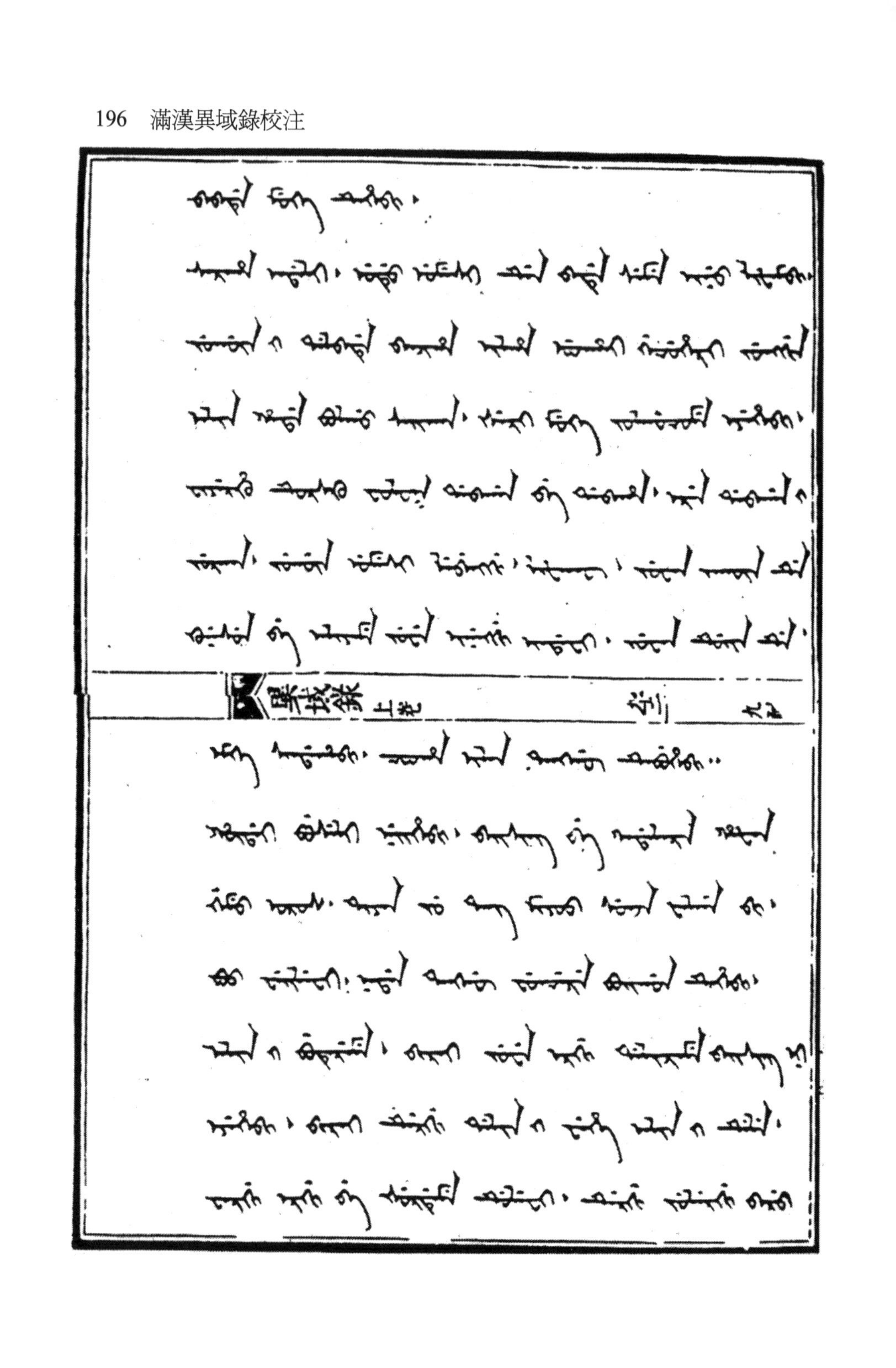

wargi ergi be šurdeme dulefi, dergi julergi baru eyehebi, birai dergi dalin i wehe alin i dele, alin i butereme, birai juwe ergi dalirame baising ni boo weilefi, nadan tanggū funcere boigon tehebi, gemu oros, tiyan ju tang miyoo sunja falga bi, hūdai puseli neihebi, baising be kadalara hafan emke sindahabi, cooha ilan tanggū tebuhebi. kunesun be aliyame juwe inenggi indefi, juwan duin de juraka, jugūn umesi lebenggi, lifakū, juwan jukūn de fiyerh'o tursk'o folok dabagan be dabaha, ere dabagan i alin hada bolgo saikan, šeri muke jolgocomeeyehebi, jugūn i dalbade banjiha ilha uthai gecuheri junggin saraha adali, udu umesi den bade seme inu lifambi, babade muke tehebi.

西面，向東南而流，河之東岸石山上下及河之兩岸，有栢興廬舍，居七百餘戶，俱鄂羅斯，天主堂五座，有市廛，設管轄栢興頭目一員，駐兵三百名。候辦供給，止二宿，于十四日起程，路甚泥濘。十八日，過費耶爾和土爾斯科佛落克嶺，其嶺峰巒競秀，泉脈爭流，夾路野花，若張錦綺，雖極高之處，亦泥濘有水。

西面，向东南而流，河之东岸石山上下及河之两岸，有栢兴庐舍，居七百余户，俱鄂罗斯，天主堂五座，有市廛，设管辖栢兴头目一员，驻兵三百名。候办供给，止二宿，于十四日起程，路甚泥泞。十八日，过费耶尔和土尔斯科佛落克岭，其岭峰峦竞秀，泉脉争流，夹路野花，若张锦绮，虽极高之处，亦泥泞有水。

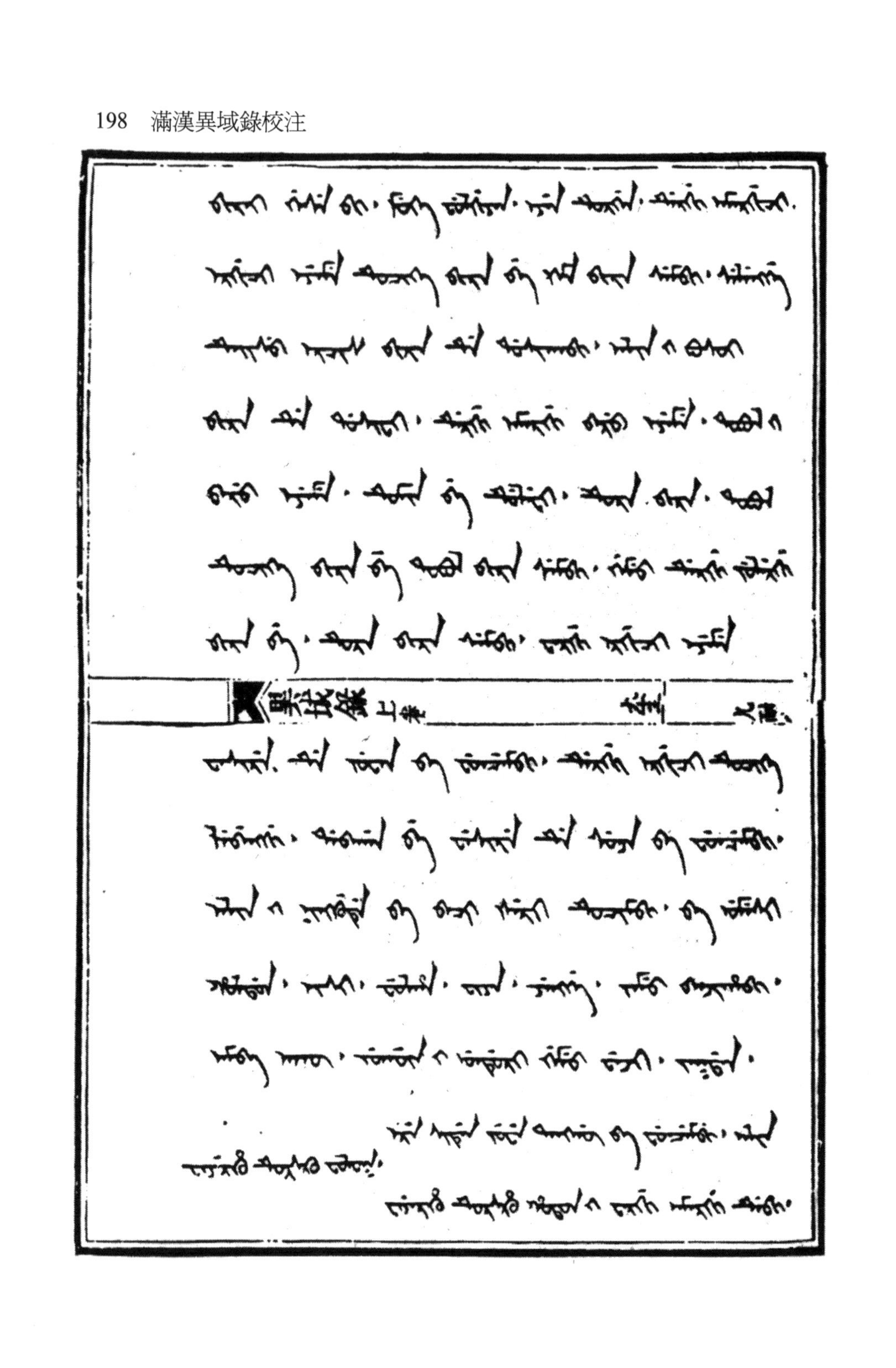

異域錄 上卷

fiyerh'o tursk'o folok, fiyerh'o tursk'o hoton i wargi amargi debi, ere siden juwe tanggū ba funcembi, alin amba akū, jugūn i unduri gemu weji, jakdan, holdon, isi, fulha, fiya, yengge, jamu banjihabi, alin i ninggude ba baci šeri tucimbi, ba umesi lebenggi, dabagan be wesire de sunja ba funcembi, wasire de juwan ba funcembi, dergi ergici tucike bira be, tura bira sembi, wargi ergici eyeme tucike bira be tobol bira sembi, gemu dergi julergi baru eyeme, tumin be dulefi, tura bira, tobol bira de dosifi, dergi amargi baru eyeme, tobol i teisu ercis bira de dosikabi, alin i bosoi ergici eyeme tucike bira be k'am bira sembi, selengge birai gese bi, muke fulgiyan, eyen turgen, dergi amargici

---

費耶爾和土爾斯科佛落克嶺，在費耶爾和土爾斯科城之西北，其間二百餘里，山不甚大，沿途皆林藪，有馬尾松、果松、杉松、楊、樺、櫻薁、刺玫，山巔嶺上，隨處流泉，地甚泥濘，上嶺五里許，下嶺十里餘，自嶺東流出者，謂之土拉河，嶺西流出者，謂之托波兒河，俱向東南流，過圖敏地方，土拉河歸入托波兒河，復向東北流，至托波兒相對地方，歸入厄爾齊斯河，又自山陰流出者，謂之喀穆河，其大似色楞格河，水色赤，溜急，自東北

费耶尔和土尔斯科佛落克岭，在费耶尔和土尔斯科城之西北，其间二百余里，山不甚大，沿途皆林薮，有马尾松、果松、杉松、杨、桦、樱薁、刺玫，山巅岭上，随处流泉，地甚泥泞，上岭五里许，下岭十里余，自岭东流出者，谓之土拉河，岭西流出者，谓之托波儿河，俱向东南流，过图敏地方，土拉河归入托波儿河，复向东北流，至托波儿相对地方，归入厄尔齐斯河，又自山阴流出者，谓之喀穆河，其大似色楞格河，水色赤，溜急，自东北

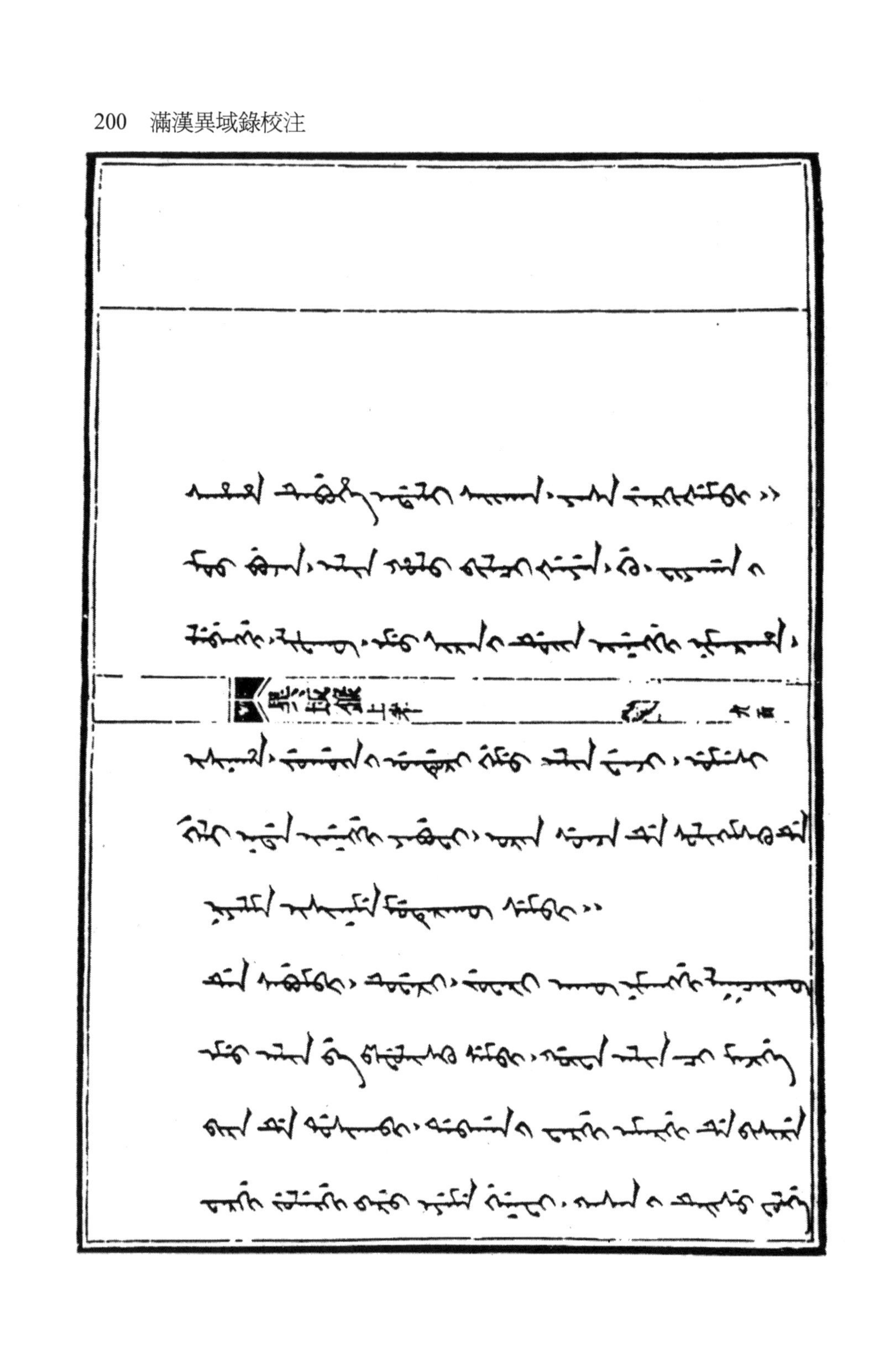

wargi julergi baru eyeme genefi, kasan i teisu folge bira de dosikabi, dabagan i wargi amargi de bisire emu alin be pafulinsk'o sembi, gūwa alin ci majige den sabumbi,tuweri, juwari akū nimanggi lakcarakū, niyalma isiname muterakū sembi. geli nadan inenggi yabufi, orin sunja de solik'amsk'o de isinaha, jugūn i unduri gemu alin weji, umesi lebenggi, lifakū, emu şiran i duin inenggi nimaraha, moo bujan, alin holo bilci šeyen, gu, fiyagan i sahaha tebuhe adali saikan, yasa jerkišembi.

向西南而流，至喀山相對地方，歸入佛兒格河，其嶺之西北有山名曰帕付林斯科，峙出諸山，土人云，冬夏積雪不消，人不能至。又越七宿，于二十五日，至索里喀穆斯科地方，沿途皆山林，甚泥濘，大雪連朝，林木巖壑，一目縞然（註七四），瓊瑤璀璨，光輝奪目，真奇觀也。

向西南而流，至喀山相对地方，归入佛儿格河，其岭之西北有山名曰帕付林斯科，峙出诸山，土人云，冬夏积雪不消，人不能至。又越七宿，于二十五日，至索里喀穆斯科地方，沿途皆山林，甚泥泞，大雪连朝，林木岩壑，一目缟然（注七四），琼瑶璀璨，光辉夺目，真奇观也。

註七四：一目縞然，案叢書集成簡編作「一目皜然」，小方壺齋輿地叢鈔同。

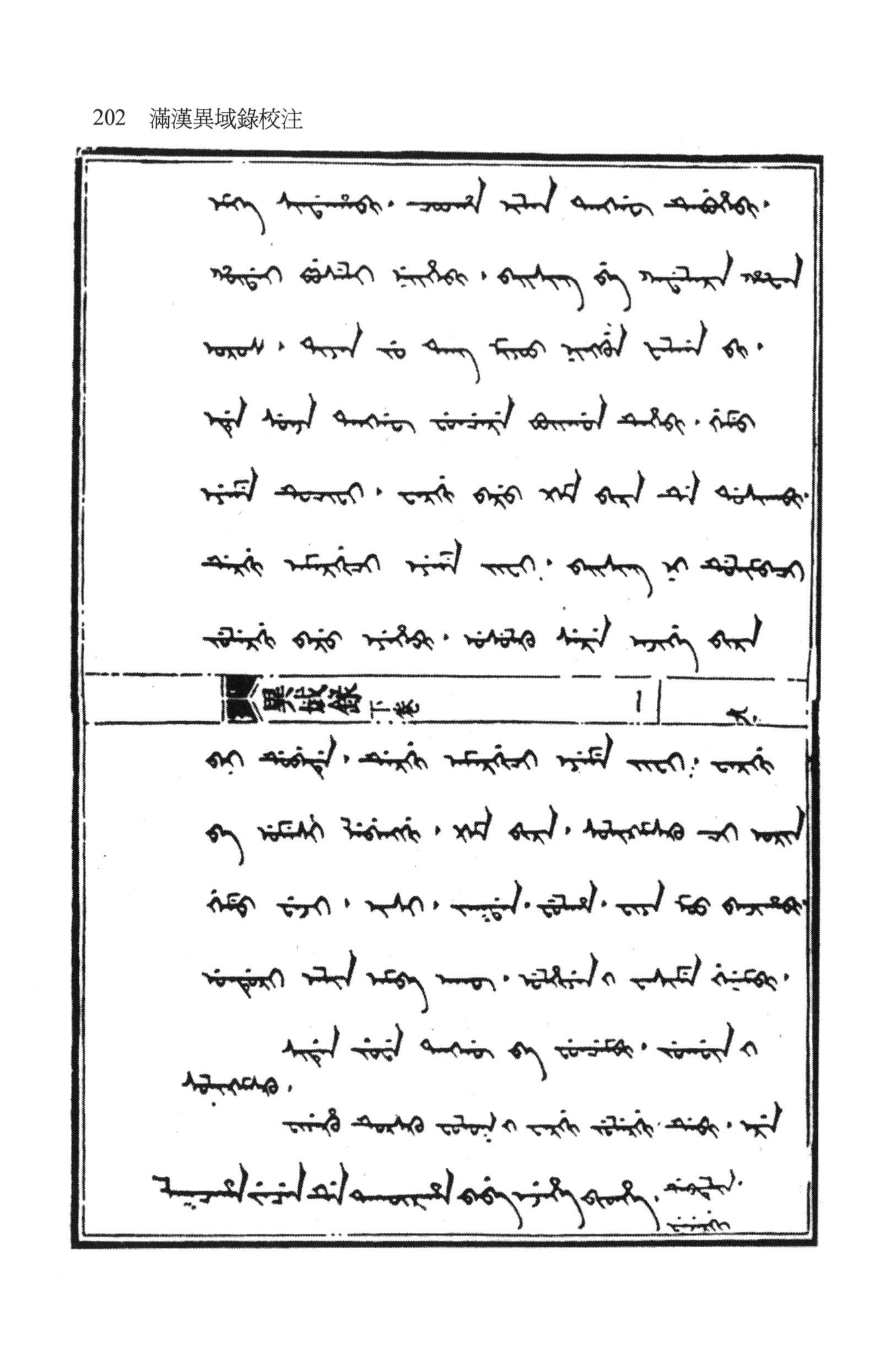

異域錄 上卷 一

lakcaha jecen de takūraha babe ejehe bithe, fejergi debtelin.
solik'amsk'o, fiyerh'o tursk'o folok i wargi juergi debi, ere siden juwe tanggū ba funcembi, jugūn i unduri alin amba akū, ulhiyen i wasime genembi, gemu weji, isi, jakdan, fulha, fiya moo banjihabi, ba umesi lebenggi, k'am bira, solik'amsk'o ci orin bai dubede, dergi amargici eyeme jifi, wargi julergi baru eyehebi, usulk'o sere ajige bira dergi amargici eyeme jifi, baising ni dulimbaci eyeme tucifi, wargi baru k'am bira de dosikabi, ede sunja tanggū funcere boigon tehebi, gemu oros, tiyan ju tang miyoo ninggun falga bi, hūdai puseli neihebi, baising be kadalara hafan emke sindahabi, cooha ilan tanggū tebuhebi,

---

索里喀穆斯科（註七五），在費耶爾和土爾斯科佛落克嶺之西南，其間二百餘里，沿途山不甚大，地勢漸下，俱林藪，有杉松、馬尾松、楊、樺，地甚泥濘。喀穆河于索里喀穆斯科之北二十里外來，自東北向西南而流，有烏索兒科之小河，來自東北，由栢興中流出向西，歸入喀穆河，居五百餘戶，皆鄂羅斯，天主堂六座，有市廛，設管轄栢興頭目一員，駐兵三百名。

索里喀穆斯科（注七五），在费耶尔和土尔斯科佛落克岭之西南，其间二百余里，沿途山不甚大，地势渐下，俱林薮，有杉松、马尾松、杨、桦，地甚泥泞。喀穆河于索里喀穆斯科之北二十里外来，自东北向西南而流，有乌索儿科之小河，来自东北，由栢兴中流出向西，归入喀穆河，居五百余户，皆鄂罗斯，天主堂六座，有市廛，设管辖栢兴头目一员，驻兵三百名。

註七五：案叢書集成簡編「自鴉班沁捨舟」起為下卷，滿文本自「索里喀穆斯科」一段起為下卷。

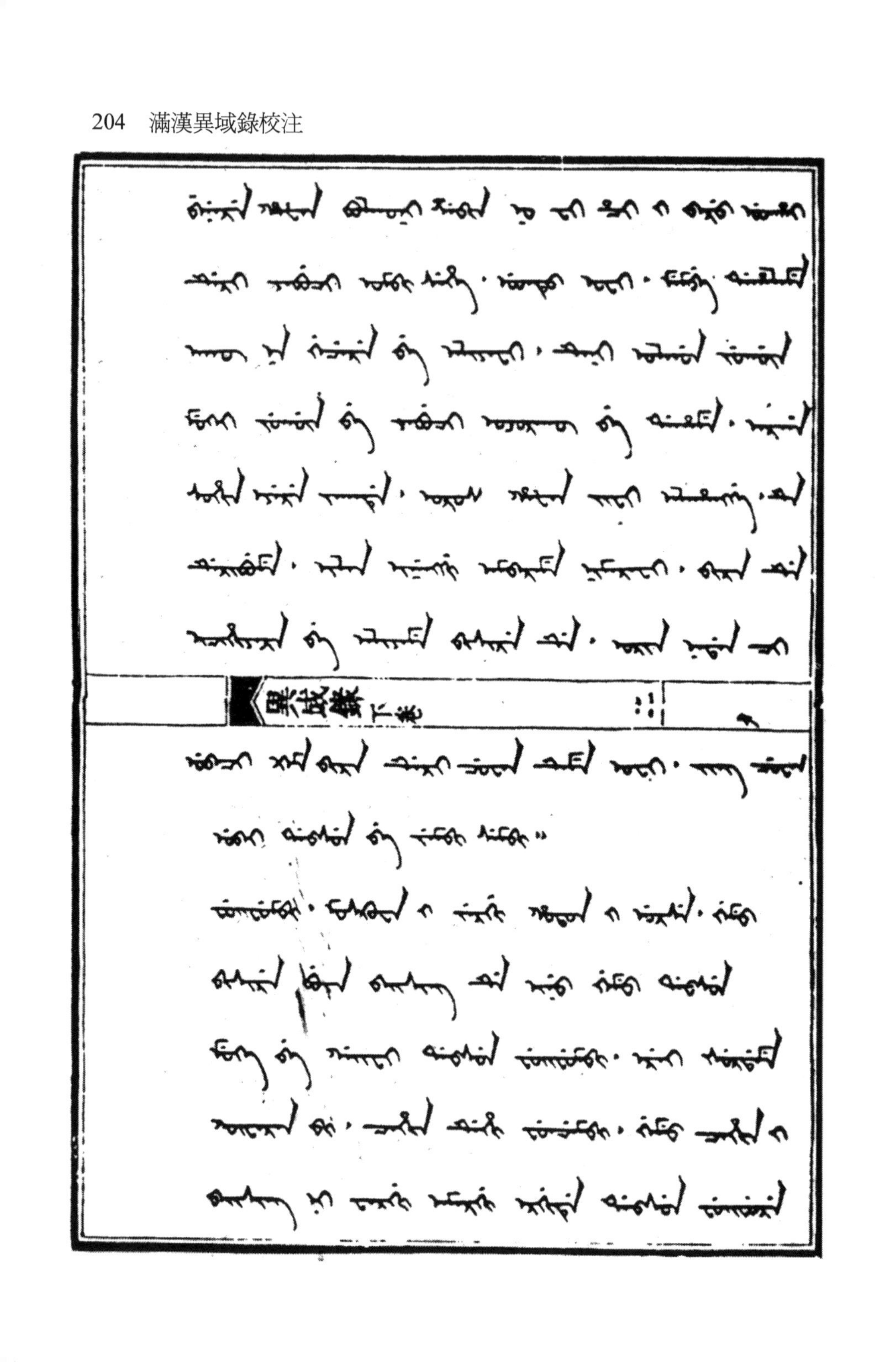

baising ni wargi amargi ergide dabsun fuifure kūwaran bi, cahin dehi funcembi, gemu cahin i muke be gaifi dabsun fuifumbi, erei šurdeme bisire buya baising de inu gemu dabsun fuifumbi, mosk'owa i jergi hoton i urse, gemu ubai dabsun be jembi sembi. ubaci k'am bira deri cuwan teme ofi, jing cuwan icihiyara be aliyame bisire de, orin nadan ci deribume, ilan inenggi ambarame nimarafi, bira de sohin eyere jakade, oros hafan jifi alahangge, te mukei jugūn be yabuci ojorakū be dahame, arga akū, na gecere be aliyafi, teni olgon jugūn deri yabuci ombi sehe, uttu ofi, membe dahalame benere hafan bolkoni ts'ebin no fi cy i baru uthai

---

栢興之西北有鹽場，場內有方木井四十餘處，咸取井水煎鹽，其鄰近之小栢興，亦皆煎鹽，莫斯科窪城等處，俱食此地鹽。自此由喀穆河水路舟行，正在料理船隻，于二十七日起三日，又大雪，河內流澌，鄂羅斯官來稟曰：水路已不能行，只得候地凍，由陸路方可行走，我等向護送官博爾科泥催促即

栢兴之西北有盐场，场内有方木井四十余处，咸取井水煎盐，其邻近之小栢兴，亦皆煎盐，莫斯科洼城等处，俱食此地盐。自此由喀穆河水路舟行，正在料理船只，于二十七日起三日，又大雪，河内流澌，鄂罗斯官来禀曰：水路已不能行，只得候地冻，由陆路方可行走，我等向护送官博尔科泥催促即

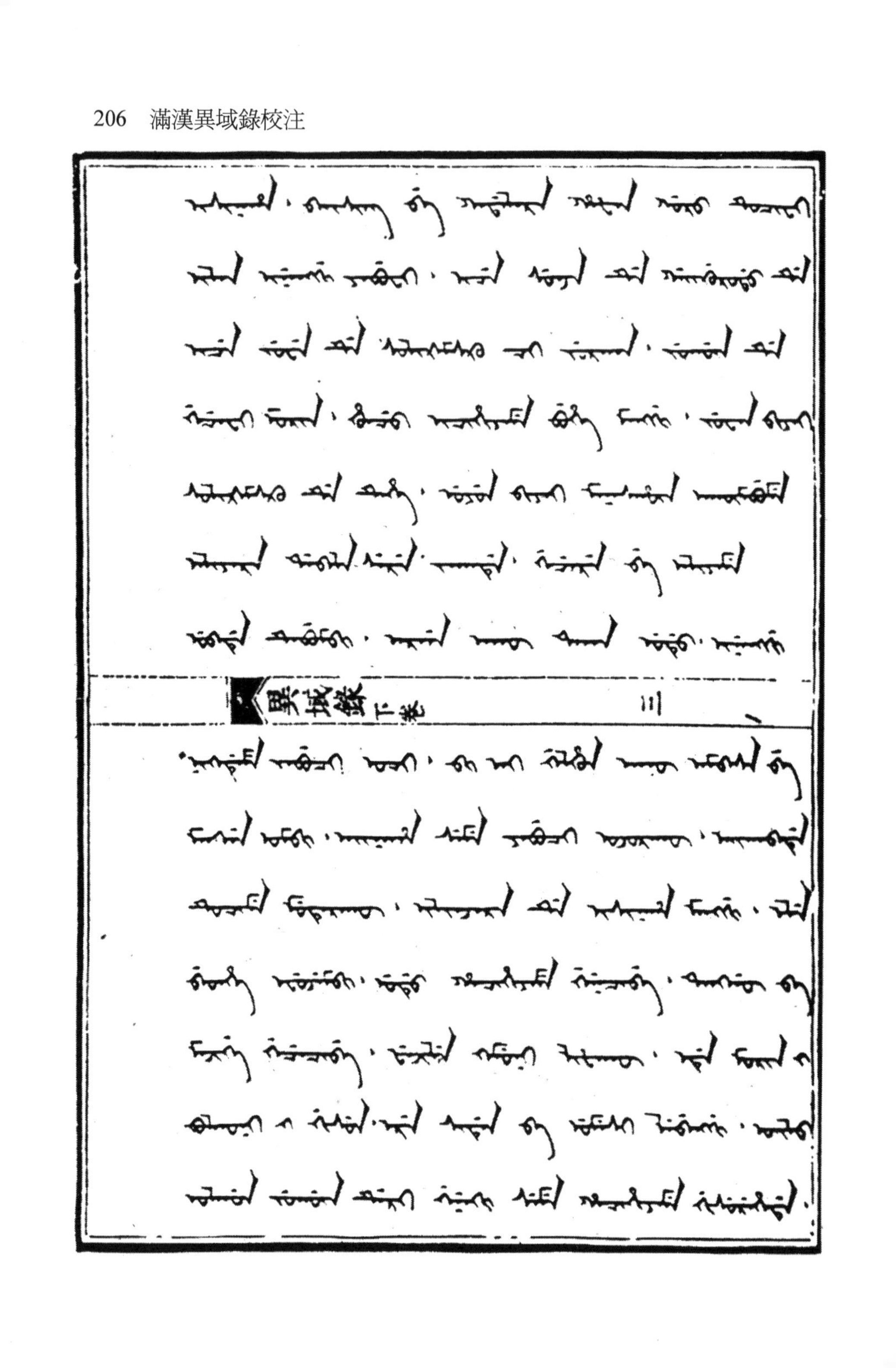

異域錄　下卷　三

olgon jugūn deri geneki seme hacihiyame gisurehede, bolkoni i gisun, ere siden ba umesi lebenggi, oilo majige gececibe, fejile kemuni lifakū, ede morin i bethe efujembi, udu hacihiyame genecibe, tanggū ba tucime muterakū, ilinjara de isinaha manggi, ele mangga ombi, ainaha seme yabuci ojorakū, aikabade nikedeme yabuci oci, bi ai gelhun akū ambasa be ubade tebumbi, arga akū, taka udu inenggi aliyara dabala sere jakade, gecere be aliyame solik'amsk'o de tehe, uyun biyai manashūn akūmbume gecefi, morin, huncu icihiyame buhe manggi, juwan biyai ice juwe de solik'amsk'o ci juraka, jugūn de ilan inenggi yabufi, ice sunja de gaig'orodo de isinaha, baising be kadalara hafan goro tucifi

---

由陸路起行。博爾科泥曰：其間途中泥濘，浮面雖稍凍，下面猶陷，馬蹄易于損壞，雖強為起程，不能出一百里，倘若阻滯，反覺艱難，斷不可行，若稍可行走，我何敢留天使在此居住，只得暫候幾日，因此候凍，住索里喀穆斯科地方，至九月盡間，遍地凍結，撥給馬匹拖床，于十月初二日，自索里喀穆斯科地方起程。越三宿，于初五日至改郭羅多地方，管栢興官遠出

由陆路起行。博尔科泥曰：其间途中泥泞，浮面虽稍冻，下面犹陷，马蹄易于损坏，虽强为起程，不能出一百里，倘若阻滞，反觉艰难，断不可行，若稍可行走，我何敢留天使在此居住，只得暂候几日，因此候冻，住索里喀穆斯科地方，至九月尽间，遍地冻结，拨给马匹拖床，于十月初二日，自索里喀穆斯科地方起程。越三宿，于初五日至改郭罗多地方，管栢兴官远出

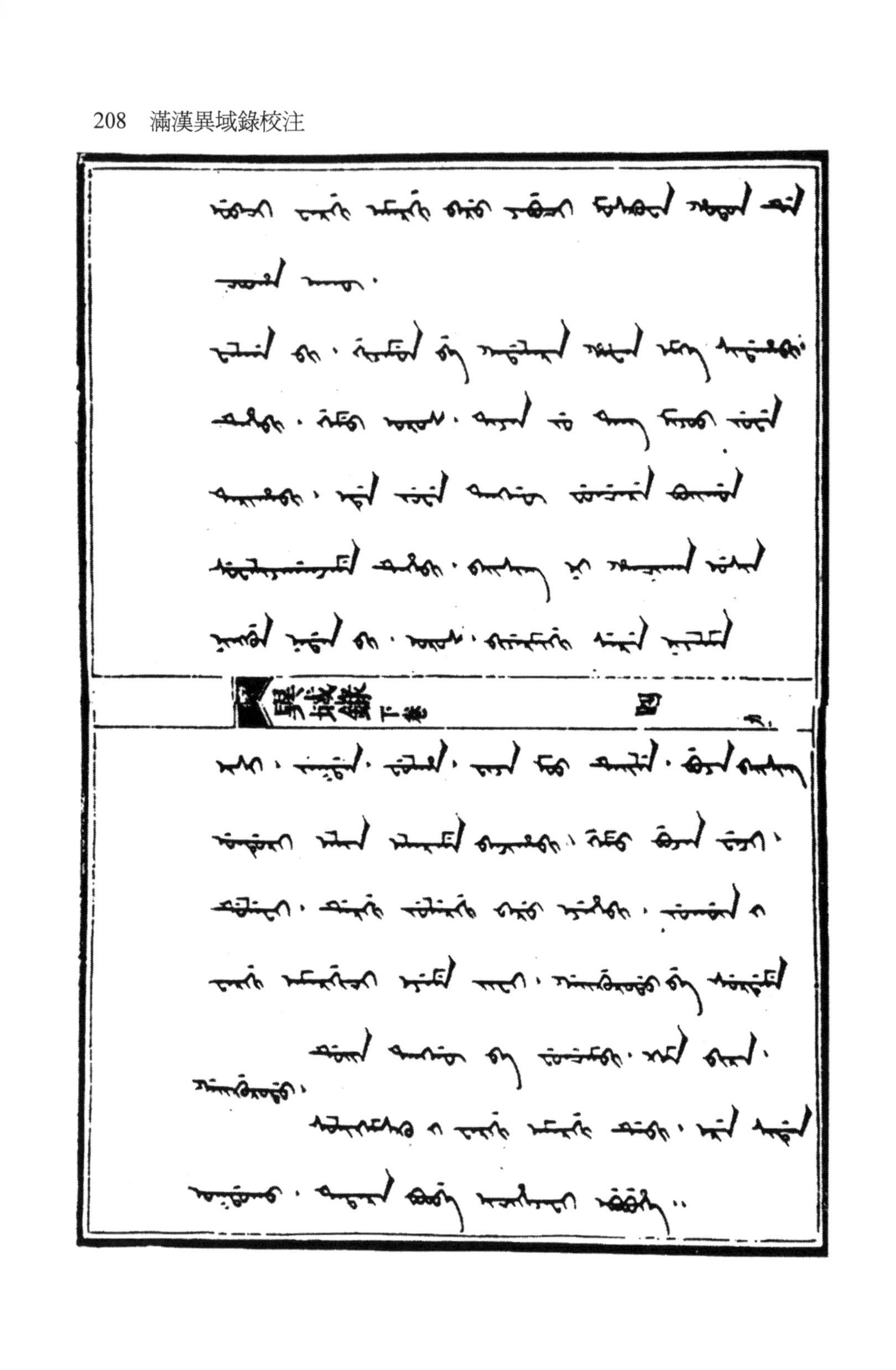

異域錄 下卷 四

okdoko, tatara boobe icihiyafi ebubuhe. gaig'orodo, solik'amsk'o i wargi amargi debi, ere siden duin tanggū ba funcembi, k'am bira, wargi amargici eyeme jifi, gaig'orodo be šurdeme dulefi, dergi julergi baru eyehebi, jugūn i unduri alin alarame banjihabi, gemu bujan weji, isi, jakdan, fulha, fiya moo teile, buya baising ninggun nadan bi, oros, biyermigi sere niyalma suwaliyaganjame tehebi, baising ni hacikan usin tarihabi, ede juwe tanggū funcere boigon tehebi gemu oros, tiyan ju tang miyoo juwe falga bi, giyamun be kadalara hafan emke sindahabi, cooha akū, ubaci wargi amargi baru yabuci mosk'owa hoton de

---

迎接，治館驛安置。改郭羅多，在索里喀穆斯科之西北，其間四百餘里喀穆河來自西北，遶過改郭羅多，向東南而流，沿途皆山岡林藪，有杉松、馬尾松、楊、樺，小栢興六七處，鄂羅斯與一種別爾馬羈之人雜處，栢興之附近皆田畝，居二百餘戶，皆鄂羅斯，有天主堂二座，設管驛站頭目一員，無兵，從此處向西北行，通莫斯科窪城

迎接，治馆驿安置。改郭罗多，在索里喀穆斯科之西北，其间四百余里喀穆河来自西北，遶过改郭罗多，向东南而流，沿途皆山冈林薮，有杉松、马尾松、杨、桦，小栢兴六七处，鄂罗斯与一种别尔马羁之人杂处，栢兴之附近皆田亩，居二百余户，皆鄂罗斯，有天主堂二座，设管驿站头目一员，无兵，从此处向西北行，通莫斯科洼城

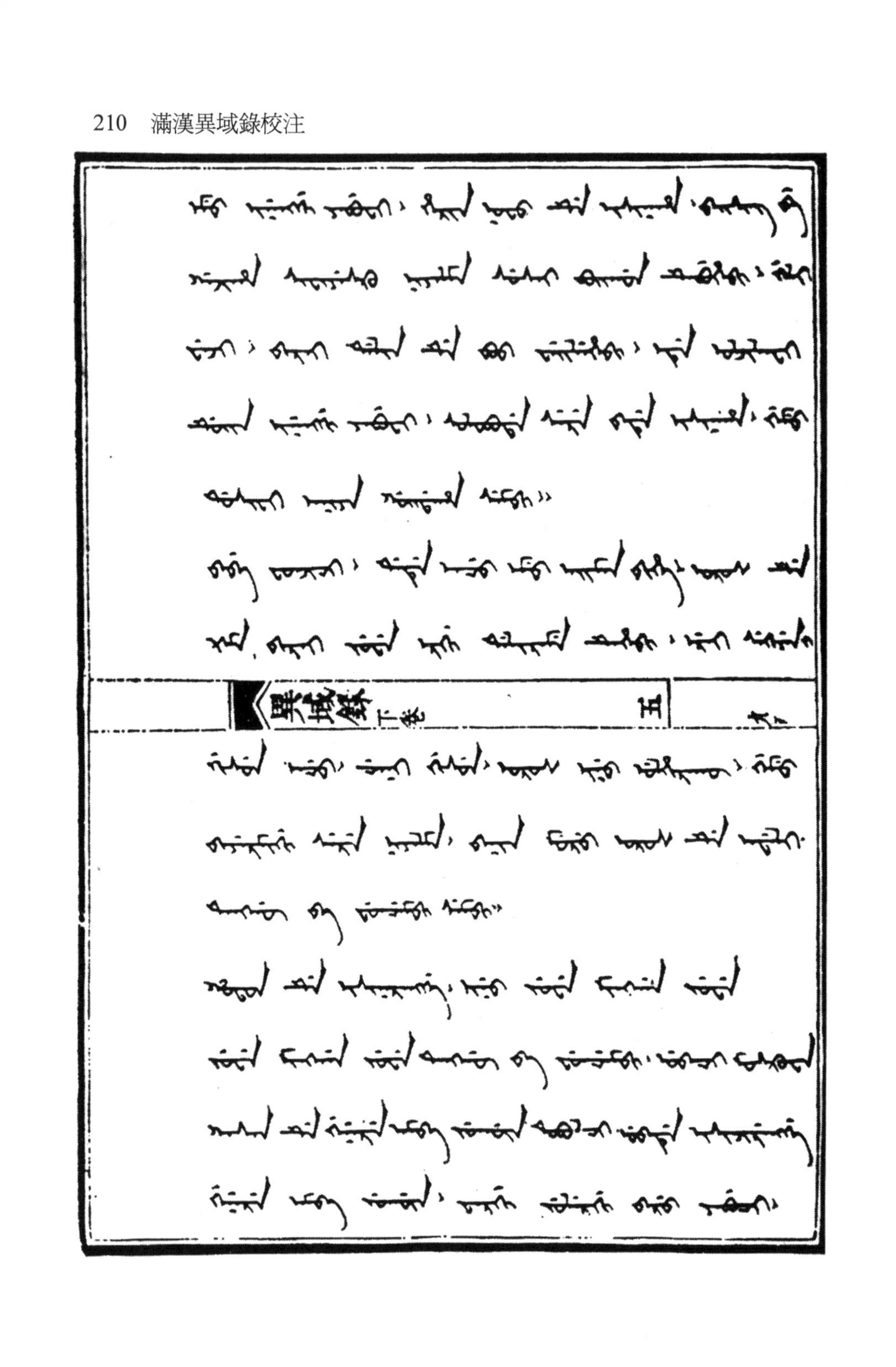

異域錄 下卷 五

genere amba jugūn, wargi julergi baru yabuci, kasan de genere amba jugūn, tobol ci ubade isinjirengge juwe minggan juwe tanggū ba funcembi, ubaci mosk'owa hoton de isinarangge, inu juwe minggan juwe tanggū ba funcembi sembi. biyermigi sere niyalma, banin muru oros de adali, gisun encu, ceni gisun, oros inu ulhirakū, gemu k'am birai juwe ergi dalirame tehebi, erei sekiyen i babe fonjici, dade encu emu aiman bihe, oros de dosifi aniya goidaha sembi. duin inenggi yabufi, soloboda sere bade isinaha, gemu weji, birai dalin de boo weilehebi, ede oljilafi gajiha sifiyesk'o niyalma susai boigon tebuhebi, geli emu inenggi yabufi, herin nofo de isinaha, baising be

---

大路，向西南行，通喀山大路，自托波兒至此處，有二千二百餘里，從此至莫斯科窪城，亦有二千二百餘里。別爾馬覊之人，貌類鄂羅斯，言語不同，其言語鄂羅斯亦不解，俱在喀穆河之兩岸居住，詢其來歷，原係別一部落，歸附鄂羅斯有年。越四宿，至索羅博達地方，皆林藪，河岸之上有廬舍，鄂羅斯並擄來西費耶斯科國人五千餘戶雜處（註七六），又行一日，至黑林諾付地方，管栢興

大路，向西南行，通喀山大路，自托波儿至此处，有二千二百余里，从此至莫斯科洼城，亦有二千二百余里。别尔马羁之人，貌类鄂罗斯，言语不同，其言语鄂罗斯亦不解，俱在喀穆河之两岸居住，询其来历，原系别一部落，归附鄂罗斯有年。越四宿，至索罗博达地方，皆林薮，河岸之上有庐舍，鄂罗斯并掳来西费耶斯科国人五千余户杂处（注七六），又行一日，至黑林诺付地方，管栢兴

註七六：五千餘戶，案滿文作"susai boigon"，意即五十戶，漢文作五千餘戶，疑誤。

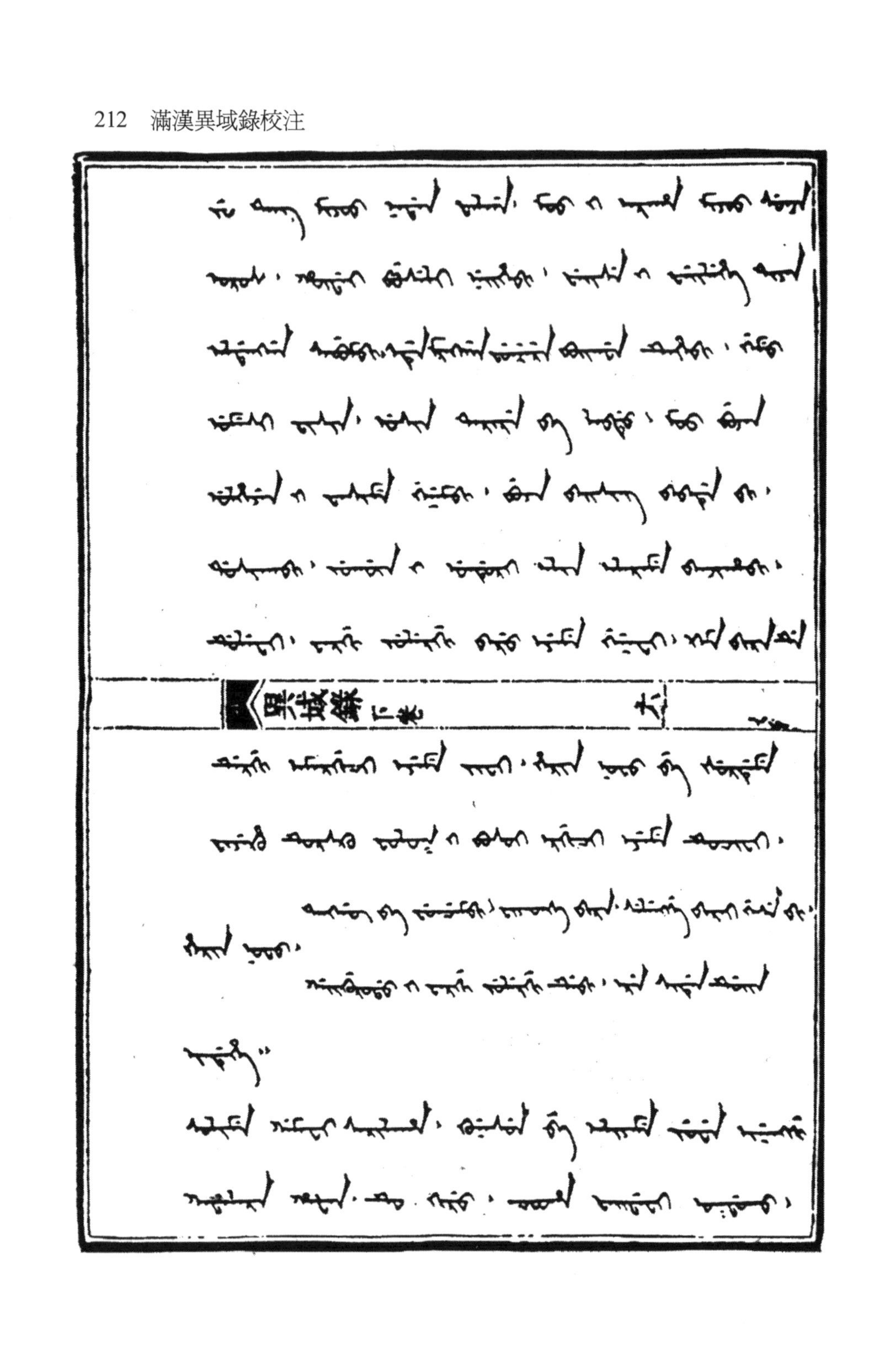

異域錄　下卷　六

kadalara hafan, tu kiru, cooha faidafi okdoko, solime gamafi sarilaha, kunesun be aliyame juwe inenggi indehe. herin nofo, gaig'orodo i wargi julergi debi, ere siden duin tanggū ba funcembi, fiyatk'a bira, selengge birai gese bi, faiyeh'o tursk'o folok i bosoi ergici eyeme tucifi, dergi amargici eyeme jifi, herin nofo be šurdeme dulefi, wargi julergi baru eyeme genefi, k'am bira de dosikabi, jugūn i unduri alin alarame banjihabi, ulhiyen i wasime genembi, buya baising babade bi, umesi fisin, usin tarire ba labdu, moo bujan aldangga sabumbi, ede minggan funcere boigon tehebi, gemu oros, hūdai puseli neihebi, feise i weilehe tiyan ju tang miyoo nadan falga, moo i araha miyoo sunja

---

官排列旗幟兵丁迎接，請至伊家欵宴，候供給，止二宿。黑林諾付在改郭羅多之西南，其間四百餘里，費牙忒喀河，其大似色楞格河，自費耶爾和土爾斯科佛落克嶺陰發源，來自東北，遶過黑林諾付，向西南而流，歸入喀穆河，沿途皆山岡，地勢漸下，隨處俱有小栢興，甚稠密，田畝亦多，遙望林木蒼然，居千餘戶，皆鄂羅斯，有市廛，磚造天主堂七座，大木營治天主堂五座，

官排列旗帜兵丁迎接，请至伊家欵宴，候供给，止二宿。黑林诺付在改郭罗多之西南，其间四百余里，费牙忒喀河，其大似色楞格河，自费耶尔和土尔斯科佛落克岭阴发源，来自东北，遶过黑林诺付，向西南而流，归入喀穆河，沿途皆山冈，地势渐下，随处俱有小栢兴，甚稠密，田亩亦多，遥望林木苍然，居千余户，皆鄂罗斯，有市廛，砖造天主堂七座，大木营治天主堂五座，

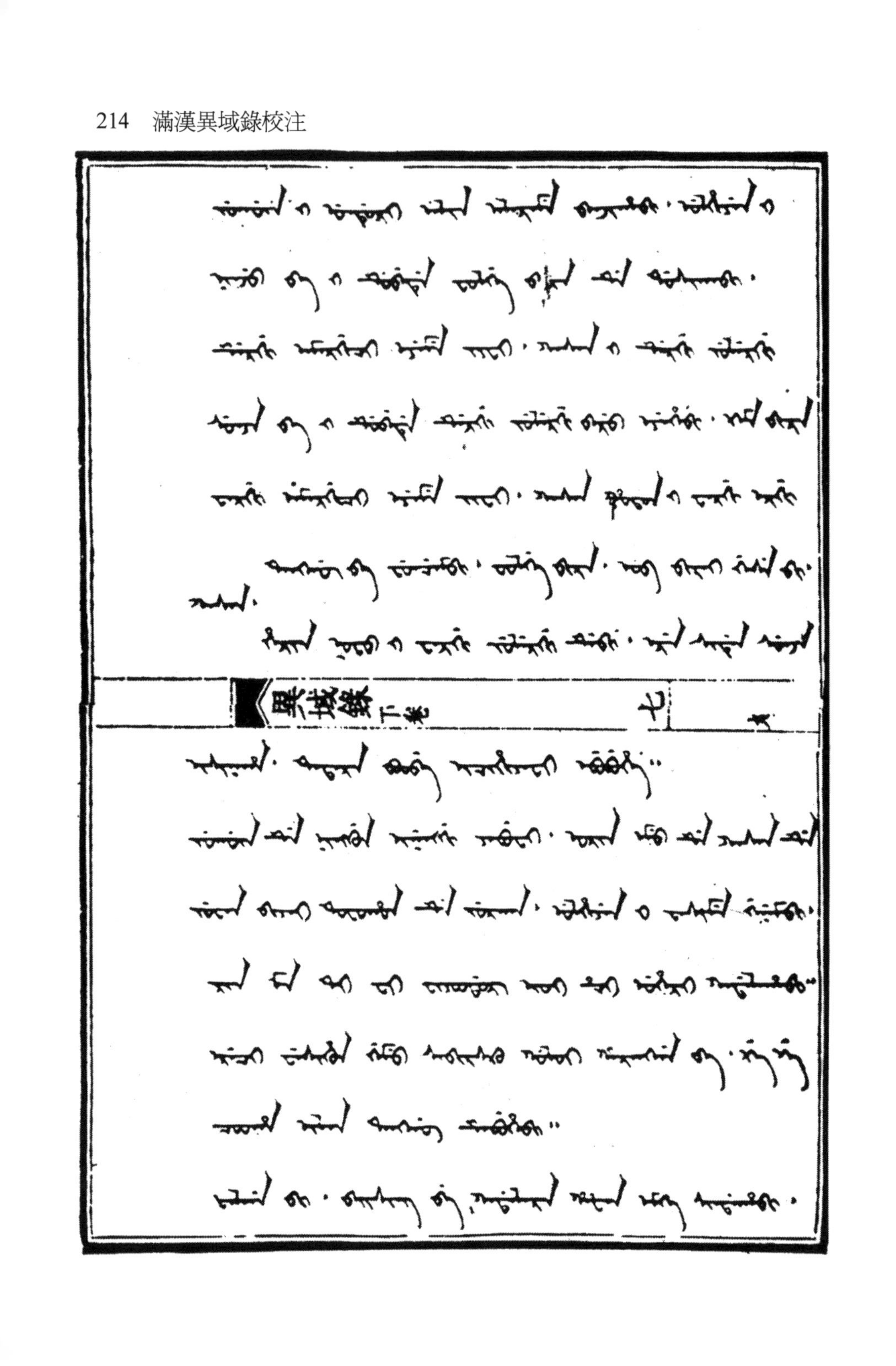

異域錄 下卷 七

falga bi, baising be kadalara hafan emke sindahabi, cooha ilan tanggū tebuhebi. ereci wesihun gemu sibirsk'o goloi horangga ba, g'a g'a rin ma ti fi fiyoodor ioi cy uheri kadalahabi. juwan biyai tofohon de juraka, ulhiyen i wasime genembi, jugūn de ninggun inenggi yabufi, orin emu de kasan de isinaha, tatara boobe icihiyafi ebubuhe. kasan, herin nofo i wargi julergi debi, ere siden sunja tanggū ba funcembi, folge bira, ob birai gese bi, wargi amargici eyeme jifi, kasan hoton i wargi ergi sunja ba i dubede dergi julergi baru eyehebi, k'am bira dergi amargici eyeme jifi, kasan i dergi julergi ninju ba i dubede folge bira de dosikabi, jugūn i unduri alin alarame banjihabi, ulgiyen i

---

設管轄栢興頭目一員，駐兵三百名（註七七）。以上俱係西畢爾斯科道所屬地方，乃噶噶林馬提飛費多爾魚赤統轄。十月十五日起程，地勢漸下，越六宿，於二十一日至喀山地方，潔治館驛安置。喀山，在黑林諾付之西南，其間五百餘里，佛兒格河，其大似鄂布河，來自西北，至喀山城之西南五里外，向東南而流，喀穆河來自東北，於喀山之東南六十里外，歸入佛兒格河，沿途皆山岡，地勢漸

设管辖栢兴头目一员，驻兵三百名（注七七）。以上俱系西毕尔斯科道所属地方，乃噶噶林马提飞费多尔鱼赤统辖。十月十五日起程，地势渐下，越六宿，于二十一日至喀山地方，洁治馆驿安置。喀山，在黑林诺付之西南，其间五百余里，佛儿格河，其大似鄂布河，来自西北，至喀山城之西南五里外，向东南而流，喀穆河来自东北，于喀山之东南六十里外，归入佛儿格河，沿途皆山冈，地势渐

註七七：漢文本於「駐兵三百名」後有「產大青兔，番名博羅托賴，及獺」字樣，滿文缺漏。

異域錄　下卷　八

wasime genembi, bujan weji labdu, isi, jakdan, fulha, fiya, nunggele, mangga moo, hailan, fodoho, lahari, jisiha banjihabi, buya baising orin isime bi, oros, tatara, cermis suwaliyaganjame tehebi, baising ni hancikan usin tarihabi, kasan i hanci ba necin, moo, bujan aldangga, usin tarire ba labdu, kasan hoton, moo be faishalame weilehengge, jakūn duka, emu dere juwe ba funcembi, šurdeme jakūn ba funcembi, guwali bi, guwali i tule hoton be šurdeme gemu hiyahan i mo weilefi sindahabi, hoton i dolo hūdai ba ilibuhabi, hūdai puseli neihebi, feise i weilehe tiyan ju tang miyoo sunja falga, moo i araha miyoo ilan falga bi, ede sunja minggan funcere boigon gemu gulhun moo i araha

---

下，多林藪，有杉松、馬尾松、楊、樺、椵、柞、楡、柳、波羅，荊條，有小栢興二十餘處，鄂羅斯與塔塔拉，並一種車爾米斯人雜處，其栢興附近，俱有田畝，喀山左近，地勢平坦，林木遼遠，田畝甚多，其喀山係排置大木爲城，有八門，一面二里餘，週圍八里餘，有郭，郭外環城，俱以木爲鹿角安置，城內有市廛，磚造天主堂五座，大木營治廟三座，居五千餘戶，皆用大木營治

下，多林薮，有杉松、马尾松、杨、桦、椵、柞、榆、柳、波罗，荆条，有小栢兴二十余处，鄂罗斯与塔塔拉，并一种车尔米斯人杂处，其栢兴附近，俱有田亩，喀山左近，地势平坦，林木辽远，田亩甚多，其喀山系排置大木为城，有八门，一面二里余，周围八里余，有郭，郭外环城，俱以木为鹿角安置，城内有市廛，砖造天主堂五座，大木营治庙三座，居五千余户，皆用大木营治

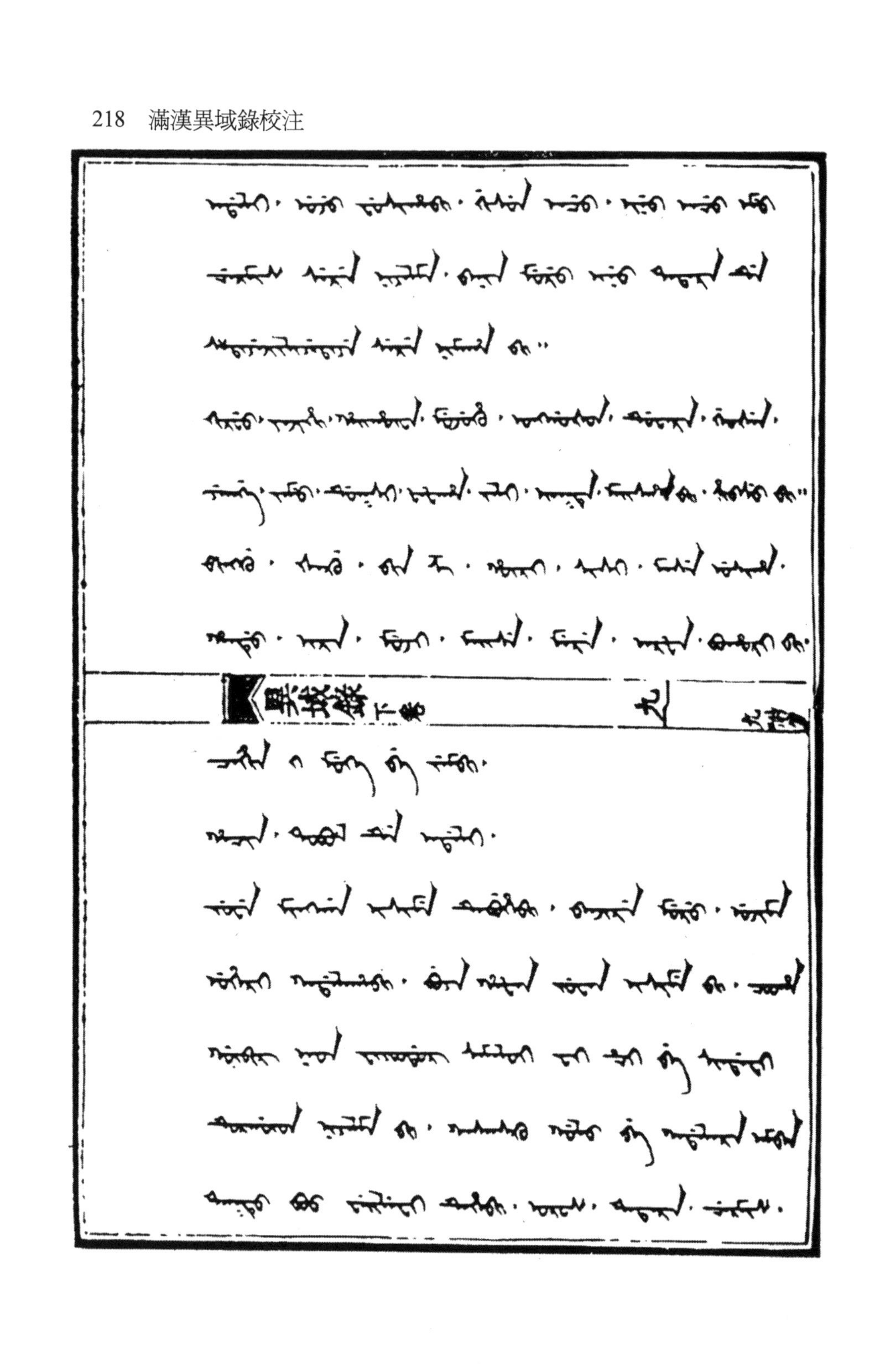

異域錄 下卷

taktu boo weilefi tehebi, oros, tatara, cermis, turgūt niyalma bi, kasansk'o golo be kadalara amban gūbir nat fiyoodor samaloi fi cy be sindafi uheri kadalahabi, buya hafan juwan isime bi, cooha juwe minggan isime tebuhebi, banjire muru, ujima hacin, tobol de adali. cahin i muke be jembi. handu, ira, muji, maise, mere, arfa, bohori bi. pingg'o, šag'o, bin dz, hūri, sisi, mase usiha, yengge, jamu, duksi, fafaha, jali, eikte, maishan bi, hibsu bi. kirfu, jajihi, haihūwa, mujuhu, onggošon, duwara geošen, sytiyeriliyetiye sere nimaha bi. cermis sere niyalma, banin muru inu tatara de adali, uju fusihabi, gisun encu, inu encu emu

---

樓房廬舍，有鄂羅斯與塔塔拉並車爾米斯及土爾虎特等人居住，設立管理喀山斯科道總管顧比爾那忒費多爾薩馬落費赤統轄，有小頭目十餘員，駐兵二千餘名，其生計牲畜等項，與托波兒同，食方木井水，有稻、稷、大麥、小麥、蕎麥、油麥、莞荳。蘋果、沙果、檳子、松子、榛子、核桃、櫻薁、刺玫、都克什、乏之哈、楂梨、厄衣克特克、枸奶子、蜂蜜。有鮰魚、白魚、魴魚、鯉魚、鯽魚、鮎魚、鴨嘴魚、四帖里烈帖魚。其車爾米斯之人，貌類塔塔拉，皆削髮，言語殊異，亦係別一

楼房庐舍，有鄂罗斯与塔塔拉并车尔米斯及土尔虎特等人居住，设立管理喀山斯科道总管顾比尔那忒费多尔萨马落费赤统辖，有小头目十余员，驻兵二千余名，其生计牲畜等项，与托波儿同，食方木井水，有稻、稷、大麦、小麦、蕎麦、油麦、莞荳。苹果、沙果、槟子、松子、榛子、核桃、樱薁、刺玫、都克什、乏之哈、楂梨、厄衣克特克、枸奶子、蜂蜜。有鮰鱼、白鱼、鲂鱼、鲤鱼、鲫鱼、鲇鱼、鸭嘴鱼、四帖里烈帖鱼。其车尔米斯之人，貌类塔塔拉，皆削发，言语殊异，亦系别一

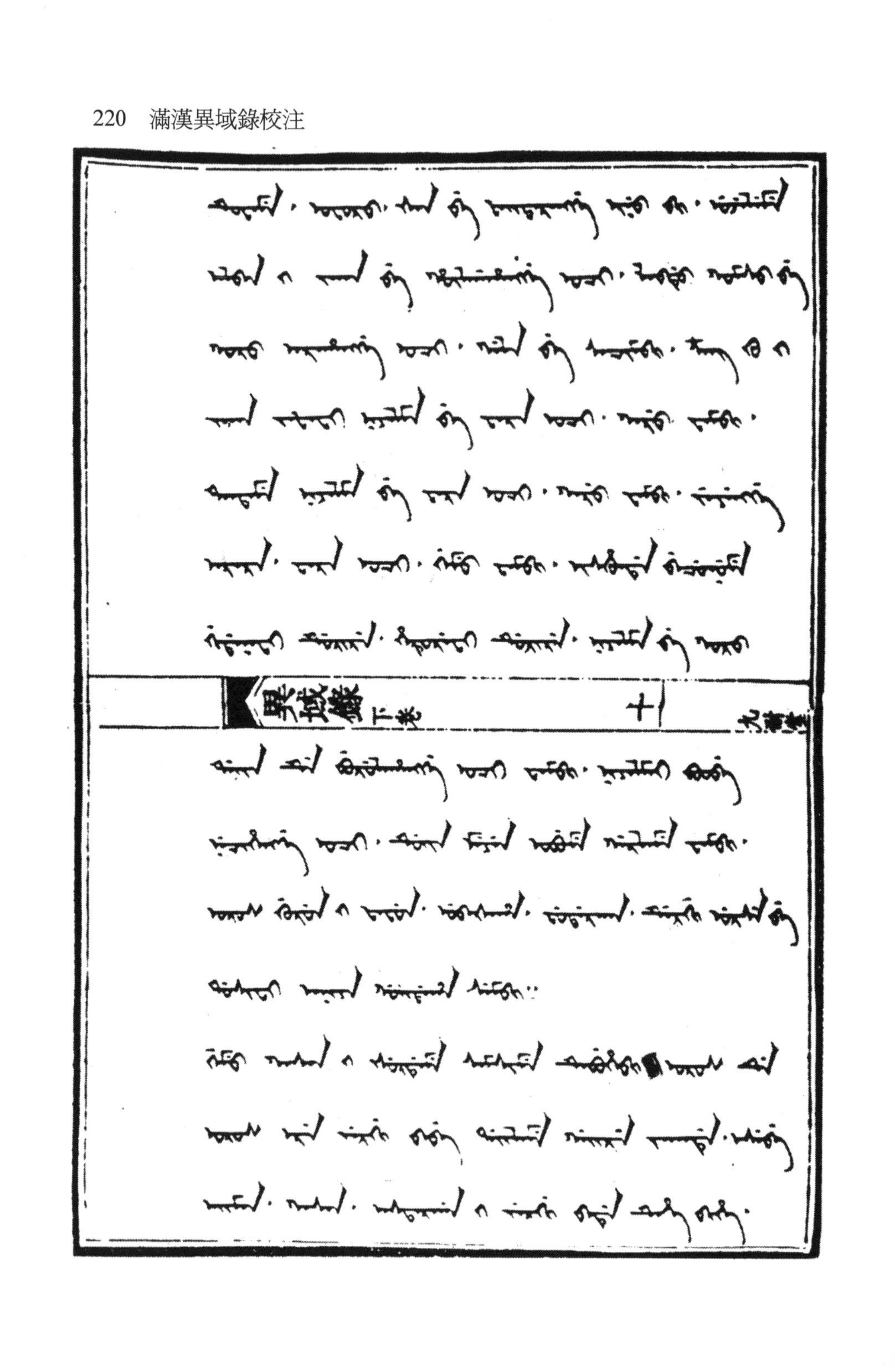

aiman, kasan, astargan i jergi bade tehe bihe, oros, ere jergi babe dailame gaire jakade, esebe gemu kasan i šurdeme samsime tebuhebi, oros de dosifi aniya goidaha sembi. oros gurun i fafun, ubašaha, fudaraka, dergi urse be necihengge oci, duin meyen obume garlame wambi, dain de burulahangge oci wambi, niyalmai boobe gidanafi durire, heturefi durire, niyalma be koro arara, wara oci, gemu wambi, ishunde becunume tantame niyalma be wara oci, karu wambi, jeyengge jaka jafafi niyalma be wara oci, karu wambi, koro arahangge oci, gala be sacimbi, ts'ang ku i alban i jaka be hūlgahangge oci, labdu komso be tuwame, oforo, šan be faitarangge inu bi, ujeleme

---

部落，原在喀山，阿斯塔爾漢等處居住，其後鄂羅斯侵佔諸處，將伊等散處於喀山左近地方，併入鄂羅斯國有年。鄂羅斯國法律，凡叛逆犯上者，將身肢解爲四段，遇敵敗北者斬，其劫奪並路截傷人或殺人者俱斬，其互相鬬毆殺人者抵償，持刃殺人者抵償，傷人者斷手，其偷盜倉庫之官物者，視其班之多寡，有劓耳鼻者，有重

部落，原在喀山，阿斯塔尔汉等处居住，其后鄂罗斯侵占诸处，将伊等散处于喀山左近地方，并入鄂罗斯国有年。鄂罗斯国法律，凡叛逆犯上者，将身肢解为四段，遇敌败北者斩，其劫夺并路截伤人或杀人者俱斩，其互相鬬殴杀人者抵偿，持刃杀人者抵偿，伤人者断手，其偷盗仓库之官物者，视其班之多寡，有劓耳鼻者，有重

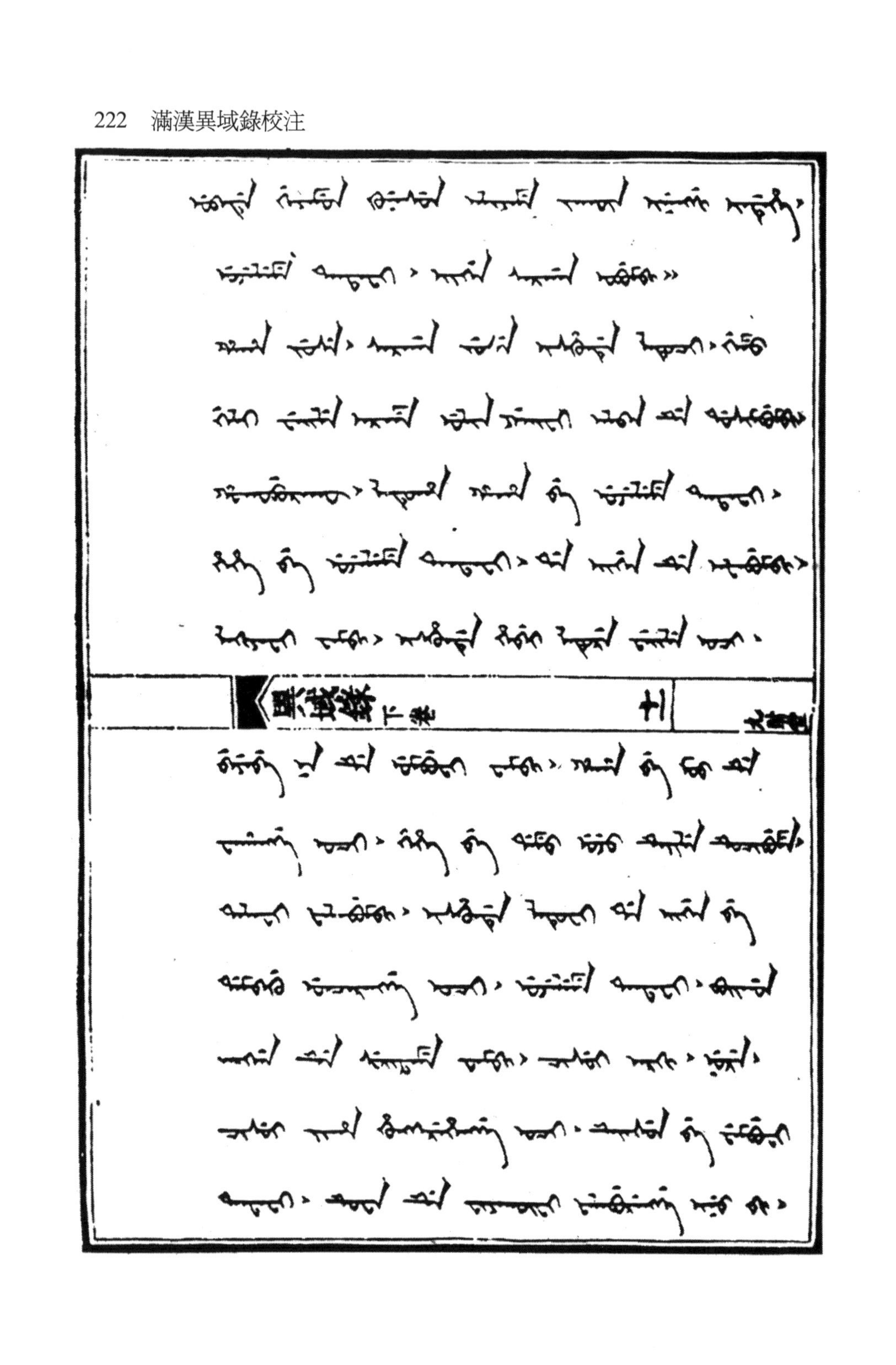

異域錄 下卷 十一

tantafi, tuwa de fiyakūfi falaburengge inu bi, cisui jiha hungkerehengge oci, teišun be wembufi angga de suitame wambi, cisui arki, nure, dambagu uncarangge oci, ujeme tantafi, boigon talafi falabumbi, ishunde latufi da eigen be wahangge oci, hehe be damu uju teile tucibume, beyebe na de umbufi wambi, haha be moo de lakiyafi wambi, ishunde hebei lature weile oci, hehe be ujeleme tantafi, da eigen de afabumbi, hokoburakū, latuha haha be ujeleme tantafi, geli weile arame ulin gaifi alban de dosimbumbi, haha juse, sargan juse ishunde latuci, gemu ujeleme tantafi, eigen sargan obumbi. ubade giyamun kunesun aliyame jakūn inenggi indehe.

責以火烤而發遣者，其私鑄錢者，將銅火鬲化灌其口內以殺之，其私賣烟酒者，重責，籍其家發遣，其因通奸殺死本夫者，將婦人之身體埋於地內，獨露其首以殺之，奸夫懸於樹上以殺之，其犯通奸之罪者，將婦人重責，交還本夫，不准離異，將奸夫重責，復按其罪贖入官，其幼童與女子通奸者，俱重責，配為夫婦。在此處候辦供給，止八宿，

责以火烤而发遣者，其私铸钱者，将铜火鬲化灌其口内以杀之，其私卖烟酒者，重责，籍其家发遣，其因通奸杀死本夫者，将妇人之身体埋于地内，独露其首以杀之，奸夫悬于树上以杀之，其犯通奸之罪者，将妇人重责，交还本夫，不准离异，将奸夫重责，复按其罪赎入官，其幼童与女子通奸者，俱重责，配为夫妇。在此处候办供给，止八宿，

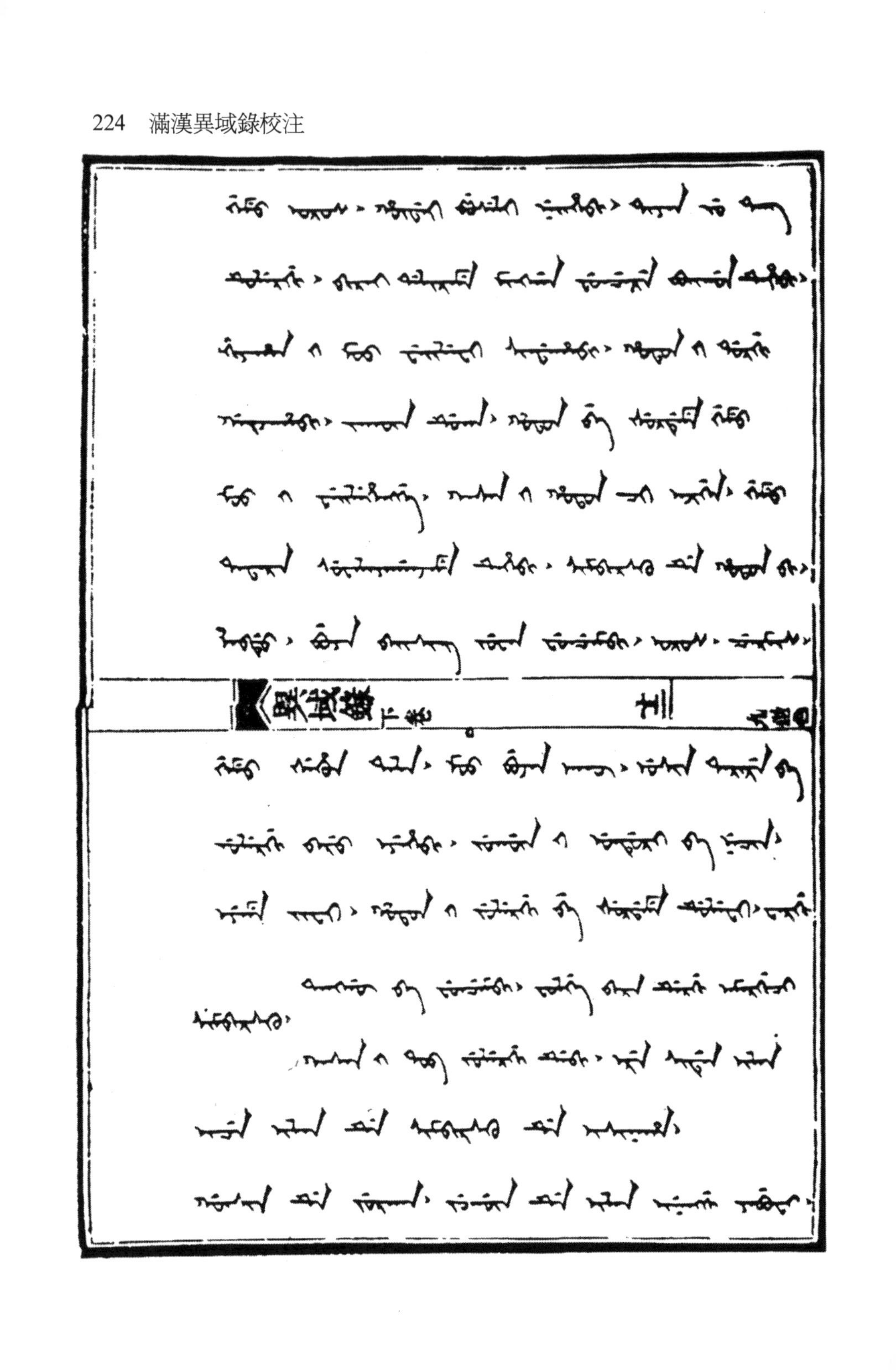

異域錄　下卷　十三

gūsin de juraka, jugūn de ilan inenggi yabufi, ice ilan de simbirsku de isinaha. simbirsku, kasan i tob julergi debi, ere siden ilan tanggū ba funcembi, folge bira dergi amargici eyeme jifi, hoton i julergi be šurdeme dulefi, wargi julergi baru eyehebi, jugūn i unduri ba necin, gemu šehun tala, moo bujan akū, usin tarire ba labdu, buya baising juwan funcembi, oros, cermis, tatara suwaliyaganjame tehebi, simbirsku de hoton bi, moo i weilehengge, kasan i hoton ci ajigen, gemu garjahabi, jakūn duka, hoton be šurdeme gemu hiyahan i moo weilefi sindahabi, hoton i dorgi tulergi, birai dalirame minggan funcere boigon tehebi, gemu oros, hūdai puseli neihebi, tiyan ju tang

---

於三十日起程，途中越三宿，初三日，至西穆必爾斯科地方。西穆必爾斯科，在喀山之正南，相去三百餘里，佛爾格河來自東北，遶城之南面，向西南而流，沿途地勢平坦，俱係曠野，無林木，田畝甚多，有小栢興十餘處，鄂羅斯與車爾米斯，並塔塔拉人雜處，西穆必爾斯科有城郭，係大木營造，小於喀山，城皆損壞，有八門，環城俱以木爲鹿角安置，城之內外及河岸，居千餘戶，皆鄂羅斯，有市廛，天主堂

于三十日起程，途中越三宿，初三日，至西穆必尔斯科地方。西穆必尔斯科，在喀山之正南，相去三百余里，佛尔格河来自东北，遶城之南面，向西南而流，沿途地势平坦，俱系旷野，无林木，田亩甚多，有小栢兴十余处，鄂罗斯与车尔米斯，并塔塔拉人杂处，西穆必尔斯科有城郭，系大木营造，小于喀山，城皆损坏，有八门，环城俱以木为鹿角安置，城之内外及河岸，居千余户，皆鄂罗斯，有市廛，天主堂

miyoo duin falga bi, hoton be kadalara hafan emke sindahabi, cooha sunja tanggū tebuhebi. giyamun kunesun aliyame sunja inenggi indehe, ice uyun de juraka, jugūn de saisran sere babe dulefi, juwan juwe de yamjishūn amba edun de ucarabufi, yabuci ojorakū ofi, folge birai cikin de tataha, geli duin inenggi yabufi, juwan ninggun de, oros gurun i jecen saratofu de isinaha. saratofu, simbirsk'o i wargi julergi debi, ere siden sunja tanggū ba funcembi, oros, turgūt juwe gurun i ujan acaha ba, folge bira dergi amargici eyeme jifi, saratofu i julergi be šurdeme dulefi julergi baru eyehebi, muke duranggi, eyen nesuken, ere bira be, oros i niyalma folge sembi, turgūt i

---

四座，設管轄城郭頭目一員，駐兵五百名”候辦驛馬供給，止五宿，初九日起程，途中經賽斯蘭。十二日晚，偶遇狂風大作，風雪交加撲面，不能前進，住佛爾格河岸，又越四宿，於十六日至鄂羅斯國界之薩拉托付地方。薩拉托付，在西穆必爾斯科之西南，相去五百餘里，鄂羅斯與土爾虎特兩國接壤之處，佛兒格河來自東北，遶薩拉托付之南，向南而流，水濁溜緩，此河鄂羅斯國人名曰佛爾格河，土爾虎特國之

四座，设管辖城郭头目一员，驻兵五百名”候办驿马供给，止五宿，初九日起程，途中经赛斯兰。十二日晚，偶遇狂风大作，风雪交加扑面，不能前进，住佛尔格河岸，又越四宿，于十六日至鄂罗斯国界之萨拉托付地方。萨拉托付，在西穆必尔斯科之西南，相去五百余里，鄂罗斯与土尔虎特两国接壤之处，佛儿格河来自东北，遶萨拉托付之南，向南而流，水浊溜缓，此河鄂罗斯国人名曰佛尔格河，土尔虎特国之

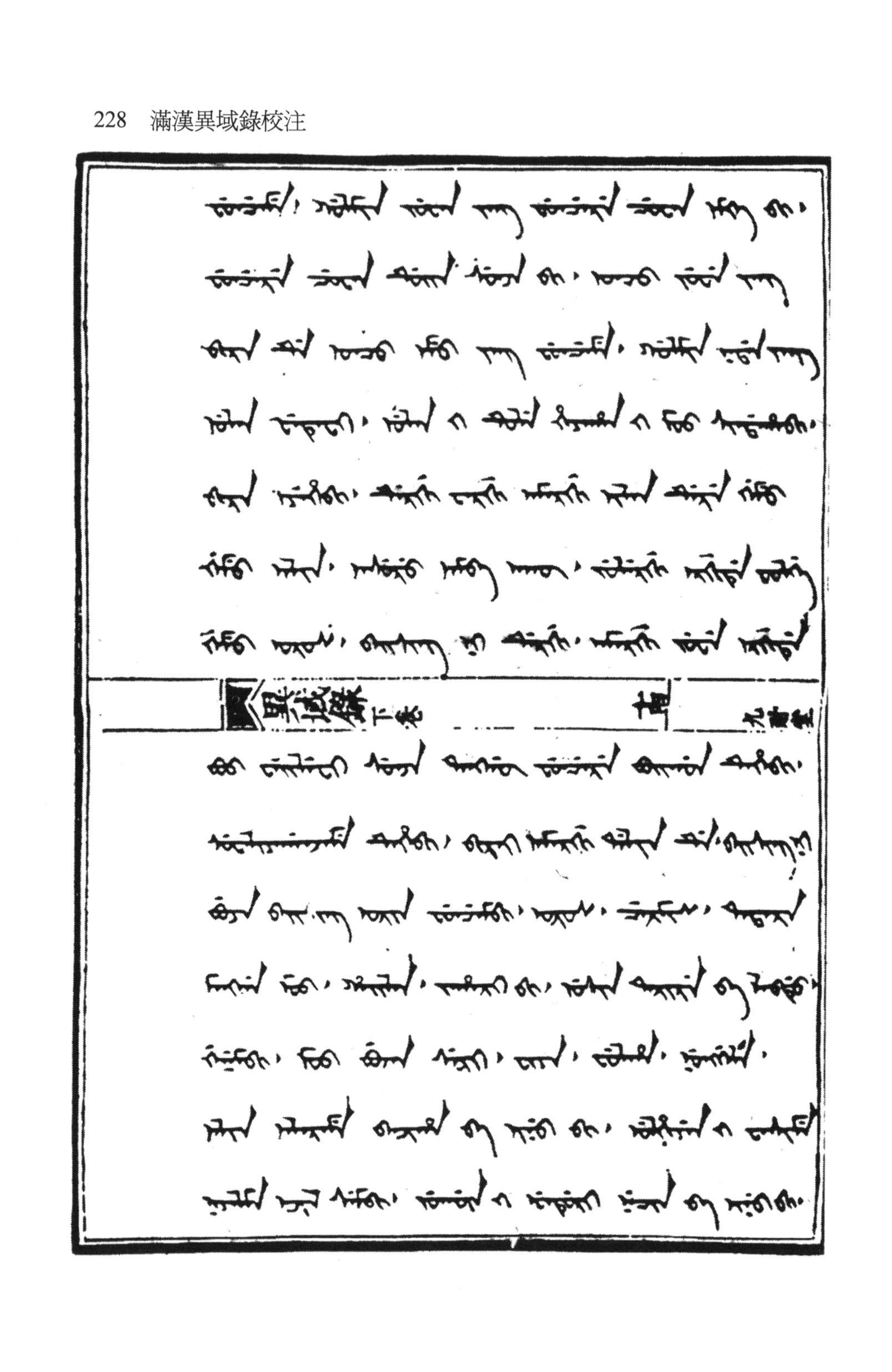

異域錄 下卷

niyalma ecil sembi, jugūn i unduri necin ba inu bi, alin alarame banjiha ba inu bi, ulhiyen i wasime genembi, moo bujan seri, fiya, fulha, nunggele, mangga moo, hailan, jahari bi, usin tarire ba labdu, buya baising orin funcembi, oros, cermis, tatara suwaliyaganjame tehebi, birai amargi dalin de, baising ni boo weilefi sunja tanggū funcere boigon tehebi, gemu oros, baising ni dergi, amargi juwe ergide gemu alin, asuru amba akū, julergi ergide folge bira eyehebi, dergi wargi amargi ilan dere gemu ulan fetefi, ulan i tule hiyahan i moo sindahabi, bira de onco emu jang funceme, golmin nadan jang funcere cuwan duin sunja bi, onco juwe jang funceme, golmin juwan jang funcere cuwan emke bi,

---

人名曰厄濟兒河，沿途皆平坦地方，間有山岡，地勢漸下，林木稀少，有樺、楊、椵、柞、楡、波羅等樹，田畝甚多，有小栢興二十餘處，鄂羅斯與車爾米斯，並塔塔拉人雜處，河之北岸有廬舍，居五百餘戶，俱鄂羅斯，其栢興之東北兩面皆山，不甚大，南面有佛兒格河，環流東西北三面，俱掘濠，其外安置鹿角，河內有寬一丈，長七丈餘船四五隻，寬二丈，長十丈餘船一隻，

人名曰厄济儿河，沿途皆平坦地方，间有山冈，地势渐下，林木稀少，有桦、杨、椵、柞、榆、波罗等树，田亩甚多，有小栢兴二十余处，鄂罗斯与车尔米斯，并塔塔拉人杂处，河之北岸有庐舍，居五百余户，俱鄂罗斯，其栢兴之东北两面皆山，不甚大，南面有佛儿格河，环流东西北三面，俱掘濠，其外安置鹿角，河内有宽一丈，长七丈余船四五只，宽二丈，长十丈余船一只，

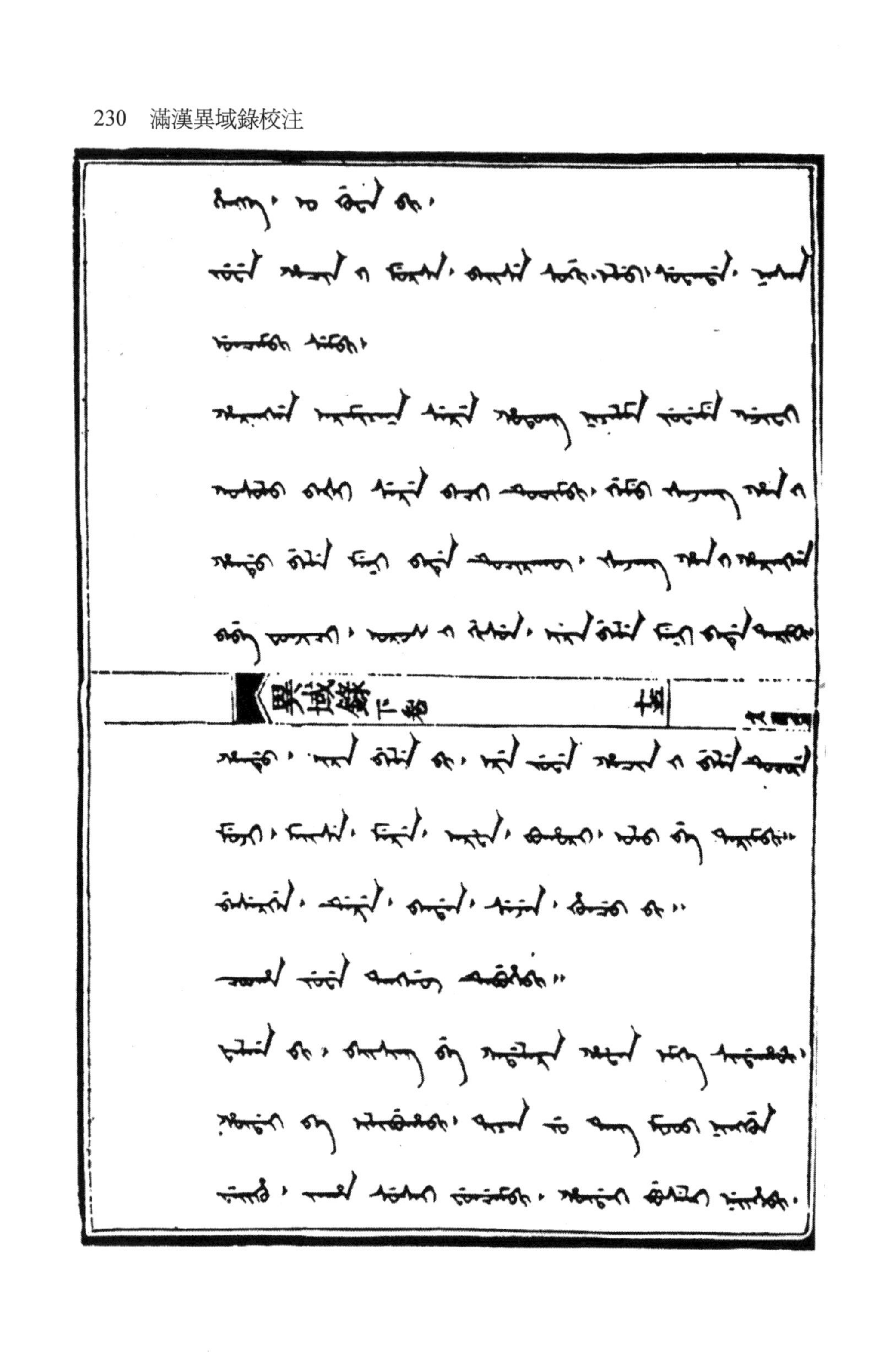

weihu, jaha susai funcembi, hūdai puseli neihebi, hūdai ba ilibuhabi, tiyan ju tang miyoo ninggun falga bi, baising be kadalara hafan emke sindahabi, cooha juwe tanggū tebuhebi. besergen, dere, bandan, sejen, huncu bi. muji, maise, mere, arfa, bohori, olo be tarimbi. handu, ira bele bi, ere juwe hacin i bele tucire babe fonjici, oros i gisun, ira bele meni bade tarimbi, handu bele meni bade tucirakū, šajang han i harangga kosolo baši sere baci tucimbi, gemu šajang han i harangga armiyana sere hotong niyalma juweme gajif uncambi sembi. juwe hacin i mursa, beise sogi, elu, suwanda, nasan hengke, o guwa bi.

小舟艇五十餘隻，有市廛（註七八），天主堂六座，設管轄栢興頭目一員，駐兵二百名。有床、桌、櫈、車、拖床。種大麥、小麥、蕎麥、油麥、菀荳、麻。有稻、稷米，因問及二米出產之處，鄂羅斯言，稷米乃本地所產，稻米本地不出，係沙漳汗所屬科索里巴什地方所產，皆沙漳汗國阿爾米牙那之貨通人挽運販賣。有兩種蘿蔔、白菜、葱、蒜、王瓜、倭瓜。

小舟艇五十余只，有市廛（注七八），天主堂六座，设管辖栢兴头目一员，驻兵二百名。有床、桌、櫈、车、拖床。种大麦、小麦、荞麦、油麦、菀荳、麻。有稻、稷米，因问及二米出产之处，鄂罗斯言，稷米乃本地所产，稻米本地不出，系沙漳汗所属科索里巴什地方所产，皆沙漳汗国阿尔米牙那之货通人挽运贩卖。有两种萝卜、白菜、葱、蒜、王瓜、倭瓜。

註七八：有市廛，滿文作“hūdai puseli neihbi, hūdai ba ilihabi”，意即「開張商舖，設立市場」，文意較詳。

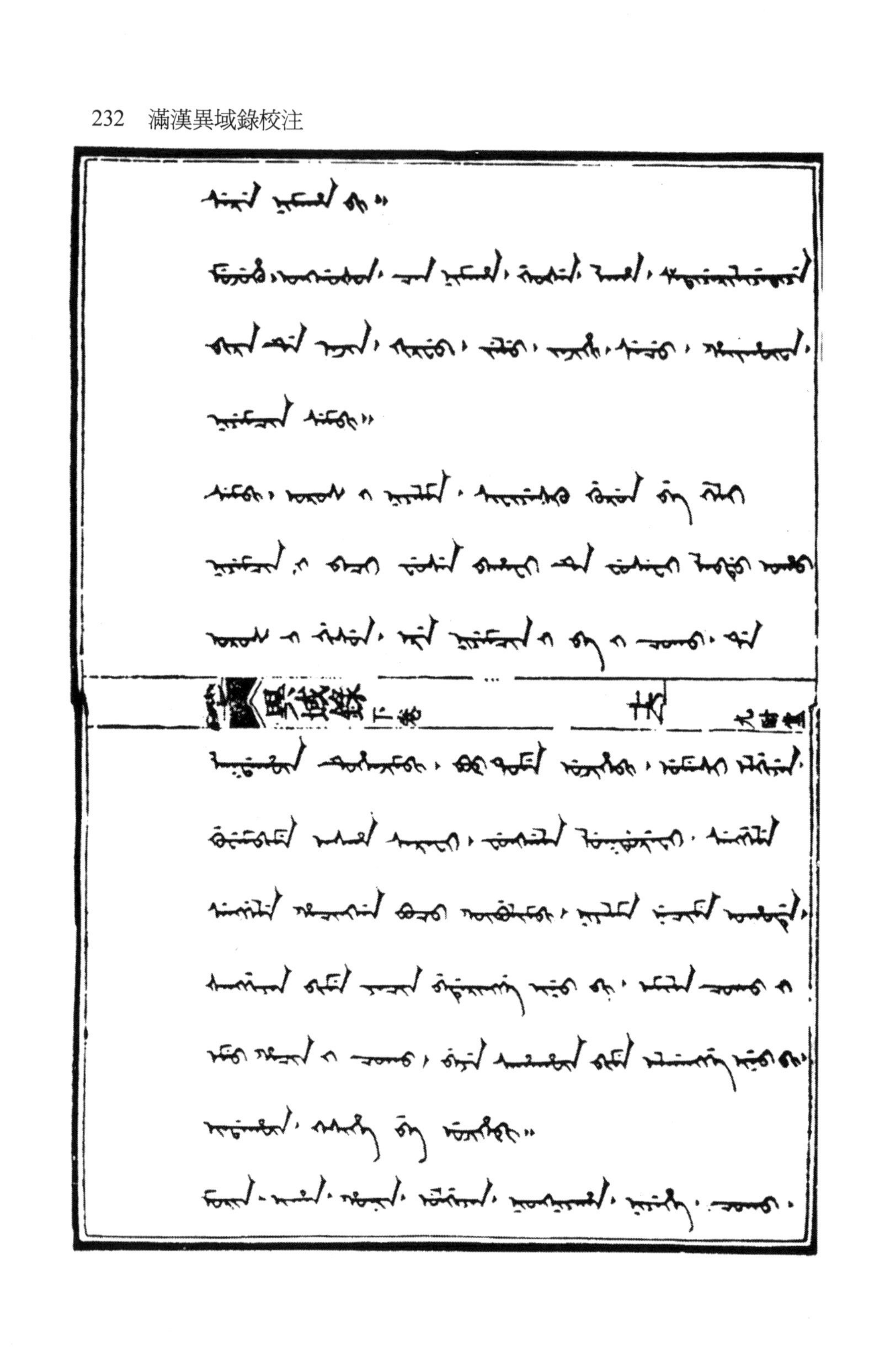

異域錄 下卷

morin, ihan, honin, ulgiyan, niongniyaha, niyehe, coko, indahūn, kesihe be ujihebi. emu hacin i coko, beye sâhahūn bime algangge inu bi, šanggiyan bime yacin bederingge inu bi, amila coko i senggele hacingga boco kūbulimbi, niyalma necime ohode, guwembime asha sarafi, funggala lukdurefi, senggele lakdahūn tuhenjimbi, boo tome ujihebi, umesi elgiyen, oros i gisun, ere niyemcin i ba i coko, da niyemcin i baci fusen bahafi te fusefi labdu oho sembi, oros i niyalma, sifiyesk'o gurun be geli niyemcin sembi. bira de ajin, kirfu, jelu, jajihi, secu, haihūwa, mujuhu, onggošon, can nimaha, geošen, laha, sytiyeriliyetiye sere nimaha bi.

畜馬、牛、羊、豬、鵝、鴨、雞、犬、貓。有一種雞，身大似鵝，腳高尾短，有蒼黑色而花紋者，亦有白色而青斑者，其雄雞之冠，不時變幻各色，人稍侵之，即鳴而舒翼，毛羽豎立，冠便下垂，比戶畜之甚多，鄂羅斯言此聶穆沁地方所產之雞，後得種於聶穆沁，今蕃息甚多，鄂羅斯人又呼西費耶斯科國爲聶穆沁，河內有鱘魚、鮰魚、鰭魚魯魚、白魚、鰱子魚、魴魚、鯉魚、鯽魚、禪魚、鴨嘴魚、鱫魚、四帖里烈帖魚。

畜马、牛、羊、猪、鹅、鸭、鸡、犬、猫。有一种鸡，身大似鹅，脚高尾短，有苍黑色而花纹者，亦有白色而青斑者，其雄鸡之冠，不时变幻各色，人稍侵之，即鸣而舒翼，毛羽竖立，冠便下垂，比户畜之甚多，鄂罗斯言此聂穆沁地方所产之鸡，后得种于聂穆沁，今蕃息甚多，鄂罗斯人又呼西费耶斯科国为聂穆沁，河内有鲟鱼、鮰鱼、鳍鱼鲁鱼、白鱼、鰱子鱼、鲂鱼、鲤鱼、鲫鱼、禅鱼、鸭嘴鱼、鱫鱼、四帖里烈帖鱼。

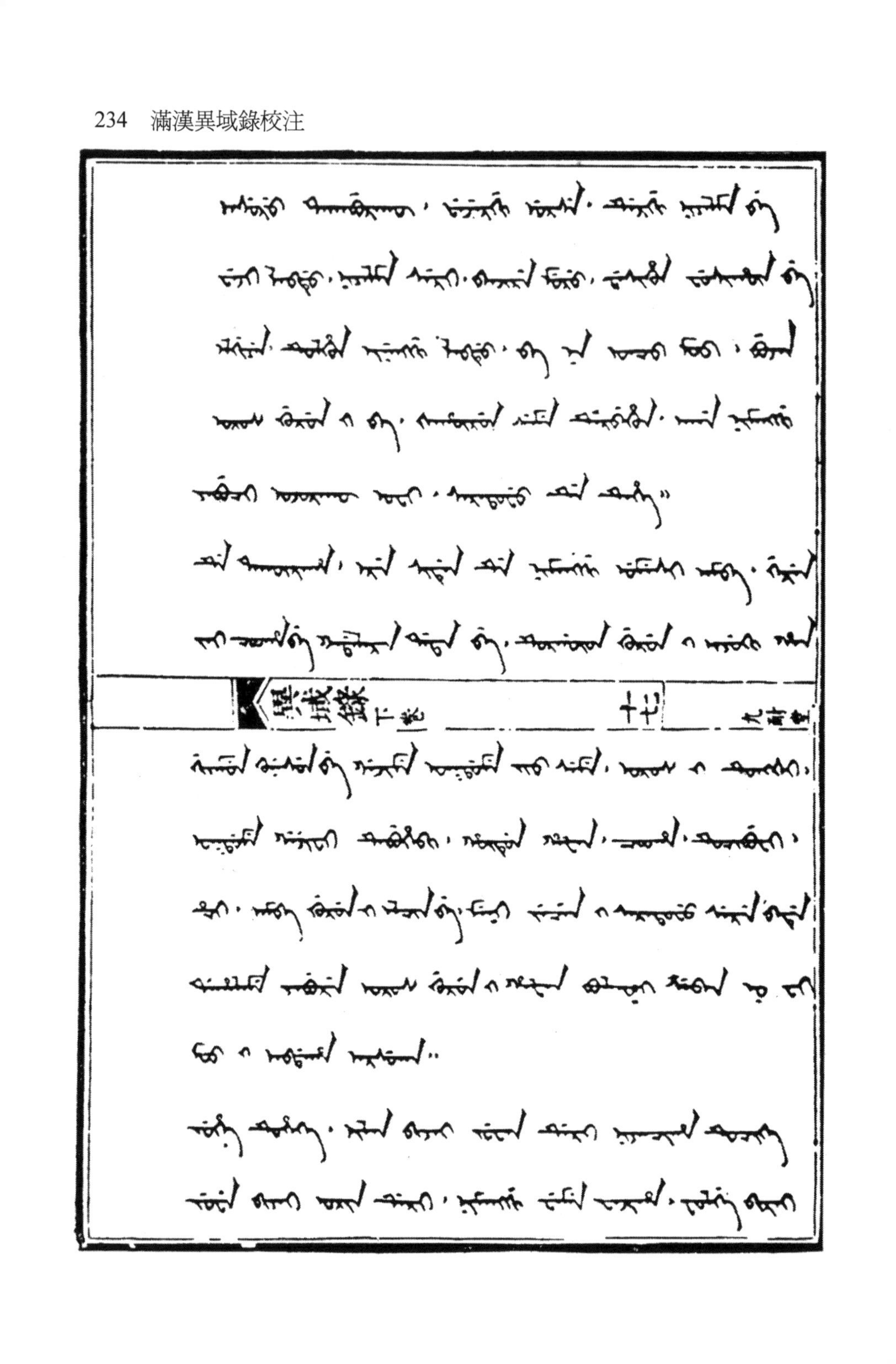

異域錄 下卷 十七

juwe biyai orin deri, nimanggi weme wajiha, folge birai juhe tuheke, ilan biyai juwan deri niyanciha tucike, moo i abdaha arsuka. dahalame yabure oros gurun i hafan bolkoni ts'eban no fi cy, amba gurun i elcin be, meni jecen i saratofu sere bade okdome gajifi tebuhebi, hūdun hafan, cooha tucibufi, giyamun kunesun be gajime okdome jio seme, oros i tungši, jai cooha be kadalara data be, turgūt gurun i ayuki han de takūraha, ere siden de nimanggi umesi amba, geren yabuci ojorakū ofi, saratofu de tehe. oros gurun i ba, sahūrun seme derbehun, aga nimanggi elgiyen, tulhun inenggi labdu, ba na onco, moo, bujan weji labdu, niyalma seri, banjire muru, wesihun fusihūn be asuru takaburakū, fejergi urse, dergi niyalma be

---

二月下旬，雪已消盡，佛兒格河泳解釋，於三月上旬，草即萌，木葉發。跟隨鄂羅斯官博爾科尼冊斑諾費赤，差鄂羅斯國之通事并管兵頭目，馳告阿玉氣汗，言天朝使臣已至我界薩拉托付地方駐扎，速派官兵，預備驛馬供給，前來迎接，時雪甚大，衆不能前進，遂駐扎於薩拉托付地方。鄂羅斯國地方寒而濕，雨雪勤，多陰少晴，幅巾員遼闊，林木蕃多，人烟稀少，其國俗貴賤難辨，其下人每見尊

二月下旬，雪已消尽，佛儿格河泳解释，于三月上旬，草即萌，木叶发。跟随鄂罗斯官博尔科尼册斑诺费赤，差鄂罗斯国之通事并管兵头目，驰告阿玉气汗，言天朝使臣已至我界萨拉托付地方驻扎，速派官兵，预备驿马供给，前来迎接，时雪甚大，众不能前进，遂驻扎于萨拉托付地方。鄂罗斯国地方寒而湿，雨雪勤，多阴少晴，幅巾员辽阔，林木蕃多，人烟稀少，其国俗贵贱难辨，其下人每见尊

異域錄 下卷 十八

acahadari, mahala gaifi ilihai hengkilembi, dergi niyalma mahala gairakū, hahasi jugūn de ucaracibe, yaya bade acacibe, ucaraha dari, ishunde mahala gaifi ilihai hengkilembi, haha, hehe ishunde acaci, haha mahala gaimbi, hehe hengkilembi, salu hūse fusime gaire be wesihun obuhabi, ujui funiyehe hoshorinoho be saikan obuhabi, niyaman jafara de jala be baitalambi, gaiha inenggi tiyan ju tang miyoo de genefi, ging hūlafi teni holbombi, bucere manara oci hobo bi, gemu miyoo i dolo benefi umbumbi, eifu arambi, sinagan i doro akū, arki nure omire de amuran, gucu niyaman jihede, urunakū arki nure be tucibufi kunduleme omibumbi, cai omire be sarkū, jafu, funiyesun, yehe

---

長，皆免冠立地而叩，尊長不免冠，凡男子或遇於途次及他處，每遇皆互免冠立地而叩，男子於婦人相遇，男子免冠，婦人立地而叩，其俗以去髭髯爲姣好，髮卷者爲美觀，婚嫁用媒妁，聘娶之日，往叩天主堂，誦經畢，方合巹。殯殮有棺，俱送至廟內葬埋，起墳墓，無喪禮，喜飲酒，親友至，必出酒以敬之，不知茶，服氈褐苧布，

长，皆免冠立地而叩，尊长不免冠，凡男子或遇于途次及他处，每遇皆互免冠立地而叩，男子于妇人相遇，男子免冠，妇人立地而叩，其俗以去髭髯为姣好，发卷者为美观，婚嫁用媒妁，聘娶之日，往叩天主堂，诵经毕，方合卺。殡殓有棺，俱送至庙内葬埋，起坟墓，无丧礼，喜饮酒，亲友至，必出酒以敬之，不知茶，服毡褐苎布，

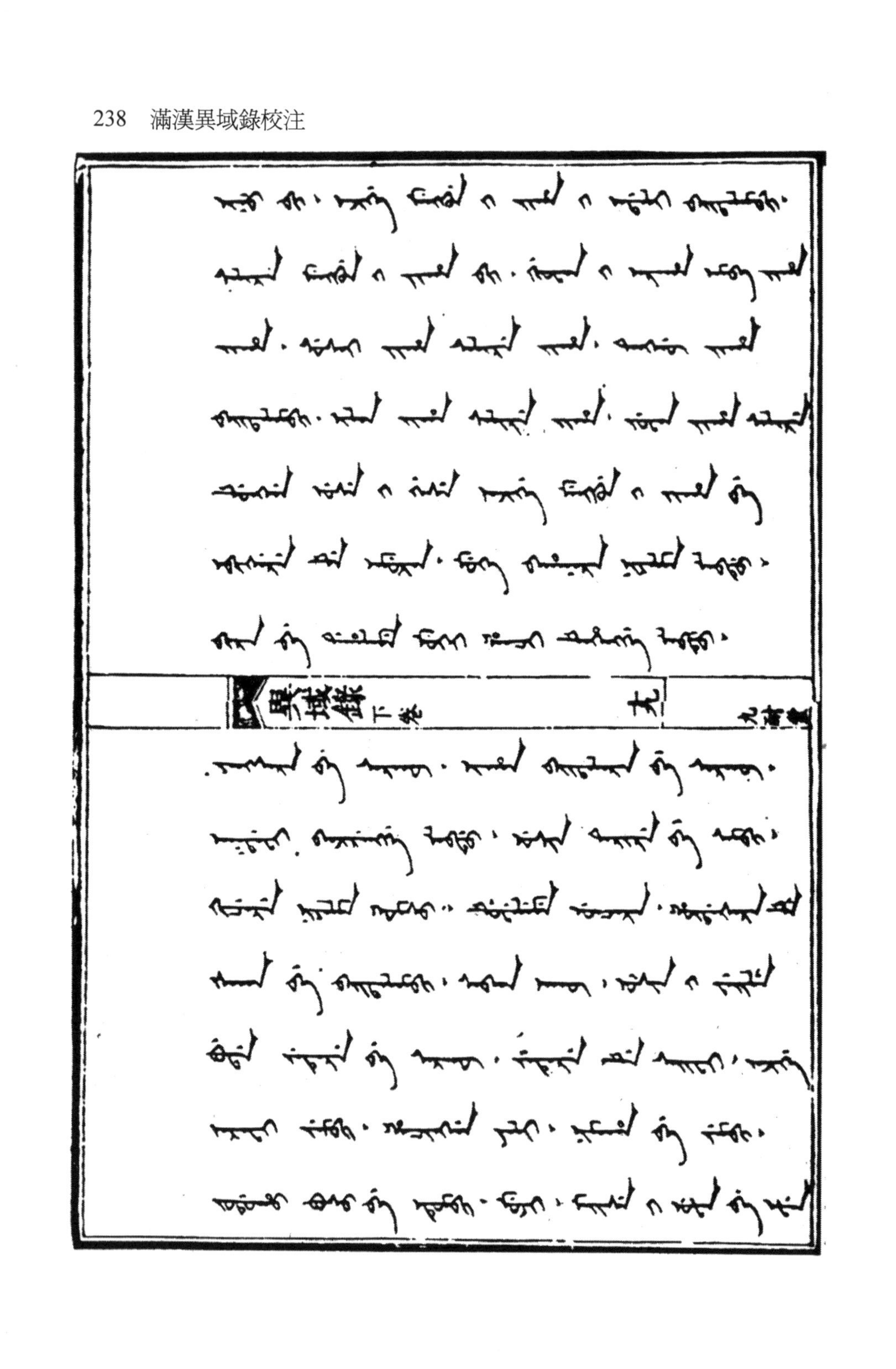

異域錄　下卷　　九

jodoho boso be etumbi, muji, maise i ufa be efen arafi jembi, hacingga yali, nimaha be jembi, buda jetere be sarkū, jetere de saifi, ajige šaka be baitalambi, sabka akū, usin i weile kicere niyalma komso, tuweleme uncara, hūdašara de akdafi banjirengge labdu, usin tarire be sambi, yangsara be sarkū, ihan baitalara be sarkū, bira be dahalame mukei hanci tehengge labdu, ebišere de amuran, muke bahanara niyalma labdu, dungga use i gese ajige menggun i jiha be baitalambi, ilan jiha salire jiha, juwan jiha salire jiha, susai jiha, tanggū jiha salire menggun i jiha bi, giowan i araha amba jiha inu bi, ajige menggun i jiha i adali baitalambi.

以麥麪做餅食，亦食各項肉魚，不食飯，每食用匙，並小叉，無箸，務農者少，藉貿易資生者多，知種而不知耘，不知牛耕，沿河近水居住者多，喜浴善泅，用瓜種大小銀錢，有值三文、十文、五十文、百文之銀錢，亦有紅銅大錢，與小銀錢通用，

以麦麪做饼食，亦食各项肉鱼，不食饭，每食用匙，并小叉，无箸，务农者少，藉贸易资生者多，知种而不知耘，不知牛耕，沿河近水居住者多，喜浴善泅，用瓜种大小银钱，有值三文、十文、五十文、百文之银钱，亦有红铜大钱，与小银钱通用，

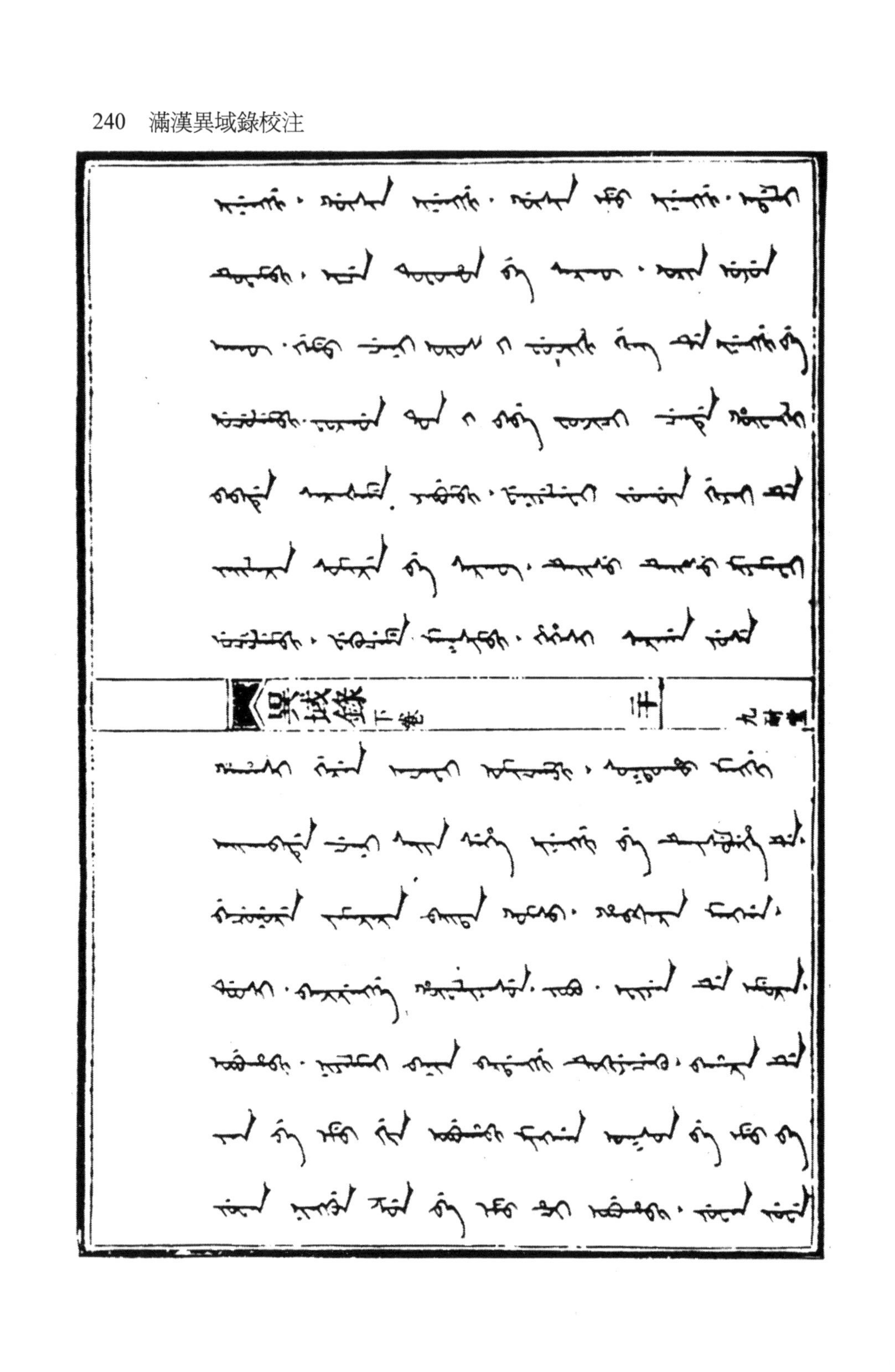

異域錄 下卷 三十 九[illegible]

juwan ninggun ts'un be emu cy obuhabi, juwan juwe yan be emu gin obuhabi, minggan okson be emu ba obuhabi, niyalmai banin bardanggi tukiyeceku, bahara de doosi, banjirengge hūwaliyasun, yobo, efiyen de amuran, becunure jamarara baita komso, habšara mangga, aikabade ceni sain sehe inenggi be teisulehe de, hahasi geren acafi omicambi, soktoho manggi uculembi, fekuceme maksimbi, hehesi sargan juse jailara somire be sarkū, teisu teisu miyamifi babade sarašame yabumbi, feniyelefi jugūn giyai de uculembi, forgon ton i babe fonjici cende hūwangli akū, gemu ceni oros i fucihi ging de inenggi be tuwambi, ice tofohon be sarkū, orin uyun inenggi, gūsin inenggi, gusin emu inenggi, adali

---

以十六寸爲一尺，十二兩爲一觔，千步爲一里，人性矜誇貪得，平居和睦，喜詼諧，少爭鬬，好詞訟，每逢吉日，男子相聚會飲，醉則歌詠跳舞，婦女不知規避，爭相粧飾，各處遊嬉，隊行歌於途，問及節氣，彼云無曆，俱於伊鄂羅斯佛經內選擇日期，不知朔望，或二十九日、三十日、三十一日

以十六寸为一尺，十二两为一觔，千步为一里，人性矜夸贪得，平居和睦，喜诙谐，少争鬬，好词讼，每逢吉日，男子相聚会饮，醉则歌咏跳舞，妇女不知规避，争相妆饰，各处游嬉，队行歌于途，问及节气，彼云无历，俱于伊鄂罗斯佛经内选择日期，不知朔望，或二十九日、三十日、三十一日

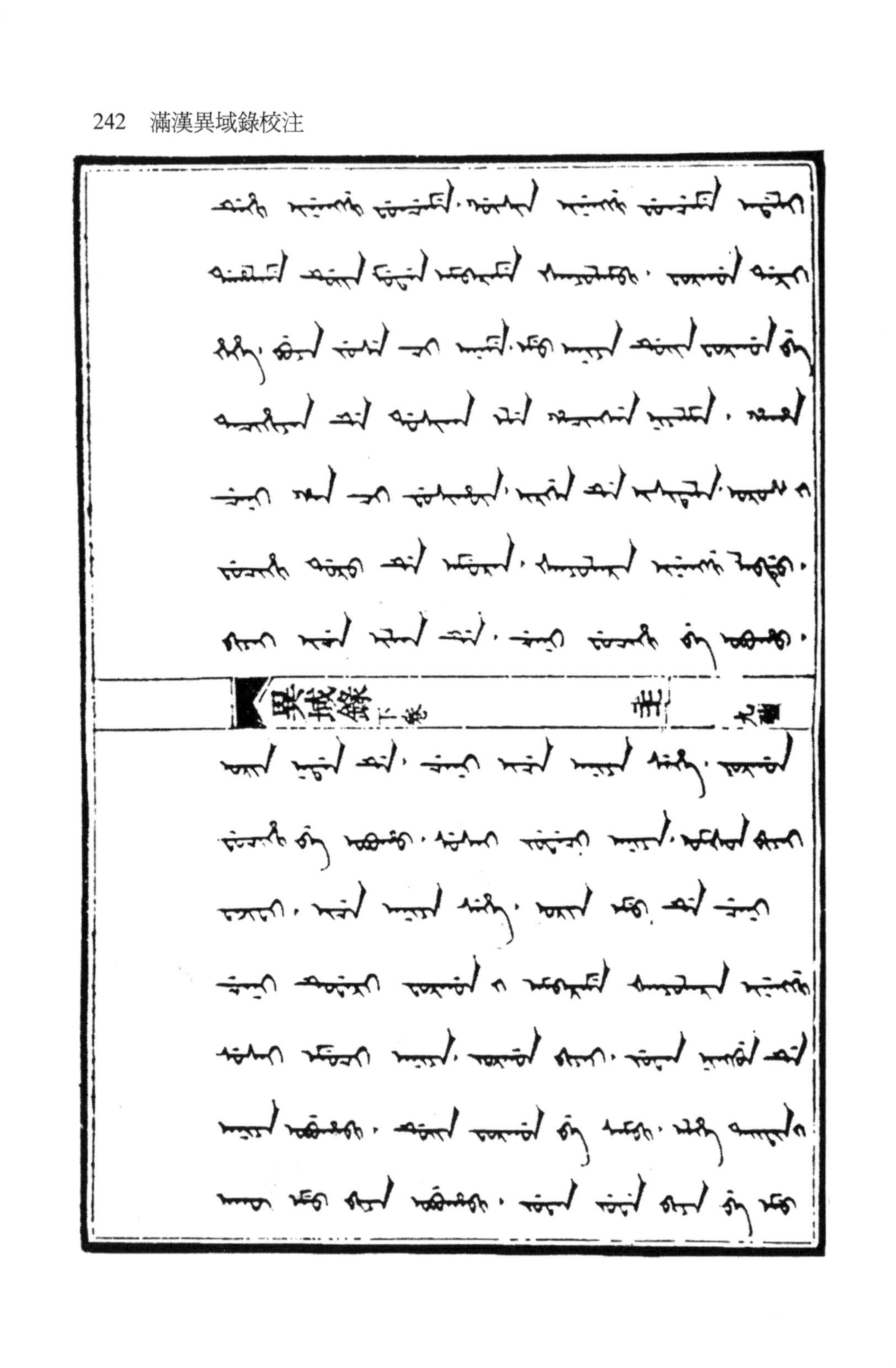

異域錄 下卷

akū emu biya obuhabi, juwan juwe biya be emu aniya obuhabi, duin forgon be sambi, elhe taifin i susai emuci aniya, jorgon biyai juwan ninggun de, ceni tuweri forgon i ambarame šanyolara inenggi wajifi, ice aniya sehe, orin emu de ceni fucihi be oboho, susai juweci aniya, omšon biyai orin nadan de, ceni ice aniya sehe, jorgon biayi ice ilan de, ceni fucihi be oboho, fucihi doro de amuran, šanyolara inenggi labdu, ceni han ci fusihūn, irgen de isitala, oros i tacihiyan de dosika ele hacingga niyalma, haha hehe, buya juse ci aname, emu aniya duin forgon be dahalame duin mudan ambarame šanyolambi, forgon dari dehi inenggi funceme, gūsin inenggi funceme adali

---

不等爲一月，以十二月爲一歲，知有四季，於康熙五十一年十二月十六日，係伊國冬季大齋完日，爲歲初，二十一日浴佛，於五十二年十一月二十七日爲歲初，十二月初三日浴佛，尙浮屠，齋戒之日多，自伊國王以至庶民，歸入鄂羅斯教之各種人及男婦童稚，每年按四季，大齋四次，每季或四十日、三十餘日

不等为一月，以十二月为一岁，知有四季，于康熙五十一年十二月十六日，系伊国冬季大斋完日，为岁初，二十一日浴佛，于五十二年十一月二十七日为岁初，十二月初三日浴佛，尚浮屠，斋戒之日多，自伊国王以至庶民，归入鄂罗斯教之各种人及男妇童稚，每年按四季，大斋四次，每季或四十日、三十余日

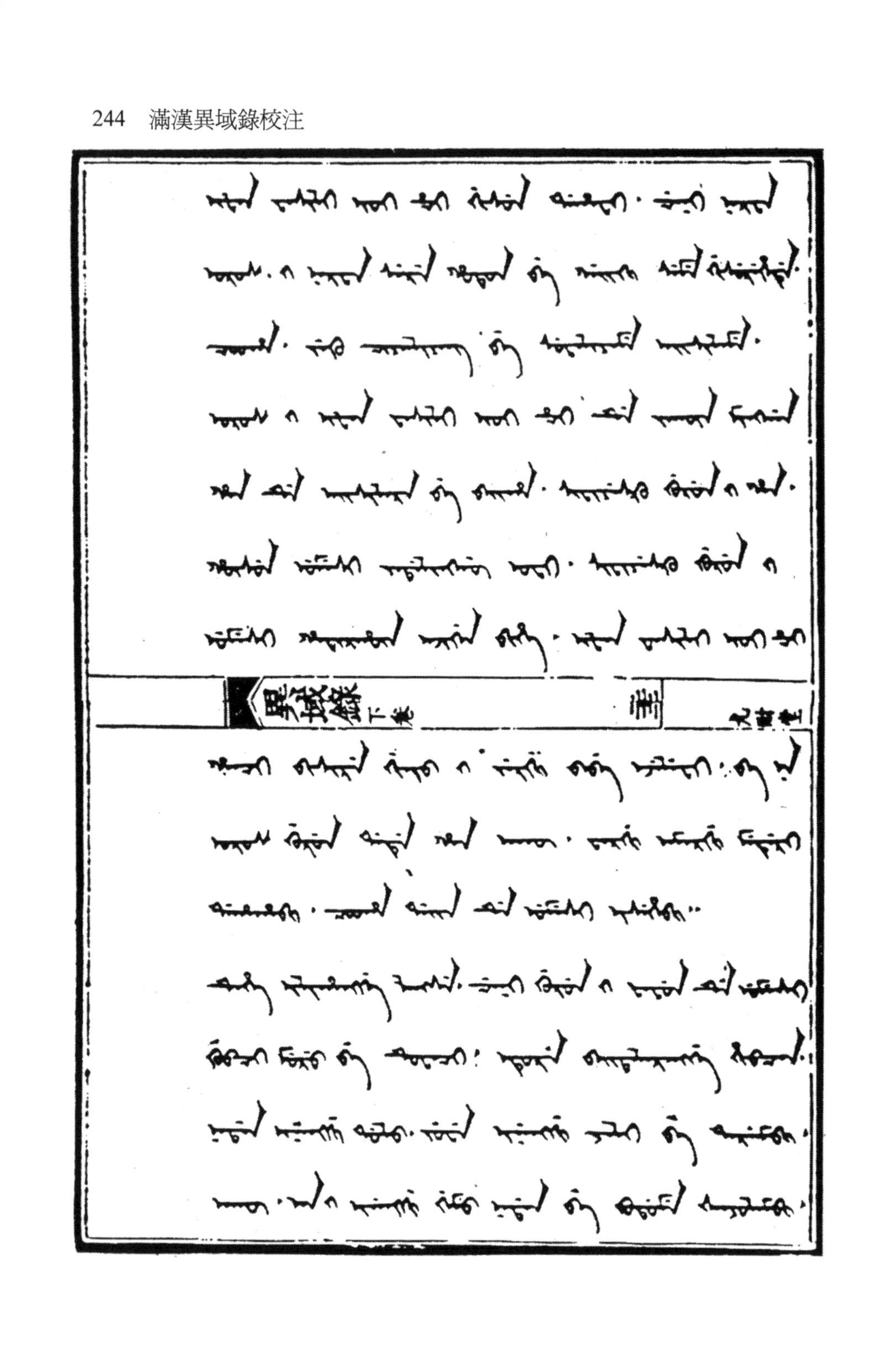

akū, an i inenggi gemu nadan be bodome šanyolambi, nadan inenggi dolo, juwe inenggi yali be targambi, gubci muru be tuwaci, eture baitalaranggge hibcan, tehe ilihangge langse, ceni gurun i fafun de umesi dahahabi, cooha dain de umesi isehebi. oros gurun dade han akū, wargi amargi mederi hanci bisire giio i jergi babe ejelefi, ba na umesi hafirahūn ajigen bihe, ifan wasili ioi cy hūsun umesi yadalinggū ofi, sifiyesk'o gurun i han de aisilara be baiha, sifiyesk'o gurun i han, oros i ifan wasili ioi cy de jakūn minggan cooha, jeku ciyanliyang be suwaliyame aisilame, oros i narwa sere hoton be gaiki seme gisurehede, ifan wasili ioi cy gisun dahafi, ceni narwa

---

不等，平素皆按七齋戒，七日內戒肉食二日，觀其國俗，用度尙儉，居處汙濁，最遵法令，極厭兵戎，鄂羅斯國向無汗號，原僻處於西北近海之計由地方（註七九），而地界甚狹，傳至依番瓦什里魚赤之時，其族內互相不睦，以致於亂，依番瓦什里魚赤力甚微弱，乃求助於西費耶斯科國王（註八〇），而西費耶斯科國王許助依番瓦什里魚赤兵八千並糧餉，欲取鄂羅斯之那爾瓦城，依番瓦什里魚赤從其言，將那爾瓦

不等，平素皆按七斋戒，七日内戒肉食二日，观其国俗，用度尚俭，居处污浊，最遵法令，极厌兵戎，鄂罗斯国向无汗号，原僻处于西北近海之计由地方（注七九），而地界甚狭，传至依番瓦什里鱼赤之时，其族内互相不睦，以致于乱，依番瓦什里鱼赤力甚微弱，乃求助于西费耶斯科国王（注八〇），而西费耶斯科国王许助依番瓦什里鱼赤兵八千并粮饷，欲取鄂罗斯之那尔瓦城，依番瓦什里鱼赤从其言，将那尔瓦

註七九：計由，滿文讀如“giio”，鄂羅斯語讀如“kiev”，漢譯作「基輔」。

註八〇：西費耶斯科，滿文讀如“sifiyesk'o”，郭廷以著「近代中國史」謂西費耶斯科即瑞典。

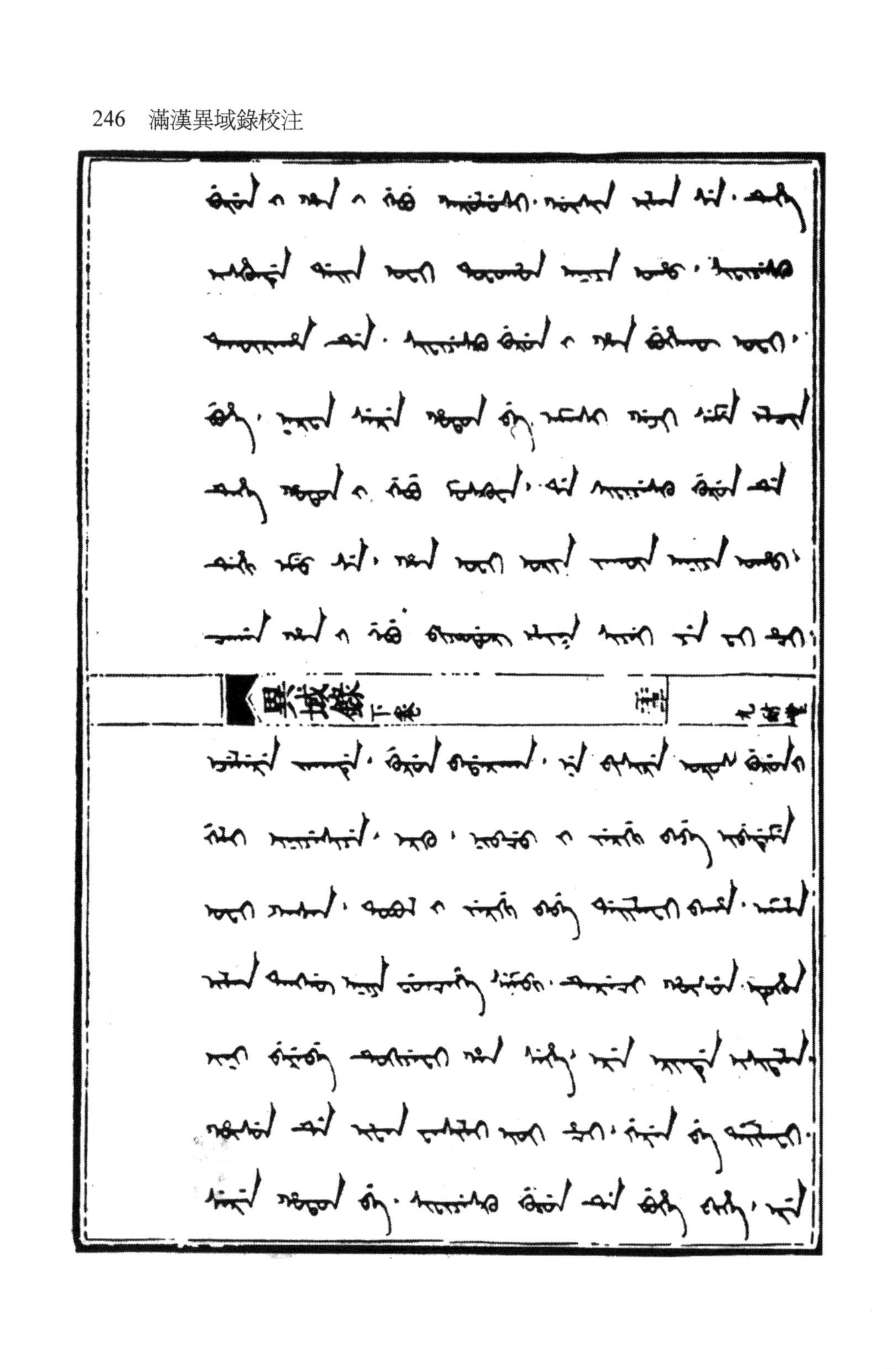

異域錄　下卷

sere hoton be, sifiyesk'o gurun de buhe bihe, ere hūsun de ifan wasili ioi cy, geren be dailafi, ini beyebe tukiyefi han sehe, ere erinde isitala, ilan tanggū aniya funcehe sembi, tereci hūsun etuhun ofi, kasan, tobol i jergi babe dailafi baha, amala geli iniyesiye, erku, nibcu i jergi babe ibedeme ejelere jakade, gurun badaraka, ne bisire oros gurun i cagan han i gebu piyoodor elik siyei ye fi cy, dehi emu se, han ofi orin jakūn aniya oho, tehe hoton i gebu mosk'owa, da sifiyesk'o gurun de buhe narwa sere hoton be amasi gaji seme elcin takūraha de, sifiyesk'o gurun i han buhekū ofi, ishunde dain ofi tofohon aniya oho, sifiyesk'o gurun i han i gebu karulusi, gūsin ilan se, tehe

---

城歸於西費耶斯科國，因假此兵力，依番瓦什里魚赤征收其族類，而自號爲汗焉，迄今三百餘年，從此強盛，將喀山並托波兒等處地方俱已征獲，其後又侵佔伊聶謝并厄爾庫，泥布楚等地方，國勢愈大。鄂羅斯國現在國王察罕汗之名曰票多爾厄里克謝耶費赤，年四十一歲，歷事二十八載，所居之城名曰莫斯科窪，因遣使索取歸於西費耶斯科國之那爾瓦城，而西費耶斯科國王不許，遂成仇敵，已十五年，西費耶斯科國王名曰喀魯祿什，年三十三歲，所居之

城归于西费耶斯科国，因假此兵力，依番瓦什里鱼赤征收其族类，而自号为汗焉，迄今三百余年，从此强盛，将喀山并托波儿等处地方俱已征获，其后又侵占伊聂谢并厄尔库，泥布楚等地方，国势愈大。鄂罗斯国现在国王察罕汗之名曰票多尔厄里克谢耶费赤，年四十一岁，历事二十八载，所居之城名曰莫斯科洼，因遣使索取归于西费耶斯科国之那尔瓦城，而西费耶斯科国王不许，遂成仇敌，已十五年，西费耶斯科国王名曰喀鲁禄什，年三十三岁，所居之

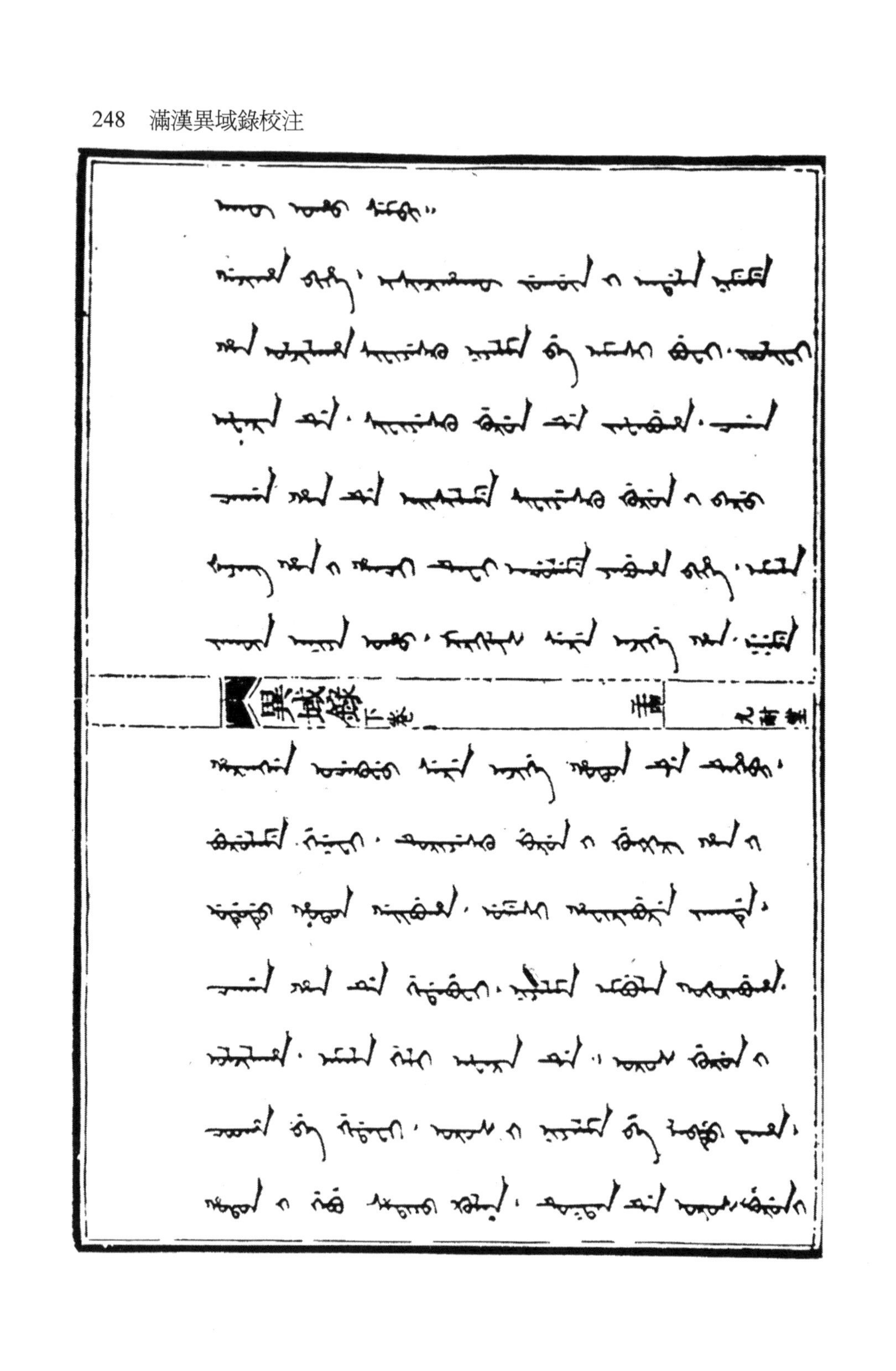

異域錄 下卷

hoton i gebu sytiyo k'olna, tuktan de oros gurun i cooha be gidafi, oros i niyalma be labdu waha, oljilaha, amala geli afara de, oros gurun i cagan han de gidabufi, niyalma ambula kokirabuha, ududu hoton gaibuha, umesi hafirabure jakade, burulame genefi, turiyesk'o gurun i gungk'ar han i harangga ocek'ofu sere ajige hoton de tehebi, jakūn aniya oho, mirkilis sere ajige han, neneme šajang han i hanci tefi enculeme yabuha bihe, amala cagan han de aisilame sifiyesk'o gurun i baru afara de, sifiyesk'o gurun de jafabuha, cagan han, oljilaha sifiyesk'o niyalma be amasi bufi, joolifi gajiha bihe, isinjihakū jugūn i andala nimeme akū oho sembi.

城名曰四條科爾那，初戰敗鄂羅斯國之兵，大加殺擄，後再戰，爲鄂羅斯國察汗所敗，傷人甚多，失城數處，以致危急，逃往圖里耶斯科國，拱喀爾汗所屬鄂車科付之小城居住，已經八年。又有名曰米爾奇里斯一小國王（註八一），先在沙障汗左近居住，係別一部落，因協助察罕汗，與西費耶斯科國交戰，被擒，察罕汗歸其被擄之西費耶斯科國人贖還，在途中病故”

城名曰四条科尔那，初战败鄂罗斯国之兵，大加杀掳，后再战，为鄂罗斯国察汗所败，伤人甚多，失城数处，以致危急，逃往图里耶斯科国，拱喀尔汗所属鄂车科付之小城居住，已经八年。又有名曰米尔奇里斯一小国王（注八一），先在沙障汗左近居住，系别一部落，因协助察罕汗，与西费耶斯科国交战，被擒，察罕汗归其被掳之西费耶斯科国人赎还，在途中病故”

註八一：米爾奇里斯，案丁謙益「異域錄地理考證」謂「米爾奇里斯即元初蔑兒乞斯」。

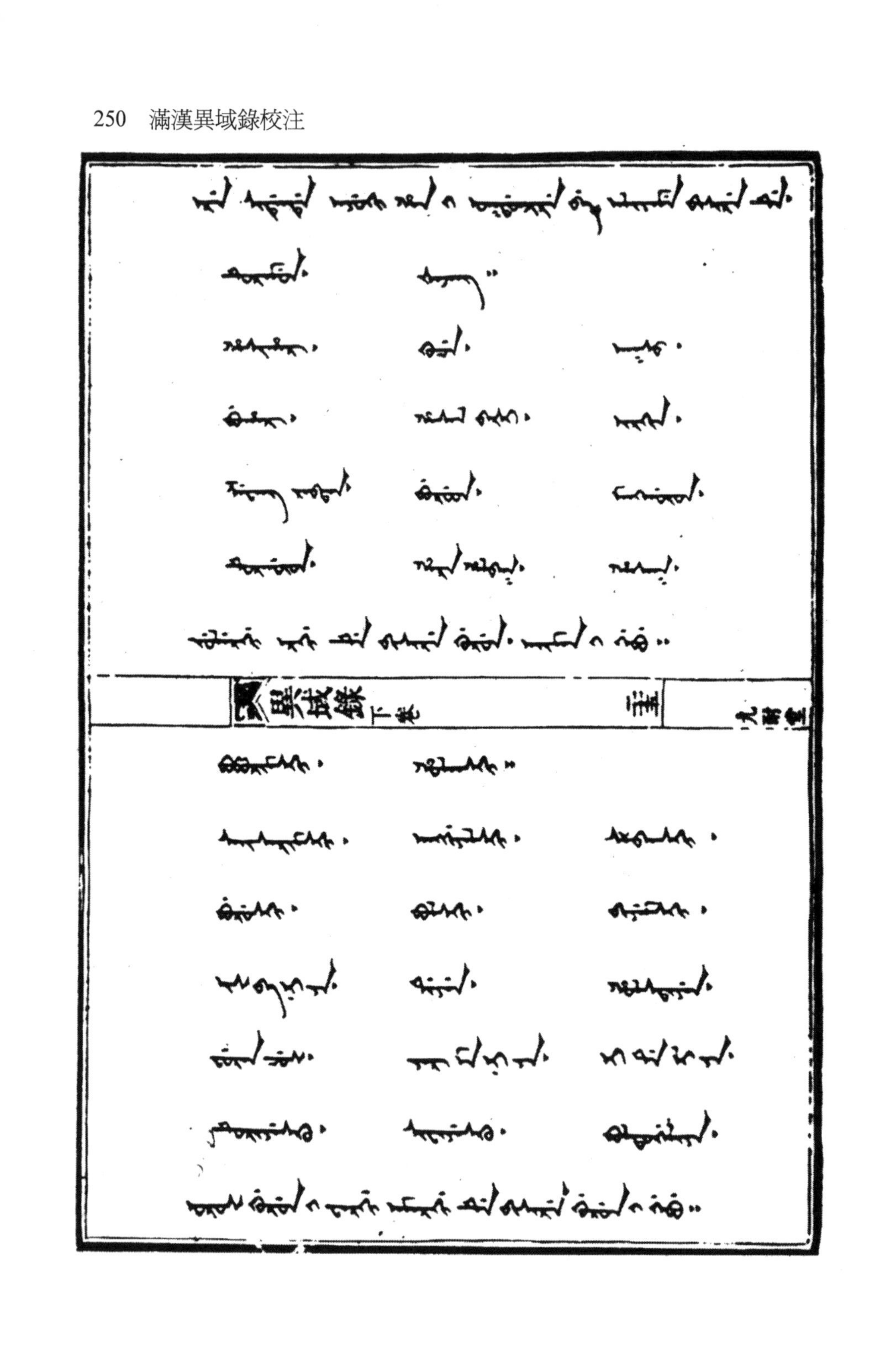

異域錄 下卷

oros gurun i wargi amargi de bisire gurun i gebu. turiyesk'o, sifiyesk'o, boltog'aliya, furan cus, yar ma ni ya, i da li ya, is ba ni ya, diyen, holstiyen, buruski, bolski, biyemski, saisarimski, anggiyalski, sybanski, boporimski, holanski. julergi ergi de bisire gurun, aiman i gebu. turgūt, hara halbak, hasak, ts'ewang rabtan, burut, manggūt, buhar, hasal baši, irkin, hasihar, kuce, aksu, turamun, šajang. ere sidende ayuki han i okdonjire be aliyame bisire de,

---

鄂羅斯國之西北諸國名目：圖里耶斯科，西費耶斯科，博爾托噶里牙，付蘭楚斯，雅爾馬尼牙，宜大里牙，宜斯巴尼牙，狄音，和爾斯提音，布魯斯奇，博兒斯奇，別穆斯奇，賽薩林穆斯奇，昂假爾斯奇，賀蘭斯奇，博玻林穆斯奇，肆班斯奇。南面所有諸國部落名目：土爾虎特，哈拉哈兒叭，哈薩克，策旺拉布坦，布魯特，莽武特，布哈爾，哈薩兒巴什，伊爾欽，哈什哈兒，庫策，阿克蘇，吐爾們，沙障。在彼候阿玉氣汗迎接之間，

鄂罗斯国之西北诸国名目：图里耶斯科，西费耶斯科，博尔托噶里牙，付阑楚斯，雅尔马尼牙，宜大里牙，宜斯巴尼牙，狄音，和尔斯提音，布鲁斯奇，博儿斯奇，别穆斯奇，赛萨林穆斯奇，昂假尔斯奇，贺兰斯奇，博玻林穆斯奇，肆班斯奇。南面所有诸国部落名目：土尔虎特，哈拉哈儿叭，哈萨克，策旺拉布坦，布鲁特，莽武特，布哈尔，哈萨儿巴什，伊尔钦，哈什哈儿，库策，阿克苏，吐尔们，沙障。在彼候阿玉气汗迎接之间，

tuweri forgon geren gucuse idurame solifi buda ulebume, uhei acafi tungken gabtame, eici bira i cikin de genefi niyamniyame, nimaha be butame bihe, oros hafan i takūraha tungši, cooha be kadalara data, turgūt gurun de isinafi, ayuki han donjifi alimbaharakū urgunjeme, uthai ini aiman i urse be isabume, tere monggo boo, etuku adu be dasatame, kunesun be belhebume, gemu en jen i yongkiyame bahafi, niyanciha tucike manggi, susai ilaci aniya duin biyai ice sunja de, turgūt gurun i ayuki han, ini fejergi taiji weijeng sebe takūrafi, colgoroko enduringge amba han i elhe be baime, jai meni saimbe fonjime takūraha manggi, sunja biyai

---

乃屬冬令，諸人輪流宴飲，或會同射的，或於河岸騎射捕魚以爲娛，其鄂羅斯官所差通事等至土爾虎特國，阿玉氣汗聞此信甚喜，傳集其部落，修治氈帳衣服，預備供給，俱各停妥，候青草發後，於五十三年四月初五日，土爾虎特國阿玉氣汗差伊部下台吉魏正等，恭請至聖大皇帝萬安，并問天使無恙，於五月

乃属冬令，诸人轮流宴饮，或会同射的，或于河岸骑射捕鱼以为娱，其鄂罗斯官所差通事等至土尔虎特国，阿玉气汗闻此信甚喜，传集其部落，修治毡帐衣服，预备供给，俱各停妥，候青草发后，于五十三年四月初五日，土尔虎特国阿玉气汗差伊部下台吉魏正等，恭请至圣大皇帝万安，并问天使无恙，于五月

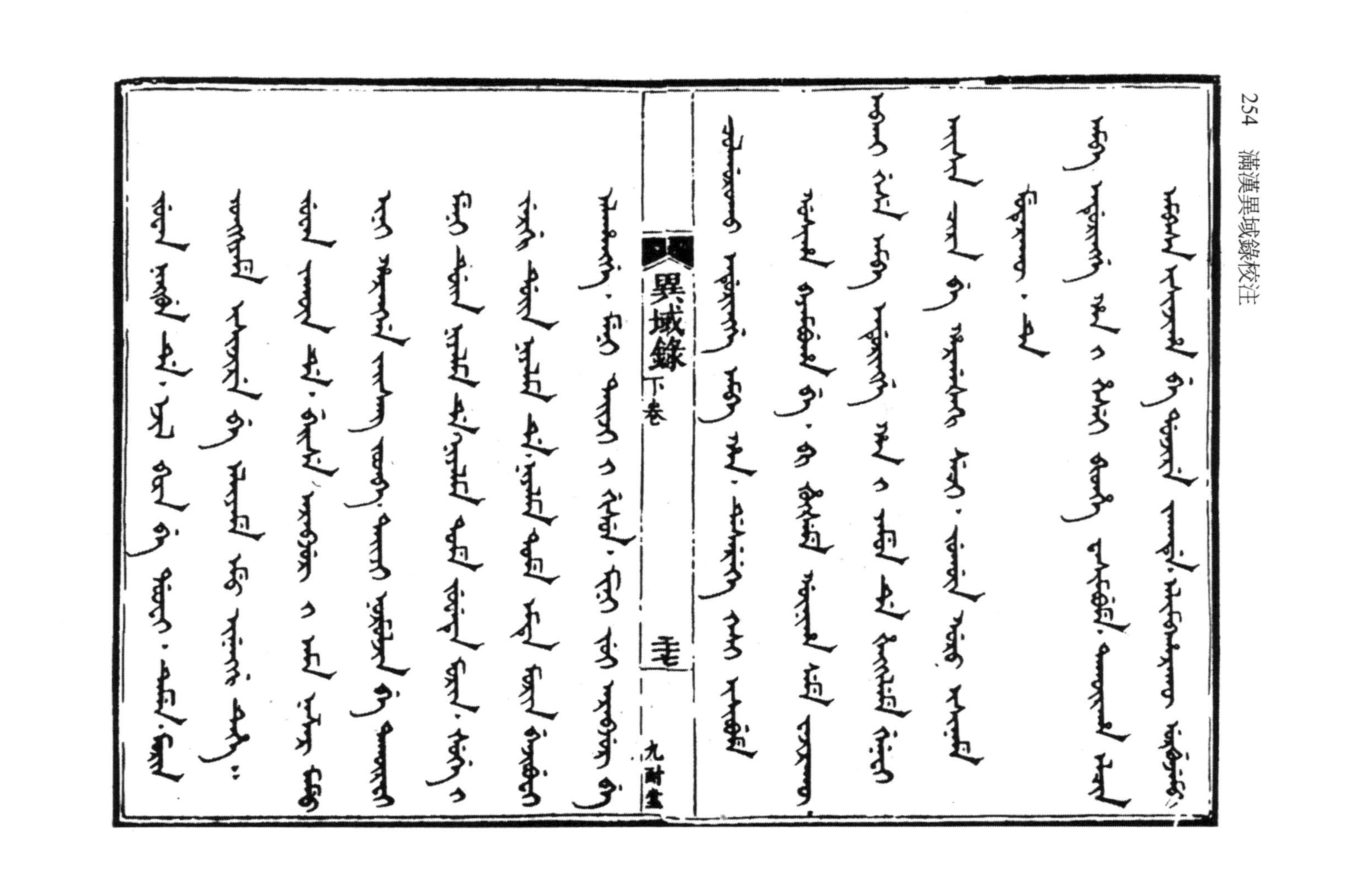

異域錄 下卷

九耐堂

juwan ninggun de, ejil bira be doofi, temen, morin yongkiyame isinjire be aliyame emu inenggi tehe. juwan jakūn de, beise arabjur i ama nadzar mamu ini harangga jaisang jotba, taiji normoljin be takūrafi meni duin niyalma de, niyalma tome juwete morin, šuge i jergi duin niyalma de, niyalma tome emte morin benjibufi alahangge, meni taiji i gisun, mini jui arabjur be colgoroko enduringge amba han, desereke kesi isibume gosiha bayambuha be, bi hukšeme gūniha seme wajirakū, abkai gese amba enduringge han i yamun de hengkileme genefi aisin cira be hargašaki seci, jugūn goro isiname muterakū, te amba enduringge han i hesei bithe wasimbume takūraha elcin ambasa isinjiha be donjire jakade, alimbaharakū urgunjembi

---

初六日（註八二），渡厄濟兒河，因馬駝未齊，候駐一日，於十八日，貝子阿拉布珠兒之父那唖兒麻木，差伊所屬之寨桑趙忒霸台吉諾爾木爾金，於我四人處各送馬二匹，舒哥等四人處各送馬一匹，曰：我頭目言，我子阿拉布珠兒蒙至聖大皇帝沛施恩澤，生計饒裕，不勝感戴，教往叩謝如天大皇帝闕下，並仰瞻金顏，奈路途迢遠，苦不能至，今聞得大皇帝頒發諭旨，欽命天使至此，不勝榮幸，

初六日（注八二），渡厄济儿河，因马驼未齐，候驻一日，于十八日，贝子阿拉布珠儿之父那唖儿麻木，差伊所属之寨桑赵忒霸台吉诺尔木尔金，于我四人处各送马二匹，舒哥等四人处各送马一匹，曰：我头目言，我子阿拉布珠儿蒙至圣大皇帝沛施恩泽，生计饶裕，不胜感戴，教往叩谢如天大皇帝阙下，并仰瞻金颜，奈路途迢远，苦不能至，今闻得大皇帝颁发谕旨，钦命天使至此，不胜荣幸，

註八二：五月初六日，案滿文作「五月十六日」，當據滿文改正。

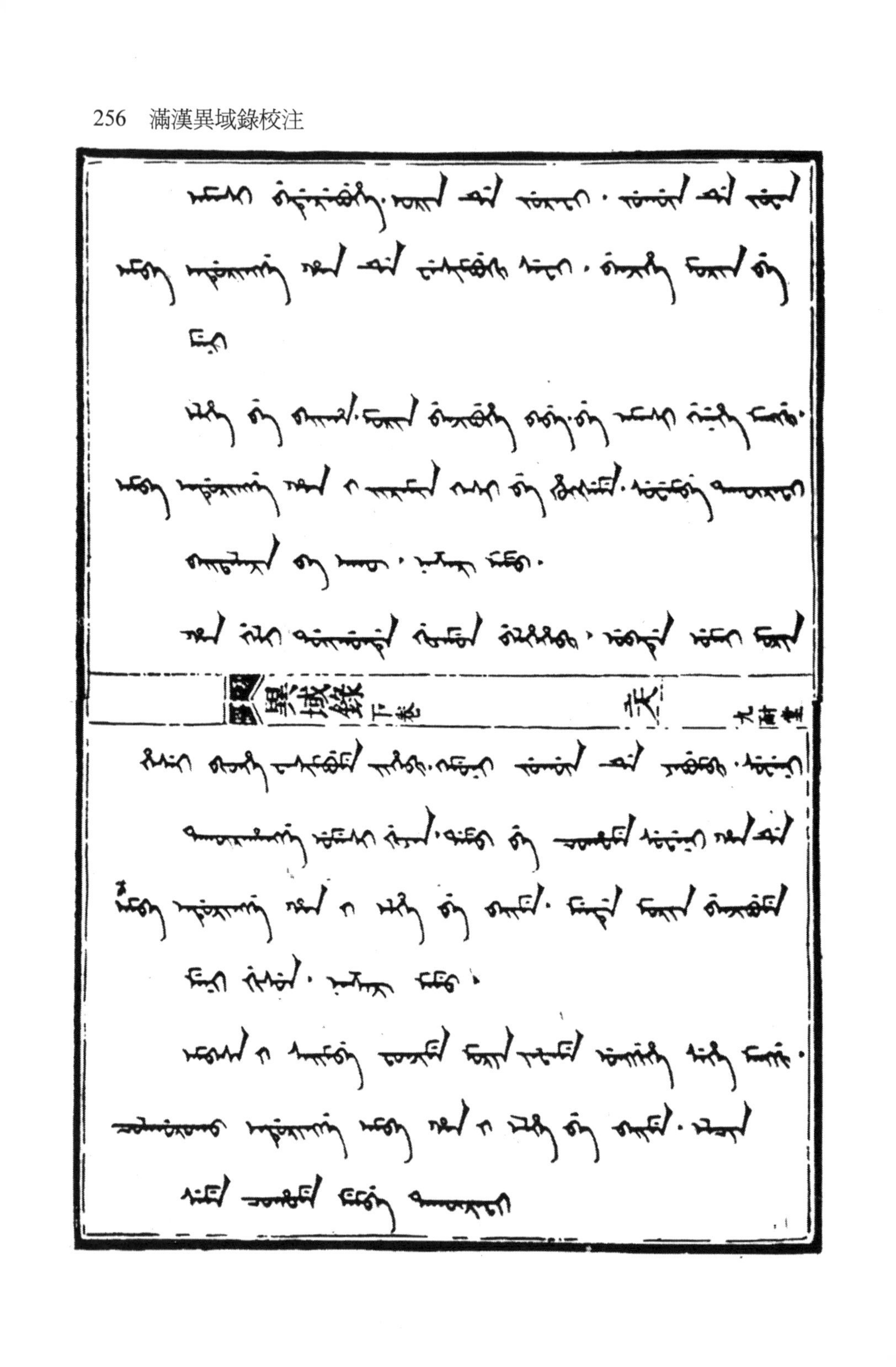

異域錄 下卷

semc cohome membe takūrafi colgoroko enduringge amba han i elhe be baime, elcin ambasa i saimbe fonjime morin jafame unggihe sehe manggi, meni gisun, nadzar mamu, amba enduringge han i elhe be baime, mende morin benjibume takūrahangge umesi giyan, damu be cohome suweni han de hesei bithe wasimbume jihebi, kemuni jugūn de yabumbi, suweni han geli doigonde giyamun belhehebi, ubade umai morin baitalara ba akū, nadzar mamu, amba enduringge han i jiramin kesi be hukšeme, suwembe takūrafi elhe be baiha, morin benjibuhe babe, be amasi genehe manggi, meni amba enduringge han de wesimbuki sefi, benjihe morin be amasi bederebuhe, orin de jurafi, jugūn de juwan

---

特差我等前來，恭請至聖大皇帝萬安，問天使大人無恙，并送馬匹。我等言，爾那咂爾麻衣（註八三），感大皇帝深恩，特遣爾等前來，恭請大皇帝萬安，送我等馬匹，甚合禮儀，但我等係特差往爾汗處頒發諭旨，今尚在途中，爾汗又預備馬匹乘騎，此地並無用馬處，爾那咂爾麻木深感大皇帝厚澤，遣爾等前來請安送馬之處，我等回日奏聞大皇帝可也，將所送馬匹發還。二十日起程，行十

特差我等前来，恭请至圣大皇帝万安，问天使大人无恙，并送马匹。我等言，尔那咂尔麻衣（注八三），感大皇帝深恩，特遣尔等前来，恭请大皇帝万安，送我等马匹，甚合礼仪，但我等系特差往尔汗处颁发谕旨，今尚在途中，尔汗又预备马匹乘骑，此地并无用马处，尔那咂尔麻木深感大皇帝厚泽，遣尔等前来请安送马之处，我等回日奏闻大皇帝可也，将所送马匹发还。二十日起程，行十

註八三：那咂爾麻衣，滿文作“nadjar mamu”，此「衣」字當作「木」。

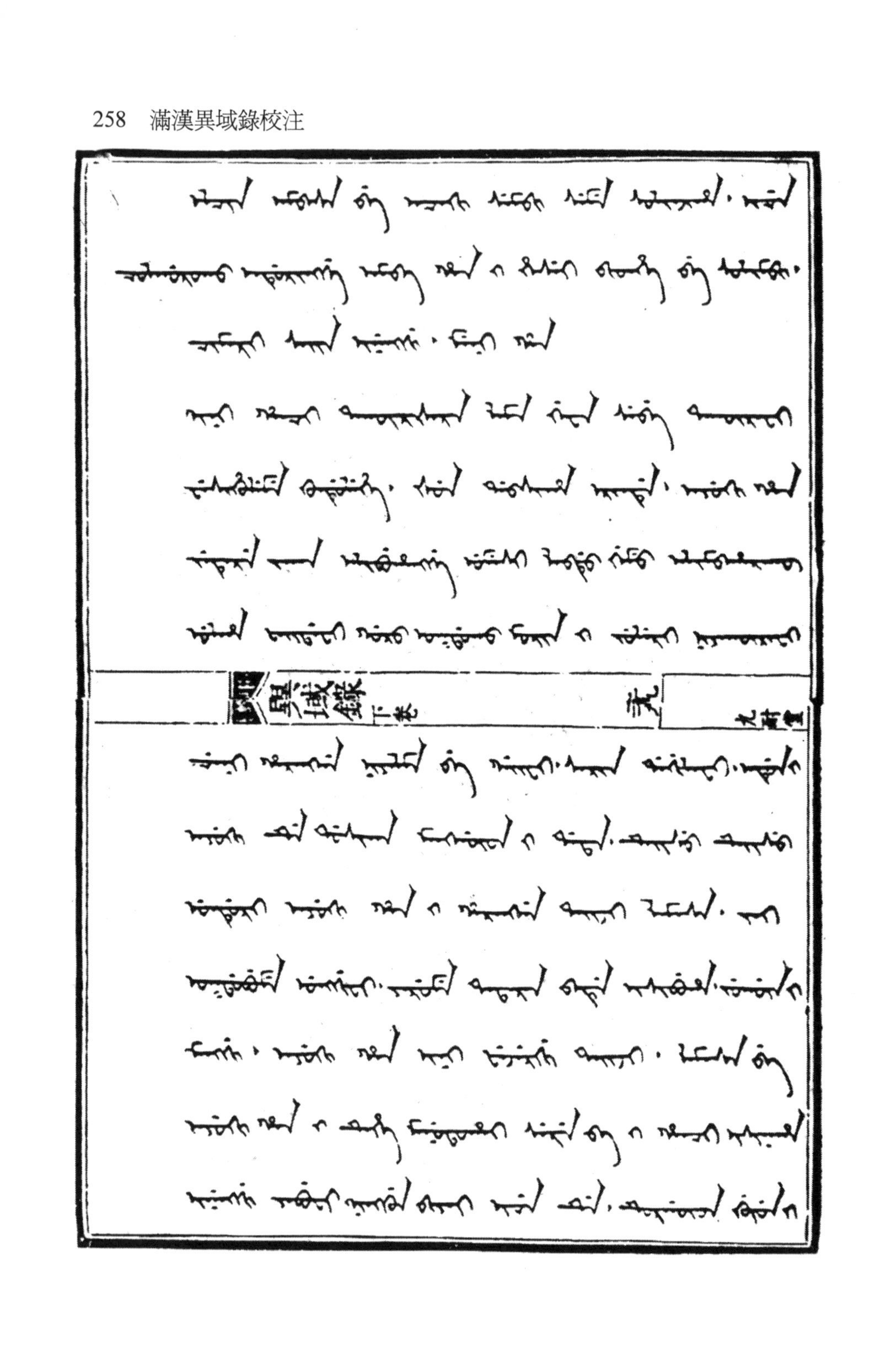

異域錄 下卷

inenggi yabufi, ninggun biyai ice de, turgūt gurun i ayuki han i tehe manutohai sere ba i hanci isinaha manggi, ayuki han ini fejergi taiji, lamasa be okdobume unggifi, yarume tatara bade isibuha, jugūn i unduri ayuki han i harangga taiji lamasa, jai ayuki de dosika manggūt i data, teisu teisu ceni harangga niyalma be gaifi, sarin dagilafi, adun i ulha faidafi goro okdoko, morin i juleri niyakūrafi jetere jaka alibuhangge umesi labdu, gemu alimbaharakū wesihuleme kundulehe, šun dabsiha erinde, ayuki han ini hanci takūršara lama gewa sebe takūrafi, cimari sain inenggi, meni han, colgoroko enduringge amba han i hesei bithe be solimbi, elcin ambasa be acaki sembi seme solinjiha, ice

---

日，於六月初一日，至土爾虎特國阿玉氣汗駐扎之馬奴托海切近地方，阿玉氣汗遣伊部下台吉并番僧等來迎，導至宿處安置，至沿途阿玉氣汗部下台吉并番僧及歸入阿玉氣汗之莽武特頭目各率所屬人等，陳設筵宴，排列生畜，遠來迎接，以及馬前跪獻食物者甚眾，皆不勝欽敬，至下午，阿玉氣汗差伊侍近番僧格瓦等前來稟曰：明朝吉日，我汗恭請至聖大皇帝諭旨，並會天使，

日，于六月初一日，至土尔虎特国阿玉气汗驻扎之马奴托海切近地方，阿玉气汗遣伊部下台吉并番僧等来迎，导至宿处安置，至沿途阿玉气汗部下台吉并番僧及归入阿玉气汗之莽武特头目各率所属人等，陈设筵宴，排列生畜，远来迎接，以及马前跪献食物者甚众，皆不胜钦敬，至下午，阿玉气汗差伊侍近番侩格瓦等前来禀曰：明朝吉日，我汗恭请至圣大皇帝论旨，并会天使，

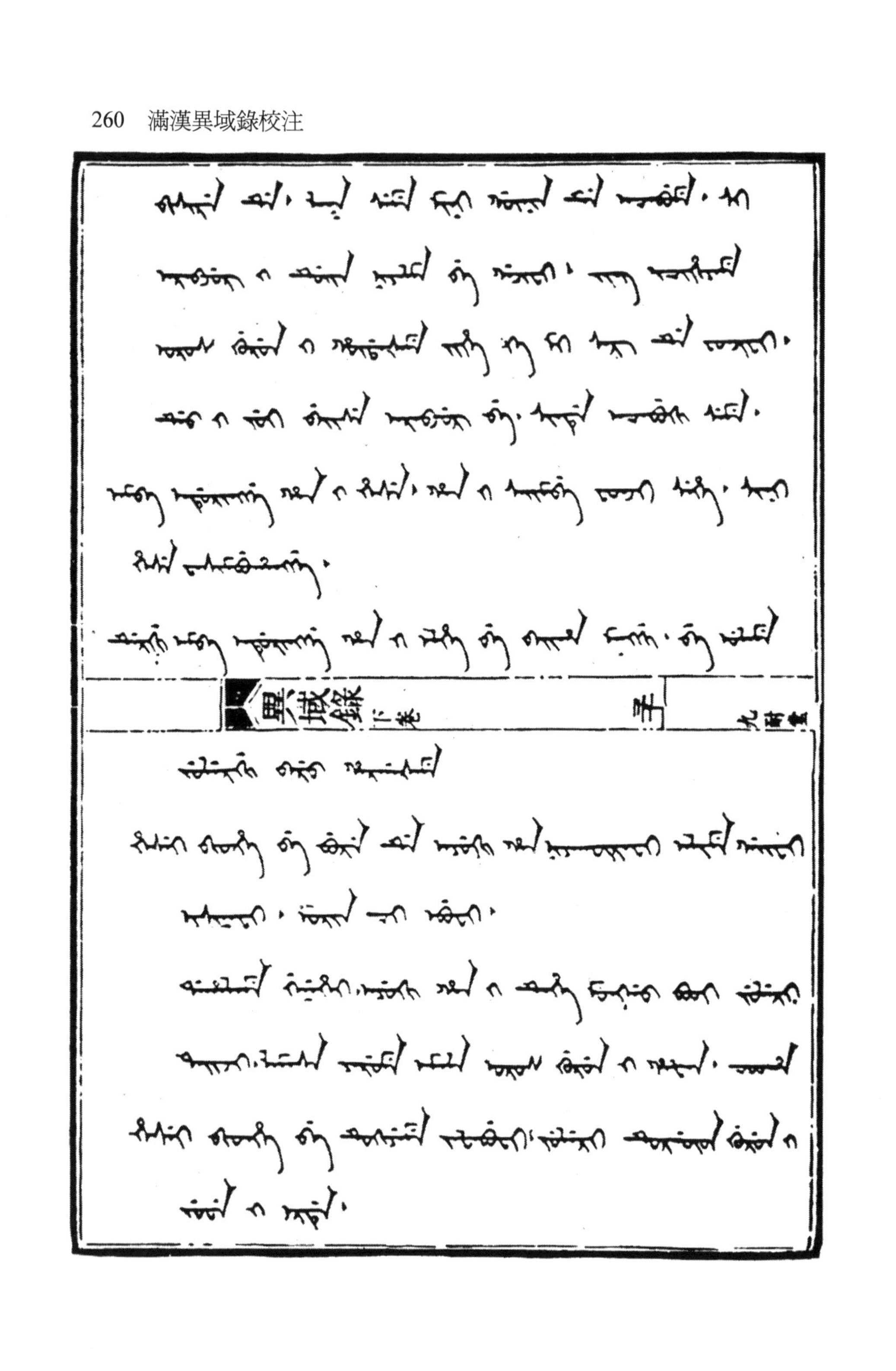

異域錄 上卷　三

juwe i erde, hesei bithe be tukiyeme jafabufi, juleri turgūt gurun i taiji, lamasa yarume, amala oros gurun i hafan, cooha dahalame genehei, ayuki han i tehe monggo booi juleri isinafi, morin ci ebufi, hesei bithe be bure de, ayuki han niyakūrafi alime gaifi, julergi baru hargašame dergi amba enduringge han i elhe be baiha manggi, be ulame hese wasimbuhangge, amba enduringge han i hese, han i saimbe fonji sehe, sini deo i jui beise arabjur be, sinde acabuki seme, oros gurun i hūdašame jihe k'a mi sar de fonjifi, arabjur i duin niyalma be gajifi, jing icihiyame bisire de, lak seme mini gūnin de acabume, si

---

次早初二日，捧旨前往，土爾虎特國台吉、番僧排列前導，鄂羅斯國官兵隨後擁護，至阿玉氣汗幄帳切近，下馬，交遞諭旨，阿玉氣汗跪接，北向恭請東土大皇帝萬安畢，我等宣旨曰：大皇帝諭旨，問汗無恙，教將爾姪貝子阿拉布珠兒發往，使爾團聚，詢問鄂羅斯國商人哈密薩兒，又將阿拉布珠兒之四人調來，正在料理，恰合朕意，爾

次早初二日，捧旨前往，土尔虎特国台吉、番僧排列前导，鄂罗斯国官兵随后拥护，至阿玉气汗幄帐切近，下马，交递谕旨，阿玉气汗跪接，北向恭请东土大皇帝万安毕，我等宣旨曰：大皇帝谕旨，问汗无恙，教将尔侄贝子阿拉布珠儿发往，使尔团聚，询问鄂罗斯国商人哈密萨儿，又将阿拉布珠儿之四人调来，正在料理，恰合朕意，尔

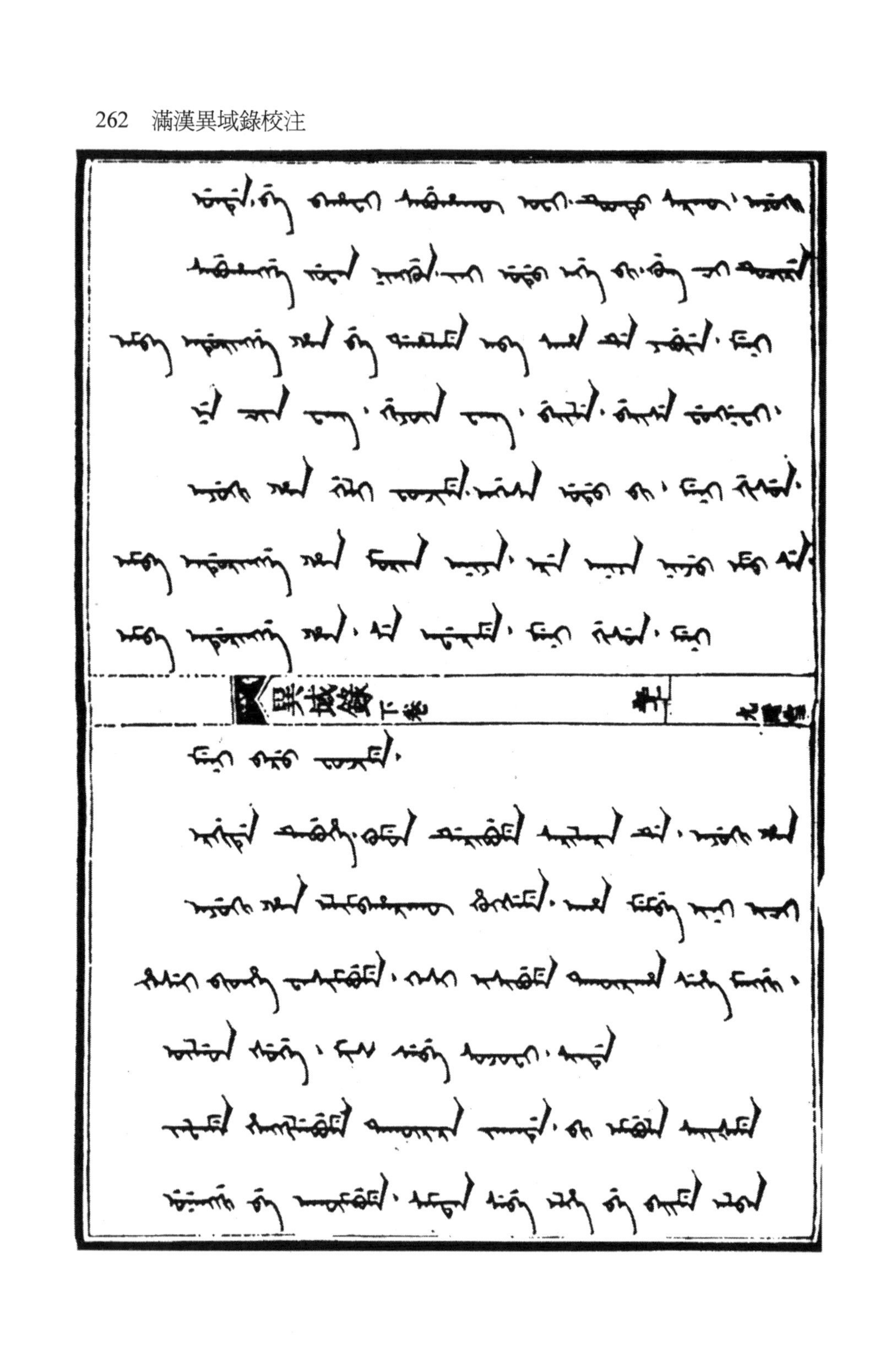

異域錄 下卷

unenggi be akūmbume, samtan sebe, elhe be baime alban jafame hengkilebume takūrara jakade, bi ambula saišame ūlet šuge, mis sebe sonjofi, sinde hesei bithe wasimbume, kesi isibume takūraha sehe manggi, ayuki han alimbaharakū hukšeme, aha membe ini ici ergide tebuhe, kumun deribume sarilara de, ayuki han meni baru fonjime, amba enduringge han, se adarame, meni gisun, meni amba enduringge han morin aniya, ere aniya ninju emu se, ayuki han geli fonjime, agese udu bi, meni gisun, ne cin wang, giyūn wang, beile, beise fungnefi, amba enduringge han be dahalame aba saha de yabure, meni sabuhangge juwan ninggun, jai udu age bi, gung ci tucire unde, be bahafi sabuhakū ofi, tuttu sarkū, ayuki

---

竭誠特遣使薩穆坦等請安朝覲進貢前來，朕甚嘉念，於是特選厄魯特之舒哥、米斯及我等前來頒發諭旨，並賜恩賞。阿玉氣汗不勝感謝，讓我等坐其右，作樂筵宴，阿玉氣汗恭請大皇帝萬壽。我等答曰：我大皇帝甲午年誕生，今年六十一歲。阿玉氣汗又問皇子幾位？我等答曰：現今已封親王、郡王、貝勒、貝子及常隨大皇帝射獵，我等得見者共十六人，尚有幾位未出深宮，我等無由瞻仰，不得而知。阿玉氣

竭诚特遣使萨穆坦等请安朝觐进贡前来，朕甚嘉念，于是特选厄鲁特之舒哥、米斯及我等前来颁发谕旨，并赐恩赏。阿玉气汗不胜感谢，让我等坐其右，作乐筵宴，阿玉气汗恭请大皇帝万寿。我等答曰：我大皇帝甲午年诞生，今年六十一岁。阿玉气汗又问皇子几位？我等答曰：现今已封亲王、郡王、贝勒、贝子及常随大皇帝射猎，我等得见者共十六人，尚有几位未出深宫，我等无由瞻仰，不得而知。阿玉气

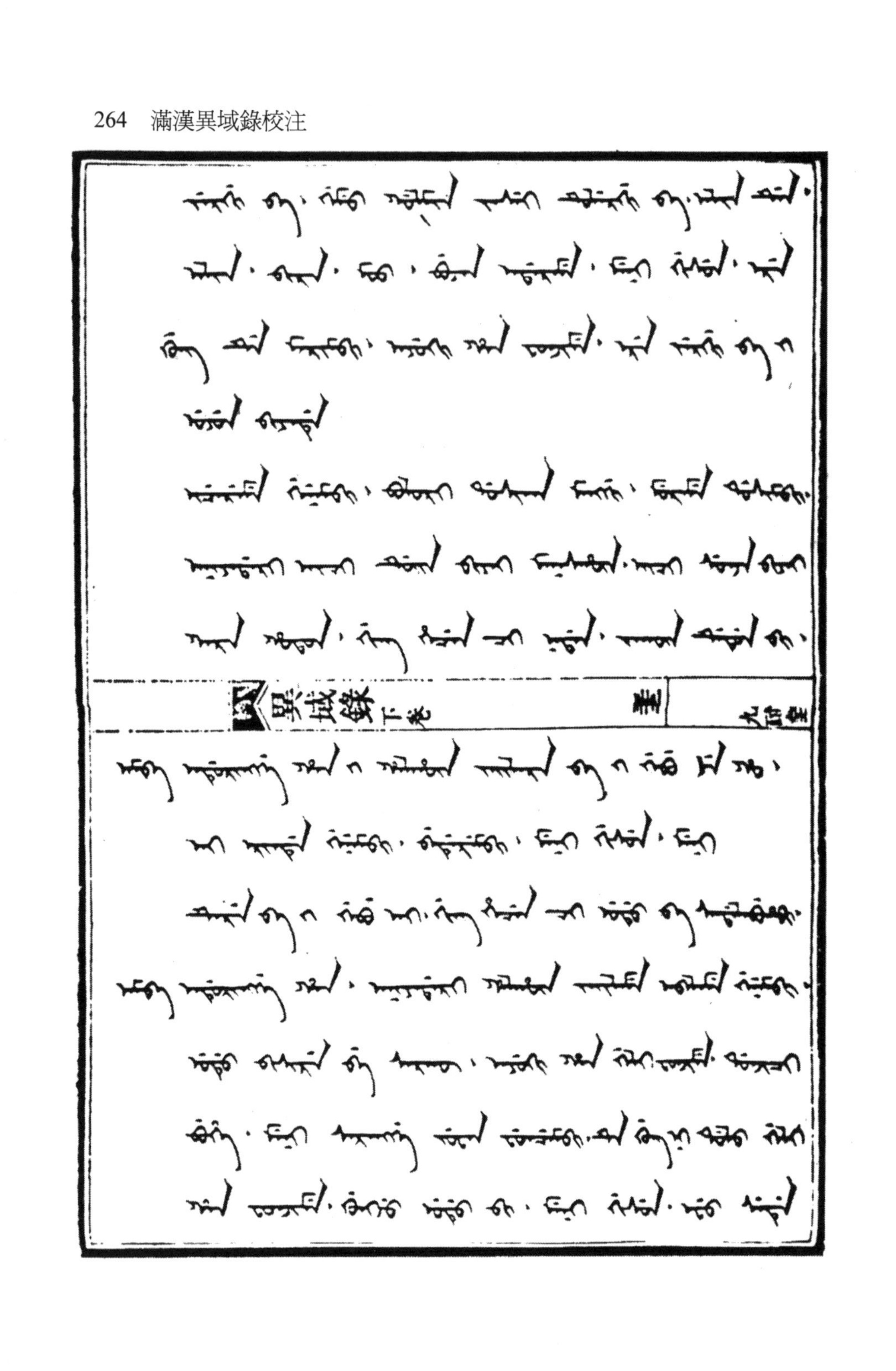

異域錄 下卷

han fonjime, gungju udu bi, meni gisun, efu sede buhe, meni sarangge juwan funcembi, te gung ni dolo geli udu bisire be sarkū, ayuki han geli fonjime, donjici amba enduringge han, aniyadari halhūn jailame abalame genembi, tere ba i gebu ai, ging hecen ci udu ba sandalabuhabi, ai erinde genembi, bedermbi, meni gisun, meni amba enduringge han i halhūn jailara ba i gebu ze ho, kara hoton, ging hecen ci nadan, jakūn dedun bi, aniyadari eici duin biyai manashūn, eici sunja biyai icereme genembi, bolori dosika manggi, murame dosimbi, uyun biyade gung de marimbi, ayuki han fonjime, ere jergi ba i alin, bira, moo, bujan adarame, meni gisun, ere jergi ba, gemu golmin jasei tulergi ba, alin den,

---

汗問公主幾位？我等答曰：已經下嫁，我等所知者十數位，今宮壼中尙有幾位？亦不得而知。阿玉氣汗又問聞得大皇帝每歲避暑行圍所係何地名？相去京師幾多遠？近於何時往返？我等答曰：我大皇帝避暑之處，名熱河及喀喇河屯（註八四），離都城七八日路，每歲或四月盡，或五月初起駕，立秋後哨鹿完日，九月間回鑾。阿玉氣汗問此地山川樹木林藪若何？我等言，此地在長城邊外，有高山

汗问公主几位？我等答曰：已经下嫁，我等所知者十数字，今宫壶中尚有几位？亦不得而知。阿玉气汗又问闻得大皇帝每岁避暑行围所系何地名？相去京师几多远？近于何时往返？我等答曰：我大皇帝避暑之处，名热河及喀喇河屯（注八四），离都城七八日路，每岁或四月尽，或五月初起驾，立秋后哨鹿完日，九月间回銮。阿玉气汗问此地山川树木林薮若何？我等言，此地在长城边外，有高山

註八四：喀喇河屯，滿文讀如“kara hoton”，意即黑城。

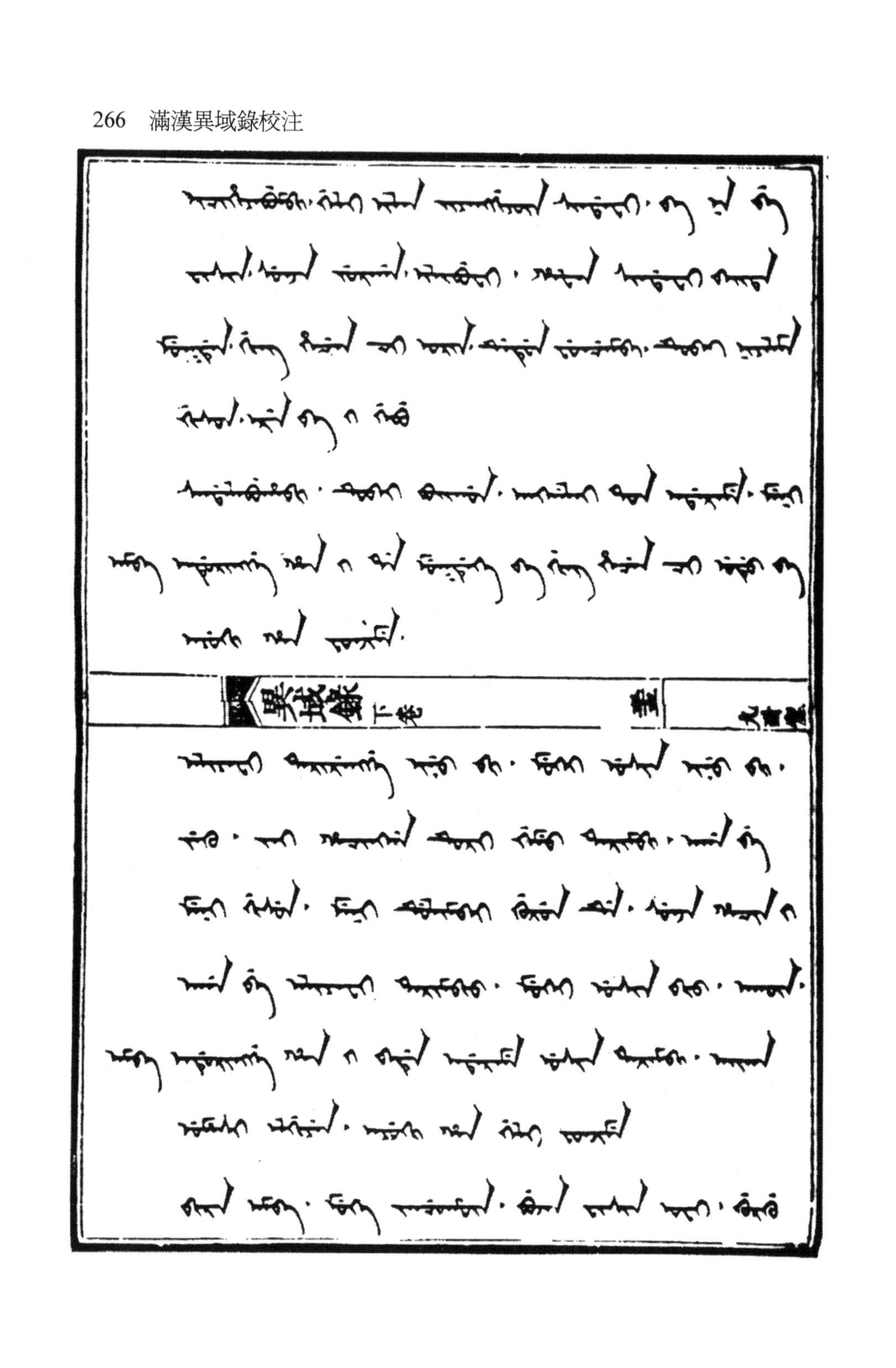

異域錄 下卷

bira amba, muke jancuhūn, bujan fisin ofi, gurgu umesi elgiyen, ayuki han geli fonjime, amba enduringge han i bade adarame usin tarimbi, aika aga be aliyafi tarimbio, mukei usin bio, akūn, meni gisun, meni dulimbai gurun de, sunja hacin i jeku, jai hacingga turi gemu tarimbi, aga be aliyafi tarirengge inu bi, mukei usin inu bi, ayuki han fonjime, amba enduringge han i da mukdeke ba ging hecen ci udu ba sandalabuhabi, tubai boigon, anggalai ton adarame, meni gisun, ere ba i gebu mukden, ging hecen ci orin dedun funcembi, tubai niyalma fisin, sunja jurgan ilibufi, hafan sindafi baita icihiyabumbi, geli ilan jiyanggiyūn sindafi, ba na be

---

大川，水極甘美，林木茂盛，禽獸蕃息。阿玉氣汗又問，大皇帝處如何耕種？或待雨播種，可有水田否？我等答曰：我中國五穀及各種荳菽，無不栽種，亦有待雨水播種者，亦有水田。阿玉氣汗又問，大皇帝龍興之處，相隔都城幾多遠近？人烟多少？我等答曰：此處名盛京，自都城行二十餘日可至，彼處人烟稠密，設立五部衙門（註八五），建官管理，又安設三將軍（註八六），彈壓地方。

大川，水极甘美，林木茂盛，禽兽蕃息。阿玉气汗又问，大皇帝处如何耕种？或待雨播种，可有水田否？我等答曰：我中国五谷及各种荳菽，无不栽种，亦有待雨水播种者，亦有水田。阿玉气汗又问，大皇帝龙兴之处，相隔都城几多远近？人烟多少？我等答曰：此处名盛京，自都城行二十余日可至，彼处人烟稠密，设立五部衙门（注八五），建官管理，又安设三将军（注八六），弹压地方。

註八五：五部，盛京五部係指除吏部以外之户、禮、兵、刑、工五部。

註八六：三將軍，係指盛京、吉林、黑龍江三將軍。

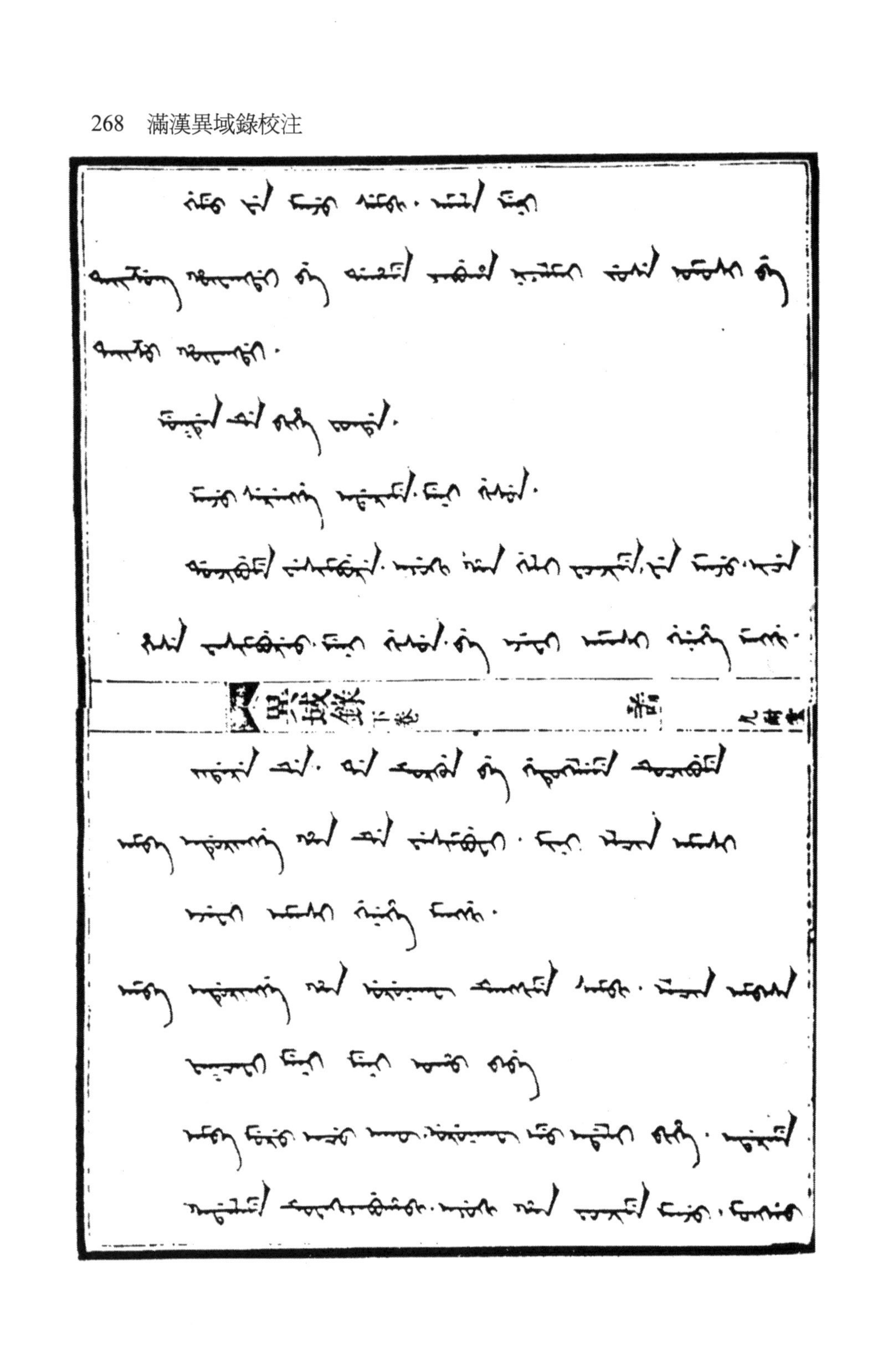

異域錄 下卷

kadalame tuwakiyabuhabi, ayuki han fonjime, manju, monggo amba muru encu akū, urunakū emu adali bihe, adarame fakcafi meni meni oho babe amba enduringge han urunakū tengkime sambi, elcin ambasa ejefi amasi genehe manggi, amba enduringge han de wesimbufi, mini elcin amasi jidere de, da turgun be getukeleme tucibume hese wasimbureo, meni gisun, be ejefi, amasi genehe manggi, donjibume wesimbure, ayuki han geli fonjime, fe manju, ice manju serengge adarame, meni gisun, mukden de bihe fonde, taidzu hūwangdi, taidzung hūwangdi be dahame yabuha niyalmai juse omosi be gemu fe manju sembi, amala meni

---

阿玉氣汗問，滿洲、蒙古大率相類，想起初必係同源，如何分而各異之處？大皇帝必已洞鑒，煩天使留意，回都時可奏知大皇帝，我所遣之人來時，將此原由懇乞降旨明示。我等答曰：我等留意回日奏聞。阿玉氣汗又問滿洲何以有新舊名色？我等答曰：初在盛京時，扈從太祖皇帝、太宗皇帝人之子孫，俱稱舊滿洲，其在

阿玉气汗问，满洲、蒙古大率相类，想起初必系同源，如何分而各异之处？大皇帝必已洞鉴，烦天使留意，回都时可奏知大皇帝，我所遣之人来时，将此原由恳乞降旨明示。我等答曰：我等留意回日奏闻。阿玉气汗又问满洲何以有新旧名色？我等答曰：初在盛京时，扈从太祖皇帝、太宗皇帝人之子孙，俱称旧满洲，其在

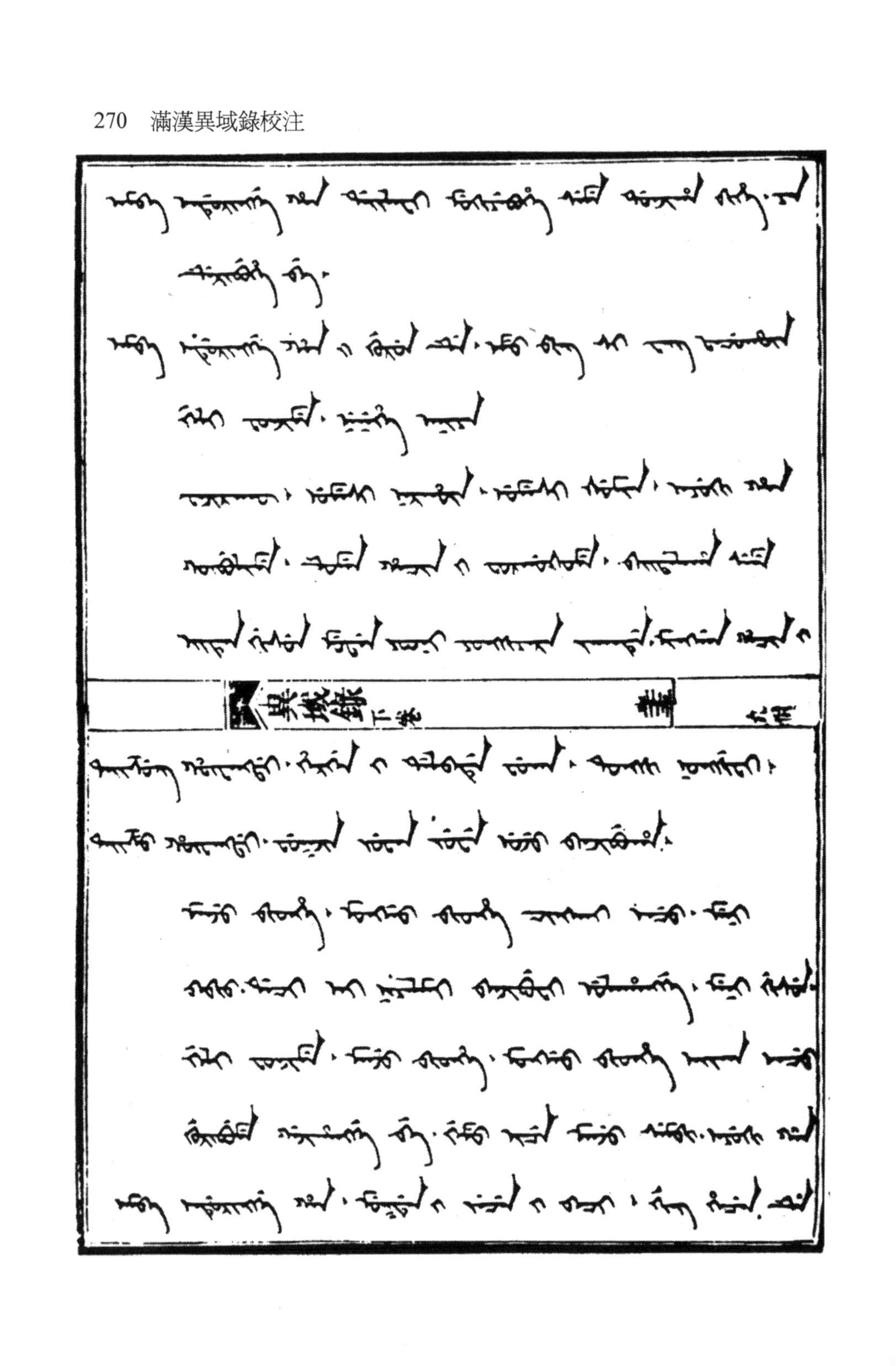

異域錄 下卷

amba enduringge han, mukden i jecen i baci, ging hecen de guribume gajihangge be, gemu ice manju sembi, ayuki han geli fonjime, manju bithe, monggo bithe aika encu babio, daci ai niyalmai banjibufi ulahangge, meni gisun, manju bithe, monggo bithe cingkai encu, meni taidzu hūwangdi, fukjin juwan juwe uju banjibuha, taidzung hūwangdi, hergen i dalbade fuka, tongki nonggifi, eiten gisun mudan yooni yongkiyara jakade, minggan hacin i kūbulime, tumen hacin i forgošome, baitalaha seme wajirakū, umesi narhūn, umesi šumin, ayuki han geli fonjime, nenehe aniya amba enduringge han i gurun de, emu ping si wang facuhūn deribuhe be, amba enduringge han dailafi mukiyebuhe seme donjiha bihe, ya

---

盛京邊界地方居住，後因我大皇帝遷居京師者，皆係新滿洲。阿玉氣汗又問，清文與蒙古字有同異否？原係何人創制流傳？我等答曰：清文與蒙古字大相懸異，我太祖皇帝始制十二字頭，太宗皇帝於字旁復增圈點，並諧音韻，於是千變萬化，其用無窮，至精至奧。阿玉氣汗又問，曩時聞得大皇帝國中有一平西王作亂，大皇帝勦除剪滅，係何

盛京边界地方居住，后因我大皇帝迁居京师者，皆系新满洲。阿玉气汗又问，清文与蒙古字有同异否？原系何人创制流传？我等答曰：清文与蒙古字大相悬异，我太祖皇帝始制十二字头，太宗皇帝于字旁复增圈点，并谐音韵，于是千变万化，其用无穷，至精至奥。阿玉气汗又问，曩时闻得大皇帝国中有一平西王作乱，大皇帝剿除剪灭，系何

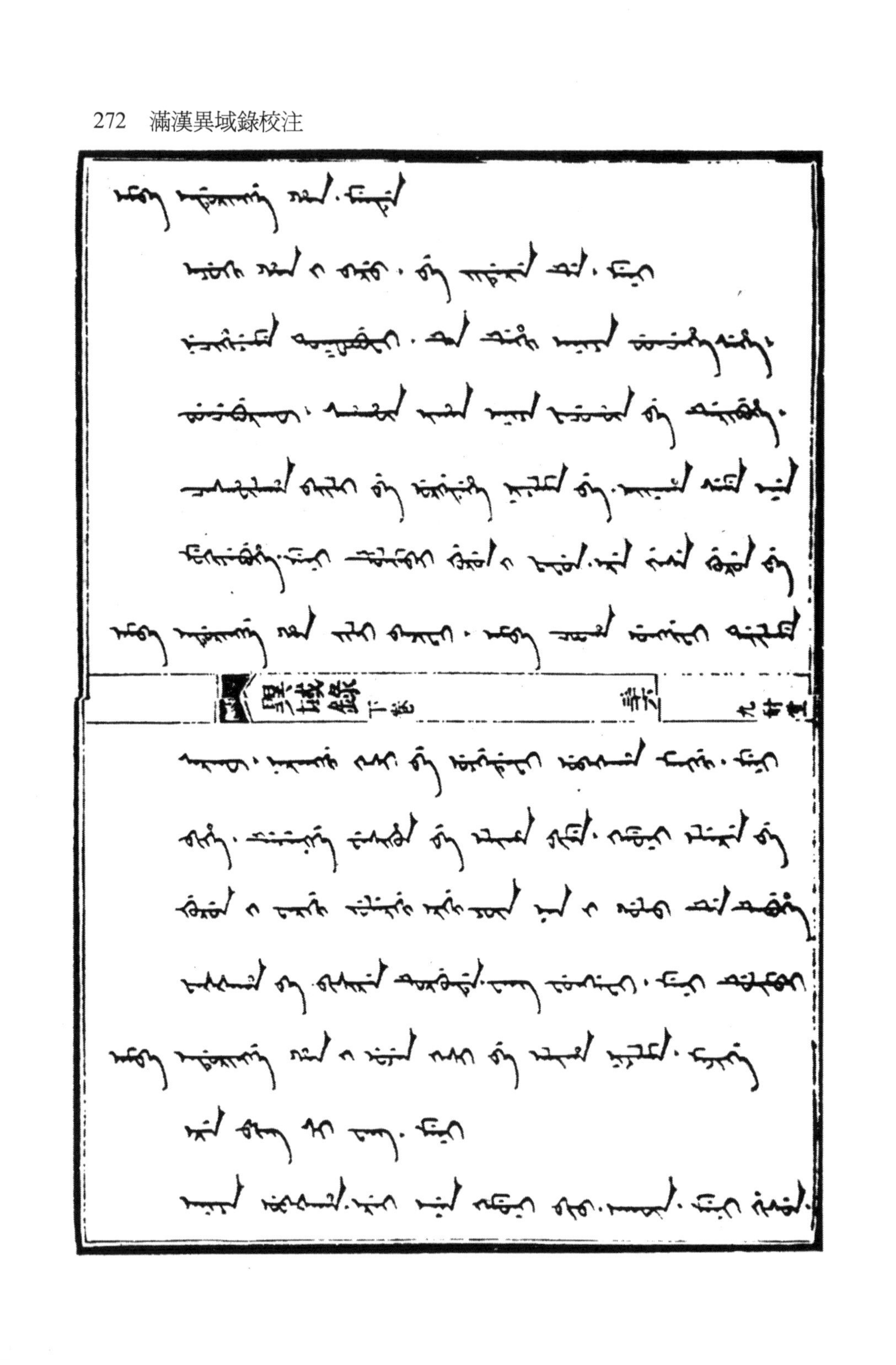

異域錄 下卷 三十六 九竹堂

aniya ubašaha, erei enen kemuni bio, akūn, meni gisun, ere ping si wang, meni amba enduringge han i ujen kesi be aliha niyalma, majige faššaha ba bisire turgunde, wang fungnefi, meni dulimbai gurun i wargi julergi ergi yūn nan i golo de tebuhe bihe, derengge wesihun be aliha bime, kemuni elere be sarkū, naranggi kesi be urgedefi ubašaha manggi, meni amba enduringge han jili banjifi, amba cooha unggifi dailame mukiyebuhe, meni dulimbai gurun i fafun, ere gese gurun be cashūlaha baili be urgedehe niyalma be, ainaha seme enen funceburakū, sahahūn ihan aniya facuhūn be deribuhe, necihiyeme toktobufi, te dehi aniya funcehe sehe, ayuki han i baru, be jidere de, meni amba enduringge han, mende

---

年叛逆？尚有遺孽否？我等答曰：平西王受我大皇帝隆恩，念其少有微勞，封爲王爵，安置我中國西南隅雲南地方，安享榮華，尙不自足，竟負恩叛逆，我大皇帝赫然震怒，遣發禁旅，勦除剪滅。我中國法律，此等負國忘恩之人，斷不留其種類，此係癸丑年倡亂，平定以來，已四十餘年矣，我等向阿玉氣汗言，來時奉大皇帝

年叛逆？尚有遗孽否？我等答曰：平西王受我大皇帝隆恩，念其少有微劳，封为王爵，安置我中国西南隅云南地方，安享荣华，尚不自足，竟负恩叛逆，我大皇帝赫然震怒，遣发禁旅，剿除剪灭。我中国法律，此等负国忘恩之人，断不留其种类，此系癸丑年倡乱，平定以来，已四十余年矣，我等向阿玉气汗言，来时奉大皇帝

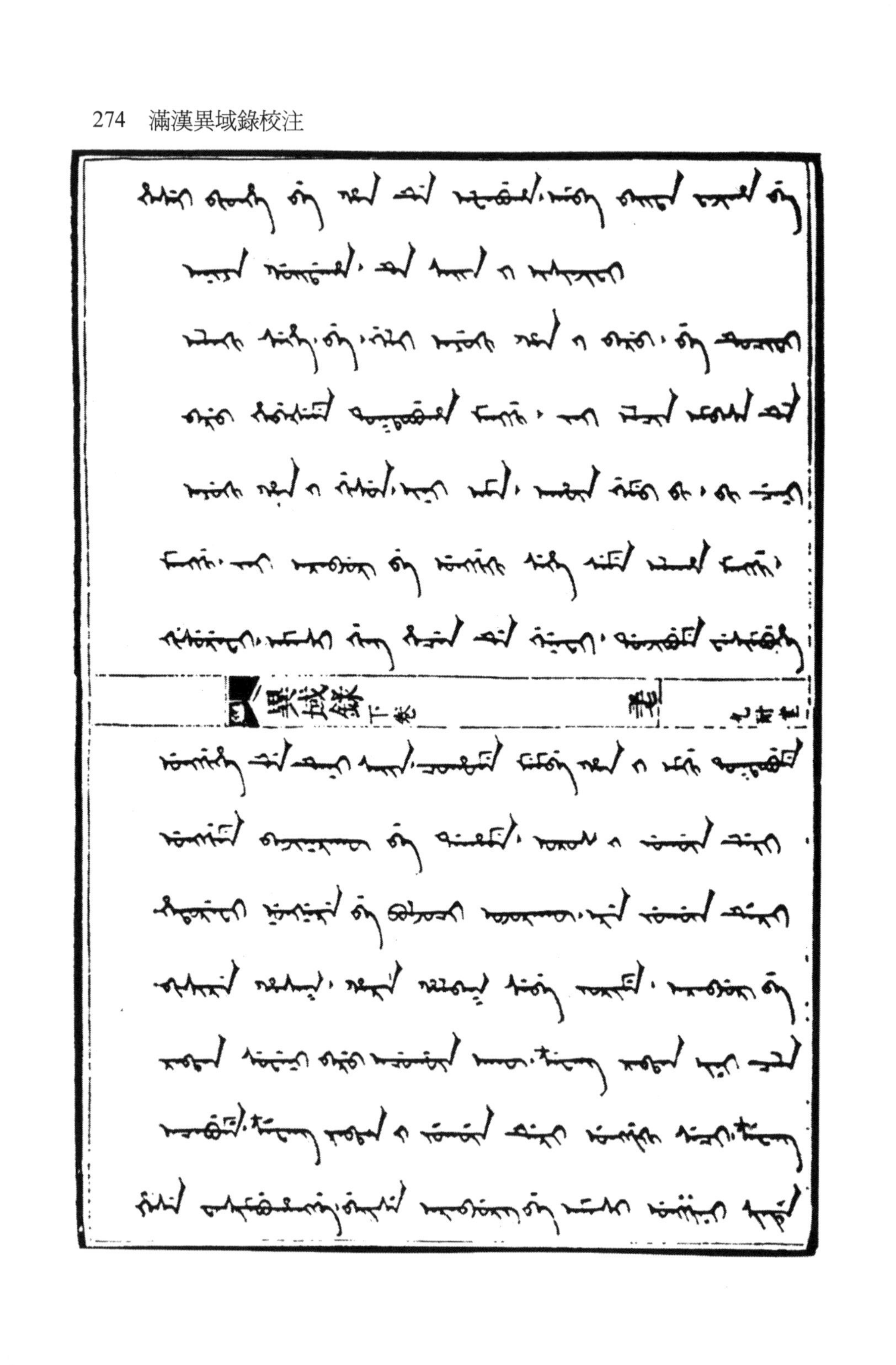

異域錄 下卷

hese wasimbuhangge, beise arabjur be amasi unggifi sinde acabume, ts'ewang rabtan i jugūn deri unggiki seci, ts'ewang rabtan suweni baru acuhūn akū, ts'ewang rabtan ini cala bisire hasak, hara halbak sebe jorime, arabjur be heturefi nungnere be boljoci ojorakū, ere jugūn deri unggime banjinarakū be dahame, oros i jugūn deri unggihe de teni sain, cohome membe han i emgi toktobume gisurefi, amasi ging hecen de genefi, donjibume wesimbuhe manggi, jai arabjur be unggiki sehe seme alaha manggi, ayuki han i gisun, ini ama, ahūn gemu bi, bi ceni baru hebešeme toktobuha manggi, jai elcin ambasa de alaki sehe, be geli ayuki han i baru, be tucifi aniya goidaha, te sain i isinjifi, hesei bithe be han de afabuha, amba baita wajiha be

---

諭旨，欲將貝子阿拉布珠兒遣回與爾完聚，若經由策旺拉布坦之路，策旺拉布坦與爾不睦，他托言伊西邊哈薩克國、哈拉哈兒叭國邀害阿拉布珠兒，亦未可定，不便由此路遣回，須由鄂羅斯國行走，方可安妥，特命我等會同國王定議，回京奏聞，再將阿拉布珠兒遣回。阿玉氣汗曰：其父兄俱在，我一同商酌定議，再回覆天使。我等又向阿玉氣汗言，我等來已數年，幸平安至此，已將諭旨交付國王，大事已畢。

谕旨，欲将贝子阿拉布珠儿遣回与尔完聚，若经由策旺拉布坦之路，策旺拉布坦与尔不睦，他托言伊西边哈萨克国、哈拉哈儿叭国邀害阿拉布珠儿，亦未可定，不便由此路遣回，须由鄂罗斯国行走，方可安妥，特命我等会同国王定议，回京奏闻，再将阿拉布珠儿遣回。阿玉气汗曰：其父兄俱在，我一同商酌定议，再回复天使。我等又向阿玉气汗言，我等来已数年，幸平安至此，已将谕旨交付国王，大事已毕。

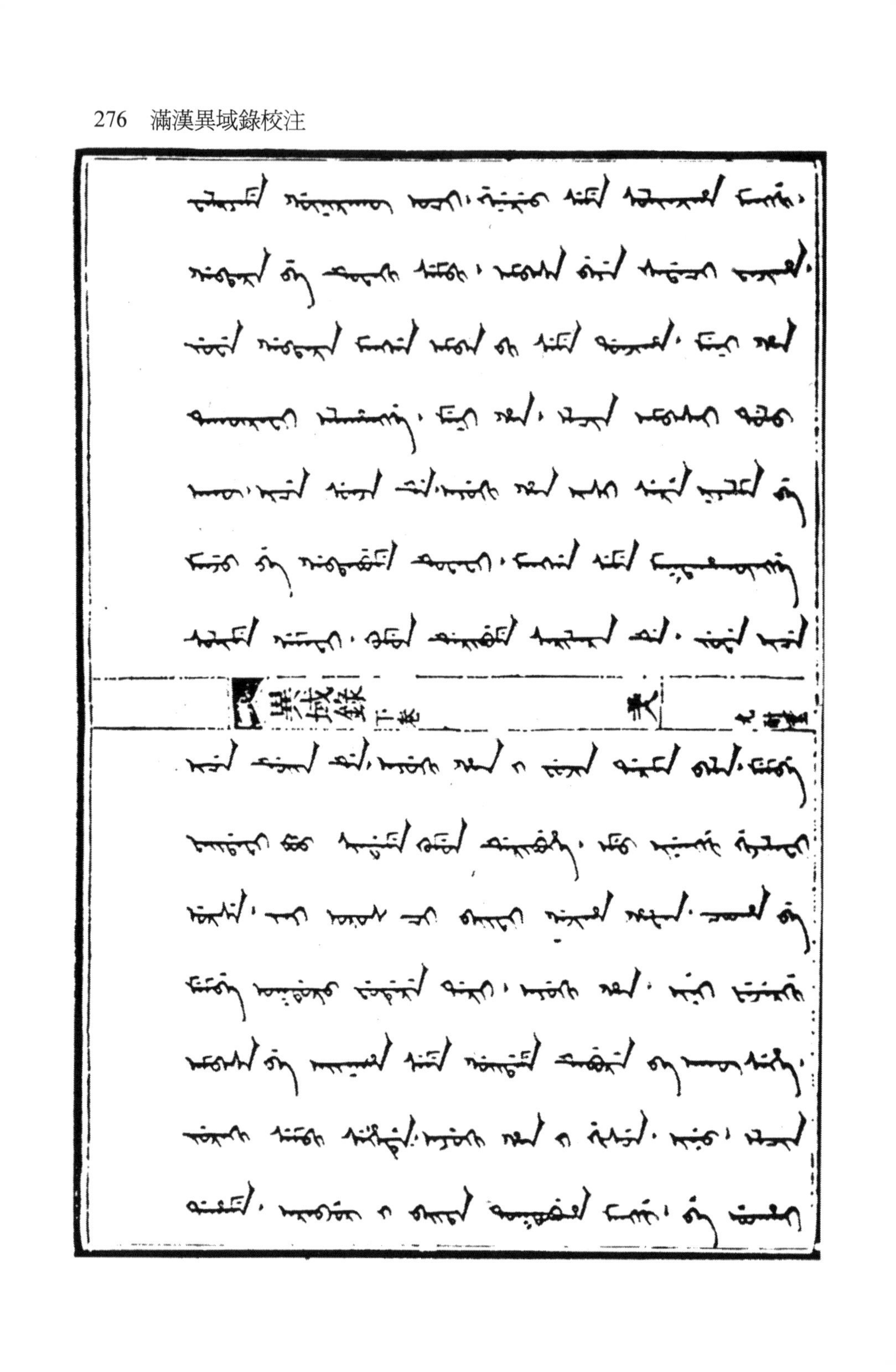

異域錄 下卷

dahame, arabjur i baita toktobuha manggi, be uthai juraki sembi sehede, ayuki han i gisun, inu, elcin ambasa be ainaha seme goidame tebure ba akū sehe, membe okdoro fudere dari, ayuki han, ini fejergi urse, jai oros ci baifi gajiha hafan, cooha be faidafi poo sindame kumun deribuhe, emu inenggi giyalafi ice duin de, ayuki han i fujin darma bala, membe solime gamafi, kumun deribume sarilara de, juwe ice manju be gabtabume tuwafi, mangga seme maktahakūngge akū, ice sunja de, ayuki han isi sere niyalma be takūrafi alahangge, meni han, elcin ambasai dolo juwe gabtara mangga amban bi seme donjiha, meni han gabtara be tuwaki sembi, ambasa beye šadaci wajiha, waliyame gūnirakū oci, genereo seme solinjiha manggi,

---

其阿拉布珠兒之事定議後，我等即可起行。阿玉氣汗曰：諾，斷不敢久留天使，其往返迎送，阿玉氣汗皆將伊部下，併借來鄂羅斯官兵齊集排列，放炮作樂。越一宿，初四日，阿玉氣汗之妃達爾馬巴拉邀請作樂筵宴，請二新滿洲步射，莫不稱善。初五日，阿玉氣汗差伊侍近之異什來稟稱，聞天使內有善射者二人，我國王飲得一觀，如不棄，請往，若倦則已，

其阿拉布珠儿之事定议后，我等即可起行。阿玉气汗曰：诺，断不敢久留天使，其往返迎送，阿玉气汗皆将伊部下，并借来鄂罗斯官兵齐集排列，放炮作乐。越一宿，初四日，阿玉气汗之妃达尔马巴拉邀请作乐筵宴，请二新满洲步射，莫不称善。初五日，阿玉气汗差伊侍近之异什来禀称，闻天使内有善射者二人，我国王饮得一观，如不弃，请往，若倦则已，

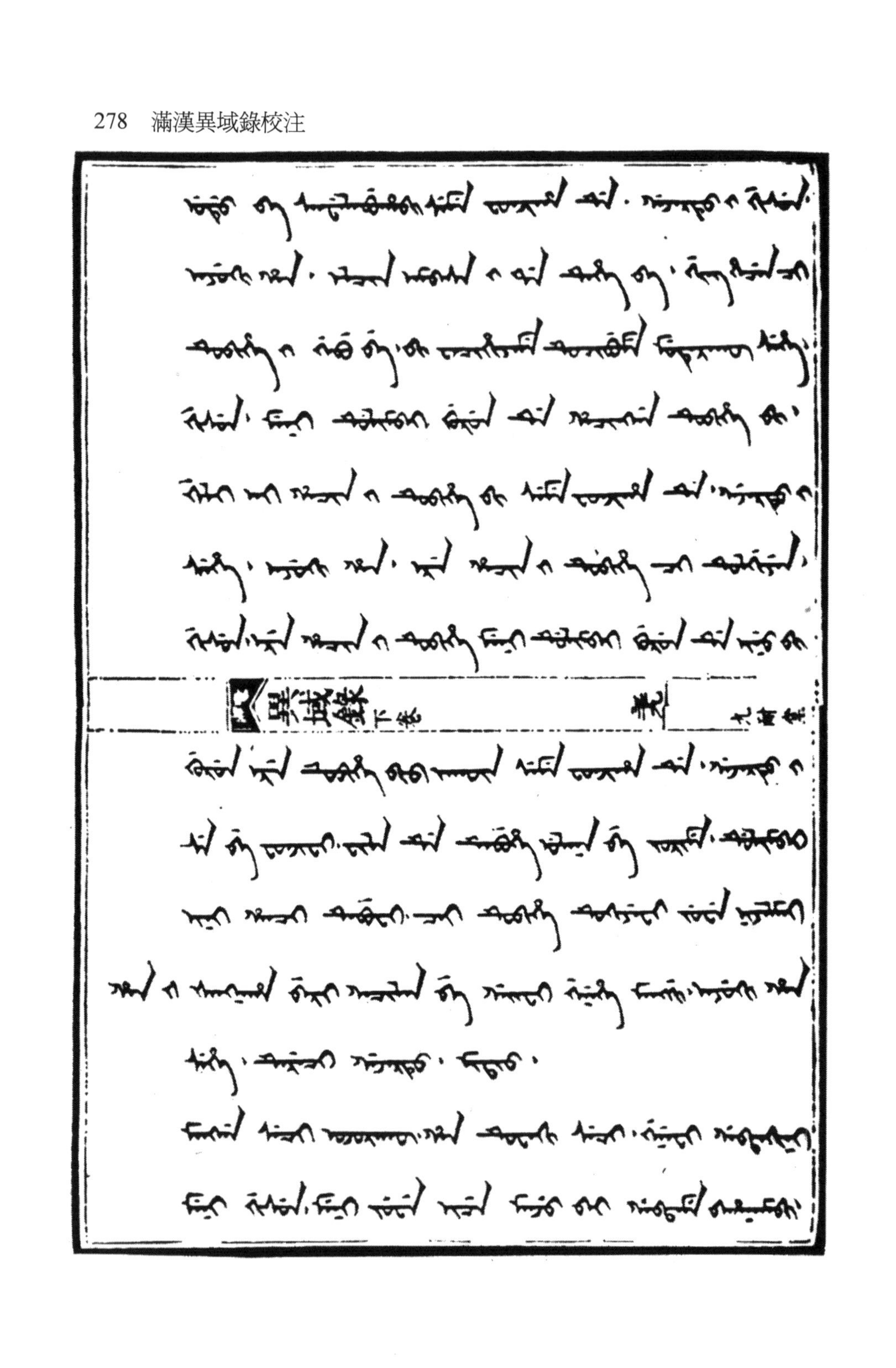

異域錄 下卷

meni gisun, meni juwe ice manju bai gabtame bahanambi, mangga seci ojorakū, han tuwaki seci, genefi gabtakini sehe, tereci gajartu, mitio, han i šangnaha beri kacilan be gaifi genehe manggi, ayuki han ini hanci tebufi, cai tubihe tukiyefi juwe niyalmai se be fonjifi, fila de tebuhe ulana be jorime, dulimbai gurun ere tubihe bio akūn seme fonjiha de, gajartu i gisun, ere hacin i tubihe meni dulimbai gurun de inu bi sehe, ayuki han, ere hacin i tubihe ci tulgiyen, geli ai hacin i tubihe bi seme fonjiha de, gajartu i gisun, meni dulimbai gurun de hacingga tubihe bi, tubihe i gebu be, bi wacihiyame tucibume muterakū she, ayuki han, elcin ambasa i da tehe ba, ging hecen ci udu ba sandalabuhabi seme fonjiha de, gajartu i gisun,

---

我等言有新滿洲二人，不過能射而已，非善射者，爾國王欲觀，令其往射。於是噶扎爾圖及米丘二人攜上賜弓矢前往，阿玉氣汗邀其近前，列坐獻茶果，問二人年庚，指盤內歐梨曰：中國亦有此果否？噶扎爾圖答曰：中國有此果品。阿玉氣汗又問，更有甚果品，噶扎爾圖言，中國果品最多，不可勝數。阿玉氣汗又問，天使原籍，相隔都城幾多遠近？噶扎爾圖言，

我等言有新满洲二人，不过能射而已，非善射者，尔国王欲观，令其往射。于是噶扎尔图及米丘二人携上赐弓矢前往，阿玉气汗邀其近前，列坐献茶果，问二人年庚，指盘内欧梨曰：中国亦有此果否？噶扎尔图答曰：中国有此果品。阿玉气汗又问，更有甚果品，噶扎尔图言，中国果品最多，不可胜数。阿玉气汗又问，天使原籍，相隔都城几多远近？噶扎尔图言，

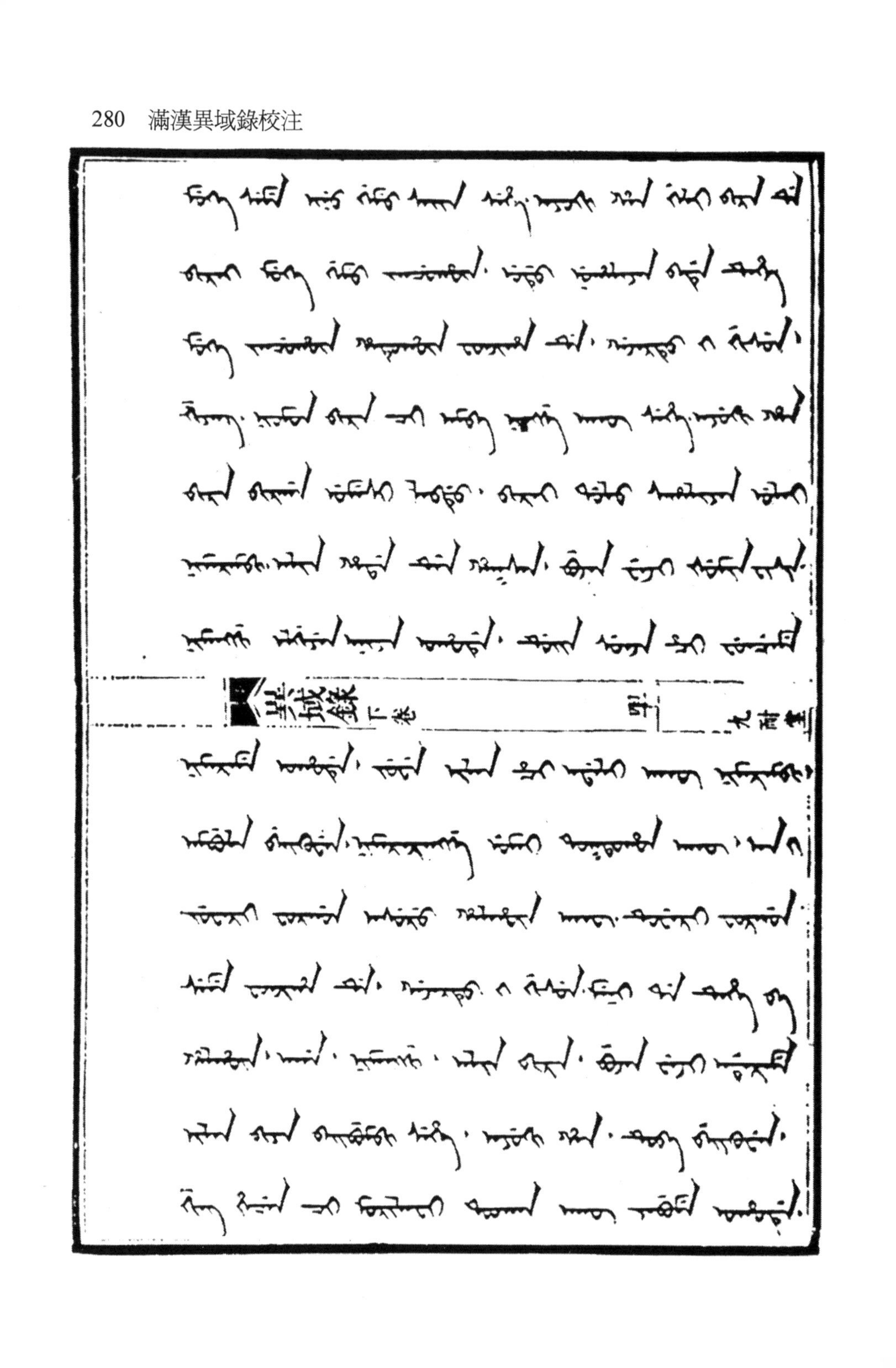

異域錄 下卷

ging hecen ci morilafi tookan akū yabume ohode, ilan biya baibumbi sehe, ayuki han, tuba beikuwen, halhūn, aga, nimanggi, alin bira, bujan weji adarame seme fonjiha de, gajartu i gisun, meni da tehe ba, juwari forgon asuru halhūn akū, tuweri forgon ambula beikuwen, nimararangge umai toktohon akū, an i nimarame ohode, juwe ilan cy adali akū nimarambi, nimanggi elgiyen aniya ohode, duin sunja cy funceme nimarambi, alin hada den haksan, bujan weji šumin fisin, bira birgan umesi labdu, birai dolo sahaliyan ulai giyang, niomon bira ci amba ningge akū sehe, ayuki han muke jancuhūn hatuhūn fonjiha de, gajartu i gisun, birai muke gemu jancuhūn, udu nuhaliyan bade tehe muke seme inu gemu sain sehe, ayuki han geli bira de

---

自京師乘馬行，三個月內可至。阿玉氣汗又問，彼處寒暑雨雪，並山川林藪若何？噶扎爾圖言，我原籍地方，夏月不甚炎熱，冬月甚寒，雨雪不定，平素雪積二三尺許，雪大之年，有四五尺深許，山高峻險，林藪森密，溪河甚多，內黑龍江牛門河最大。阿玉氣汗又問，水之甘苦。噶扎爾圖言，河水甘美，雖洼處停潦之水，亦美無異。阿玉氣汗又問河內，

自京师乘马行，三个月内可至。阿玉气汗又问，彼处寒暑雨雪，并山川林薮若何？噶扎尔图言，我原籍地方，夏月不甚炎热，冬月甚寒，雨雪不定，平素雪积二三尺许，雪大之年，有四五尺深许，山高峻险，林薮森密，溪河甚多，内黑龙江牛门河最大。阿玉气汗又问，水之甘苦。噶扎尔图言，河水甘美，虽洼处停潦之水，亦美无异。阿玉气汗又问河内，

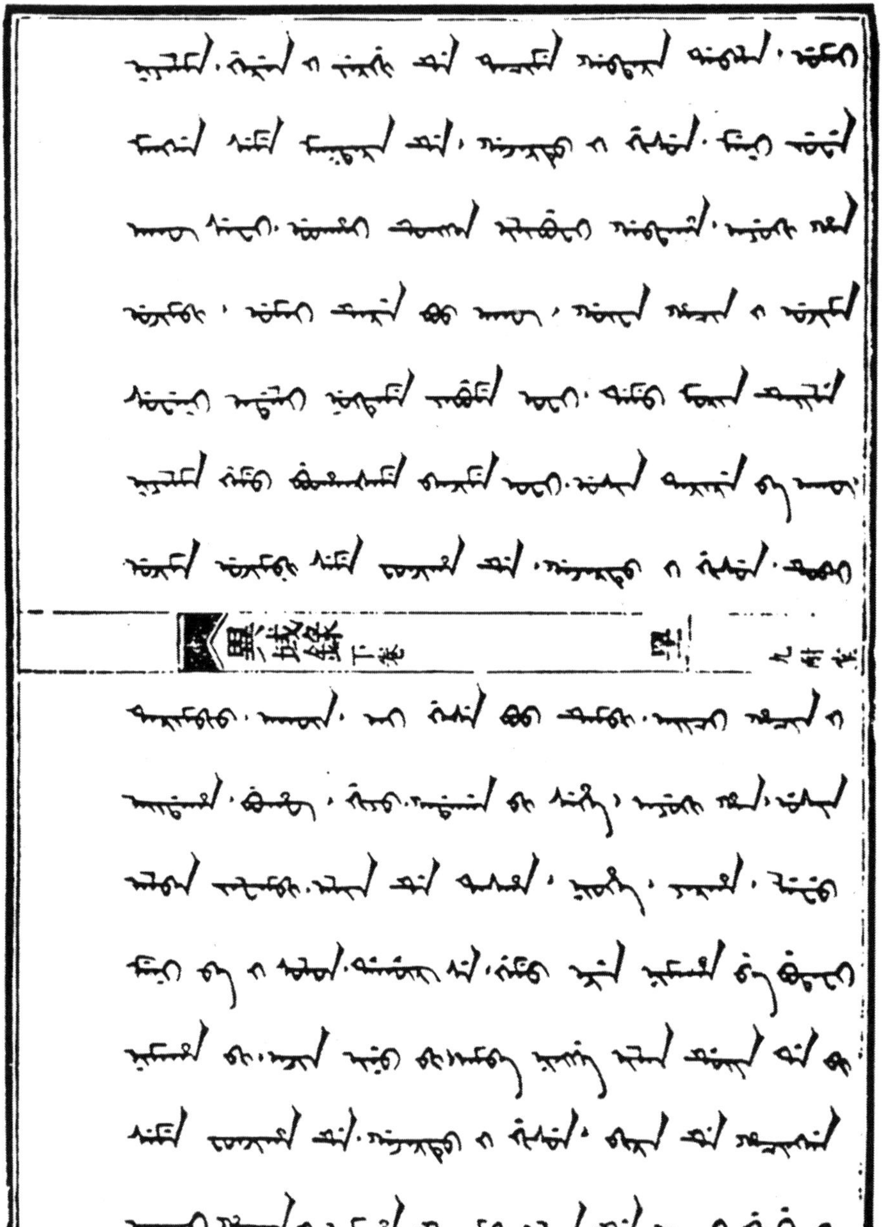

異域錄 下卷

aici hacin i nimaha tucimbi, alin de aici gurgu bi seme fonjiha de, gajartu i gisun, bira de hacingga nimaha bi, ajin inu bi, amba ningge ilan duin da bi, meni ba i solon, dagūr se, gemu ere nimaha be butafi alban jafambi, alin de tasha, niohe, yarha, lefu, aidahan, buhū, giyo, kandagan bi sehe, ayuki han, usin tarimbio, akūn, ai gese boo tembi, aici hacin i ujima ujimbi seme fonjiha de, gajartu i gisun, tubai niyalma gemu buthašame banjime ofi, usin tarire ba akū, suweni adali nukteme yabume ofi, damu morin teile jimbi, umai tere boo akū, gūwa hacin i ujima akū sefi, uthai tungken ilibufi gabtaha, ayuki han mangga seme maktara de, gajartu i gisun, meni juwe niyalma, geren i jergi de tacime gabtara dabala, umai

---

出何等魚？山中有何等獸？噶扎爾圖言，河內所產之魚，種類甚多，亦有鯉鰉魚，大者有一二丈，許其索倫、達呼爾人漁捕此魚進貢，山內有虎、豹、熊、狼、野豬、鹿、狍、坎達漢等獸。阿玉氣汗又問，可種田地否？居何廬舍？養何生畜？噶扎爾圖言，不種田地，以打牲射獵資生，無廬舍，似爾國遊牧，止養馬匹，無他生畜，於是樹的射箭，阿玉氣汗稱善。噶扎爾圖言，我二人並非善射者，方隨眾學射耳。

出何等鱼？山中有何等兽？噶扎尔图言，河内所产之鱼，种类甚多，亦有鲤鳇鱼，大者有一二丈，许其索伦、达呼尔人渔捕此鱼进贡，山内有虎、豹、熊、狼、野猪、鹿、狍、坎达汉等兽。阿玉气汗又问，可种田地否？居何庐舍？养何生畜？噶扎尔图言，不种田地，以打牲射猎资生，无庐舍，似尔国游牧，止养马匹，无他生畜，于是树的射箭，阿玉气汗称善。噶扎尔图言，我二人并非善射者，方随众学射耳。

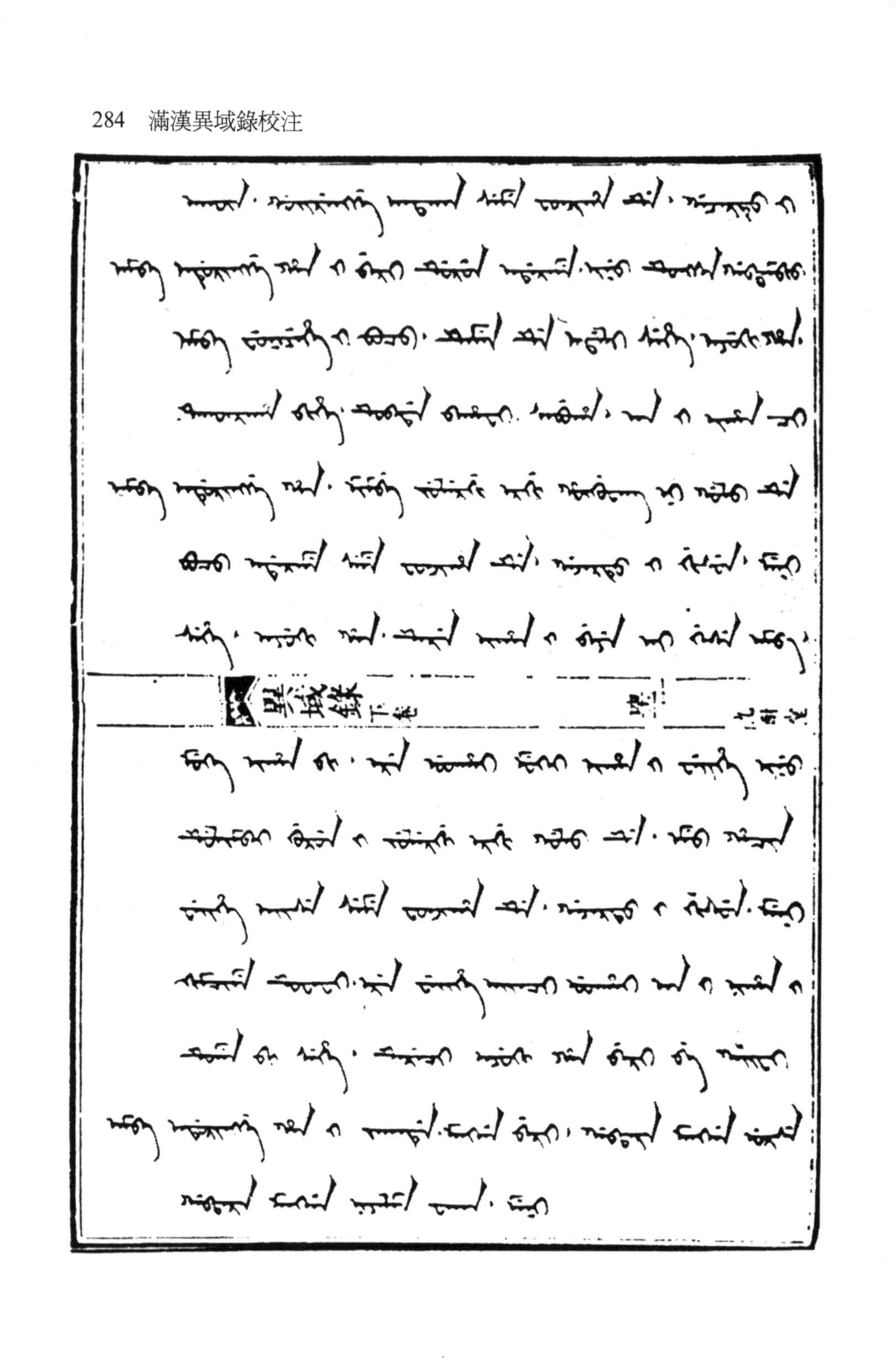

異域錄 下卷

gabtara mangga niyalma waka, meni amba enduringge han i jakade, mangga beri, gabtara mangga urse tumen bi sehe, tereci ayuki han beri be gaifi kimcime tuwafi, ere weihe ainci uthai an i ihan i weihe aise seme fonjiha de, gajartu i gisun, meni dulimbai gurun i julergi ergi golo de, emu hacin muke ihan bi, ere uthai mukei ihan i weihe inu sehe, ayuki han tere ihan i beye ai gese amba, boco adarame seme fonjiha de, gajartu i gisun, meni amba enduringge han, mimbe julergi ergi hūguwang ni golo de takūraha bihe, tubade bahafi sabuha, an i ihan ci amba, funiyehe i boco, temen de adali sehe, ayuki han, amba enduringge han i beri durun adarame, inu tungken gabtambio akūn, goirengge antaka seme fonjiha de, gajartu i

---

大皇帝處執勁弓善射者以萬計。阿玉氣汗借弓詳看，問曰：此弓角係牛角否？噶扎爾圖言，我中國南方有種水牛，此係水牛角。阿玉氣汗又問，其牛身大幾許？是何顏色？噶扎爾圖言，我大皇帝曾差我往南方湖廣地方，因此得見，比旱牛稍大，其色似駝。阿玉氣汗又問，大皇帝所執弓式可得聞否？亦射鼓的否？中的若何？噶扎爾圖

大皇帝处执劲弓善射者以万计。阿玉气汗借弓详看，问曰：此弓角系牛角否？噶扎尔图言，我中国南方有种水牛，此系水牛角。阿玉气汗又问，其牛身大几许？是何颜色？噶扎尔图言，我大皇帝曾差我往南方湖广地方，因此得见，比旱牛稍大，其色似驼。阿玉气汗又问，大皇帝所执弓式可得闻否？亦射鼓的否？中的若何？噶扎尔图

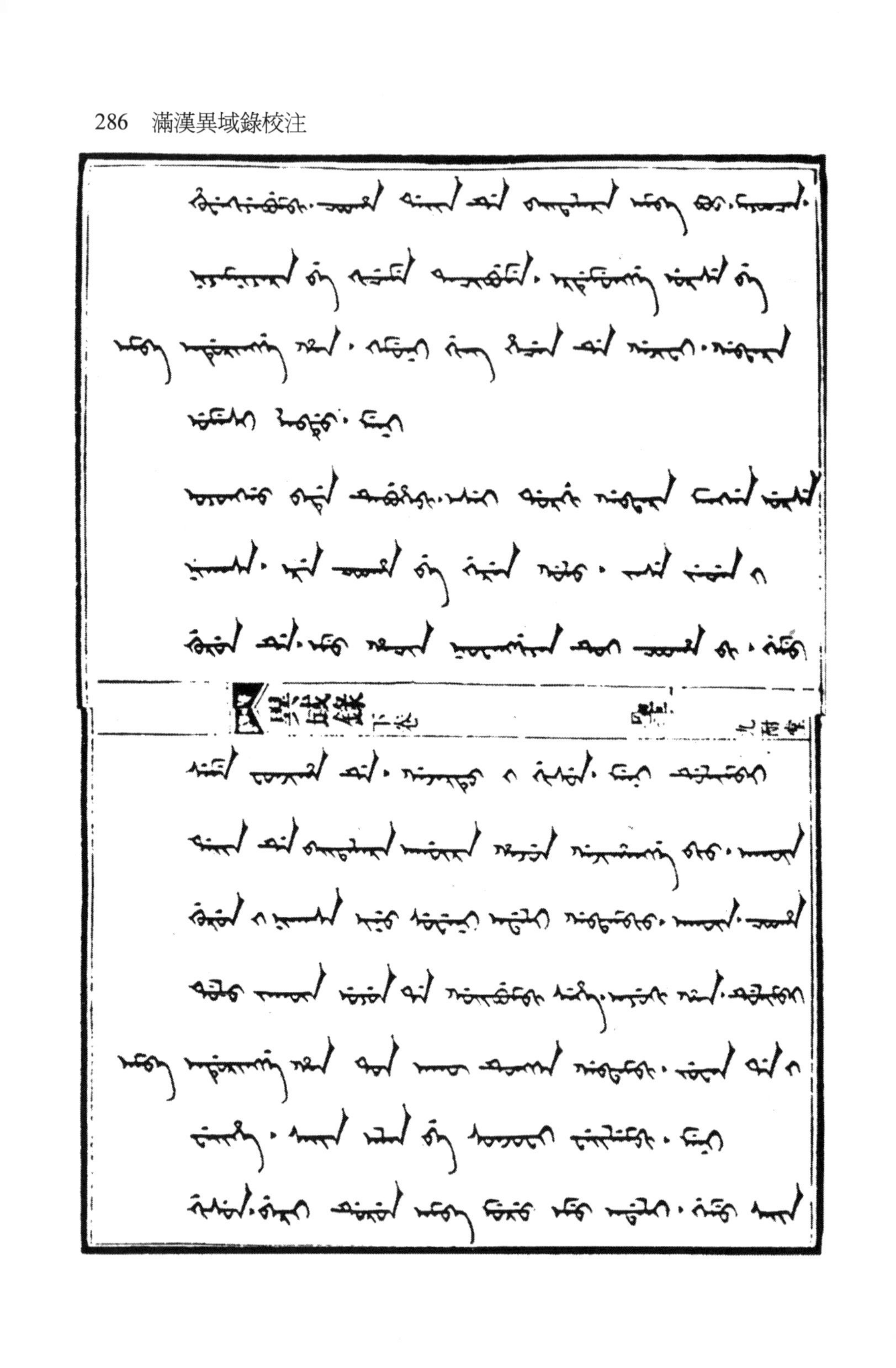

異域錄 上卷

gisun, beri durun amba muru emu adali, gemu sain weihe, sain ala be sonjofi weilembi, meni amba enduringge han ton akū tungken gabtambi, juwan da i dolo jakūn uyun da goibumbi sehe, ayuki han, dulimbai gurun i nikasa inu suweni adali gabtambio, akūn, cooha dain de baitalara agūra hajun gajihangge bio, akūn seme fonjiha de, gajartu i gisun, meni dulimbai gurun de, emu hacin niowanggiyan tui cooha bi, gemu nikasa, ere cooha be geren golo, jase jecen i oyonggo bade tebuhebi, esei dorgi gabtara mangga urse umesi labdu, meni amba enduringge han, kemuni ging hecen de gajifi, gabtara niyamniyara be kiceme tacibume, erdemungge urse be huwekiyebumbi, cooha dain de baitalara amba poo, miyoocan,

---

言弓式大約相同，俱擇上等佳角，樺皮製造，大皇帝不時射鼓的，十中八九。阿玉氣汗又問，中國漢人亦射箭否？出征所用器械等物曾帶來否？噶扎爾圖言，我中國有綠旗兵丁，皆漢人，駐防各省，並巖疆要地，頗多善射者，大皇帝常調取來京，令其動習騎射，以勵人材，其行兵所需大炮、鳥鎗、

言弓式大约相同，俱择上等佳角，桦皮制造，大皇帝不时射鼓的，十中八九。阿玉气汗又问，中国汉人亦射箭否？出征所用器械等物曾带来否？噶扎尔图言，我中国有绿旗兵丁，皆汉人，驻防各省，并岩疆要地，颇多善射者，大皇帝常调取来京，令其动习骑射，以励人材，其行兵所需大炮、鸟鎗、

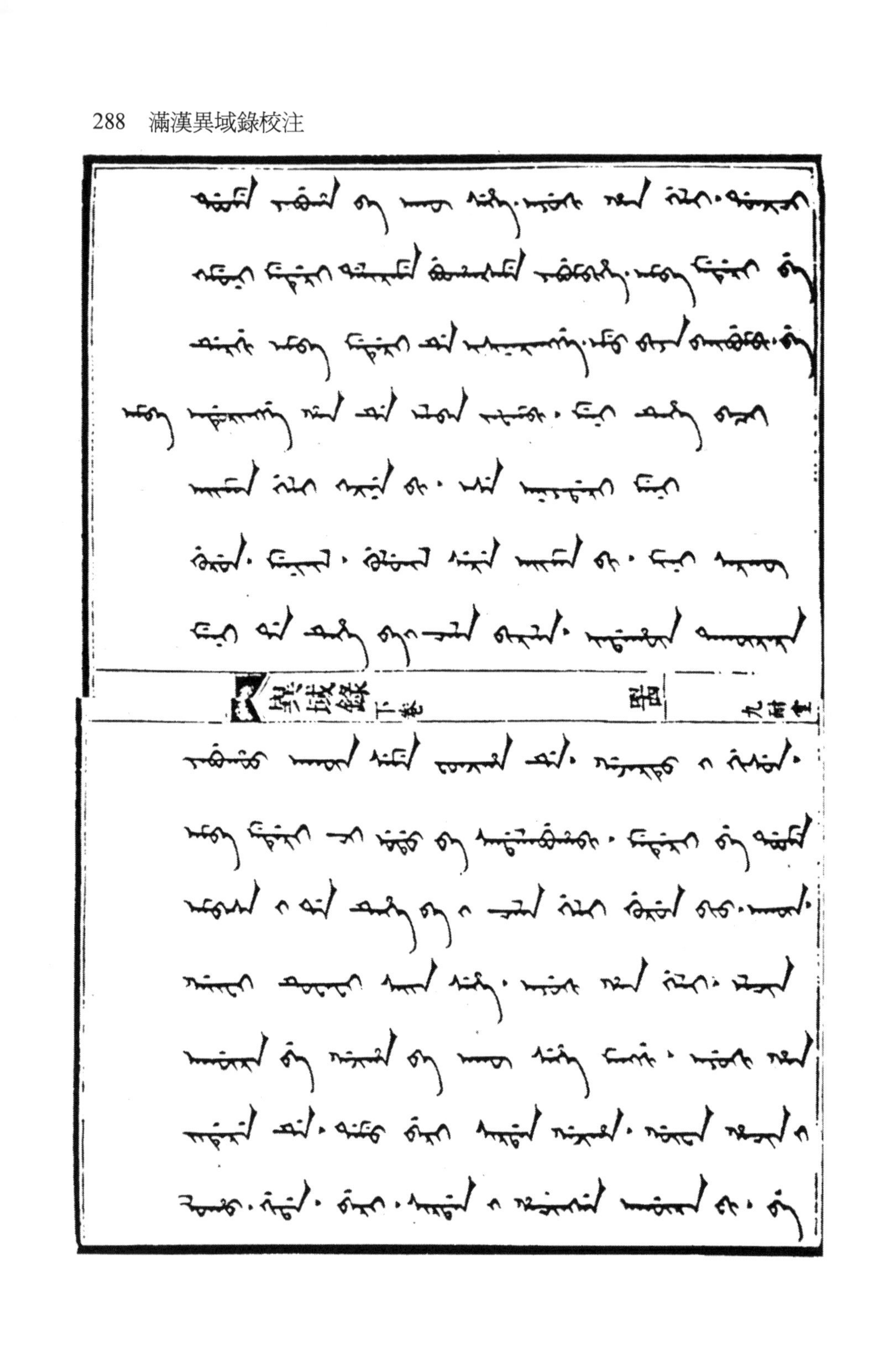

loho, gida, beri, sirdan i hacingga agūra bi, be jidere de, damu beri sirdan gajiha, gūwa hacin i agūra be gajiha ba akū sehe manggi, ayuki han gaifi tuwafi sain sehe, ayuki han geli, elcin ambasa i da tehe ba i cala geli gurun bio, akūn, amba mederi ci udu ba sandalabuhabi, mederi be doome yabuhoo akūn seme fonjiha de, gajartu i gisun, meni da tehe ba i cala birla, indahūn takūrara gurun, meniil, guluil sere aiman bi, mini sarkū aiman geli kejine bi, ese aniyadari meni amba enduringge han de alban jafambi, meni tehe baci dergi amba mederi de isinarangge, emu biya baibumbi, be kemuni mederi dalirame buthašame yabumbihe, amba mederi be doome yabuha ba akū sehe, ayuki han geli, donjici

---

刀劍長鎗弓箭器械等項甚多，我等此來，止攜有弓箭、別項器械俱未曾帶來，阿玉氣汗取看稱善。阿玉氣汗又問，天使原籍以外地方，尚有國度否？離海洋遠近，可曾渡海否？噶扎爾圖言，我原籍地方以外，有必爾拉國、役犬國、莫尼伊爾及鼓魯伊爾諸部落，我所不知部落尚多，俱與大皇帝每歲納貢，東海大洋，相隔我原籍有一月程，沿海一帶，曾往射獵，不曾過大洋，阿玉氣汗又問，聞

刀剑长鎗弓箭器械等项甚多，我等此来，止携有弓箭、别项器械俱未曾带来，阿玉气汗取看称善。阿玉气汗又问，天使原籍以外地方，尚有国度否？离海洋远近，可曾渡海否？噶扎尔图言，我原籍地方以外，有必尔拉国、役犬国、莫尼伊尔及鼓鲁伊尔诸部落，我所不知部落尚多，俱与大皇帝每岁纳贡，东海大洋，相隔我原籍有一月程，沿海一带，曾往射猎，不曾过大洋，阿玉气汗又问，闻

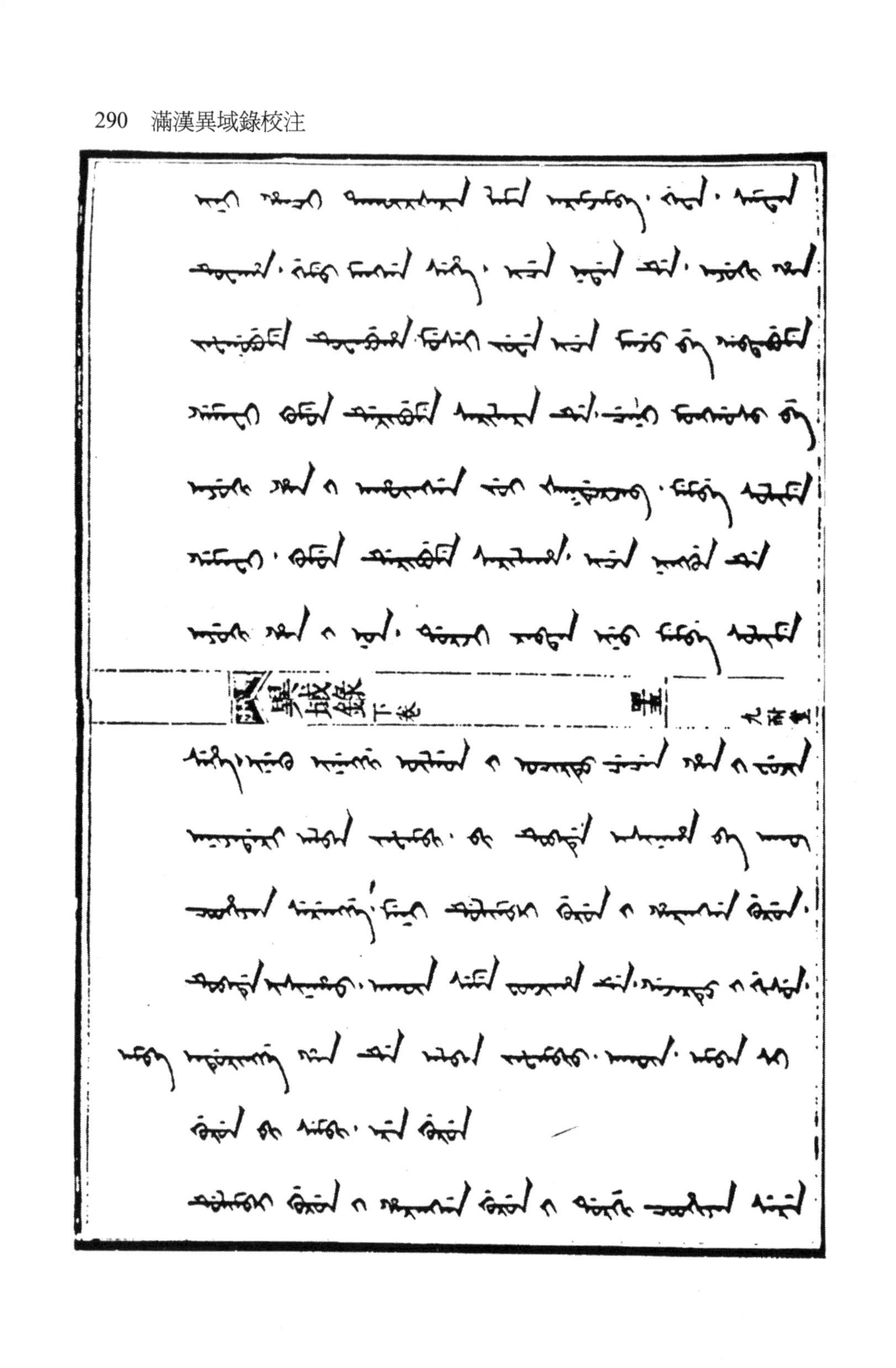

異域錄 下卷

dulimbai gurun i harangga gurun i dorgi coohiyan sere gurun bi sembi, ere gurun amba enduringge han de alban jafambio, akūn, amban si tubade isinahao, akūn seme fonjiha de, gajartu i gisun, coohiyan serengge, meni dulimbai gurun i harangga gurun, aniyadari alban jafambi, bi tubade isinaha ba akū sehe, ineku inenggi ūlet i ocirtu cecen han i fujin, ayuki han i non, dorji rabtan inu membe solime gamafi, kumun deribume sarilaha, ice ninggun de ayuki han i ahūngga jui šakdurjab, membe solime gamafi kumun deribume sarilara de, ceni monggoso be jafanubume tuwabuha, musei juwe ice manju be gabtabume tuwaha, gemu mangga sehe, ice nadan de, ayuki han ini hanci takūrsara lama aramjamba, gewa. samtan

---

得中國有屬國名朝鮮者，與大皇帝納貢否？天使可曾到彼處否？噶扎爾圖言，朝鮮國係我中國所屬，每年貢進方物，我不曾到其地。是日，原厄魯特國王鄂奇爾圖車臣汗之妻，係阿玉氣汗之妹，名多爾濟拉布坦，邀請作樂筵宴。初六日，阿玉氣汗之長子沙克度爾扎布邀請作樂筵宴，令其蒙古人相角抵，請二新滿洲射箭，眾觀之咸稱善。初七日，阿玉氣汗差伊侍近番僧阿拉穆占巴，並格瓦及薩穆坦

得中国有属国名朝鲜者，与大皇帝纳贡否？天使可曾到彼处否？噶扎尔图言，朝鲜国系我中国所属，每年贡进方物，我不曾到其地。是日，原厄鲁特国王鄂奇尔图车臣汗之妻，系阿玉气汗之妹，名多尔济拉布坦，邀请作乐筵宴。初六日，阿玉气汗之长子沙克度尔扎布邀请作乐筵宴，令其蒙古人相角抵，请二新满洲射箭，众观之咸称善。初七日，阿玉气汗差伊侍近番僧阿拉穆占巴，并格瓦及萨穆坦

異域錄 下卷

sebe takūrafi mende alahangge, meni han i gisun, elcin ambasa de ala sehe, meni han, amba enduringge han i elhe be baime elcin takūraki sere gūnin umesi hing sembi, julergi jugūn hafunarakū ofi, utala aniya bahafi elcin takūrahakū, jakan oros i cagan han de jugūn baifi, samtan sebe, elhe be baime, alban jafame takūraha de, amba enduringge han, desereke kesi isibume jiramilame šangnaha bime, geli oros jugūn be mudan goro serakū, hesei bithe wasimbume, elcin ambasa be takūraha, wasimbuha hesei bithe be, meni han tukiyeme jafafi hūlafi, alimbaharakū urgunjeme unenggi gūnin i hing seme hukšembi, te meni han, elcin takūraki sembi, damu be tulergi gurun i niyalma, dulimbai gurun i doro yoso be ulhirakū ofi,

---

等前來曰：我國王差我等來稟天使，我國王常欲遣使，恭請大皇帝萬安，心中慇慇，因南路不通，所以數年相隔，未曾遣使，近日於鄂羅斯國假道，特遣薩穆坦等前往請安進貢，蒙大皇帝隆恩，重加賞賜，不以鄂羅斯國道路僻遠，復頒諭旨，遣天使前來，綸音下降，捧讀之餘，不勝欣躍，中心愛戴，今我國王復欲遣使前往，其繕寫表章欵式，我等外夷，不通中國禮儀，

等前来曰：我国王差我等来禀天使，我国王常欲遣使，恭请大皇帝万安，心中殷殷，因南路不通，所以数年相隔，未曾遣使，近日于鄂罗斯国假道，特遣萨穆坦等前往请安进贡，蒙大皇帝隆恩，重加赏赐，不以鄂罗斯国道路僻远，复颁谕旨，遣天使前来，纶音下降，捧读之余，不胜欣跃，中心爱戴，今我国王复欲遣使前往，其缮写表章欵式，我等外夷，不通中国礼仪，

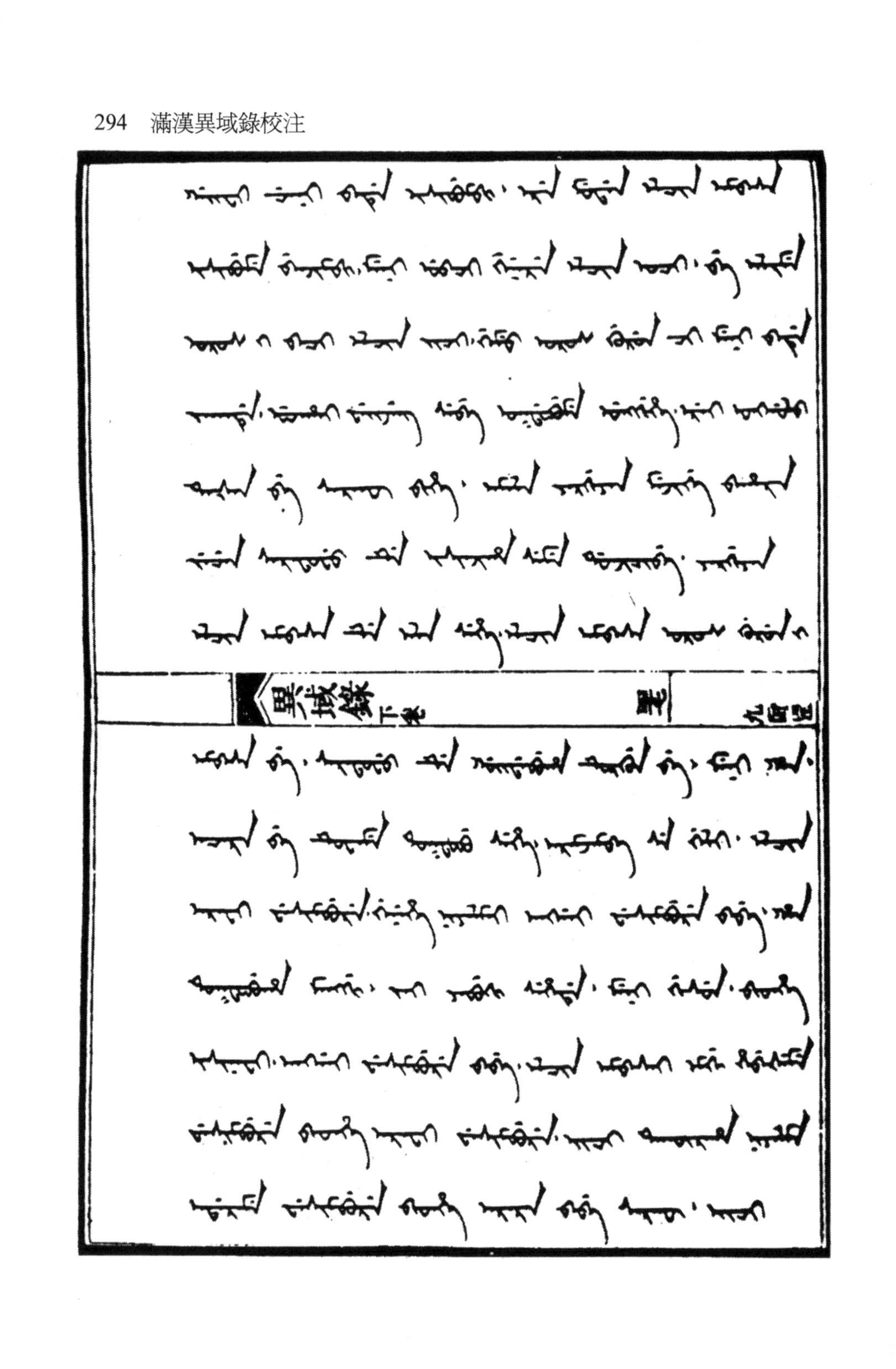

異域錄 下卷

adarame wesimbure bithe arara babe sarkū, eici wesimbure bithe arafi wesimbure, eici takūraha niyalma isinafi, anggai wesimbure babe, elcin ambasai emgi hebešeme toktobuha manggi, jai yabuki sehede, meni gisun, bithe arafi wesimbure, genehe niyalmai anggai wesimbure babe, han acara be tuwame toktobu sehe, aramjamba se geli, elcin ambasa be, saratofu de goidabuha turgun be, meni han, elcin ambasa de ala sehe, elcin ambasa, oros gurun i jecen saratofu de isinjiha seme donjicibe, yargiyan tašan be sarkū bihe, amala yargiyan mejige bahara jakade, uthai weijeng sebe okdobume unggihe, erei onggolo oros i baci elcin jici, gemu oros gurun ci meni bade isibume benjimbi, meni ubaci genere elcin oci, be alime gaifi ceni bade isibumbi, ere mudan elcin ambasa

---

恐不合式，或繕寫表章具奏，或令使者到日口奏，與天使商酌定議而行。我等言，表奏口奏之處還是國王自行裁酌。阿拉穆占巴等又曰：天使在薩拉托付地方躭擱情由，我國王令我等訴稟天使，聞得天使到鄂羅斯國邊界薩拉托付地方信息，猶不的確，後得實信，遂即差魏正等前去迎接，從前使者凡自鄂羅斯國來者，皆係鄂羅斯國差人送至我國地方，其自我國去者，我國即差人送至鄂羅斯國交付，此番天使

恐不合式，或缮写表章具奏，或令使者到日口奏，与天使商酌定议而行。我等言，表奏口奏之处还是国王自行裁酌。阿拉穆占巴等又曰：天使在萨拉托付地方躭搁情由，我国王令我等诉禀天使，闻得天使到鄂罗斯国边界萨拉托付地方信息，犹不的确，后得实信，遂即差魏正等前去迎接，从前使者凡自鄂罗斯国来者，皆系鄂罗斯国差人送至我国地方，其自我国去者，我国即差人送至鄂罗斯国交付，此番天使

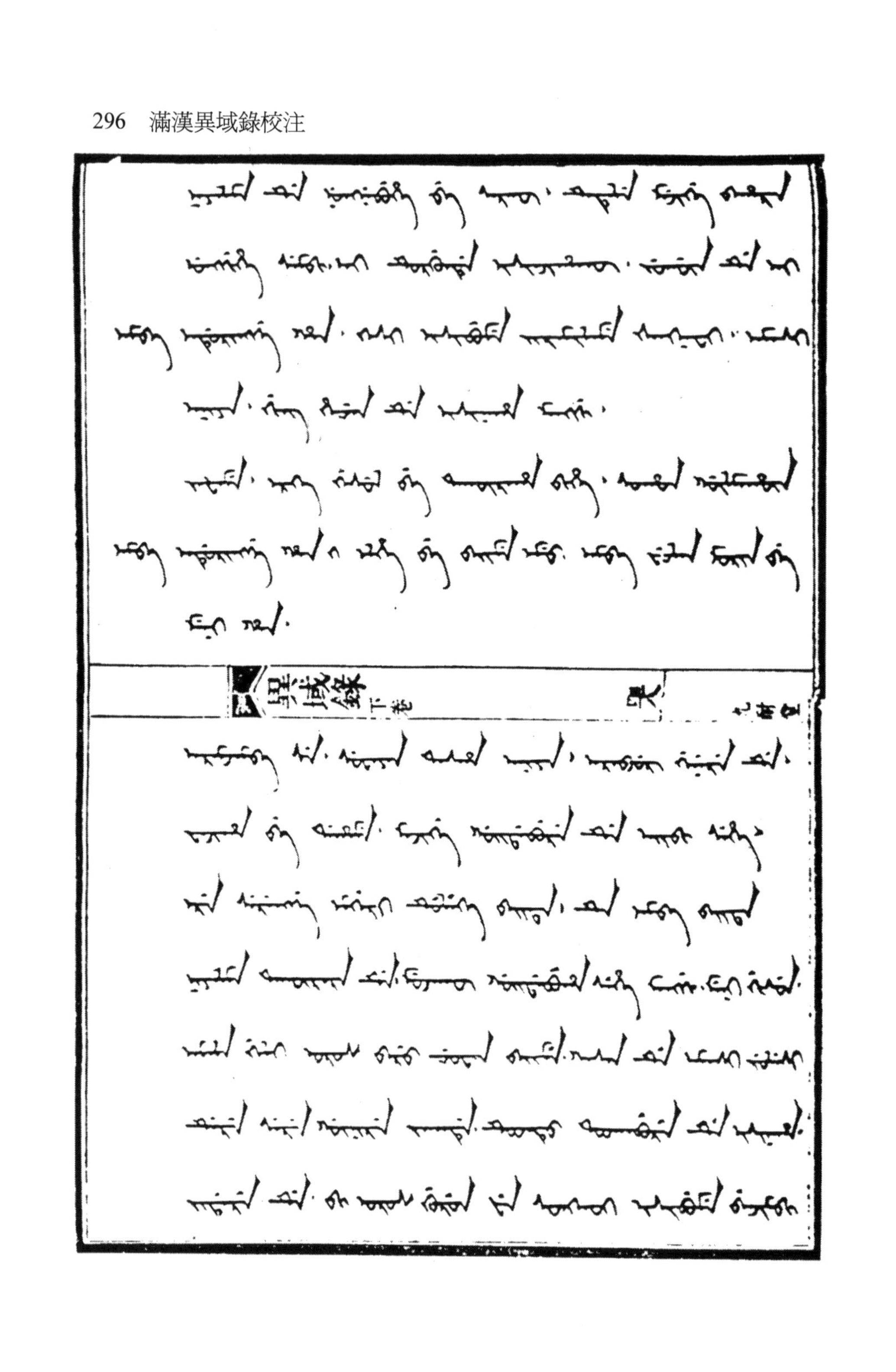

異域錄 下卷

jidere de, bi oros gurun fe songkoi isibume benjimbi dere sere gūnire jakade, tuttu tookabure de isinaha, amala geli oros baru cuwan baime, kasan de amasi julesi niyalma takūrara de, mujakū goidabuha sehe manggi, meni gisun, ere serengge emgeri duleke baita, te amba baita wajiha be dahame, majige goidabure de aibi sehe, aramjamba se, suwayan tasha aniya, arabjur genere de, meni han, amba enduringge han i elhe be baime emu amba fulan morin be jafame, erke gesun be takūraha bihe, sohon gūlmahūn aniya, ging hecen de isinaha manggi, amba enduringge han, kesi isibume jiramilame šangnafi, amasi unggihe sembi, ai turgunde isinjihakū, jugūn de ai niyalma de nungnebuhe be sarkū, tetele mejige bahara

---

來時，我以爲鄂羅斯國仍照前差人送來，因此躭誤，後又向鄂羅斯國借用船隻，往返差人往喀山地方去，以致遲滯日久。我等言，此係已往之事，今大事既畢，略有遲延，無甚大碍。阿拉穆占巴等又稟曰：戊寅年，阿拉布珠兒去時，我汗曾遣使厄里克格孫前往請大皇帝萬安，進大青馬一匹，己卯年到京，聞得大皇帝厚賜恩賞遣還，不知何故未到？途中被何人謀害，至今無信，

来时，我以为鄂罗斯国仍照前差人送来，因此躭误，后又向鄂罗斯国借用船只，往返差人往喀山地方去，以致迟滞日久。我等言，此系已往之事，今大事既毕，略有迟延，无甚大碍。阿拉穆占巴等又禀曰：戊寅年，阿拉布珠儿去时，我汗曾遣使厄里克格孙前往请大皇帝万安，进大青马一匹，己卯年到京，闻得大皇帝厚赐恩赏遣还，不知何故未到？途中被何人谋害，至今无信，

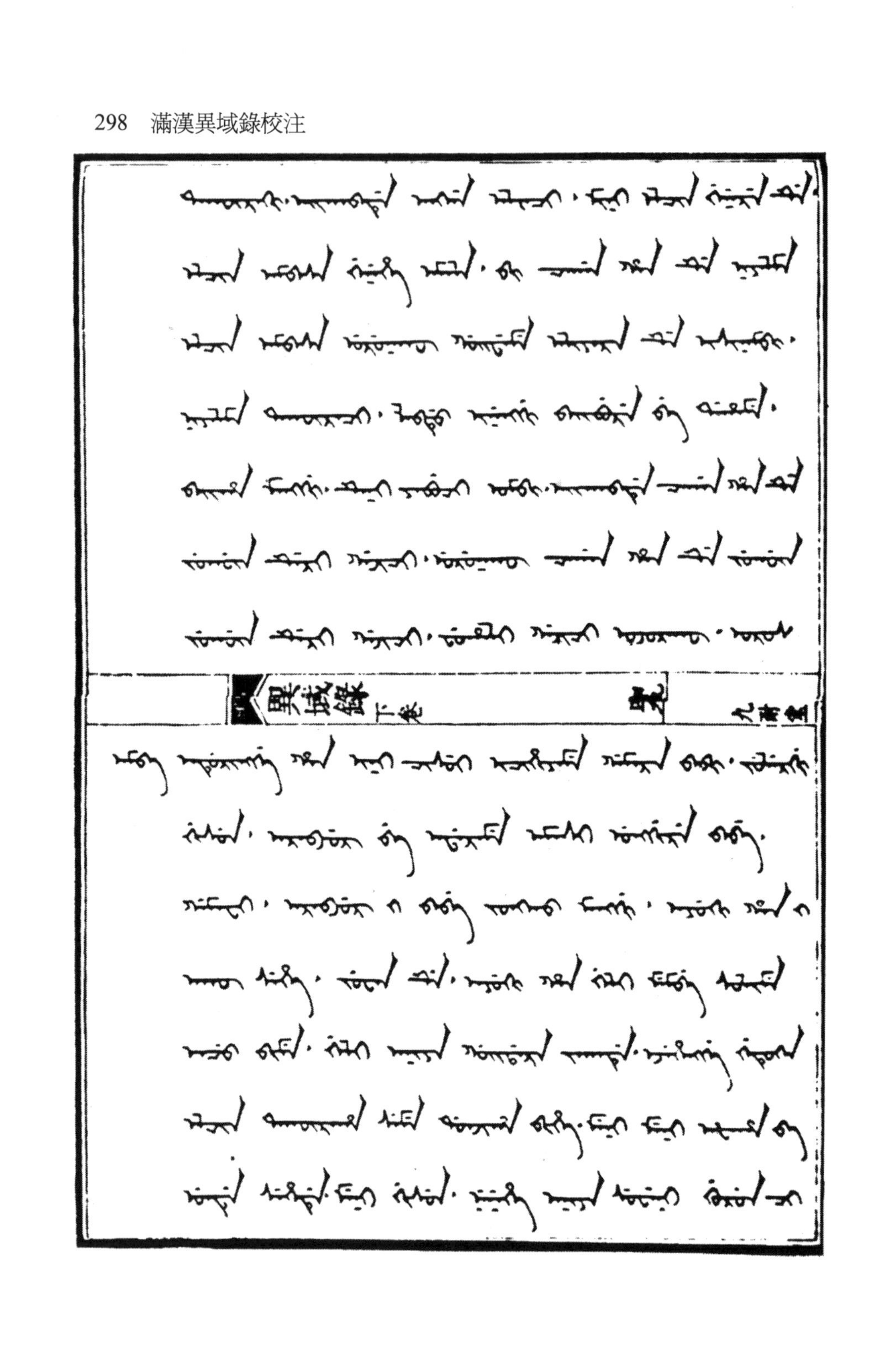

異域錄　下卷

unde sehede, meni gisun, nenehe aniya suweni gurun ci elcin takūraha seme donjiha bihe, meni meni afaha ba encu bime, geli aniya goidara jakade, ejehengge getuken akū sehe, juwan de, ayuki han geli membe solime gamafi, arabjur i babe jongko manggi, ayuki han i gisun, arabjur be adarame amasi unggire babe, amba enduringge han ini cisui icihiyame gamara babi, julergi jugūn deri gajici, fuhali gajici ojorakū, oros jugūn deri gajici, urunakū cagan han de jugūn baiha manggi, teni yabuci ombi, aikabade cagan han de niyalma takūraci, labdu inenggi baibure be dahame, elcin ambasa urunakū goidame aliyara de isinambi, elcin ambasa genehe amala, bi cagan han de niyalma takūraki, aikabade angga aljaci, mini elcin genere de,

---

我等答曰：先年曾聞爾國遣使進貢，我等各有所司，且年久，不知其詳。初十日，阿玉氣汗又請，於是前往，言及阿拉布珠兒之事，阿玉氣汗曰：將阿拉布珠兒作何遣回之處，大皇帝自有睿裁，南路斷不能來，如從鄂羅斯國行走，必假道於察罕汗方可，若差人往察罕汗處去，必需時日，天使必至久待，今請天使先回，隨後差往察罕汗去，如允我遣使時，

我等答曰：先年曾闻尔国遣使进贡，我等各有所司，且年久，不知其详。初十日，阿玉气汗又请，于是前往，言及阿拉布珠儿之事，阿玉气汗曰：将阿拉布珠儿作何遣回之处，大皇帝自有睿裁，南路断不能来，如从鄂罗斯国行走，必假道于察罕汗方可，若差人往察罕汗处去，必需时日，天使必至久待，今请天使先回，随后差往察罕汗去，如允我遣使时，

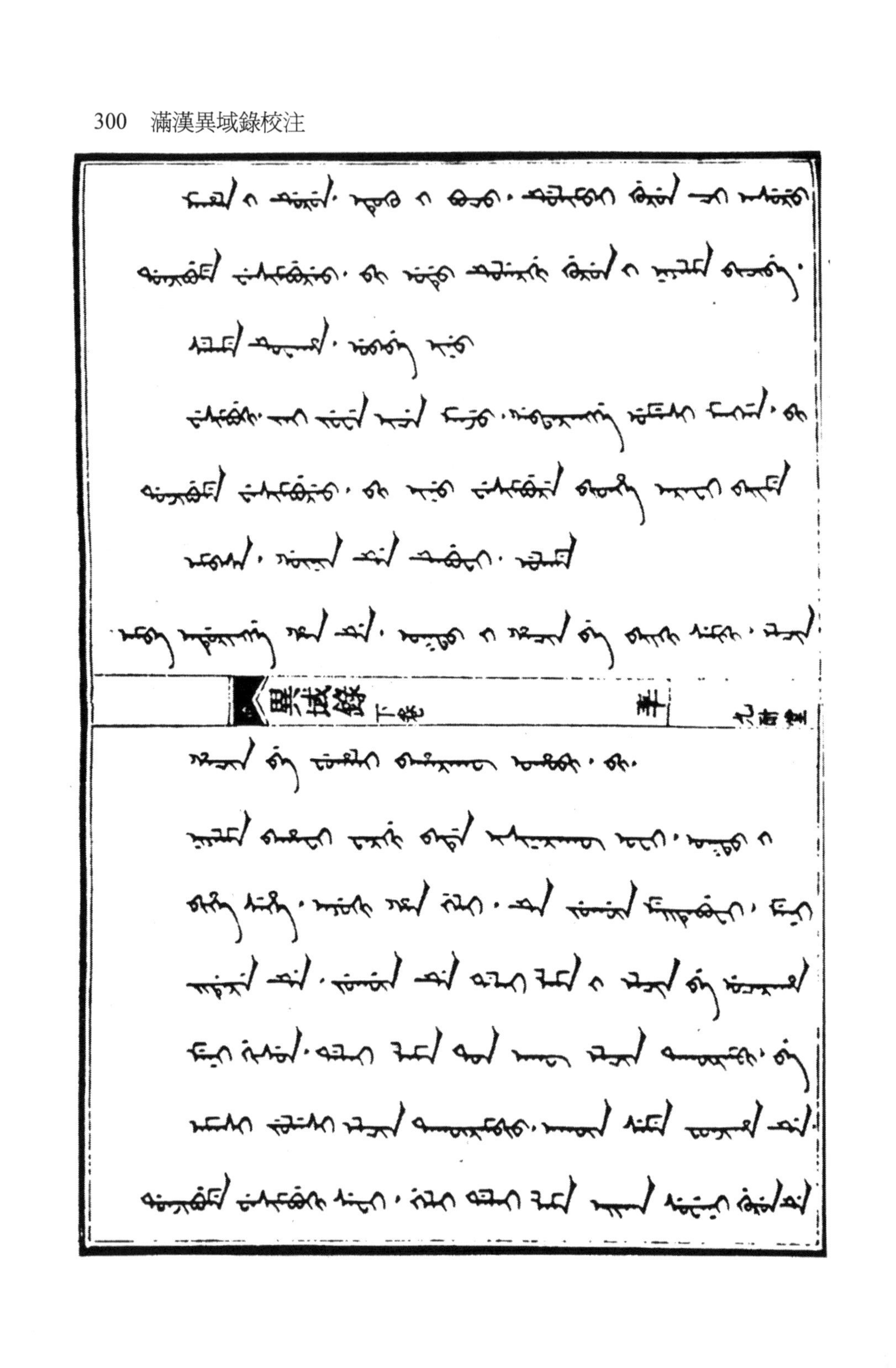

異域錄 下卷 卅

donjibume wesimbuki sefi, geli dalai lama aika suweni gurun de amasi julesi elcin takūrambio, akūn seme fonjiha de, meni gisun, dalai lama ton akū elcin takūrambi, be jidere de, jugūn de dalai lama i elcin be ucaraha bihe sehe, ayuki han geli, te jugūn meitebufi, meni niyalma bahafi wargi bade isinarakū ofi, okto i hacin be fuhali baharakū ohobi, bi amba enduṛingge han de, okto i hacin be baiki sembi, elcin ambasa, gūnin de tebufi, ulame donjibume wesimbureo, bi inu wesimbure bithe arafi baime wesimbuki, jai juwe ice manju, gabtarangge umesi mangga, bi selame tuwạha, ubabe inu donjibume wesimbureo, bi udu tulergi gurun i niyalma bicibe, mahala i durun, etuku i boco, dulimbai gurun ci asuru

---

再行奏聞。阿玉氣汗又問曰：達賴喇嘛可遣使往來否？我等答曰：達賴喇嘛不時遣使，我等來時，途中又遇達賴喇嘛使者。阿玉氣汗又曰：今道路不通，我國人不能達至西藏，凡一切藥物，甚是難得，我於大皇帝懇求一求藥物，煩天使留意，轉爲奏聞，我奏表內一並奏請，至二位新滿洲天使最善射，幸得快覩，亦煩奏聞，我雖係外夷，然衣帽服色略與中國

再行奏闻。阿玉气汗又问曰：达赖喇嘛可遣使往来否？我等答曰：达赖喇嘛不时遣使，我等来时，途中又遇达赖喇嘛使者。阿玉气汗又曰：今道路不通，我国人不能达至西藏，凡一切药物，甚是难得，我于大皇帝恳求一求药物，烦天使留意，转为奏闻，我奏表内一并奏请，至二位新满洲天使最善射，幸得快覩，亦烦奏闻，我虽系外夷，然衣帽服色略与中国

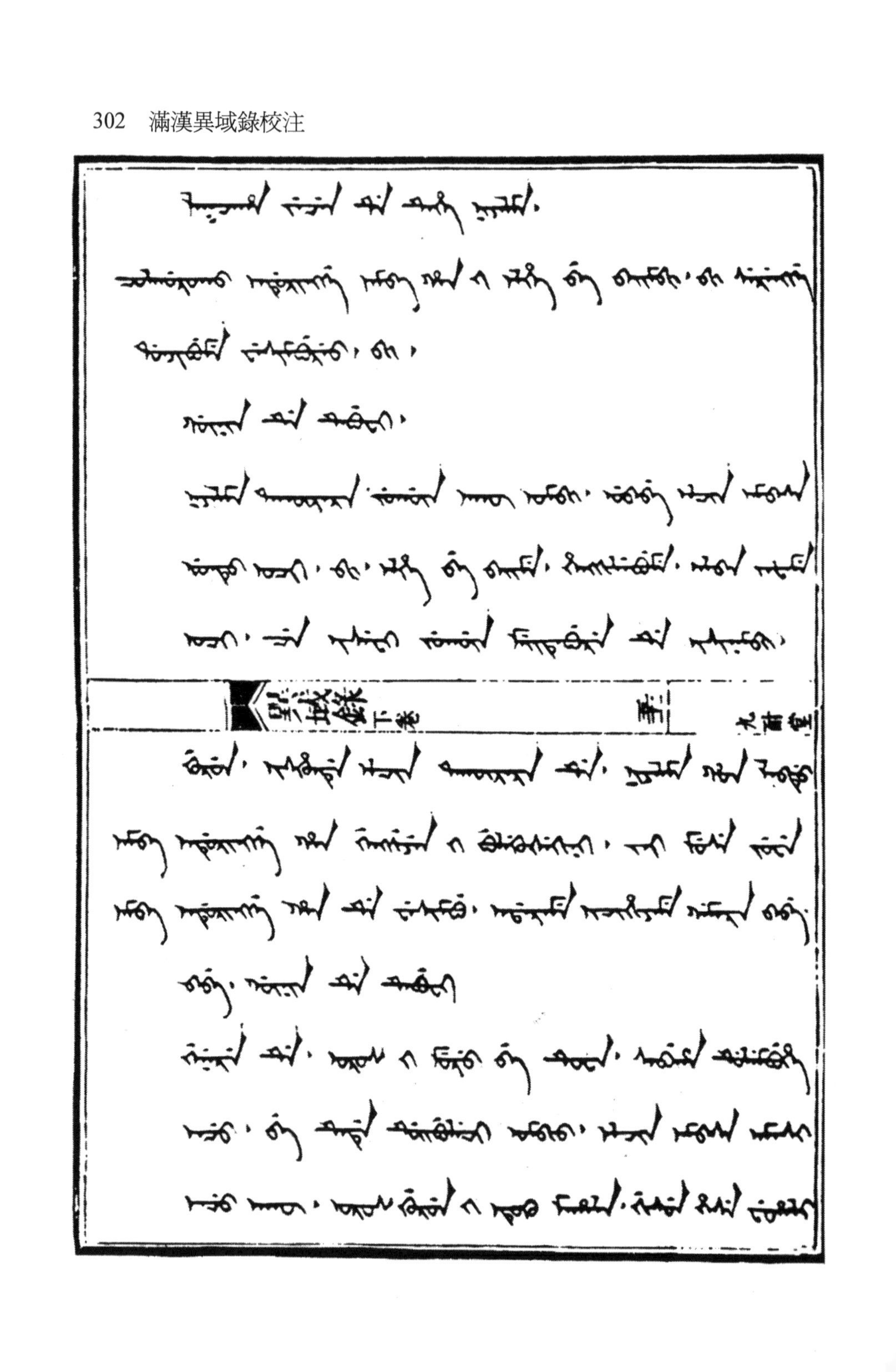

異域錄 下卷

encu akū, oros gurun i etuku mahala, gisun hese fuhali encu, be tede duibuleci ombio, elcin ambasa amasi genere de, oros i muru be tuwa, sabuha dulembuhe babe, gūnin de tebufi amba enduringge han de wesimbu, adarame icihiyame gamara babe, amba enduringge han, genggiyen i bulekušekini, jai muse juwe gurun, ishunde elcin takūrara de, niyalma hon labdu oci, ce isefi jugūn meitebure de isinambi, uttu oci, bi elhe be baime, hengkilebume, alban jafame niyalma takūrara jugūn akū ombi, ubabe elcin ambasa gūnin de tebufi, donjibume wesimbureo, bi colgoroko enduringge amba han i elhe be baimbi, bi serengge lakcaha jecen de tehe niyalma,

---

同，其鄂羅斯國乃衣冠語言不同之國，難以相比，天使返旆時，察看鄂羅斯國情形，凡目擊親見者（註八七），須當留意奏知，大皇帝作何區處，悉聽大皇帝睿鑒，至遣使往來人數若多，恐彼憚煩，斷絕道途，我遂無路請安朝覲進貢矣，此等情由，煩天使留意奏聞，我恭請至聖大皇帝萬安，我係絕域遠夷

同，其鄂罗斯国乃衣冠语言不同之国，难以相比，天使返旆时，察看鄂罗斯国情形，凡目击亲见者（注八七），须当留意奏知，大皇帝作何区处，悉听大皇帝睿鉴，至遣使往来人数若多，恐彼惮烦，断绝道途，我遂无路请安朝觐进贡矣，此等情由，烦天使留意奏闻，我恭请至圣大皇帝万安，我系绝域远夷

註八七：目擊親見者，案叢書集成簡編作「目擊視見者」，「視」當作「親」。

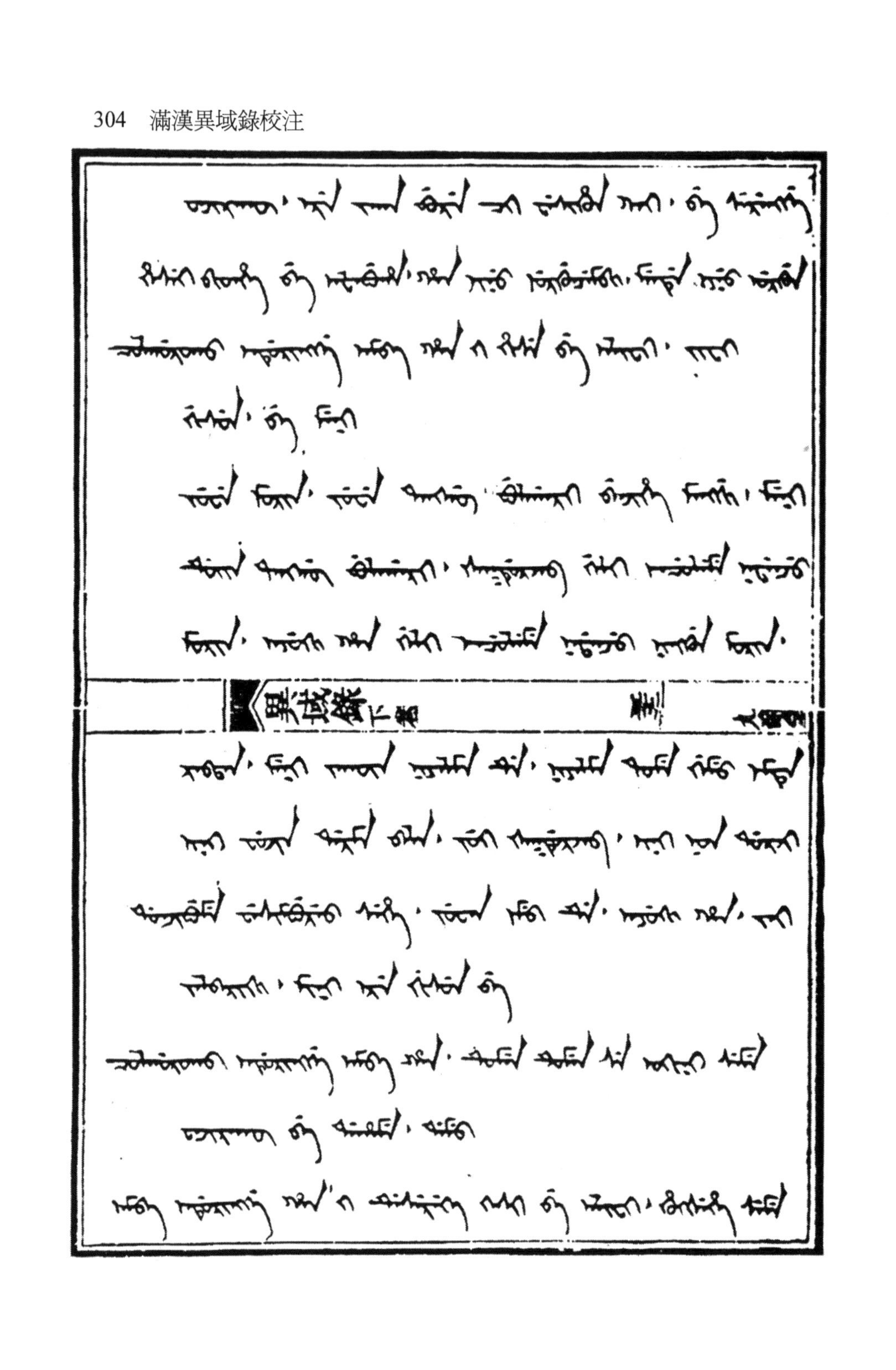

異域錄 下卷

amba enduringge han i desereke kesi be alifi, hukšehe seme wajirakū be dahame, damu colgoroko enduringge amba han, tumen tumen se okini seme jalbariki, mini ere gisun be donjibume wesimbureo sehe, juwan emu de, ayuki han, jai ini fujin darma bala, jui šakdurjab, ini non dorji rabtan, meni jakūn niyalma de, niyalma tome gemu emte morin, ayuki han geli enculeme nadanju ninggun morin, duin tanggū bulgari, šakdurjab geli enculeme nadanju juwe morin, juwe tanggū bulgari benjihe manggi, meni gisun, be meni colgoroko enduringge amba han i hese be alifi, jifi hesei bithe be afabuha, han inu urgunjembi, mende inu urgun wajirakū, ere jaka bure ci wesihun kai, be serengge

---

蒙大皇帝隆恩，感戴不盡，但願至聖大皇帝萬萬歲，將我此言，亦煩奏聞。十一日，阿玉氣汗並伊妃達爾馬巴拉、其子沙克都兒扎布車領敦多布（註八八）、其妹多爾濟拉布坦，於我等八人處，各送馬一匹外，阿玉氣汗又通共送馬七十六匹，薰牛皮四百張，沙克都爾扎布又送馬七十二匹，薰牛皮二百張。我等言，我等奉大皇帝欽命前來，將諭旨交付，不但爾汗喜悅，我等亦喜之不盡，勝於諸物多矣，我等

蒙大皇帝隆恩，感戴不尽，但愿至圣大皇帝万万岁，将我此言，亦烦奏闻。十一日，阿玉气汗并伊妃达尔马巴拉、其子沙克都儿扎布车领敦多布（注八八）、其妹多尔济拉布坦，于我等八人处，各送马一匹外，阿玉气汗又通共送马七十六匹，熏牛皮四百张，沙克都尔扎布又送马七十二匹，熏牛皮二百张。我等言，我等奉大皇帝钦命前来，将谕旨交付，不但尔汗喜悦，我等亦喜之不尽，胜于诸物多矣，我等

註八八：沙克都兒扎布車領敦多布，案滿文作“sakdurjab”，即「沙克都兒扎布」，阿玉氣汗季子車領敦多布之名，滿文刪略不載。

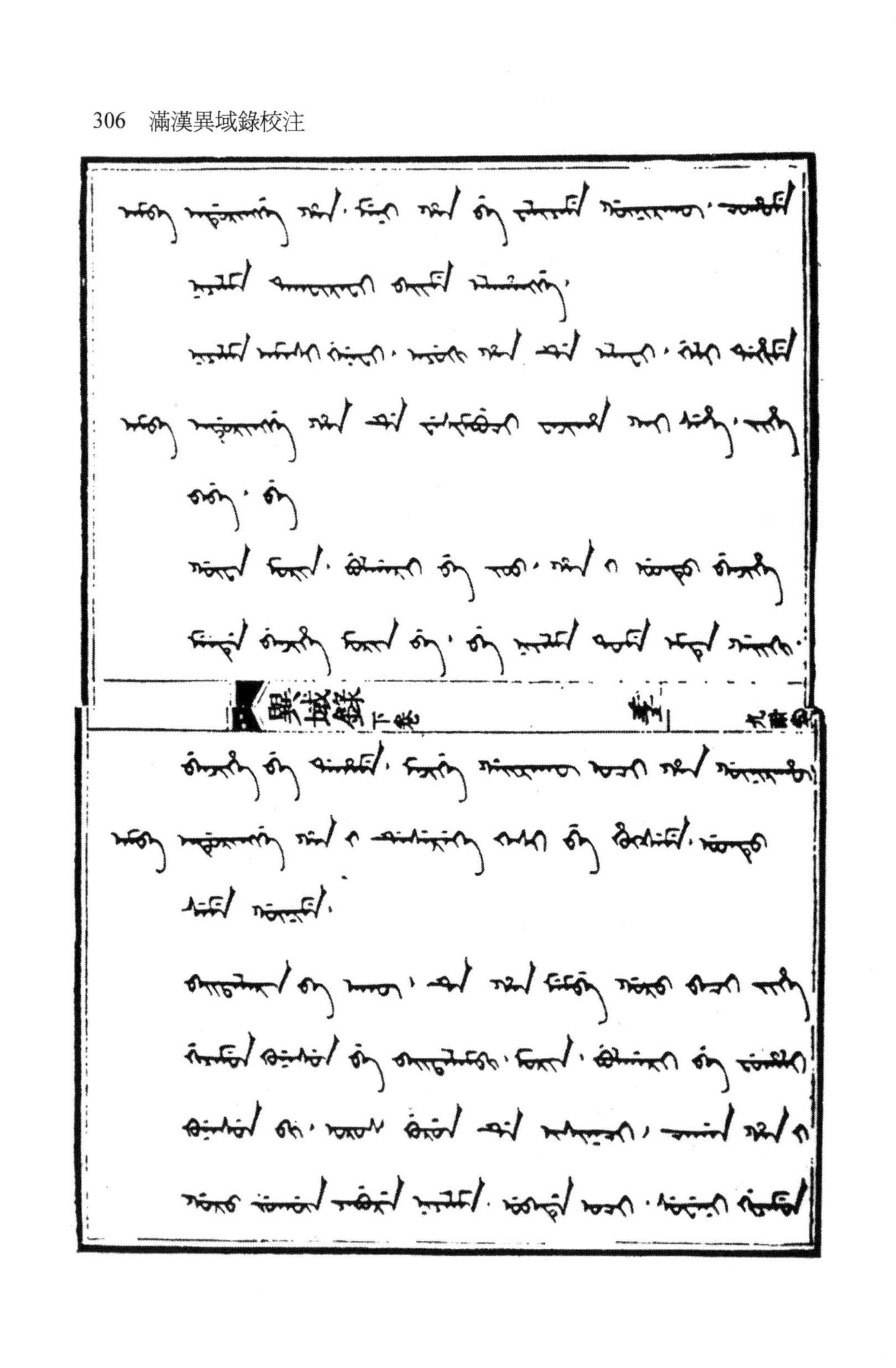

異域錄 下卷

goro jugūn yabure niyalma, ubade oci, suweni giyamun kunesun bi, oros gurun de isinaci, cagan han i giyamun kunesun be baitalambi, morin, bulgari be fuhali baitalara ba akū, te han, membe goro baci jihe seme gūinime, amba enduringge han i desereke kesi be hukšeme, uttu benjihe be dahame, majige gairakū oci, han gūnirahū, mende benjihe morin be, be niyalma tome emte gaiki, gūwa morin, bulgari be joo, han i uttu benjihe babe, be amba enduringge han de wesibuci wajiha kai sehe, jihe niyalma amasi genefi, ayuki han de alafi, geli dahime niyalma takūrafi baime alahangge, amba enduringge han, meni han be waliyame gūnirakū, cohome

---

係遠行人，爾國固有預備馬匹供用，至鄂羅斯國有察罕汗馬匹供用，其馬匹皮張，並無所用處，今爾汗感激大皇帝隆恩，以我等遠來，如此餽送，我等若毫不收受，恐或見怪，可將送我等乘騎各受一匹，其餘馬匹、皮張一暨璧辭，但將爾汗餽送之禮奏知大皇帝可也，來使回覆阿玉氣汗，又復遣人懇乞曰：大皇帝不棄

系远行人，尔国固有预备马匹供用，至鄂罗斯国有察罕汗马匹供用，其马匹皮张，并无所用处，今尔汗感激大皇帝隆恩，以我等远来，如此馈送，我等若毫不收受，恐或见怪，可将送我等乘骑各受一匹，其余马匹、皮张一暨璧辞，但将尔汗馈送之礼奏知大皇帝可也，来使回复阿玉气汗，又复遣人恳乞曰：大皇帝不弃

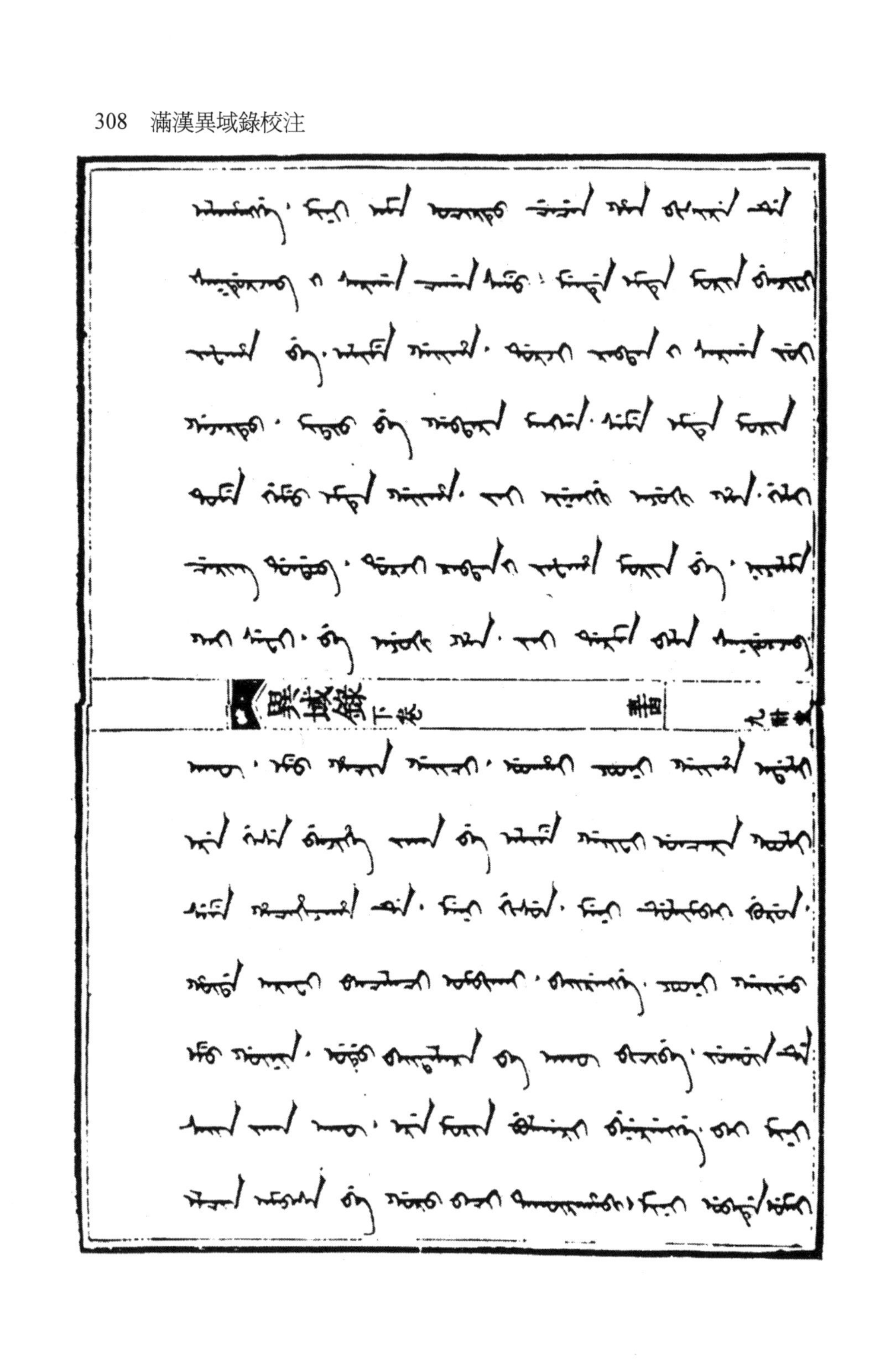

異域錄　下卷

elcin ambasa be goro baci takūrahabi, mini ubade umai sain jaka akū, ere morin, bulgari benerengge, bai mini emu gūnin, udu baitalara ba akū bicibe, jugūn de hūda arafi, pancalaci ombikai, bairengge, yooni gaireo seme hacihiyaha de, meni gisun, meni dulimbai gurun, ere gese benjihe jaka be alime gaifi uncara kooli akū, emu hacin gaici, uthai yooni gaiha adali kai sefi, be ayuki han, jai darma bala, šakdurjab, cering dondob, dorji rabtan i jafaha morin be, niyalma tome gemu emte gaiha, jai inenggi ayuki han, geli gajartu, mitio be gabtara mangga seme emte morin jafaha be, alime gaiha, dorji rabtan i sargan jui šakdurjab i sargan cagan samu, mende emte morin benjifi alahangge, mini ama ocirtu cecen han bisire de

---

我汗，特遣天使遠來，我國並無佳物，此馬匹皮張，不過略表微誠，天使雖無可用處，可於途間變價盤費，懇乞全收。我等言，此等餽送物件，我中國從無售鬻之理，若收受一二件，無異全領，於是將阿玉氣汗及達拉穆巴拉、沙克都兒扎布車領敦多布、多爾濟拉布坦所送馬匹，各受一騎。次日，阿玉氣汗以噶扎爾圖、米丘善射，亦各送馬一匹，收受。多爾濟拉布坦之女，即沙克都爾扎布之妻，察汗薩木送我等馬各一匹曰：我父鄂齊爾圖車臣汗在日，

我汗，特遣天使远来，我国并无佳物，此马匹皮张，不过略表微诚，天使虽无可用处，可于途间变价盘费，恳乞全收。我等言，此等馈送物件，我中国从无售鬻之理，若收受一二件，无异全领，于是将阿玉气汗及达拉穆巴拉、沙克都儿扎布车领敦多布、多尔济拉布坦所送马匹，各受一骑。次日，阿玉气汗以噶扎尔图、米丘善射，亦各送马一匹，收受。多尔济拉布坦之女，即沙克都尔扎布之妻，察汗萨木送我等马各一匹曰：我父鄂齐尔图车臣汗在日，

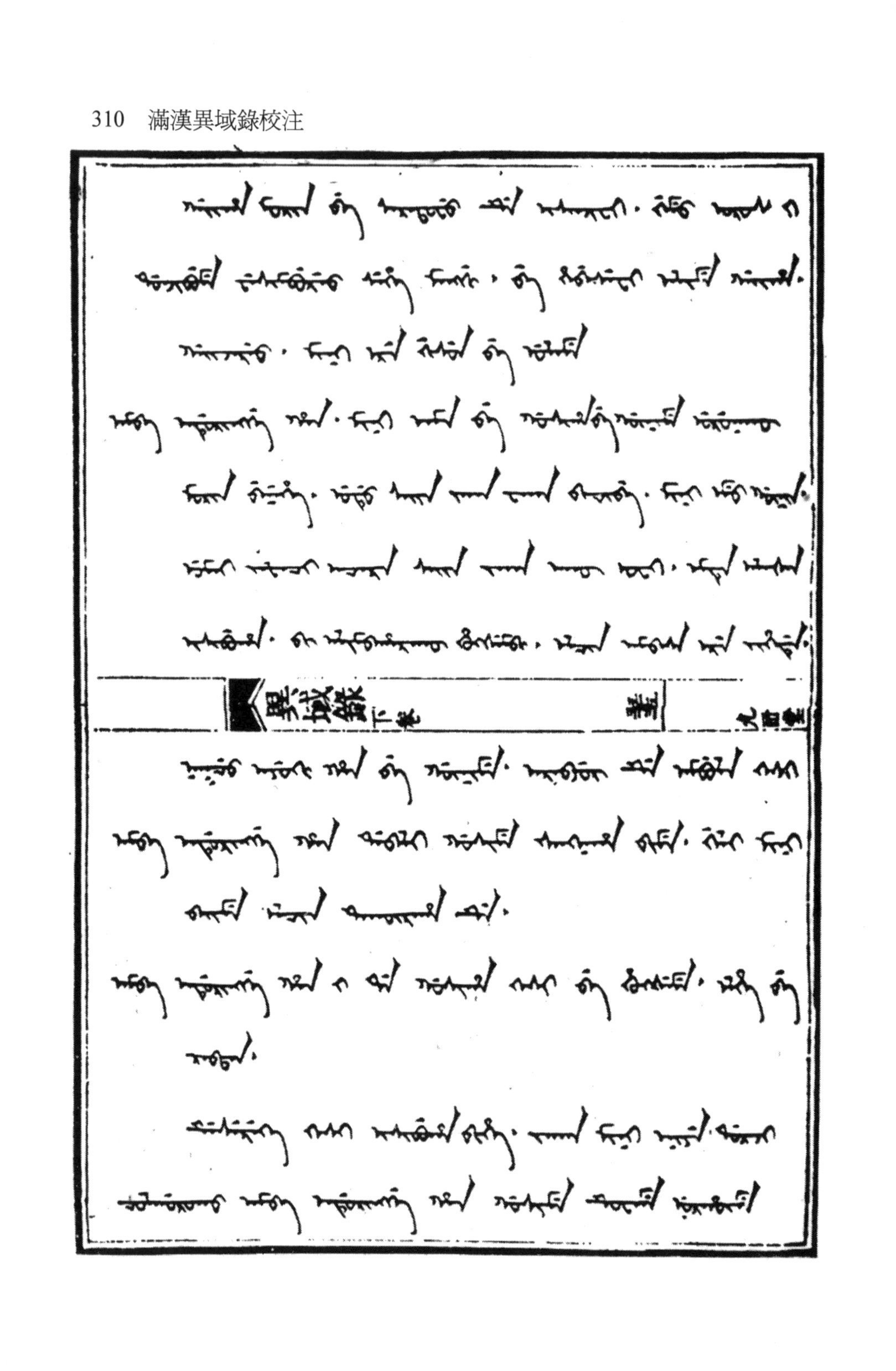

colgoroko amba enduringge han gosime tuwame nurhūme desereke kesi isibuha bihe, jakan mini eniye, dorji rabtan, amba enduringge han i da gosiha kesi be hukšeme, elhe be baime elcin takūraha de, amba enduringge han dabali gosime šangnaha bime, geli mini nakcu ayuki han be gūnime, arabjur de ambula kesi isibuha, be alimbaharakū hukšembi, elcin ambasa ere jihede, umai jafaci acara sain jaka akū ofi, emte alašan morin benehe, udu sain jaka waka bicibe, mini emu gūnin, amba enduringge han, mini ama be gosiha be gūnime urunakū gaijareo, mini ere gisun be ulame donjibume wesimbureo sehe manggi, be hebešefi alime gaiha, gaiha morin be saratofu de isinjifi, gemu oros i

---

屢蒙至聖大皇帝眷愛洪恩，近日我母多爾濟拉布坦感大皇帝從前大德，特遣使請安，復蒙大皇帝優加恩賚，又念我母舅阿玉氣汗將阿拉布珠兒殊加恩恤，我等不勝感戴，天使此來，並無可送之物，各送駑馬一匹，並非佳物，略表微忱，念我父蒙大皇帝眷顧之恩，幸乞辱留，并懇將我情詞，轉爲奏聞，於是酌議收受，其所收馬匹，回至薩拉托付地方，俱賞給鄂羅斯國

屡蒙至圣大皇帝眷爱洪恩，近日我母多尔济拉布坦感大皇帝从前大德，特遣使请安，复蒙大皇帝优加恩赉，又念我母舅阿玉气汗将阿拉布珠儿殊加恩恤，我等不胜感戴，天使此来，并无可送之物，各送驽马一匹，并非佳物，略表微忱，念我父蒙大皇帝眷顾之恩，幸乞辱留，并恳将我情词，转为奏闻，于是酌议收受，其所收马匹，回至萨拉托付地方，俱赏给鄂罗斯国

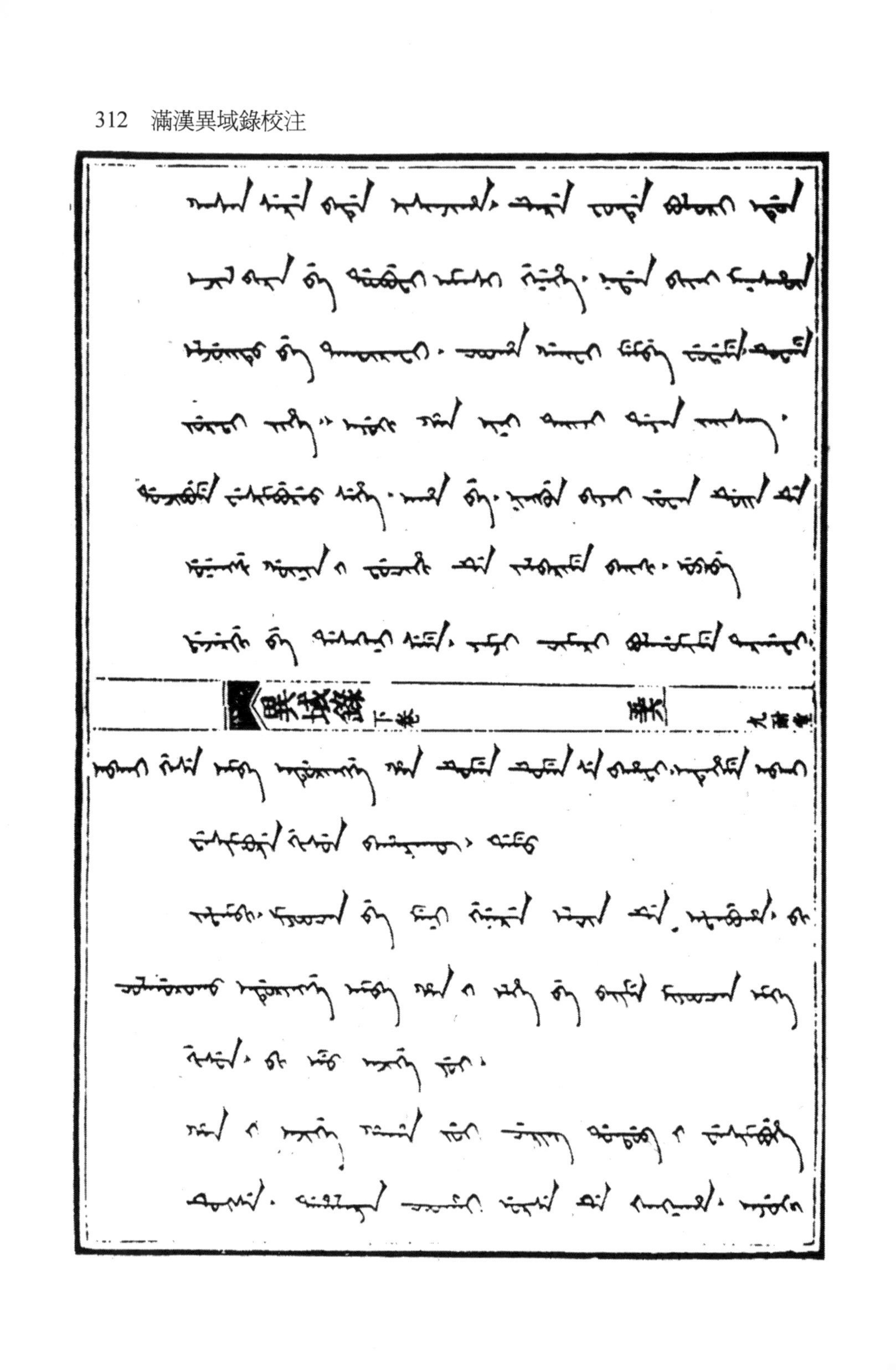

異域錄 下卷

tungse, dahalara coohai urse de šangnaha, ayuki han i ajige haha jui cering dondob i wesimbuhe gisun, bi emu ajige jui, colgoroko enduringge amba han i elhe be baime miyoocan emke jafambi, miyoocan be meni genere elcin de afabuha, bi wesimbure gisun baharakū, damu abkai gese amba enduringge han tumen tumen se bahafi, enteheme abkai fejergi be dasakini seme, yamji cimari bolgomime targafi, unenggi gūnin i fucihi de jalbarime baiki, ubabe donjibume wesimbureo sehe, aha be, ninggun biyai juwan duin de jurafi jihe. ayuki han ini taiji dayan, jaisang eljuitu be takūrafi, cooha gaifi membe fudeme, tuwame ejil bira be doobufi amasi genehe, nadan biyai manashūn kasan sere bade isinjiha, tere fonde bolori edun

---

通事及護送兵丁訖，阿玉氣汗季子車領敦多布奏曰：我年童稚，恭請至聖大皇帝萬安，進鳥鎗一杆，鳥鎗已交付我使者，我無言可奏，但願如天大皇帝萬萬年，臨御天下，我在此朝暮於佛前潔誠禱祝，煩天使奏聞。於六月十四日返旆（註八九），阿玉氣汗遣伊台吉達顏寨桑、爾追圖，率兵護送，俟渡厄濟兒河辭歸，於七月盡至喀山時，金飈

通事及护送兵丁讫，阿玉气汗季子车领敦多布奏曰：我年童稚，恭请至圣大皇帝万安，进鸟鎗一杆，鸟鎗已交付我使者，我无言可奏，但愿如天大皇帝万万年，临御天下，我在此朝暮于佛前洁诚祷祝，烦天使奏闻。于六月十四日返旆（注八九），阿玉气汗遣伊台吉达颜寨桑、尔追图，率兵护送，俟渡厄济儿河辞归，于七月尽至喀山时，金飙

註八九：於六月十四日返旆，案滿文謂「奴才等於六月十四日起程而來」，漢文删略「奴才等」字樣。

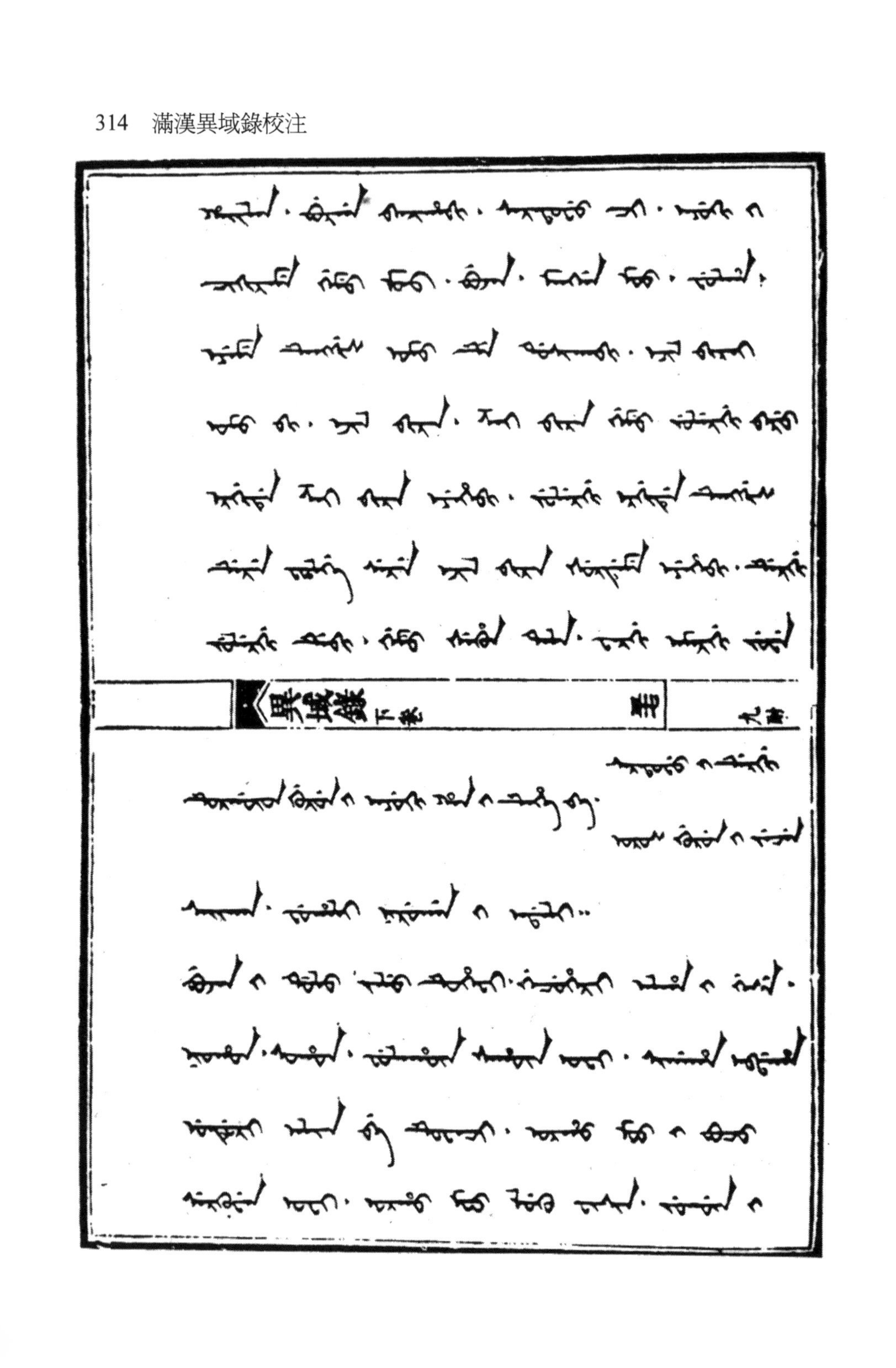

異域錄 下卷

serguwen ofi, orho moo luku fisin, jugūn i unduri alin be tuwaci, orho moo i boco niohon, sohon, fulahūn, šahūn ofi, sigaha abdaha, bujan i dolo jalu tuhefi, gecuheri alha i gese, saikan, fuhali nirugan i adali.turgūt gurun i ayuki han i tehe ba, oros gurun i jecen saratofu i dergi julergi debi, gemu šehun tala, wargi amargi juwe dere folge sere ejil bira šurdeme eyehebi, dergi ergide dzai bira eyehebi, julergi ergide tenggis omo bi, ejil bira, dzai bira gemu julergi baru eyeme tenggis omo de dosikabi, ejil birai cikirame gemu moo, bujan, mangga moo, fulha, hailan, burga banjihabi, saratofu ci, ayuki i

---

薦爽，草木未凋，沿途山色，蒼黃丹碧，霜葉滿林，燦若霞綺，真一幅畫圖也。土爾虎特國王阿玉氣汗遊牧地方，在鄂羅斯國界薩拉托付之東南，俱曠野，西北兩面有佛兒格，即厄濟兒河環流，東面有宰河環流（註九〇），南面有滕紀斯湖，厄濟兒河、宰河俱向南流，歸入滕紀斯湖。緣厄濟兒河，俱林木，有柞、楊、樺、叢柳，自薩拉托付以至阿玉氣汗

荐爽，草木未凋，沿途山色，苍黄丹碧，霜叶满林，灿若霞绮，真一幅画图也。土尔虎特国王阿玉气汗游牧地方，在鄂罗斯国界萨拉托付之东南，俱旷野，西北两面有佛儿格，即厄济儿河环流，东面有宰河环流（注九〇），南面有滕纪斯湖，厄济儿河、宰河俱向南流，归入滕纪斯湖。缘厄济儿河，俱林木，有柞、杨、桦、丛柳，自萨拉托付以至阿玉气汗

註九〇：宰河，滿文讀如"dzai bira"，又作"Jaik R"，即"Ural R"，漢字又作「烏拉河」。

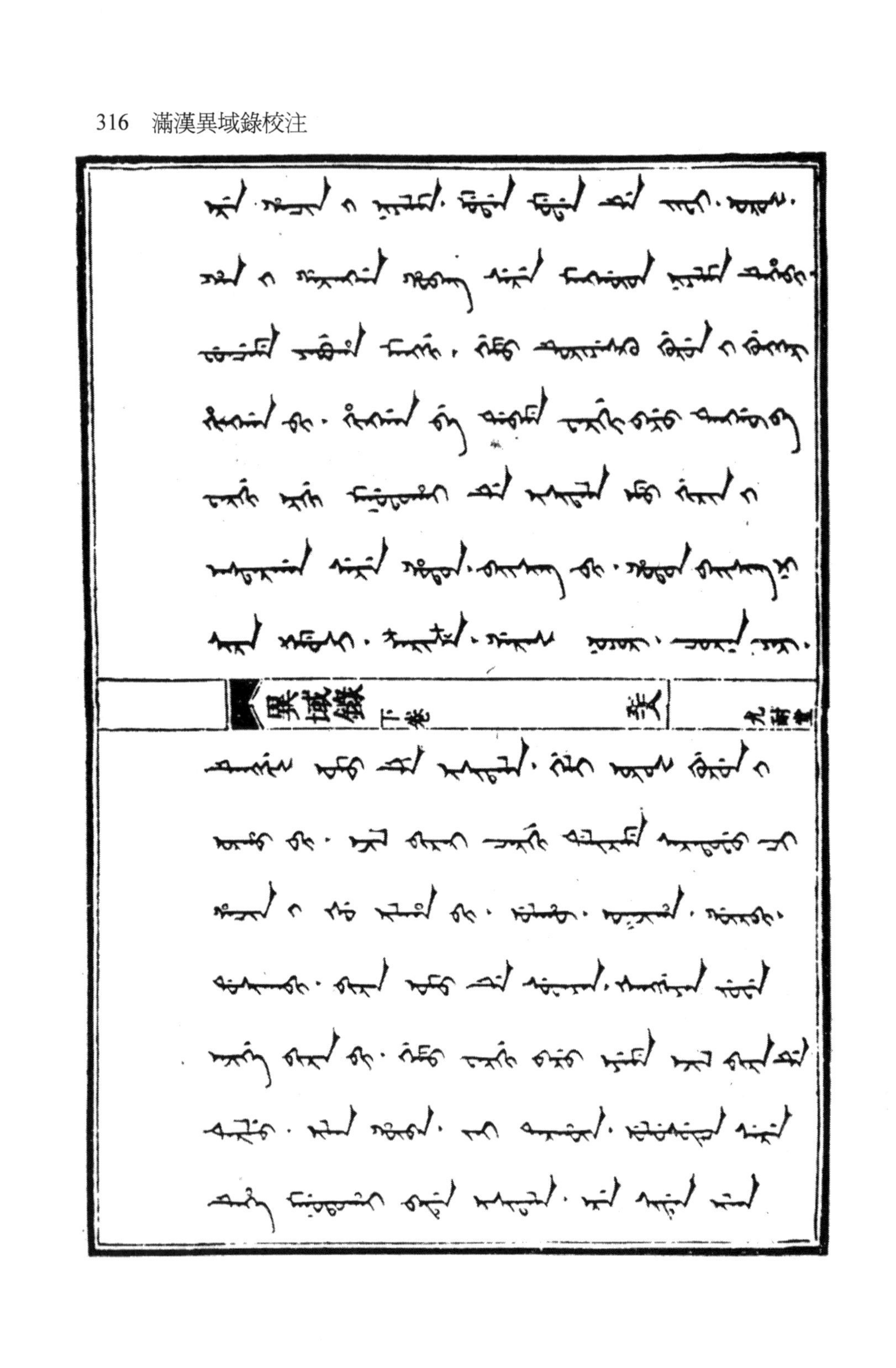

異域錄 下卷 九籥堂

tehe manutohai bade isitala, ere siden ilan tarlu, ilan hūban, jai tarhūn, ulusutun sere ajige bira bi, gemu wargi baru eyeme ejil bira de dosikabi, bira omo de suwayan, šanggiyan juwe hacin i šu ilha bi, ulhū, okjiha, gūrbi orho bi, ejil birai cargi dalirame saratofu ci tenggis omo de isitala, geli oros gurun i sira k'amusi, ts'aritsy, garas noyor, corna yar, astargan sere hoton, baising be, hoton baising ni wargi ergi manutohai de isitala emu giran i hinggan bi, hinggan be dabame wargi baru tanggū ba funceme yabuha manggi, gemu turiyesk'o gurun i gungk'ar han i harangga hobang sere manggūt niyalma tehebi, ere hacin i niyalma, mudan mudan de jifi, oros,

---

所居馬駑托海地方，其間有三道塔爾魯河、三道胡班河及塔而渾，並吳魯蘇屯之小河，俱向西流，歸入厄濟兒河，其河澤內產黃蓮、白蓮、蘆葦、蒲，其厄濟兒河之西岸，自薩拉托付以至滕紀斯湖，又有鄂羅斯國屬之西喇喀穆什、察里次、噶喇斯諾岳爾、綽爾那雅爾阿、斯塔爾漢諸城栢興，自城池栢興以至馬駑托海地方西南一帶，皆興安山嶺，過此向西行百餘里，俱係圖里耶斯科國王拱喀爾汗所屬和邦即莽武特之人居住，此種人，不時擄掠鄂羅斯國

所居马驽托海地方，其间有三道塔尔鲁河、三道胡班河及塔而浑，并吴鲁苏屯之小河，俱向西流，归入厄济儿河，其河泽内产黄莲、白莲、芦苇、蒲，其厄济儿河之西岸，自萨拉托付以至滕纪斯湖，又有鄂罗斯国属之西喇喀穆什、察里次、噶喇斯诺岳尔、绰尔那雅尔阿、斯塔尔汉诸城栢兴，自城池栢兴以至马驽托海地方西南一带，皆兴安山岭，过此向西行百余里，俱系图里耶斯科国王拱喀尔汗所属和邦即莽武特之人居住，此种人，不时掳掠鄂罗斯国

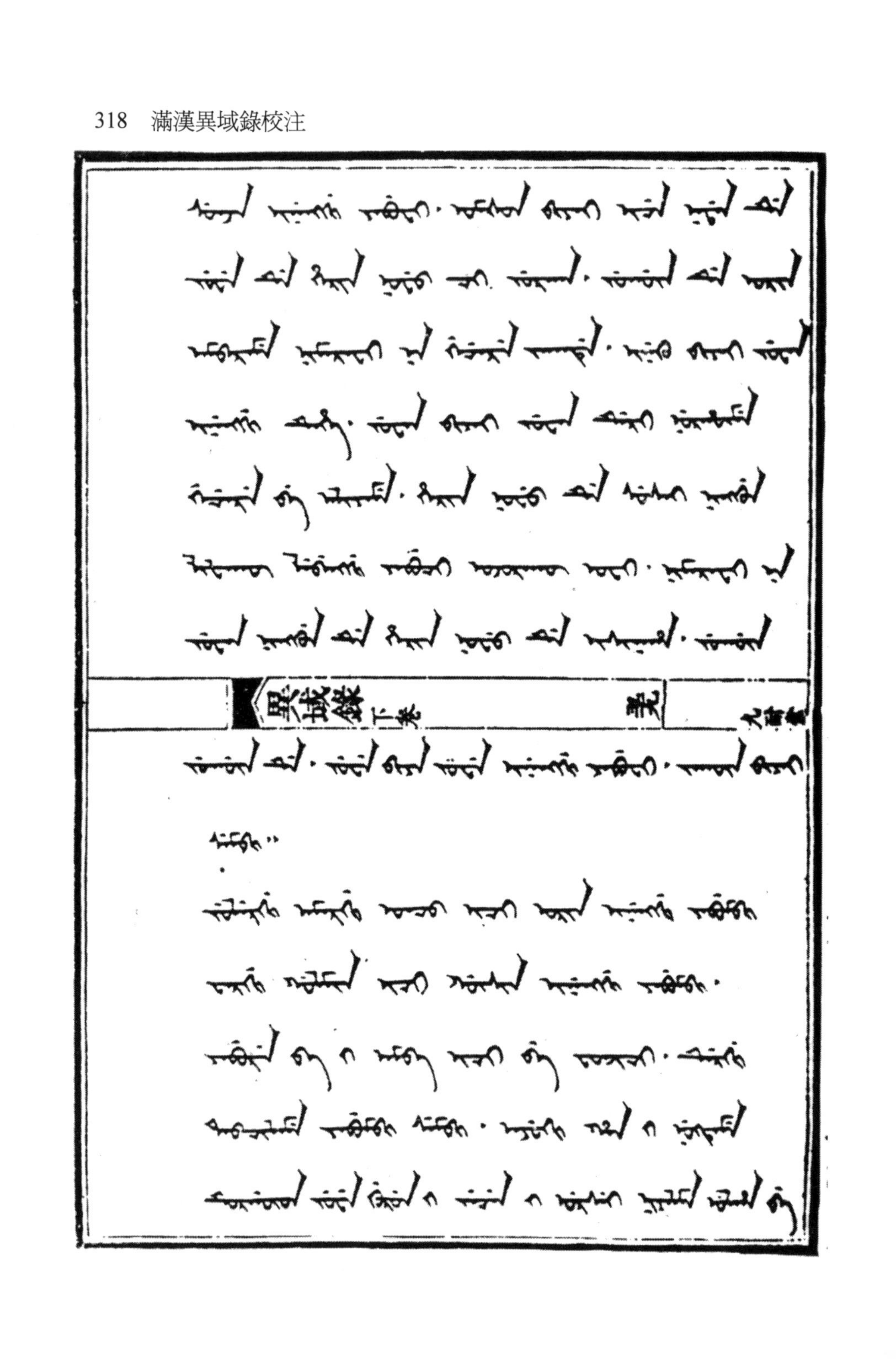

turgūt juwe gurun i jecen i ursei niyalma ulha be tabcilame yabumbi sembi, ayuki han i nukteme yabure ba i amba ici be fonjici, dergi wargi golmin ici gūsin inenggi yabumbi, julergi amargi onco ici orin inenggi yabumbi sembi. jugūn de, juwe biya juwe inenggi yabufi, jakūn biyai juwan ninggun de herin nofu de isinaha, jugūn lifakū lebenggi yabuci ojorakū ofi, nimarafi na gecere be aliyame, herin nofu de susai ninggun inenggi tehe, juwan biyai juwan deri nurhūme ambarame nimarafi na gecere jakade, ineku biyai juwan juwe de herin nofu ci juraka, jugūn de orin sunja inenggi yabufi, omšon biyai ice nadan de,

---

與土爾虎特兩國邊境人畜。詢阿玉氣汗遊牧地方之大小，據言東西可行三十日，南北可行二十日，此地產龜、蛇，蛇身如黑漆。途中行走二閱月零二二日，於八月十六日至黑林諾付。因路泥濘，不可行走，等候下雪地凍，於黑林諾付止五十六宿，十月初旬，連日大雪地凍，於同月十二日從黑林諾付起程，途中行走二十五日（註九一），於十一月初七日，

与土尔虎特两国边境人畜。询阿玉气汗游牧地方之大小，据言东西可行三十日，南北可行二十日，此地产龟、蛇，蛇身如黑漆。途中行走二阅月零二二日，于八月十六日至黑林诺付。因路泥泞，不可行走，等候下雪地冻，于黑林诺付止五十六宿，十月初旬，连日大雪地冻，于同月十二日从黑林诺付起程，途中行走二十五日（注九一），于十一月初七日，

註九一：滿文本自“jugūn de”至“orin sunja inenggi yabufi”一段，漢文本缺漏，此據滿文本譯出漢文。

異域錄 下卷

tobol de isinaha, tere fonde g'a g'a rin, mosk'owa hoton de genehe turgunde, be tobol de aliyame tehe, jorgon biyai ice sunja de, g'a g'a rin isinjifi ice nadan de, ini fejergi oros hafan la ri on wasili ioi cy be takūrafi solinjiha, be genefi acafi ishunde saimbe fonjiha manggi, g'a g'a rin i gisun, elcin ambasa jugūn de joboho kai, giyamun kunesun i hacin aika lakcaha tookabuha babio, elcin ambasa ainci ere gese goro jugūn yabuhakū dere sehede, meni gisun, jugūn de eiten hacin gemu elgiyen, be majige hono suilahakū, duleke aniya be erku ci jurafi jidere de, tuwaci jugūn i unduri alin, hada, bujan, weji labdu bicibe, meni beye cuwan tefi yabure jakade, hercun akū duleke, yabancin ci

---

回至托波兒地方，值總管噶噶林往莫斯科窪城去，因等候，住托波兒地方，十二月初五日，噶噶林到來，初七日，差伊所屬鄂羅斯官拉里溫瓦什里玉赤來請，於是往見，互敘寒溫，噶噶林曰：天使途中勞苦，凡馬匹供給曾有缺乏處否？似此長途，想天使未必走過（註九二）。我等答曰：途中一切供應，並無缺乏，亦不甚勞苦，去歲我等自厄爾庫地方起程來時，沿途雖皆有山巒林藪，我等俱舟行不覺，自鴉板沁地方

回至托波儿地方，值总管噶噶林往莫斯科洼城去，因等候，住托波儿地方，十二月初五日，噶噶林到来，初七日，差伊所属鄂罗斯官拉里温瓦什里玉赤来请，于是往见，互叙寒温，噶噶林曰：天使途中劳苦，凡马匹供给曾有缺乏处否？似此长途，想天使未必走过（注九二）。我等答曰：途中一切供应，并无缺乏，亦不甚劳苦，去岁我等自厄尔库地方起程来时，沿途虽皆有山峦林薮，我等俱舟行不觉，自鸦板沁地方

註九二：未必走過，案叢書集成簡編、小方壺齋輿地叢鈔作「必走過」，俱脫「未」字”

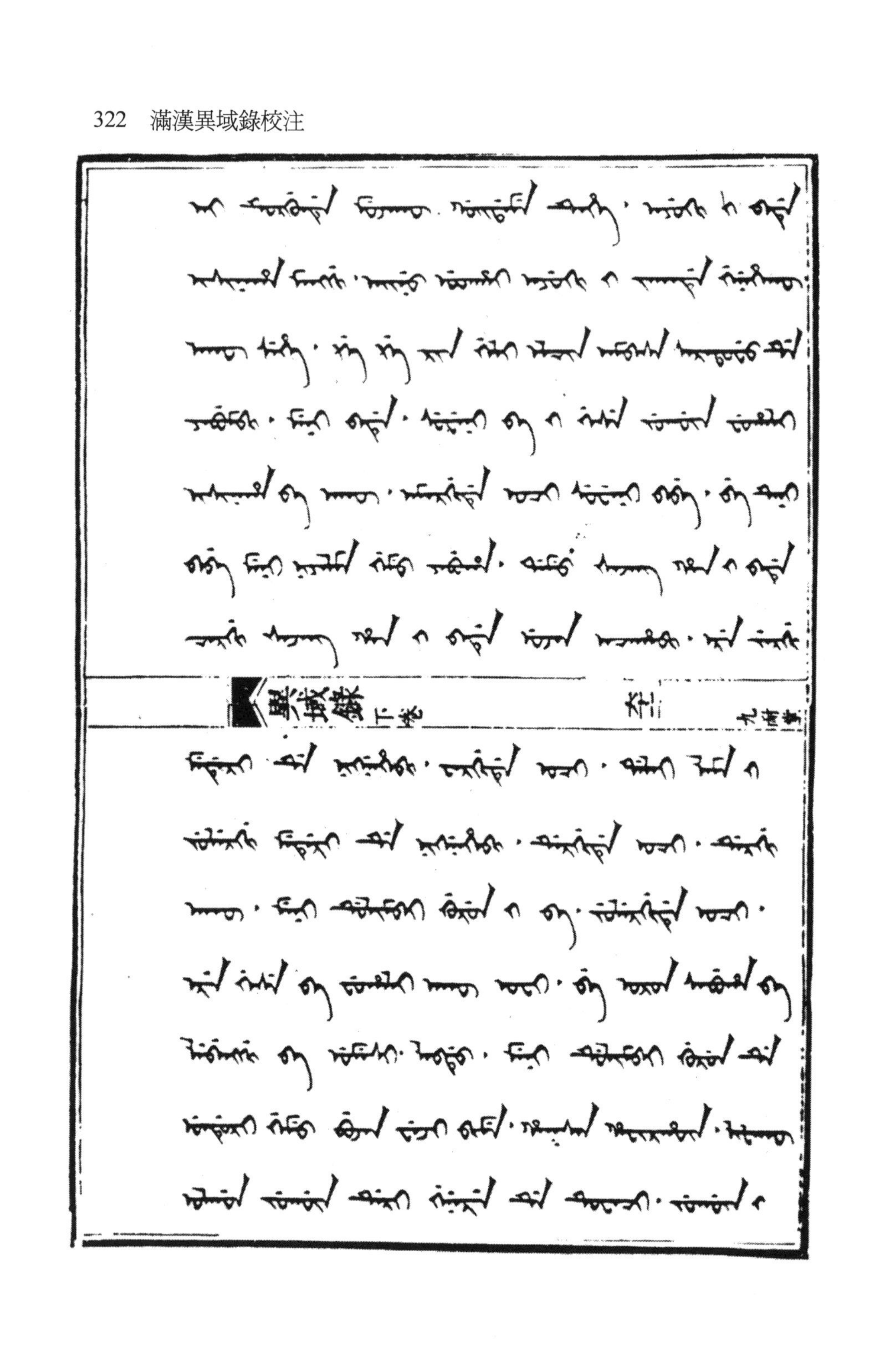

異域錄 下卷　廿二　九間書

olgon jugūn deri genere de tuwaci, jugūn i unduri gemu bujan weji bime, haksan hafirhūn, lifakū lebenggi ba umesi labdu, meni dulimbai gurun de ere gese ba fuhali akū ofi, be oron sabuha ba akū, meni dulimbai gurun i ba, julergide oci, julergi mederi de nikenehebi, dergide oci, dergi mederi de nikenehebi, wargide oci, dalai lama i cargi šajang han i bade ujan acahabi, ere jergi babe meni niyalma gemu yabuha, damu šajang han i bade isinaha ba akū, amargide oci suweni babe, be teni yabumbi, meni bade, suweni ba i gese jugūn fuhali akū sehe, g'a g'a rin geli elcin ambasa saratofu de isinaha manggi, ainu uthai ayuki i jakade geheheku̅, ai turgunde mujakū goidame tehe, ayuki i bade

---

陸行，沿途皆林藪，道路狹隘，泥濘處甚多，我中國並無此等地方，亦不曾見，我中國地方，南至南海，東至東海，西與西藏之西沙章汗接壤，此等地方，我國之人皆曾到過，惟沙章汗地方未到，在北則有爾國地方，我等初次到此，我中國並無似爾國地方者。噶噶林又問，天使至薩拉托付地方，因何不即往阿玉氣汗處去，乃久住薩拉托付地方

陆行，沿途皆林薮，道路狭隘，泥泞处甚多，我中国并无此等地方，亦不曾见，我中国地方，南至南海，东至东海，西与西藏之西沙章汗接壤，此等地方，我国之人皆曾到过，惟沙章汗地方未到，在北则有尔国地方，我等初次到此，我中国并无似尔国地方者。噶噶林又问，天使至萨拉托付地方，因何不即往阿玉气汗处去，乃久住萨拉托付地方

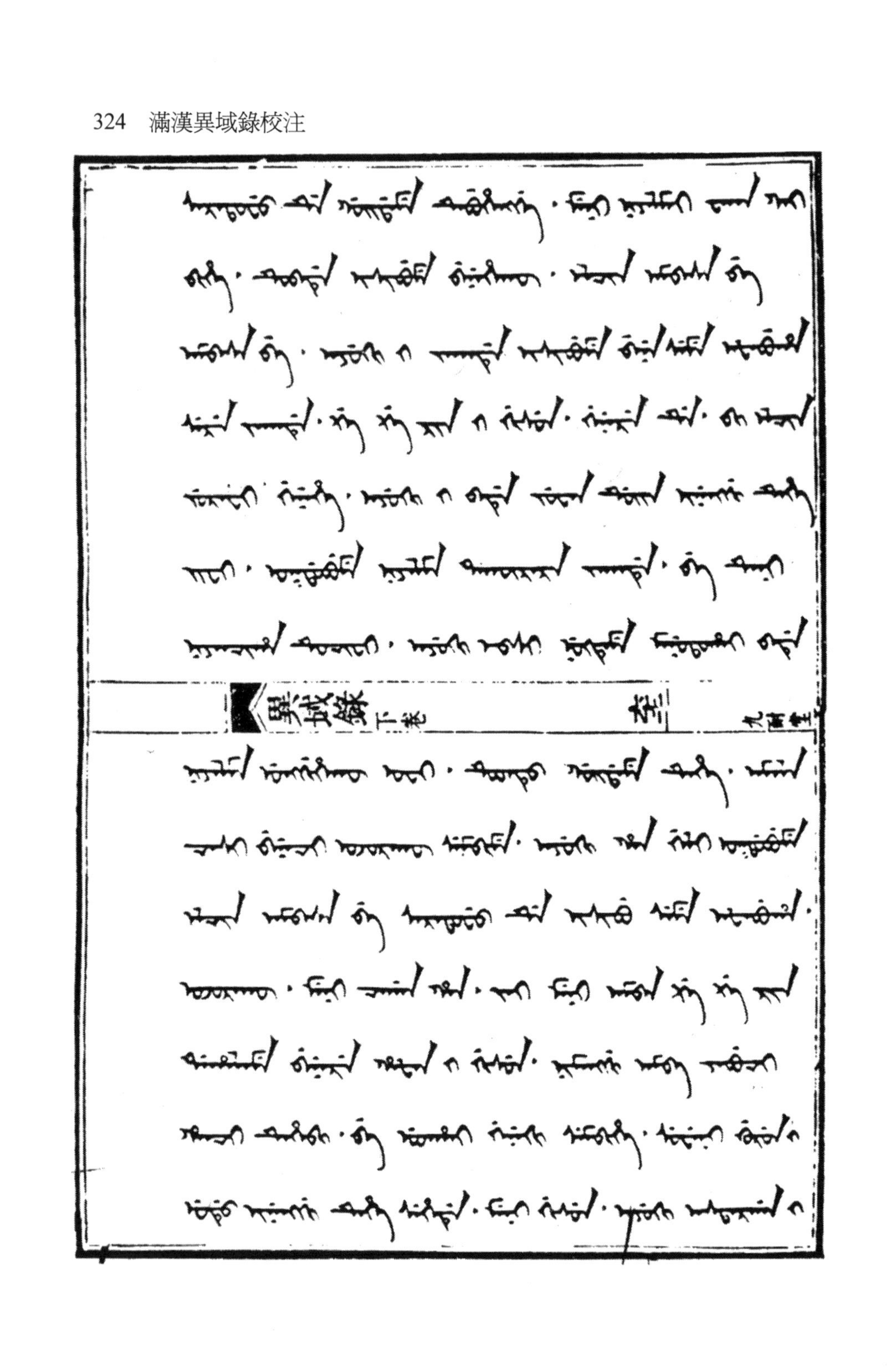

異域錄　下卷

udu inenggi tehe sehede, meni gisun, ayuki astargan i hanci tehebi, be uthai geneki sembihe, suweni gurun i dahalame benere han i gisun, nimanggi amba yabuci ojorakū, meni cagan han, jai meni amban g'a g'a rin elcin ambasa be saratofu de isibu seme afabuha, casi beneci ojorakū sembime, ayuki han geli okdobume niyalma ungihekū ofi, tuttu goidame tehe, amala niyanciha tucifi, ayuki ebsi nukteme manutohai bade jifi, okdobume niyalma takūrara jakade, be teni jurafi genehe, ayuki i bade juwan duin inenggi tehe sere jakade, g'a g'a rin i gisun, genere de, bi elcin ambasa be, ayuki i jakade isibume bene seme afabuha bihe, tubade isibume benehekū, elcin ambasa be saratofu de goidame tebuhengge, meni niyalmai waka kai

---

又不知在阿玉氣汗處曾住幾日？我等曰：阿玉氣汗在阿斯塔爾漢左近地方居住，我等即欲到彼，爾國護送官言，因雪大難行，我察罕汗及我大臣噶噶林囑令將天使送至薩拉托付地方，不可送往彼處之外（註九三），而阿玉氣汗迎接之人又未到，是以久住，後青草發出，阿玉氣汗遊牧至馬駑托海地方，遣人迎接始往，在阿玉氣汗地方住十四日（註九四）。噶噶林言，去時，我囑令將天使送至阿玉氣汗處，至彼處時未再送，天使在薩拉托付地方躭延久住，係我屬下人之不是。

又不知在阿玉气汗处曾住几日？我等曰：阿玉气汗在阿斯塔尔汉左近地方居住，我等即欲到彼，尔国护送官言，因雪大难行，我察罕汗及我大臣噶噶林嘱令将天使送至萨拉托付地方，不可送往彼处之外（注九三），而阿玉气汗迎接之人又未到，是以久住，后青草发出，阿玉气汗游牧至马驽托海地方，遣人迎接始往，在阿玉气汗地方住十四日（注九四）。噶噶林言，去时，我嘱令将天使送至阿玉气汗处，至彼处时未再送，天使在萨拉托付地方躭延久住，系我属下人之不是。

註九三：滿文本自「我等即欲到彼」至「彼處之外」一段，漢文但云「即欲到彼，因雪大難行」，文意簡略，此據滿文譯出漢文。

註九四：滿文本自「住十四日」以下一段，漢文本缺漏，俱按滿文譯出漢文。

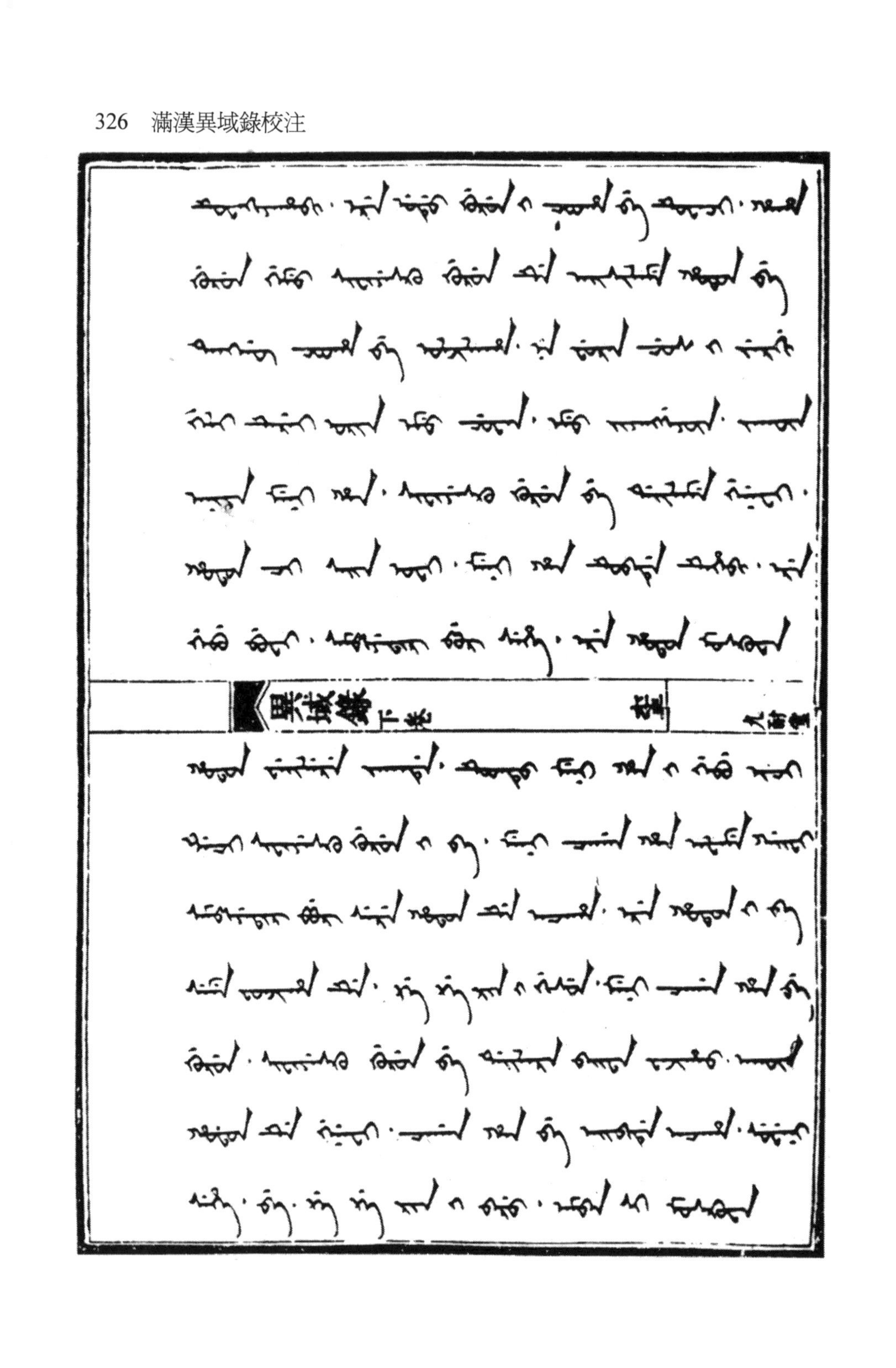

sehe, be g'a g'a rin i baru, amban si mosk'owa hoton de genefi, cagan han be aibide acaha, suweni gurun, sifiyesk'o gurun be dailara baita wajihao, akūn seme fonjiha de, g'a g'a rin i gisun, meni cagan han be sampiyetir pur sere hoton de acaha, ere boton i ba daci sifiyesk'o gurun i ba, meni cagan han afame gaifi hoton weilere jakade, tuttu meni han i gebu ici gebu bufi, sampiyetir pur sehe, ere hoton mosk'owa hoton ci sain ofi, meni han tubade tehebi, ere aniya meni han, sifiyesk'o gurun be dailame genefi, geli terei orin emu cuwan, emu jiyanggiyūn, jakūn tanggū cooha be oljilaha, ne furan cus i jergi gurun gemu sifiyesk'o gurun de aisilame hoton be tuwakiyahabi, ere udu gurun i cooha be tuwaci, haha

---

我等問噶噶林曰：爾至莫斯科窪城，於何處會見察罕汗？爾國征討西費耶斯科國事竣否？噶噶林曰：我在三皮提里普兒城內，曾見察罕汗，此城原係西費耶斯科國地方。我察罕汗征取，修葺城池，隨我汗名字呼爲三皮提里普兒，此城修葺，勝於莫斯科窪城，我汗現在此城居住，今歲我汗與西費耶斯科國征戰，又擄獲船二十一隻，將軍一員，兵八百名，現今付蘭楚斯諸國俱相援西費耶斯科國，堅守城池，觀此數國之兵，人丁

我等问噶噶林曰：尔至莫斯科洼城，于何处会见察罕汗？尔国征讨西费耶斯科国事竣否？噶噶林曰：我在三皮提里普儿城内，曾见察罕汗，此城原系西费耶斯科国地方。我察罕汗征取，修葺城池，随我汗名字呼为三皮提里普儿，此城修葺，胜于莫斯科洼城，我汗现在此城居住，今岁我汗与西费耶斯科国征战，又掳获船二十一只，将军一员，兵八百名，现今付兰楚斯诸国俱相援西费耶斯科国，坚守城池，观此数国之兵，人丁

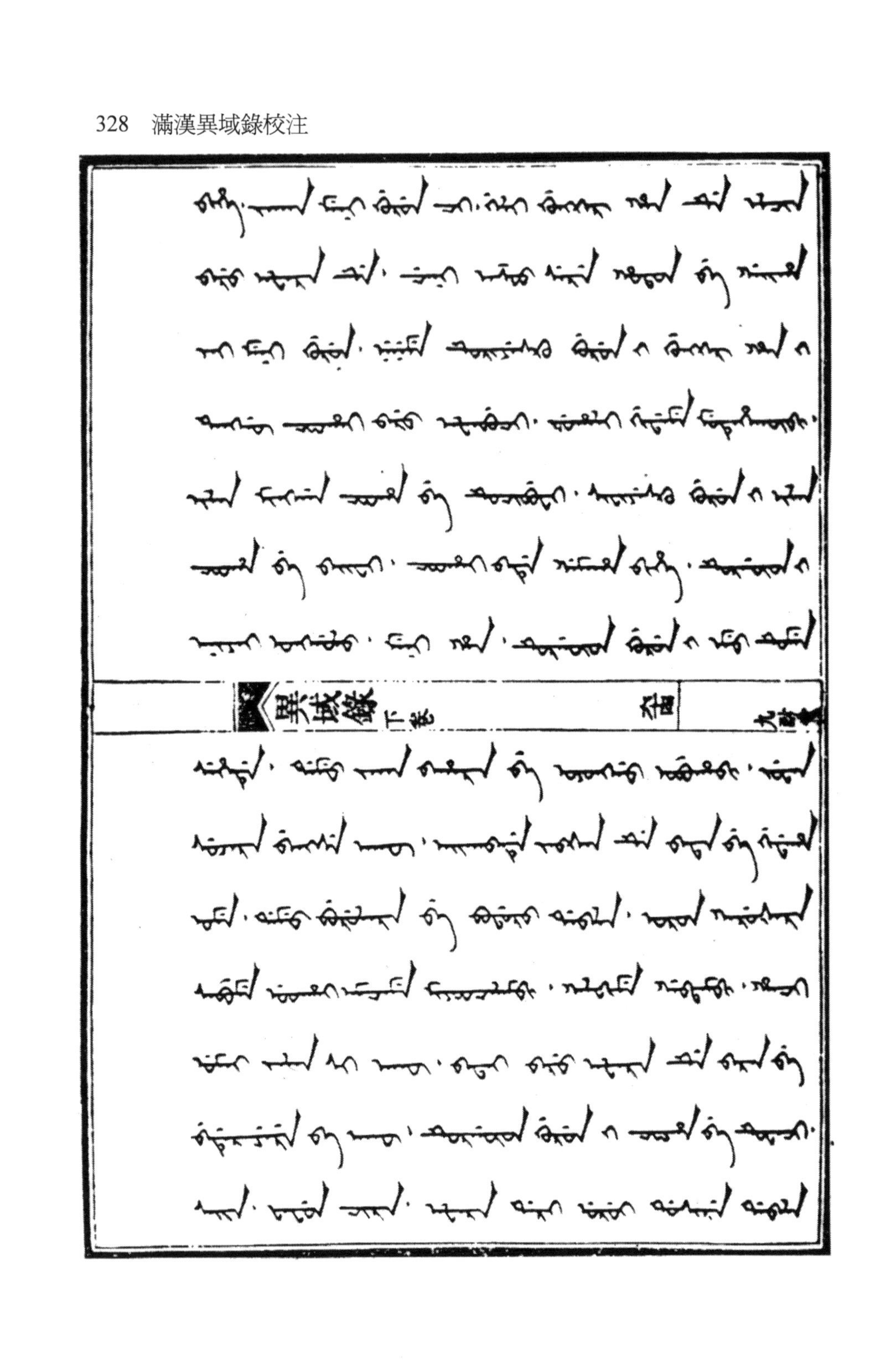

異域錄 下卷 六十四

sain, fafun cira, afara dari urui dosire dabala, bedercere ba akū, turgūt gurun i cooha be tuwaci, umai jalan si akū, batai baru afara de, baran be sabume uthai amcame miyoocalambi, kalbime gabtambi, hanci ome, damu burulara be bodoro dabala, oron karušara sujara bengsen akū, aikabade jabšan de bata be gidaha sehede, damu jaka bahara be oyonggo obuhabi, juwan aniyai i onggolo, meni han, turgūt gurun i emu tumen cooha be baifi, coohai bade gamaha bihe, turgūt i ilan minggan cooha be tucibufi, sifiyesk'o gurun i ilan tanggū coohai baru afabuci, fuhali gidame mutehekūbi, jai meni gurun, neneme turiyesk'o gurun i gungk'ar han i baru afara de, ceni adzoo sere hoton be gaiha bihe, jakan meni gurun ci, geli gungk'ar han de elcin

---

強健，法度甚嚴，每遇敵必鏖戰，毫無退縮之意，其土爾虎特國之兵，並無紀律，遇敵交戰，望影即放鎗射箭，較近但思逃竄，並無抗拒捍禦之能，倘若僥倖勝敵，惟貪取貨物而已，十年前，我汗曾借土爾虎特兵一萬隨征，將土爾虎特三千兵與西費耶斯科國兵三百人對敵，終不能取勝，曩時我國曾與圖里耶斯科國王拱喀爾汗搆兵，曾取其阿藻城，近日我國遣使往拱喀爾汗

强健，法度甚严，每遇敌必鏖战，毫无退缩之意，其土尔虎特国之兵，并无纪律，遇敌交战，望影即放鎗射箭，较近但思逃窜，并无抗拒捍御之能，倘若侥幸胜敌，惟贪取货物而已，十年前，我汗曾借土尔虎特兵一万随征，将土尔虎特三千兵与西费耶斯科国兵三百人对敌，终不能取胜，曩时我国曾与图里耶斯科国王拱喀尔汗构兵，曾取其阿藻城，近日我国遣使往拱喀尔汗

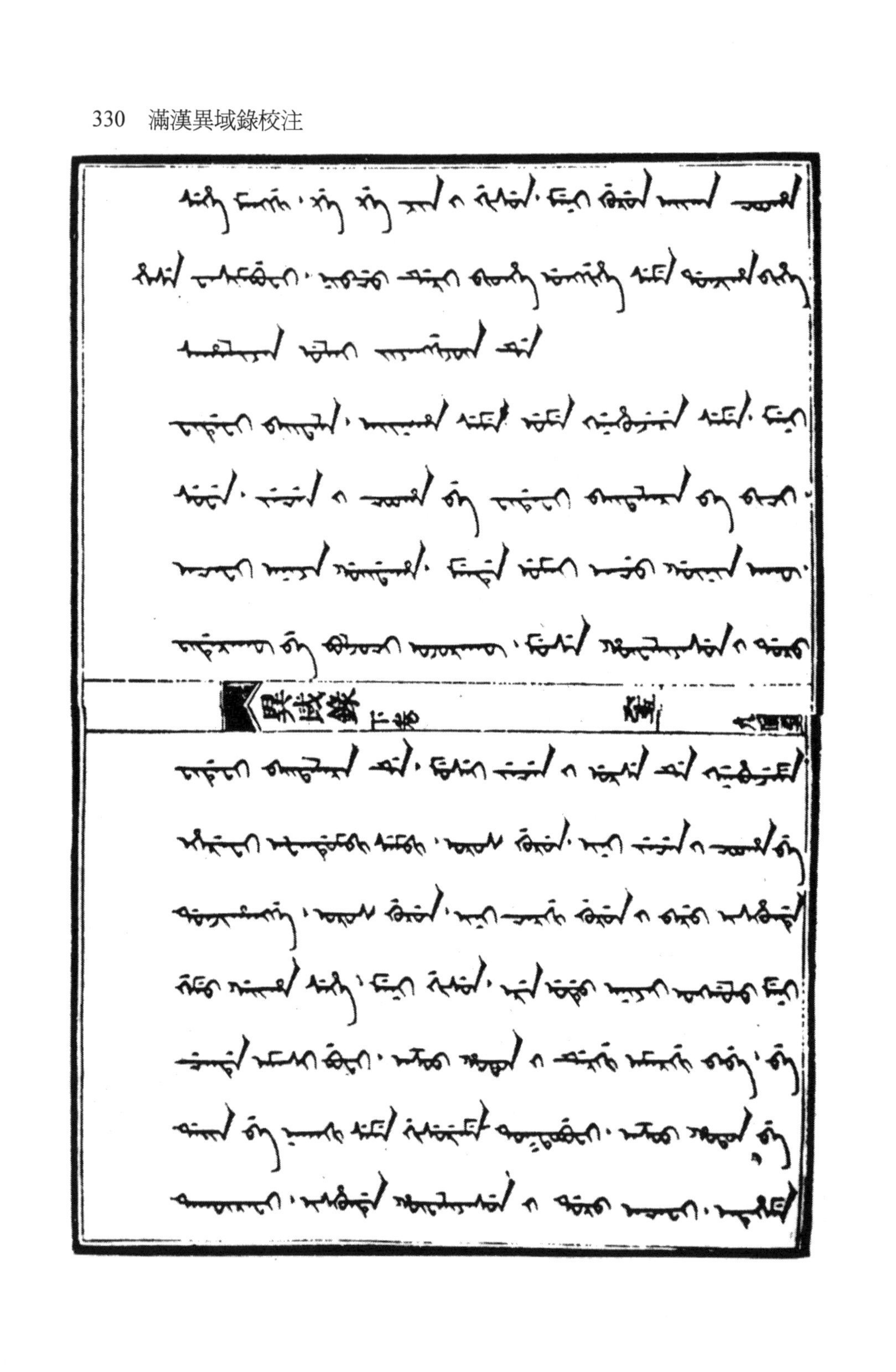

異域錄 上卷

takūrafi, ishunde hūwaliyasun i doro acafi, enteheme dain be nakaki seme gisureme toktobufi, adzoo hoton be cende amasi bufi, adzoo hoton i dergi amargi babe, be gemu gaiha sehe, meni gisun, ere udu aniyai onggolo meni donjihangge, oros gurun, ini cargi gurun i baru ishunde eherefi afandumbi sembi, oros gurun, ini jecen i cooha be fidefi baitalara de, musei jecen i urse de kenehunjeme fiderakū be boljoci ojorakū, muse hūwaliyasun i doro acafi aniya goidaha, mende umai encu gūnin akū, suwe, jecen i cooha be fidefi baitalara ba bici, fidefi baitala, ainaha seme ume kenehunjere seme, meni sahaliyan ulai jiyanggiyūn de hese wasimbufi, nibcu deri bithe unggihe seme donjiha bihe sehe manggi, g'a g'a rin i gisun, meni gurun aika cooha

---

講和，永不興師，議定還其阿藻城，其阿藻城東北，盡入我國矣。我等言，數年以前，我等聞得鄂羅斯國與彼處之國互相攻伐，鄂羅斯國調用其邊兵時，疑我邊人不行調發，亦未可定，爾我兩國和議年久，我等並無他意，爾若有調用邊兵之處，即行調撥，不必疑惑，飭諭黑龍江將軍，由泥布楚移會。噶噶林日：我國若有用兵

讲和，永不兴师，议定还其阿藻城，其阿藻城东北，尽入我国矣。我等言，数年以前，我等闻得鄂罗斯国与彼处之国互相攻伐，鄂罗斯国调用其边兵时，疑我边人不行调发，亦未可定，尔我两国和议年久，我等并无他意，尔若有调用边兵之处，即行调拨，不必疑惑，饬谕黑龙江将军，由泥布楚移会。噶噶林日：我国若有用兵

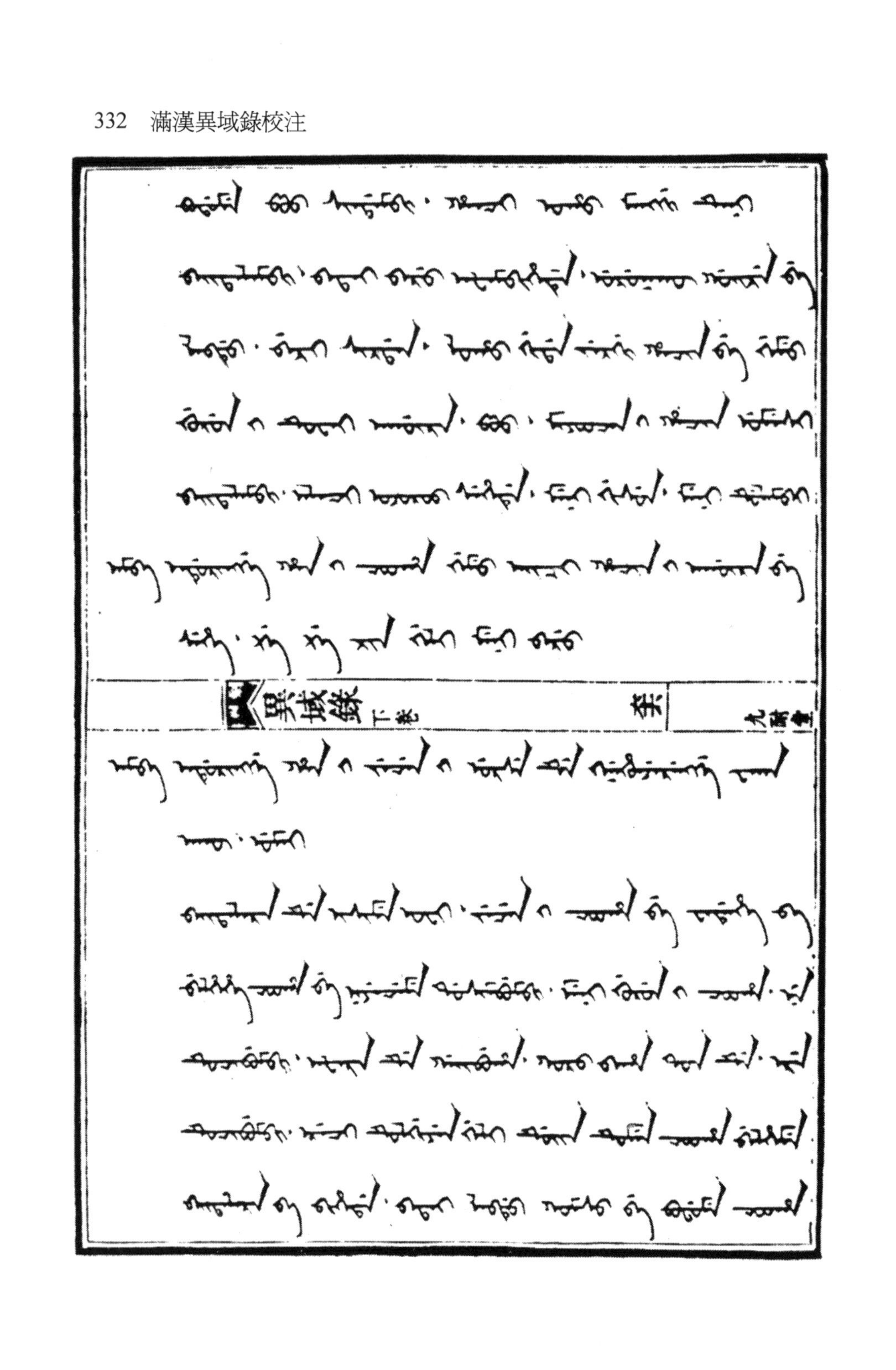

baitalara ba bihede, batai labdu komso be bodome cooha tucibumbi, ereci tulgiyen geli duin tumen cooha belheme tucibumbi, afara de gaibuha, koro baha ton de, ere belhehe cooha be niyeceme dosimbumbi, meni gurun i cooha, ne baitalara de isime ofi, jecen i cooha be fidehe ba akū, umai amba enduringge han i jecen i urse de kenehunjerengge waka sehe, g'a g'a rin geli meni baru amba enduringge han i cooha gemu aici hacin i agūra be baitalambi, alaci ojoroo sehede, meni gisun, meni dulimbai gurun i tuwai agūra, poo, miyoocan i hacin umesi labdu, beri sirdan, loho gida jergi hacin be gemu baitalambi, batai baru afambihede, urunakū goire be bodome poo sindambi, hanci oho manggi teni

---

之處，量敵多寡出兵，此外又預備出兵四萬，其陣亡受傷之數，即以此預備兵補入。我國之兵，現今敷用，不必調用邊兵，並非疑惑大皇帝之邊人（註九五）。噶噶林又問曰：中國大皇帝行兵所用器械，俱係何項？可得聞否？我等答曰：我中國所用火器炮銃，式樣甚多，弓矢刀鎗等項俱用，與敵人交戰，度其必中，方點大炮，較近始

之处，量敌多寡出兵，此外又预备出兵四万，其阵亡受伤之数，即以此预备兵补入。我国之兵，现今敷用，不必调用边兵，并非疑惑大皇帝之边人（注九五）。噶噶林又问曰：中国大皇帝行兵所用器械，俱系何项？可得闻否？我等答曰：我中国所用火器炮铳，式样甚多，弓矢刀鎗等项俱用，与敌人交战，度其必中，方点大炮，较近始

註九五：滿文本自「我等言」至「大皇帝之邊人」一段，漢文缺漏，此據滿文譯出漢字。

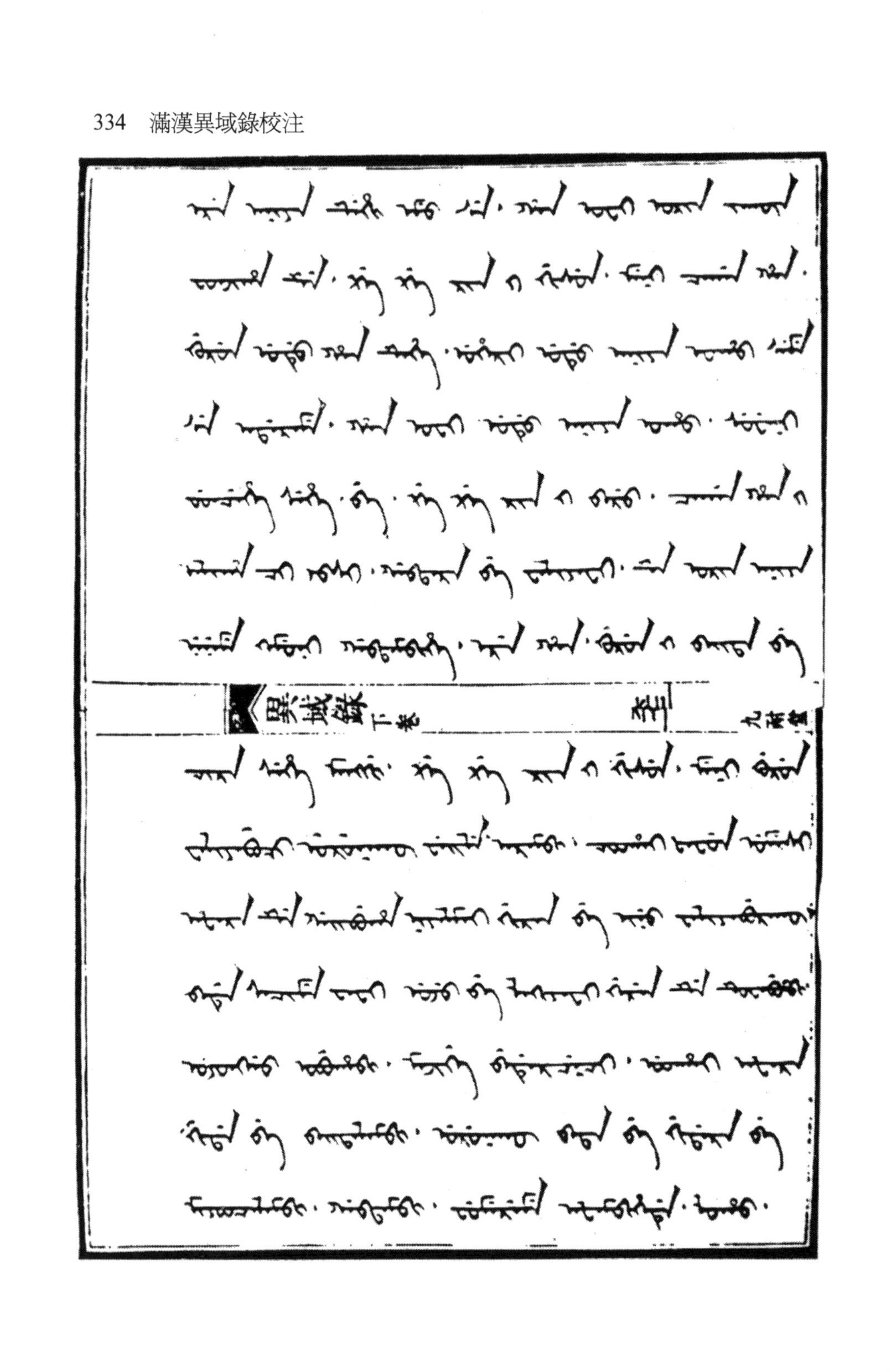

異域錄 下卷

miyoocalambi, gabtambi, fumereme afambihede, olho, gida be baitalambi, urunakū bata be gidara be oyonggo obuhabi, majige bedereci, uthai afara bade sacime wafi uju be lakiyafi geren de tuwabumbi, afara de gaibuha niyalmai giran be inu waliyaburakū, waliyabuci urunakū weile arambi, coohai fafun umesi cira sehe manggi, g'a g'a rin i gisun, meni gurun neneme kemuni gabtambihe, ere han, gurun i baita be aliha ci ebsi, gabtara be waliyafi, te orin aniya funcehe sehe, be g'a g'a rin i baru, cagan han i se adarame, han ofi udu aniya oho, suweni gurun udu han tehe, uheri udu aniya oho seme fonjiha de, g'a g'a rin i gisun, meni cagan han ere aniya dehi emu se, han ofi orin jakūn

---

放鎗射箭，至鏖戰時，俱用刀鎗，必以勝敵爲尚，稍有退縮者，即於陣前梟示，雖陣亡之屍，怯不容失，若有失落，定行治罪，軍法極其森嚴。噶噶林曰：我鄂羅斯國，從前亦射箭，自從現在之汗涖事以來，廢棄二十餘年。我等向噶噶林言，爾察罕汗春秋幾何？承襲幾年？爾國歷有幾汗？至今共歷年若干？荅曰：我汗今年四十一歲，歷事二十八

放鎗射箭，至鏖战时，俱用刀鎗，必以胜敌为尚，稍有退缩者，即于阵前枭示，虽阵亡之尸，怯不容失，若有失落，定行治罪，军法极其森严。噶噶林曰：我鄂罗斯国，从前亦射箭，自从现在之汗莅事以来，废弃二十余年。我等向噶噶林言，尔察罕汗春秋几何？承袭几年？尔国历有几汗？至今共历年若干？荅曰：我汗今年四十一岁，历事二十八

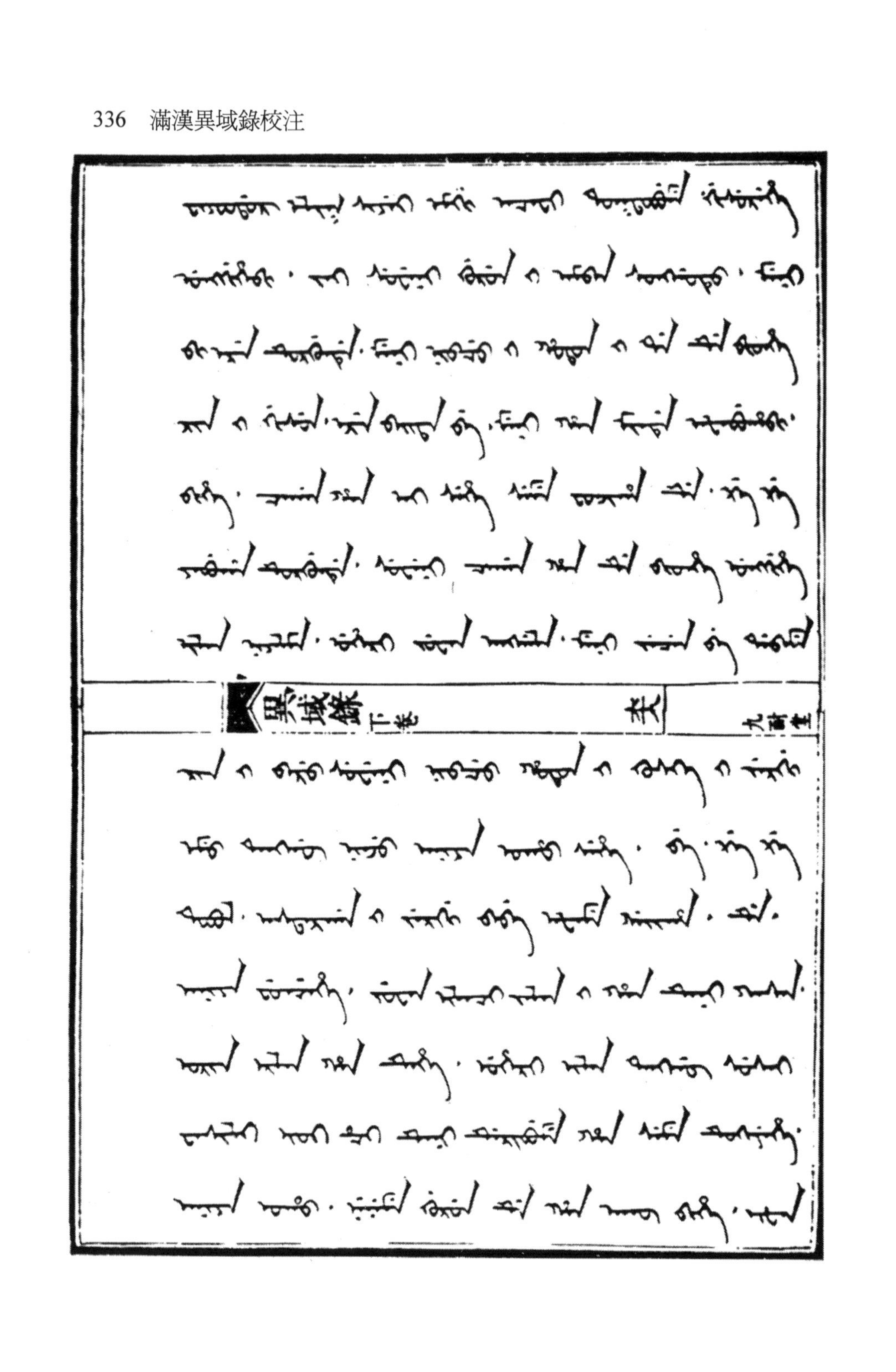

異域錄 上卷

aniya oho, neneme gurun de han akū bihe, ifan wasili ioi cy teni deribume han seme tukiyehe, orin ilan han tehe, uheri ilan tanggū susai aniya funcehe, juwan ilaci jalan i han teni kasan, tobol, astargan i jergi babe afame gaiha, te emu tanggū ninju aniya oho sehe, be g'a g'a rin i baru suweni nibcu hoton i kuske i jergi ilan niyalma, uheri juwan anggala, meni jecen be dabame yabuha turgunde, suweni cagan han de bithe unggihe bihe, cagan han ai sehe seme fonjiha de, g'a g'a rin i gisun, ere baita be, meni han minde afabuhabi, bi ere turgunde, meni nibcu i hoton i da de bithe unggihebi, jai suweni gurun i amban songgotu, meni fiyoodor elik siyei emgi acafi toktobume gisurehe

---

年，曩時我國並未稱汗，自依番瓦什里魚赤起始稱汗，至今歷二十三代，共計三百五十餘載，至十三代汗，始征取喀山、托波兒、阿斯塔爾汗等處，今已一百六十年矣。我等問噶噶林曰：爾泥布楚城之庫似克等三人共十口，越過我邊界之緣由，移會爾察罕汗，察罕汗有何言？噶噶林曰：此事，我汗已囑咐我，我已將其情由移會我泥布楚城頭目矣。再爾國大臣索額圖與我費多爾厄里克謝會同定議

年，曩时我国并未称汗，自依番瓦什里鱼赤起始称汗，至今历二十三代，共计三百五十余载，至十三代汗，始征取喀山、托波儿、阿斯塔尔汗等处，今已一百六十年矣。我等问噶噶林曰：尔泥布楚城之库似克等三人共十口，越过我边界之缘由，移会尔察罕汗，察罕汗有何言？噶噶林曰：此事，我汗已嘱咐我，我已将其情由移会我泥布楚城头目矣。再尔国大臣索额图与我费多尔厄里克谢会同定议

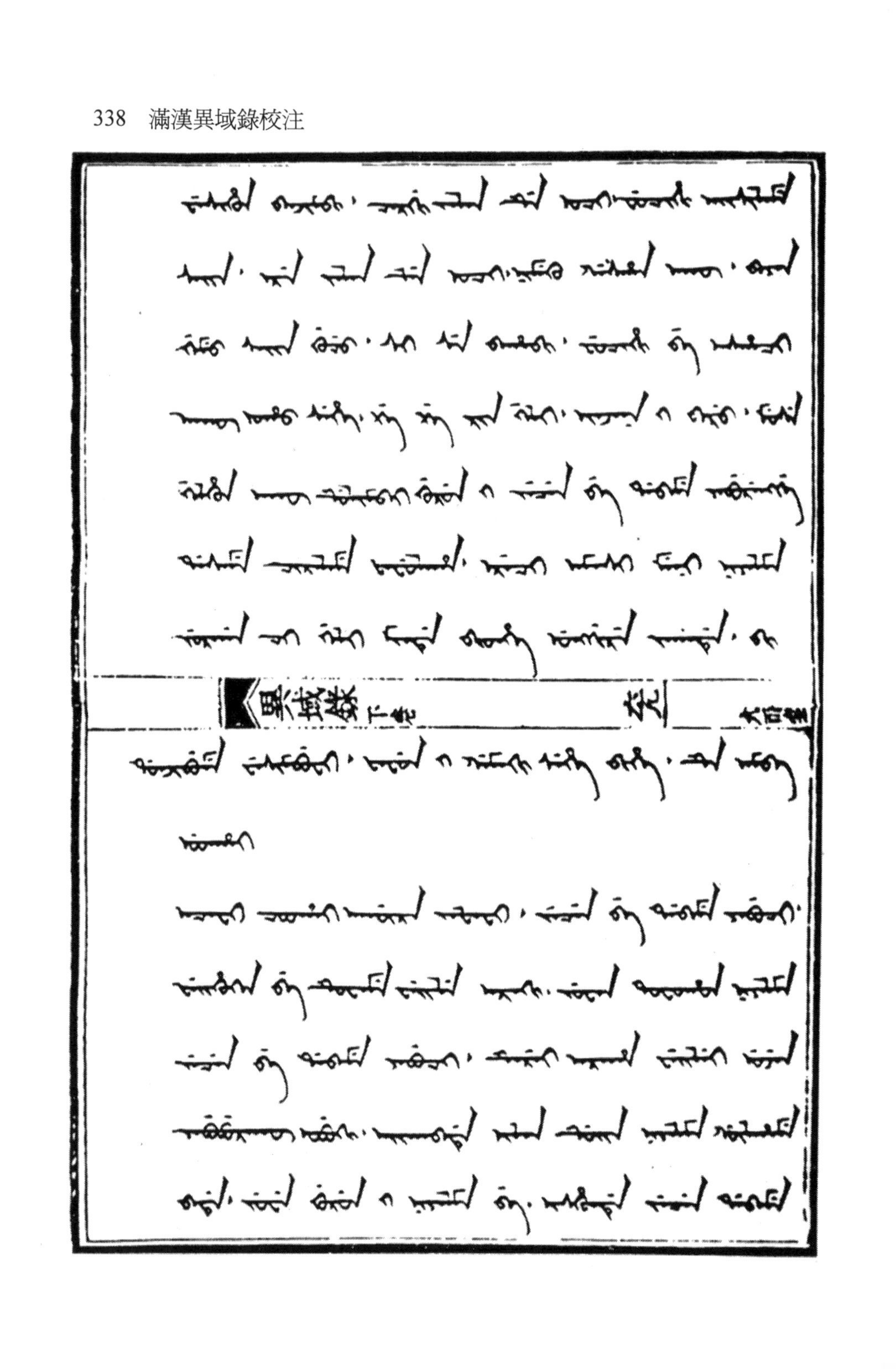

異域錄 下卷

bade, juwe gurun i niyalma be, ishunde jecen dabame yabuburakū obuki, aikabade ilan duin niyalma hūlhame jecen be dabame yabuci, terei araha weilei ujen weihuken be tuwame weile araki, juwan tofohon niyalma acafi coohai agūra jafafi, jecen be dabame yabuci, uthai donjibume wesimbufi, fafun i gamaki sehe bihe, te amba jurgan ci geli minde bithe unggire jakade, bi dasame ciralame fafulaha, ereci amasi meni niyalma gelhun akū dulimbai gurun i jecen be dabame yaburengge akū oho sehe, g'a g'a rin geli, injana i baru, muse gemu sain gucu, si se bahabi, fucihi be ashaci sain, ere jalan de oci, nimeku gashan akū, bayan wesihun banjimbi, cargi jalan de oci, fucihi aisilame

---

之處，兩國之人，不許彼此越界，如有三四人潛越邊界，視其罪情輕重懲處，若十人十五人相聚持械越界，即行奏聞正法。今大部又知會我，我復嚴禁，嗣後我國之人不敢潛越中國邊界矣。噶噶林又向殷札納曰：你我皆係好友，爾年長，奉佛甚好，今生今世，可無災病，富貴度日，來世有佛相助，

之处，两国之人，不许彼此越界，如有三四人潜越边界，视其罪情轻重惩处，若十人十五人相聚持械越界，即行奏闻正法。今大部又知会我，我复严禁，嗣后我国之人不敢潜越中国边界矣。噶噶林又向殷札纳曰：你我皆系好友，尔年长，奉佛甚好，今生今世，可无灾病，富贵度日，来世有佛相助，

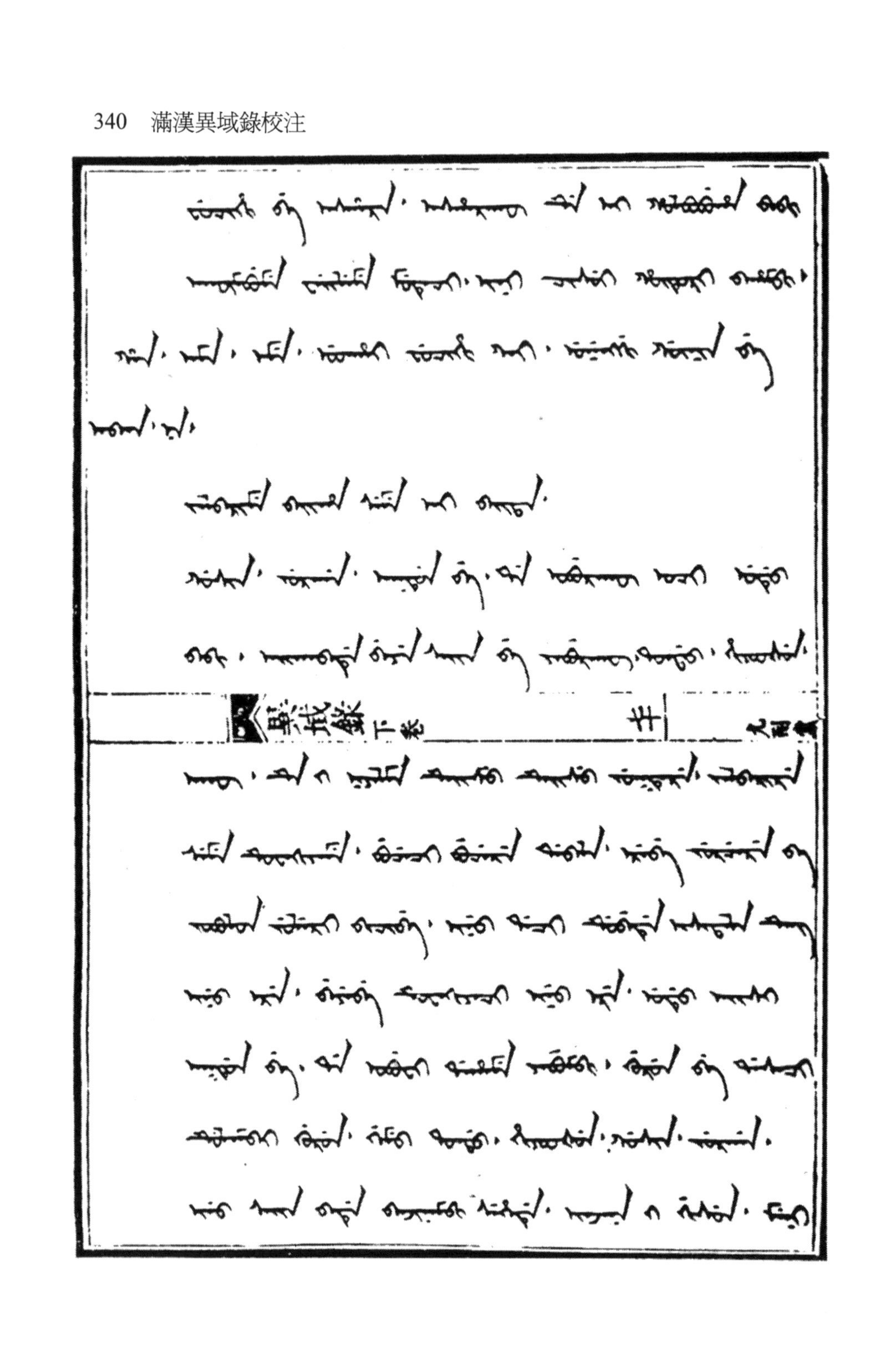

inu sain bade bajinambi sehede, injana i gisun, meni dulimbai gurun, gemu tondo, hiyoošun, gosin, jurgan, akdun be, da obufi dahame yabumbi, gurun be dasaci inu ere, beyebe tuwakiyaci inu ere, udu aisi jobolon juleri bicibe, inu daci dubede isitala teng seme tuwakiyame, buceci bucere dabala, erebe jurcere ba akū, te i niyalma teisu teisu juktere, jalbarire babi, aikabade beye sain be yaburakū, tondo, hiyoošun, gosin, jurgan, akdun be, da oburakū oci, udu jalbarime baiha seme ai baita, abka, na, han, ama, eme, uthai fucihi kai, unenggi gūnin be akūmbume weileme muteci, ini cisui hūturi bahambi, fucihi be ashara, asharakū de ai holbobuha babi

---

亦生善地。殷札納言，我中國皆以忠孝仁義信爲本而行，治國亦以此，修身亦以此，雖利害當前，亦始終堅守，死即死耳，無違之者。今之人各有祀禱，倘若自身不行善，不以忠孝仁義信爲本，雖祈禱何益？天地汗父母即是佛，若能盡心誠意侍奉，自然獲福，奉佛不奉佛，有何關係？

亦生善地。殷札纳言，我中国皆以忠孝仁义信为本而行，治国亦以此，修身亦以此，虽利害当前，亦始终坚守，死即死耳，无违之者。今之人各有祀祷，倘若自身不行善，不以忠孝仁义信为本，虽祈祷何益？天地汗父母即是佛，若能尽心诚意侍奉，自然获福，奉佛不奉佛，有何关系？

異域錄

sere jakade, g'a g'a rin i gisun, inu, si emu sengge niyalma, sini sain gisun be donjiki seme uttu gisurehe sehe, be g'a g'a rin i baru, meni jihe baita wajiha, meni amba enduringge han de wesimbume juleri niyalma unggiki sembi, saratofu, kasan, herin nofu ere ilan bade bihe fonde, suweni dahalame benere hafan bolkoni i baru hacihiyame gisurehede, bolkoni i gisun, juleri niyalma unggire baita umesi oyonggo, bi alime muterakū, tobol de isinaha manggi, meni amban ini cisui icihiyame gamara babi seme, membe juleri unggihekū, te amban si isinjiha be dahame, be bahaci, te uthai meni amba enduringge han de wesimbume juleri niyalma unggiki

---

噶噶林曰：爾乃一長者，當聽爾良言（註九六）。我等向噶噶林言，我等奉差事竣，欲遣人前往馳奏大皇帝，在薩拉托付、喀山、黑林訥付三處，曾向護從官博爾科泥道及，博爾科泥云，欽先遣人之事，關係重大，我不敢當，至托波兒地方，我總管自有定奪，故不曾令我等前往，今總管既到，我等欲即刻遣人前往馳奏大皇帝，

噶噶林曰：尔乃一长者，当听尔良言（注九六）。我等向噶噶林言，我等奉差事竣，欲遣人前往驰奏大皇帝，在萨拉托付、喀山、黑林讷付三处，曾向护从官博尔科泥道及，博尔科泥云，饮先遣人之事，关系重大，我不敢当，至托波儿地方，我总管自有定夺，故不曾令我等前往，今总管既到，我等欲即刻遣人前往驰奏大皇帝，

註九六：滿文本自「我等問噶噶林曰」至「當聽爾良言」一段，漢文缺漏，俱譯出漢文。

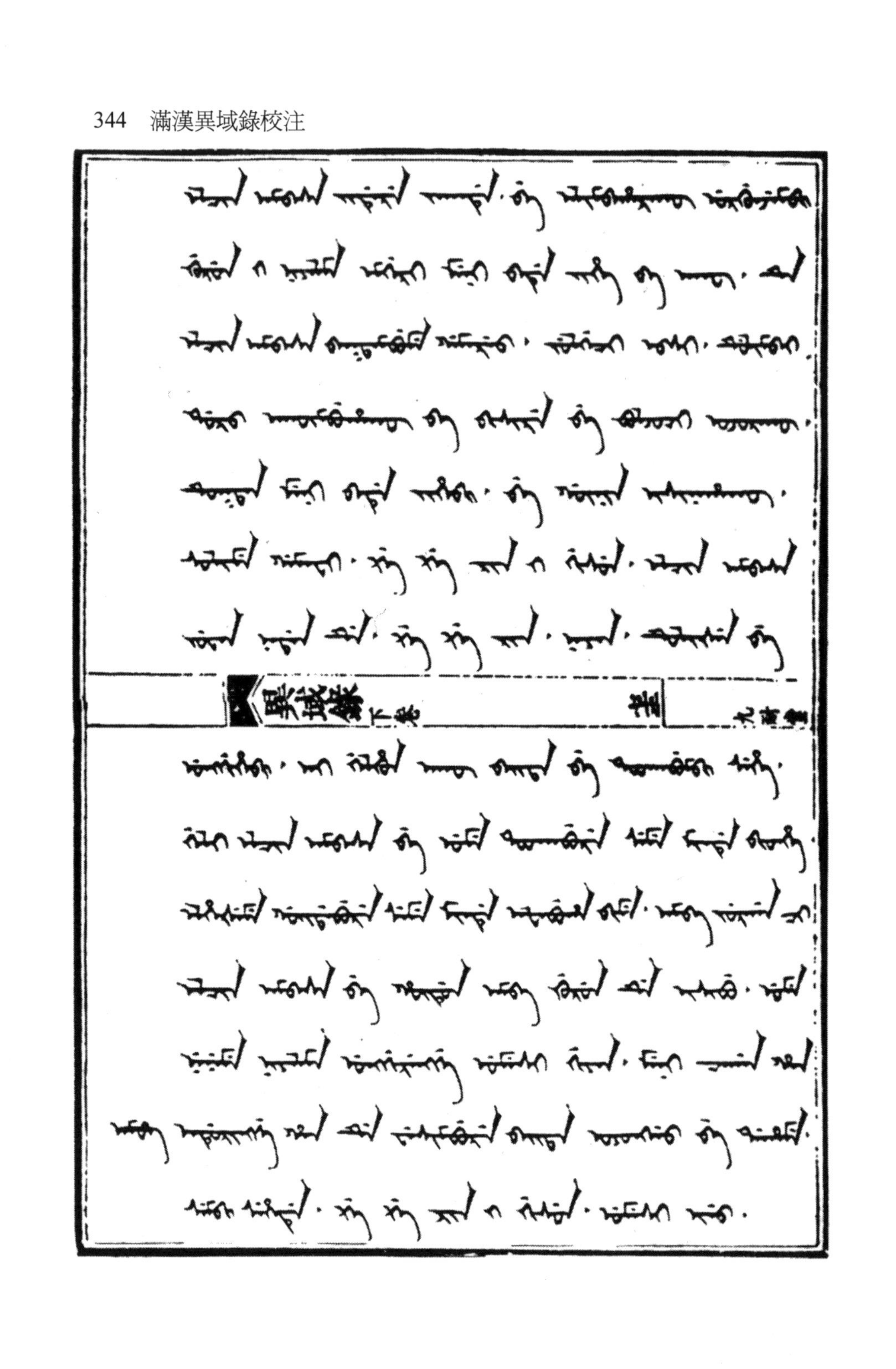

sembi sehede, g'a g'a rin i gisun, umesi inu, amba enduringge han de wesimbure baita oyonggo be dahame, neneme niyalma unggirengge umesi giyan, meni cagan han elcin ambasa be hūdun amba gurun de isibu, ume elhešeme goidabure seme minde afabuha bime, amba jurgan ci geli elcin ambasa be ume tookabure seme minde bithe unggihebi, ai gelhun akū baita be tookabumbi sehe, juwan nadan de, g'a g'a rin, nayan, tulišen be solime gamafi, g'a g'a rin i gisun, elcin ambasa tuktan meni bade jihebi, be gūnin isinahakū, doro akūmbuhakū ba bisire be boljoci ojorakū, elcin ambasa baktambume gamareo, julgeci ebsi, dulimbai gurun i niyalma emgeri meni bade jihe ba akū, te elcin ambasa jidere jakade, be alimbaharakū urgunjembi

---

噶噶林曰：甚是，馳奏大皇帝事屬緊要，理應作速前往，我察罕汗曾吩咐，作速送天使至中國去，不得遲慢，大部來文，亦有不可遲滯字樣，我等何敢稽遲。十七日，噶噶林差鄂羅斯官拉里溫瓦什里玉赤請余同納顏前往相會。噶噶林曰：天使初降敝邑，我輩或心有不盡，禮有不週處，亦未可知，望乞天使海涵，中國人自古從未到我國地方，今幸遇天使前來，我等不勝歡忭。

噶噶林曰：甚是，驰奏大皇帝事属紧要，理应作速前往，我察罕汗曾吩咐，作速送天使至中国去，不得迟慢，大部来文，亦有不可迟滞字样，我等何敢稽迟。十七日，噶噶林差鄂罗斯官拉里温瓦什里玉赤请余同纳颜前往相会。噶噶林曰：天使初降敝邑，我辈或心有不尽，礼有不周处，亦未可知，望乞天使海涵，中国人自古从未到我国地方，今幸遇天使前来，我等不胜欢忭。

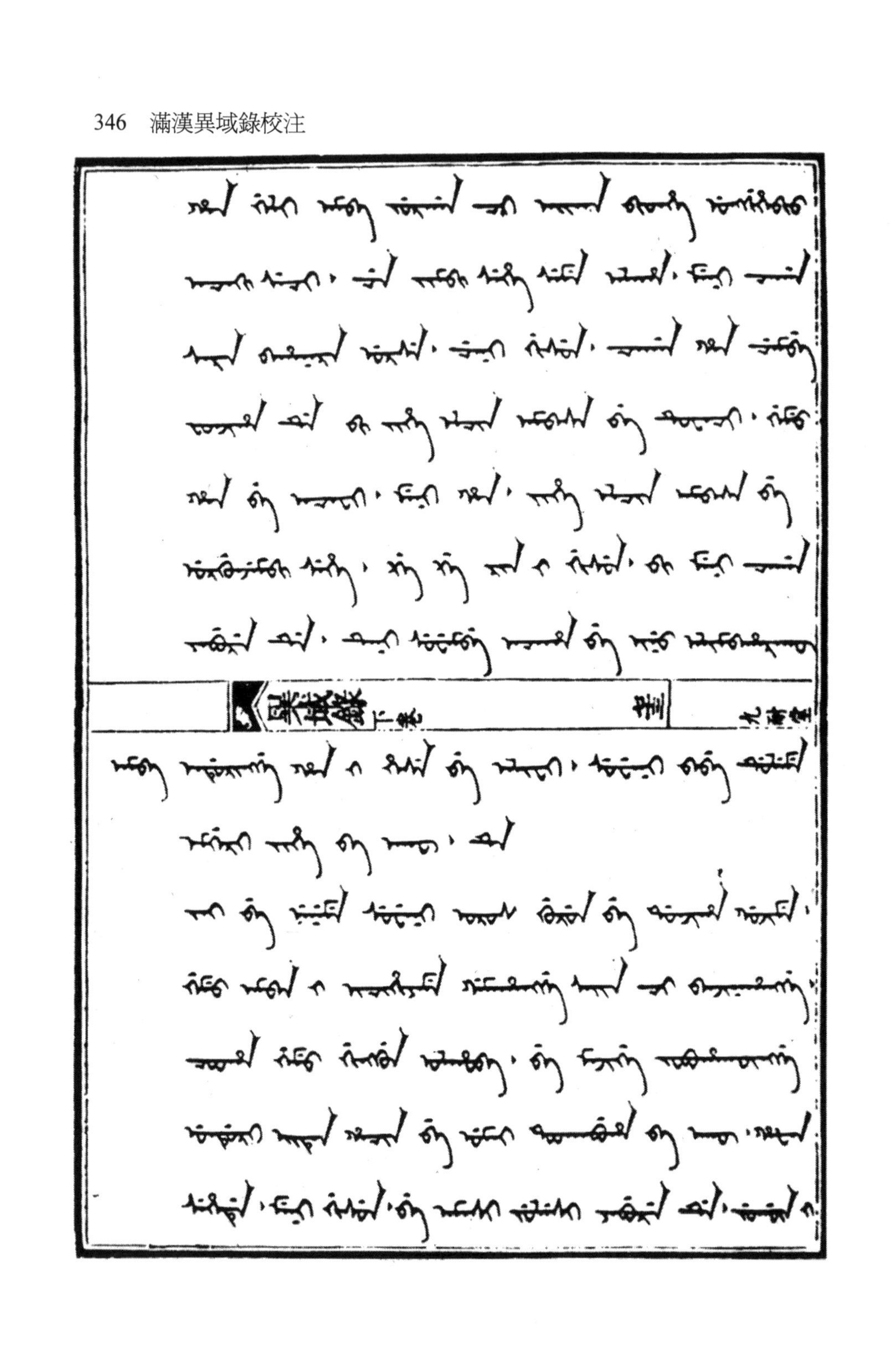

sehede, meni gisun, be amasi julesi yabure de, jugūn i unduri eiten hacin be umai tookabuha ba akū, hafan cooha gemu ginggun olhoba, be majige jobohakūngge gemu amban i icihiyame gamahangge sain ci banjinahangge, jai be neneme suweni oros gurun be donjiha gojime, emgeri jihe ba akū, te amba enduringge han i hese be alifi, suweni babe duleme yabure de, teni suwembe acaha be inu alimbaharakū urgunjembi sehe, g'a g'a rin i gisun, bi meni cagan han be acafi, meni han, jihe elcin ambasa be fonjiha de, bi jihe elcin ambasa be tuwaci, gemu sara bahanara urse, ceni gisun, cagan han cembe acaki seci, ce jimbi sehe seme alaha, meni cagan han geli amba jurgan ci aika bithe unggihebio.

我等答曰：往返沿途供應諸項，並無缺悞，官兵各小心謹慎，我等毫無勞苦，皆由總管辦理得當之所致也，再我等向日，但耳聞鄂羅斯國地方，從未一到，今奉大皇帝欽命，經過爾國地方，得遇伊等，亦喜之不盡。噶噶林曰：我見察罕汗時，曾問天使行止，我將天使等皆知識高明，曾言汗如欲相會，我等即往會之處告訴，我汗又問，大部可有印文來否？

我等答曰：往返沿途供应诸项，并无缺悮，官兵各小心谨慎，我等毫无劳苦，皆由总管办理得当之所致也，再我等向日，但耳闻鄂罗斯国地方，从未一到，今奉大皇帝钦命，经过尔国地方，得遇伊等，亦喜之不尽。噶噶林曰：我见察罕汗时，曾问天使行止，我将天使等皆知识高明，曾言汗如欲相会，我等即往会之处告诉，我汗又问，大部可有印文来否？

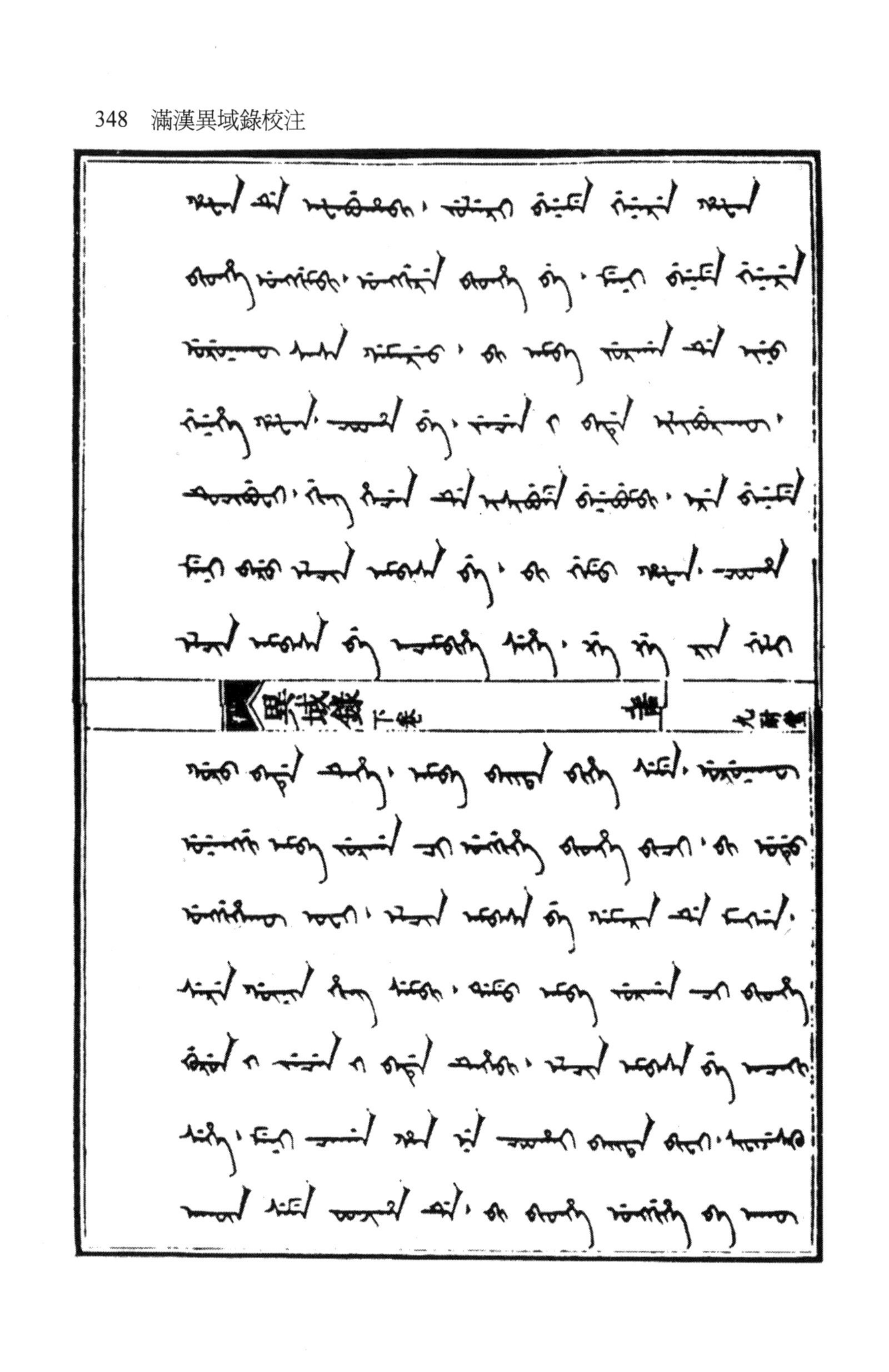

異域錄　下卷

akūn seme fonjiha de, bi bithe unggihe ba akū sehe, meni cagan han, ne coohai baita bifi, sifiyesk'o gurun i jecen i bade tehebi, elcin ambasa be acaki sere gūnin hing sembi, damu amba jurgan ci bithe unggihekū ofi, elcin ambasa be gamara de mangga, unenggi amba jurgan ci unggihe bithe bici, bi udu goro bade tehe, amba baita bihe seme, urunakū elcin ambasa be acambihe sehe, g'a g'a rin geli meni baru elcin ambasa be, bi gemu hafan, cooha tucibufi, ging hecen de isibume benebumbi, ere beneme genehe hafan, cooha be, jecen i bade iliburakū, urunakū sasa gamareo, bi amba jurgan de inu bithe unggimbi, unggire bithe be, meni beneme genere hafan de afabuhabi, juleri beneme genere hafan

---

我稟云，不曾有文書，我汗言，今現有干戈之事，在西費耶斯科邊界地方駐扎，欲會天使，意雖殷篤，但無大部文書，所以不敢驚動天使，若大部有文書到來，我雖駐扎遠地，任有大事，必請天使相會矣。噶噶林又向我等曰：我差官兵直送天使至京師，將此護送官兵，萬望一同偕往，不阻邊疆是感，我亦移會大部，其文書業付護送官員前往，護送官

我禀云，不曾有文书，我汗言，今现有干戈之事，在西费耶斯科边界地方驻扎，欲会天使，意虽殷笃，但无大部文书，所以不敢惊动天使，若大部有文书到来，我虽驻扎远地，任有大事，必请天使相会矣。噶噶林又向我等曰：我差官兵直送天使至京师，将此护送官兵，万望一同偕往，不阻边疆是感，我亦移会大部，其文书业付护送官员前往，护送官

異域錄 下卷

cooha be, amala beneme genere hafan, cooha isinaha manggi, sasa jikini, jai elcin ambasa genere de, jugūn i unduri giyamun, kunesun i jergi hacin be, bi gemu belhebuhe, ainaha seme ṭookabure de isiburakū sehe, jorgon biyai orin juwe de, tobol ci giyamun, huncu icihiyame bufi dahalara hafan, cooha tucibufi, mini beye, nayan i emgi gemu juwete kutule gaifi jurafi jihe, jugūn de nadan inenggi yabufi, orin uyun de tarask'o de isinaha. tarask'o, tobol i dergi julergi debi, ere siden emu minggan juwe tanggū ba funcembi, ercis bira dergi julergi ci eyeme jifi, wargi baru eyehebi, tara bira dergi julergi ci eyeme jifi tarask'o i teisu ercis bira de dosikabi,

---

兵到彼時，令其待後遣護送官兵到日同回可也，至天使前往，沿途一切馬匹供用等項，我皆辦理完備，斷不敢悮。十二月二十二日，撥給驛馬拖牀，出護送官兵，余同納顏各帶跟役二名，自托波兒起行，越七宿，於二十九日至塔喇斯科地方。塔喇斯科，在托波兒之東南（註九七），相去一千二百餘里，厄爾齊斯河來自東南，向西北而流，塔喇河來自東南，於塔喇斯科相對地方歸入厄爾齊斯河，

兵到彼时，令其待后遣护送官兵到日同回可也，至天使前往，沿途一切马匹供用等项，我皆办理完备，断不敢悮。十二月二十二日，拨给驿马拖床，出护送官兵，余同纳颜各带跟役二名，自托波儿起行，越七宿，于二十九日至塔喇斯科地方。塔喇斯科，在托波儿之东南（注九七），相去一千二百余里，厄尔齐斯河来自东南，向西北而流，塔喇河来自东南，于塔喇斯科相对地方归入厄尔齐斯河，

註九七：塔喇斯科在托波兒之東南，叢書集成簡編、小方壺齋輿地叢鈔謂塔喇斯科在托波兒之西南。

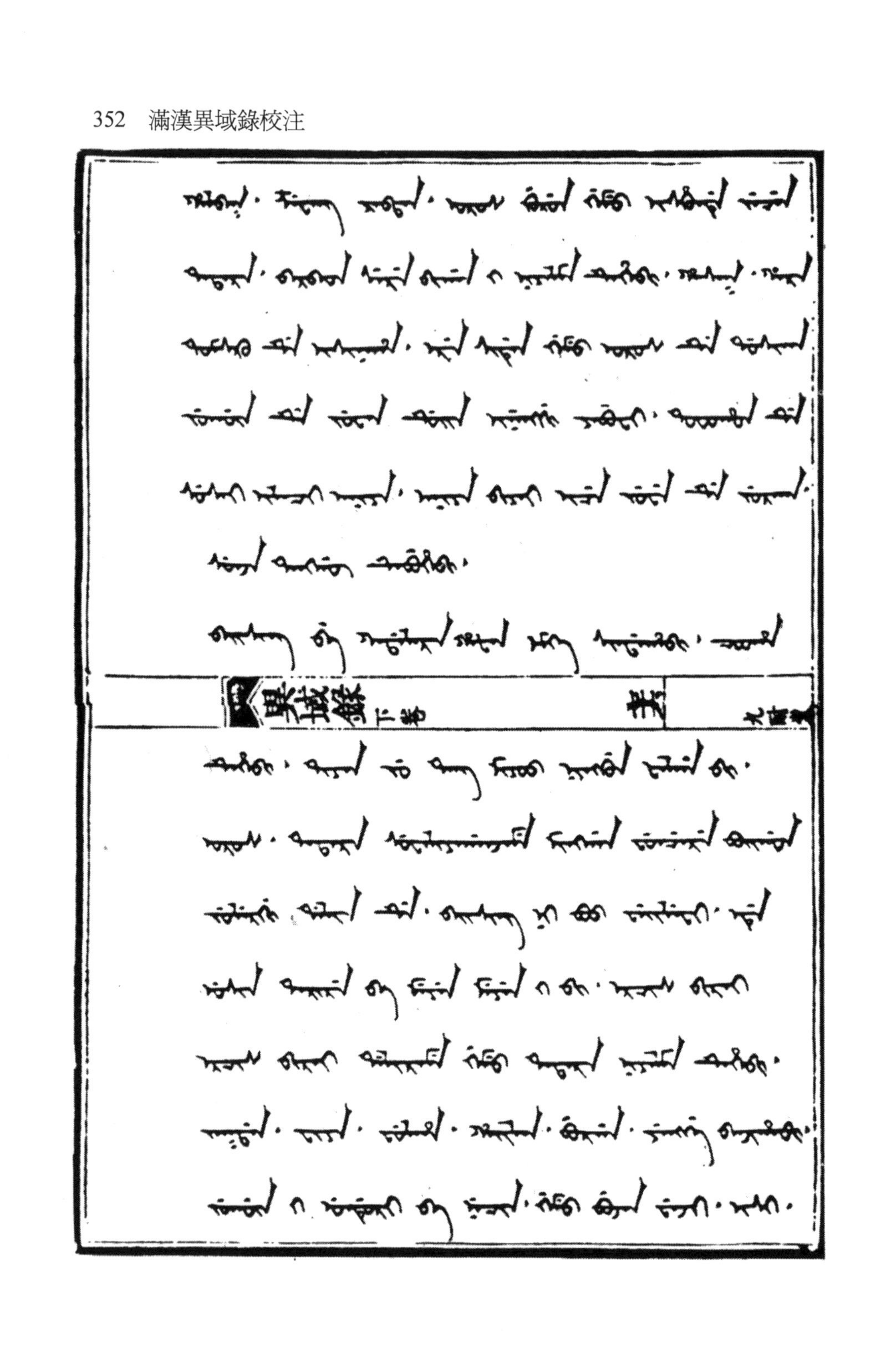

異域錄 下卷

jugūn i unduri ba necin, gemu bujan weji, isi, jakdan, fiya, fulha, hailan, burga, yengge banjihabi, ercis birai dalirame gemu tatara niyalma tehebi, usin tarire ba meyen meyen i bi, ercis birai julergi dalin de, baising ni boo weilefi, ede oros, tatara suwaliyaganjame minggan funcere boigon tehebi, tiyan ju tang miyoo ninggun falga bi, baising be kadalara hafan emke sindahabi, cooha sunja tanggū tebuhebi. susai ilaci aniya, aniya biyai ice juwe de juraka, jugūn de juwan duin inenggi yabufi, tofohon de tomsk'o de isinaha, ere siden gemu oros de dosika tatara, barbat sere bigan i niyalma tehebi, hasak, hara halbak, ts'ewang rabtan, oros gurun gemu ishunde jecen

---

沿途地平坦，俱林藪，有杉松、馬尾松、楊、樺、榆、叢柳、櫻薁，沿厄爾齊斯河岸，皆塔塔拉人居住，間有田畝，厄爾齊斯河之南岸有廬舍，居千餘戶，鄂羅斯與塔塔拉雜處，天主堂六座，設管轄栢興頭目一員，駐兵五百名。五十三年正月十二日起程（註九八），越十四宿，於十五日至托穆斯科地方，沿途俱是歸附鄂羅斯之塔塔拉並巴爾巴忒之野人居住，此處哈薩克國、哈拉哈兒叭國、策旺拉布坦，皆與鄂羅斯國連界，

沿途地平坦，俱林薮，有杉松、马尾松、杨、桦、榆、丛柳、樱薁，沿厄尔齐斯河岸，皆塔塔拉人居住，间有田亩，厄尔齐斯河之南岸有庐舍，居千余户，鄂罗斯与塔塔拉杂处，天主堂六座，设管辖栢兴头目一员，驻兵五百名。五十三年正月十二日起程（注九八），越十四宿，于十五日至托穆斯科地方，沿途俱是归附鄂罗斯之塔塔拉并巴尔巴忒之野人居住，此处哈萨克国、哈拉哈儿叭国、策旺拉布坦，皆与鄂罗斯国连界，

註九八：五十三年正月十二日，案圖理琛等至阿玉氣汗遊牧地方在五十三年六月，此「五十三年」，當係「五十四年」之訛。

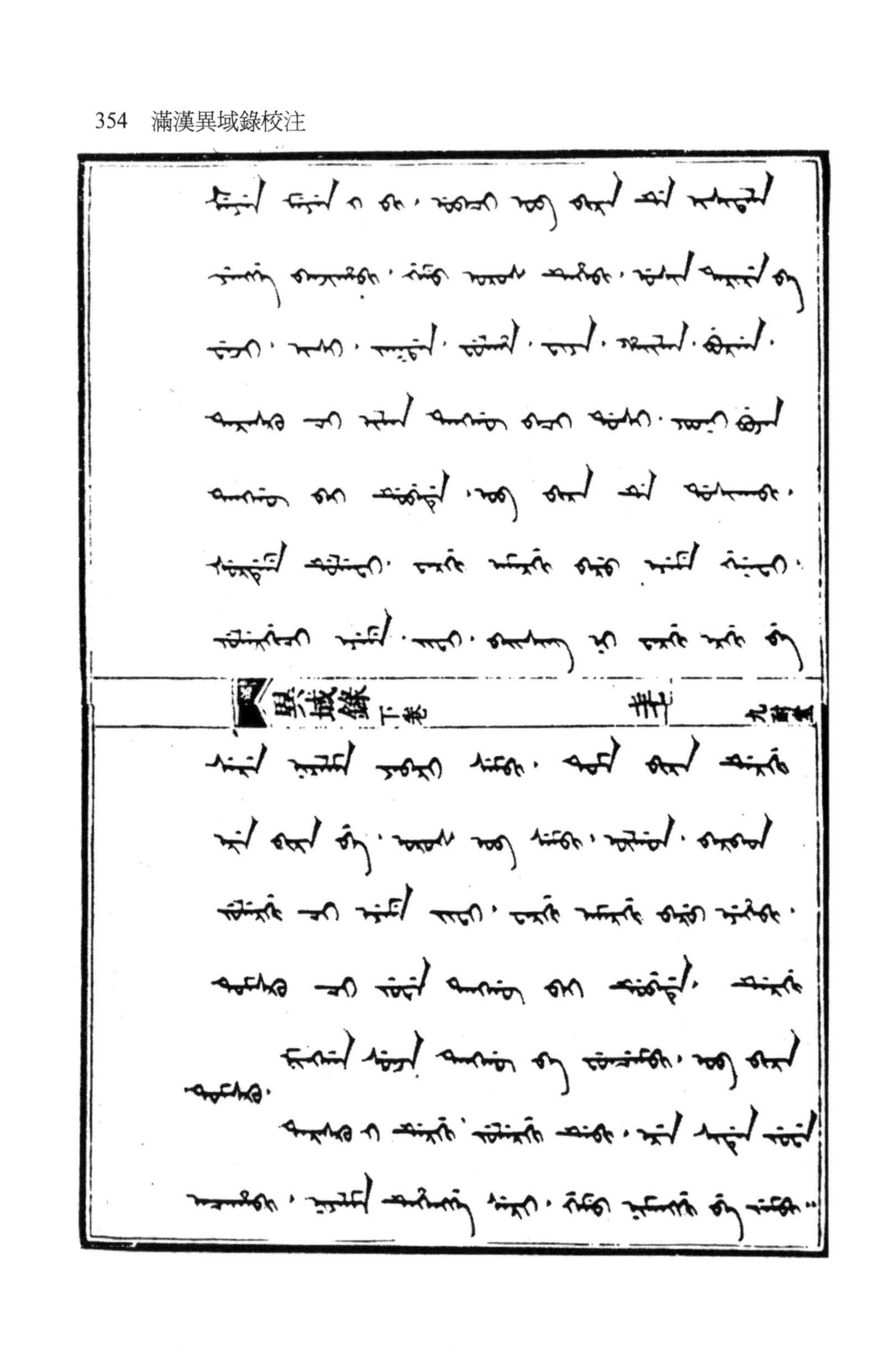

異域錄 下卷 卅

achabi, niyalma tehengge seri, gemu nimanggi be jembi. tomsk'o, tarask'o i dergi julergi debi, ere siden juwe minggan sunja tanggū ba funcembi, ob bira, tomsk'o ci juwe tanggū bai dubede, dergi julergi ci eyeme jifi, wargi amargi baru eyehebi, ere bira be, oros ob sembi, ūlet, barbat sere niyalma yabari sembi, tom bira dergi julergici eyeme jifi, baising ni wargi ergi be šurdeme dulefi, wargi amargi baru eyeme genefi, tanggū bai dubede, ob bira de dosikabi, tarask'o ci ilan tanggū baci dosi, yooni bujan weji, isi, jakdan, fulha, fiya, hailan, burga, yengge banjihabi, gemu oros tehebi, usin tarire ba meyen meyen i bi, ubaci ob bira de isitala

---

居人稀少，俱食雪。托穆斯科，在塔喇斯科之東南，相去二千五百餘里，鄂布河從托穆斯科二百里外來，自東南向西北而流，鄂羅斯呼爲鄂布河，其巴爾巴忒人呼爲牙巴里河，托穆河來自東南，由西面遶過栢興，向西北而流，至百里外歸入鄂布河，自塔喇斯科三百里內，皆林藪，有杉松、馬尾松、楊、樺、榆、叢柳、櫻薁，俱鄂羅斯居住，間有田畝，從此至鄂布河

居人稀少，俱食雪。托穆斯科，在塔喇斯科之东南，相去二千五百余里，鄂布河从托穆斯科二百里外来，自东南向西北而流，鄂罗斯呼为鄂布河，其巴尔巴忒人呼为牙巴里河，托穆河来自东南，由西面遶过栢兴，向西北而流，至百里外归入鄂布河，自塔喇斯科三百里内，皆林薮，有杉松、马尾松、杨、桦、榆、丛柳、樱薁，俱鄂罗斯居住，间有田亩，从此至鄂布河

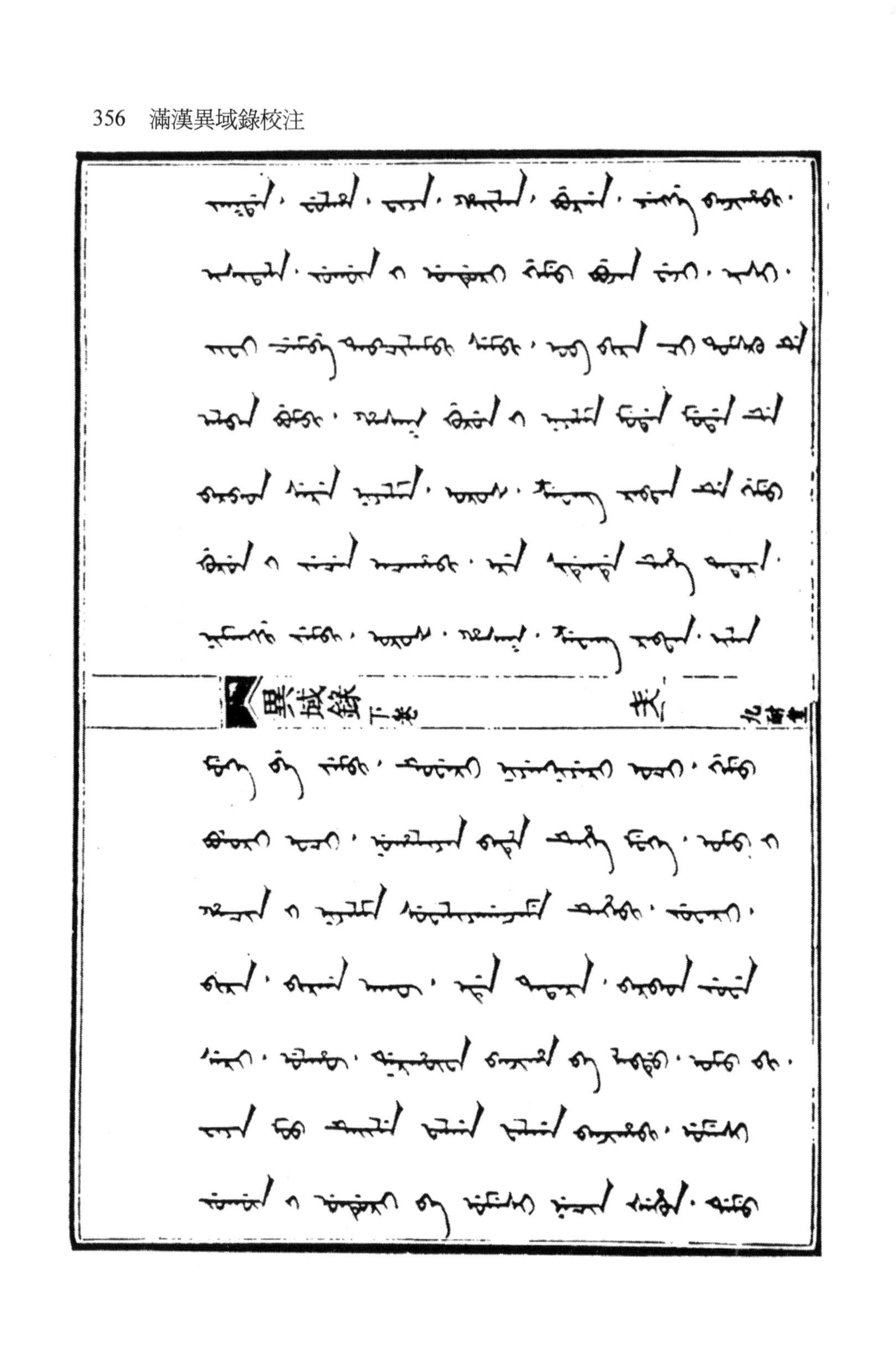

異域錄 下卷

jugūn i unduri ba umesi necin šehun, damu fiya moo teile falga falga banjihabi, umesi seri, ulhū, darhūwa banjiha ba labdu, omo bi, bira, birgan akū, ede tatara, barbat juwe hacin i niyalma suwaliyaganjame tehebi, juwari. bolori oci, nuhaliyan bade tehe muke, omo i muke be jembi, tuweri niyengniyeri oci, gemu nimanggi jembi, oros, hasak, ts'ewang rabtan, ilan gurun i jecen acahabi, ere sidende tehe tatara, barbat sere niyalma, oros ts'ewang rabtan de gemu alban bumbi, hasak gurun i niyalma mudan mudan de jifi cembe tabcilambi sembi, ob bira ci tomsk'o de isitala, jugūn i unduri gemu bujan weji, isi, jakdan, fulha, fiya hailan, burga, yengge banjihabi,

---

沿途地甚平坦，惟樺木片片叢生，甚稀，生蘆荻處甚多，有水澤，無溪澗，此處塔塔拉與巴爾巴忒兩種人雜處，夏秋則飲澤中及低窪處潦水，冬春則食雪冰，鄂羅斯、哈薩克國、哈拉哈兒叭國、策旺拉布坦四國連界接壤，此處所居塔塔拉並巴爾巴忒人，與鄂羅斯、策旺拉布坦兩國，皆納賦，不時被哈薩克國人侵奪擄掠，自鄂布河以至托穆斯科，沿途皆林藪，有杉松、馬尾松、楊、樺、榆、叢柳、櫻薁，

€沿途地甚平坦，惟桦木片片丛生，甚稀，生芦荻处甚多，有水泽，无溪涧，此处塔塔拉与巴尔巴忒两种人杂处，夏秋则饮泽中及低洼处潦水，冬春则食雪冰，鄂罗斯、哈萨克国、哈拉哈儿叭国、策旺拉布坦四国连界接壤，此处所居塔塔拉并巴尔巴忒人，与鄂罗斯、策旺拉布坦两国，皆纳赋，不时被哈萨克国人侵夺掳掠，自鄂布河以至托穆斯科，沿途皆林薮，有杉松、马尾松、杨、桦、榆、丛柳、樱薁，

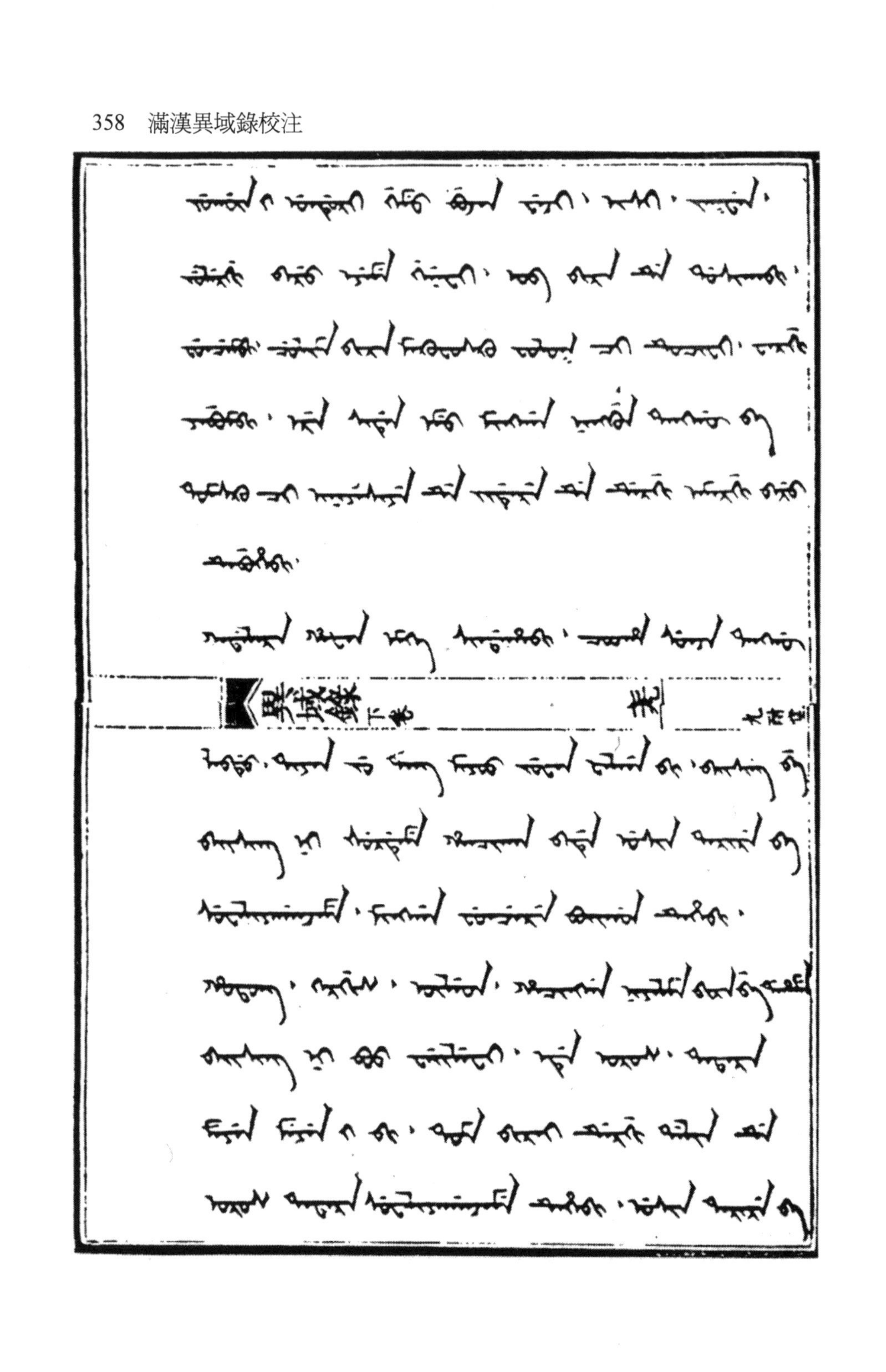

異域錄 下卷

oros, tatara suwaliyaganjame tehebi, usin tarire ba meyen meyen i bi, tom birai dergi dalin de baising ni boo weilefi, ede oros, tatara, hotong, kergis, ūlet, hacingga niyalma bira be dahame, suwaliyaganjame, minggan funcere boigon tehebi, baising ni šurdeme hancikan bade usin tarire ba labdu, tiyan ju tang miyoo juwan falga bi, baising be kadalara hafan emke sindahabi, cooha sunja tanggū tebuhebi. tomsk'o ci iniyesiye de jidere de dergi amargi baru yabumbi, ere siden emu mingan ninggun tanggū ba funcembi, culim bira mak'ofosk'o folko ci tucifi, wargi julergi baru eyeme genefi, ob bira de dosikabi, jugūn i unduri gemu bujan weji, isi, jakdan,

---

鄂羅斯與塔塔拉人（註九九），間有田畝，托穆河東岸有廬舍，居千餘戶，鄂羅斯與塔塔拉，並貨通及克爾紀斯、厄魯特各種人雜處，栢興左近地方田畝甚多，天主堂十座，設管轄栢興頭目一員，駐兵五百名。自托穆斯科往伊聶謝來，向東北行，其間一千六百餘里，其楚里穆河，自庥科佛斯科山內發源，向西南歸入鄂布河，沿途俱林藪，有杉松、馬尾松

鄂罗斯与塔塔拉人（注九九），间有田亩，托穆河东岸有庐舍，居千余户，鄂罗斯与塔塔拉，并货通及克尔纪斯、厄鲁特各种人杂处，栢兴左近地方田亩甚多，天主堂十座，设管辖栢兴头目一员，驻兵五百名。自托穆斯科往伊聂谢来，向东北行，其间一千六百余里，其楚里穆河，自麻科佛斯科山内发源，向西南归入鄂布河，沿途俱林薮，有杉松、马尾松

註九九：鄂羅斯與塔塔拉人，案滿文本謂鄂羅斯與塔塔拉人雜處，漢文脫「雜處」字樣。

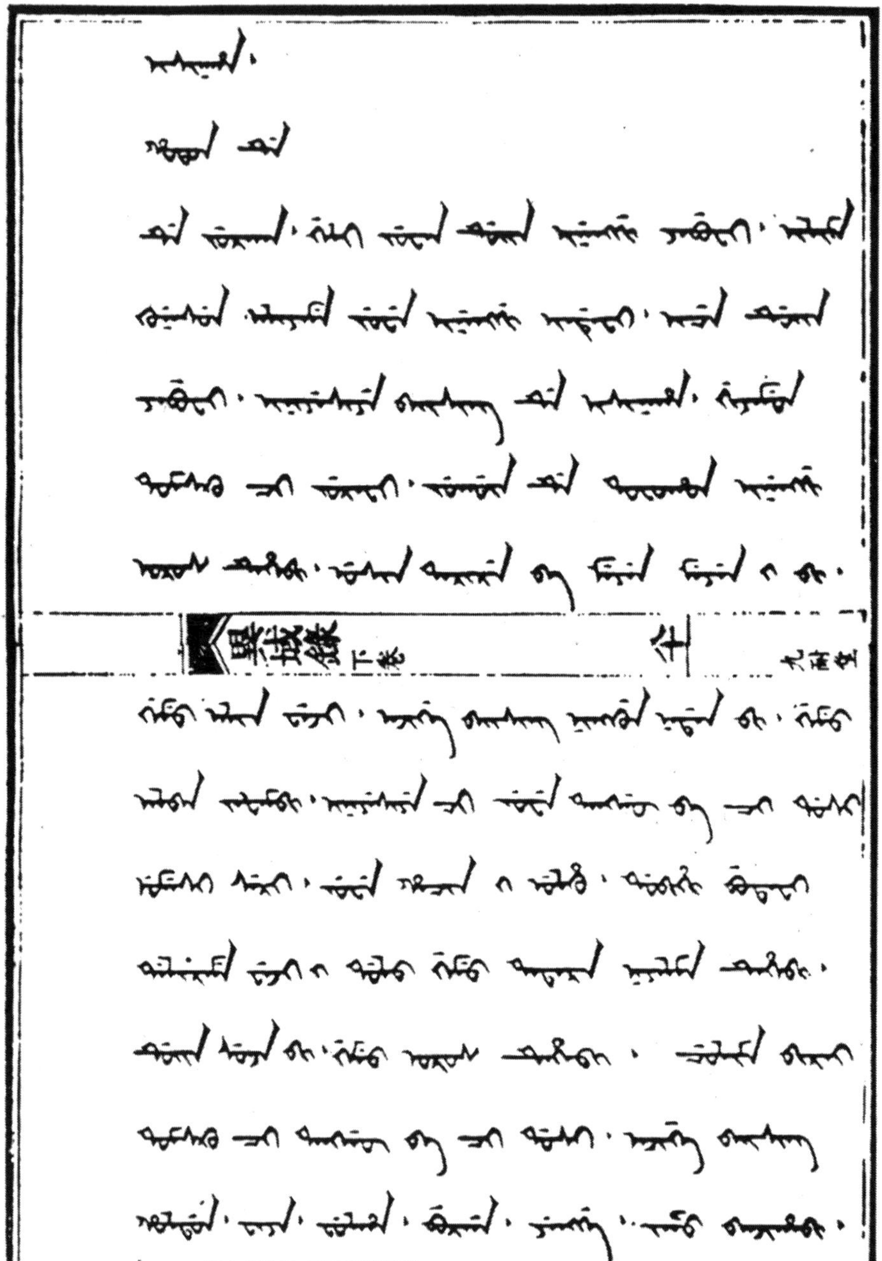
異域錄 下卷
廿

holdon, fiya, fulha, burga, yengge, jamu banjihabi, tomsk'o ci tanggū ba ci dosi, ajige baising duin sunja bi, gemu oros tehebi, culim birai dalirame weji i dolo gemu tatara niyalma tehebi, umesi seri, juwe hacin i ulhu, dobihi butafi alban jafambi, iniyesiye ci juwe tanggū ba ci dosi gemu alin weji, aijge baising ninggun nadan bi, gemu oros tehebi, usin tarire ba meyen meyen i bi, tomsk'o ci jurafi, jugūn de tofohon inenggi yabufi, iniyesiye baising de isinaha, giyamun kunesun aliyame juwe inenggi indefi, ice duin de juraka, geli juwan duin inenggi yabufi, ilim hoton de isinaha.

果松、樺、楊、叢柳、櫻薁、刺玫，托穆斯科百里以內，有小栢興四五處，俱鄂羅斯，間有田畝，楚里穆河岸林藪內，皆係塔塔拉人，散處甚稀，捕灰鼠、銀鼠、狐狸納貢，伊聶謝二百里以內皆山林，有小植興六七處，俱鄂羅斯，間有田畝，越十五宿，至伊聶謝栢興，候辦驛馬供給，止二宿，於二月初四日起程，又行十日，至伊里穆城。

果松、桦、杨、丛柳、樱薁、刺玫，托穆斯科百里以内，有小栢兴四五处，俱鄂罗斯，间有田亩，楚里穆河岸林薮内，皆系塔塔拉人，散处甚稀，捕灰鼠、银鼠、狐狸纳贡，伊聂谢二百里以内皆山林，有小植兴六七处，俱鄂罗斯，间有田亩，越十五宿，至伊聂谢栢兴，候办驿马供给，止二宿，于二月初四日起程，又行十日，至伊里穆城。

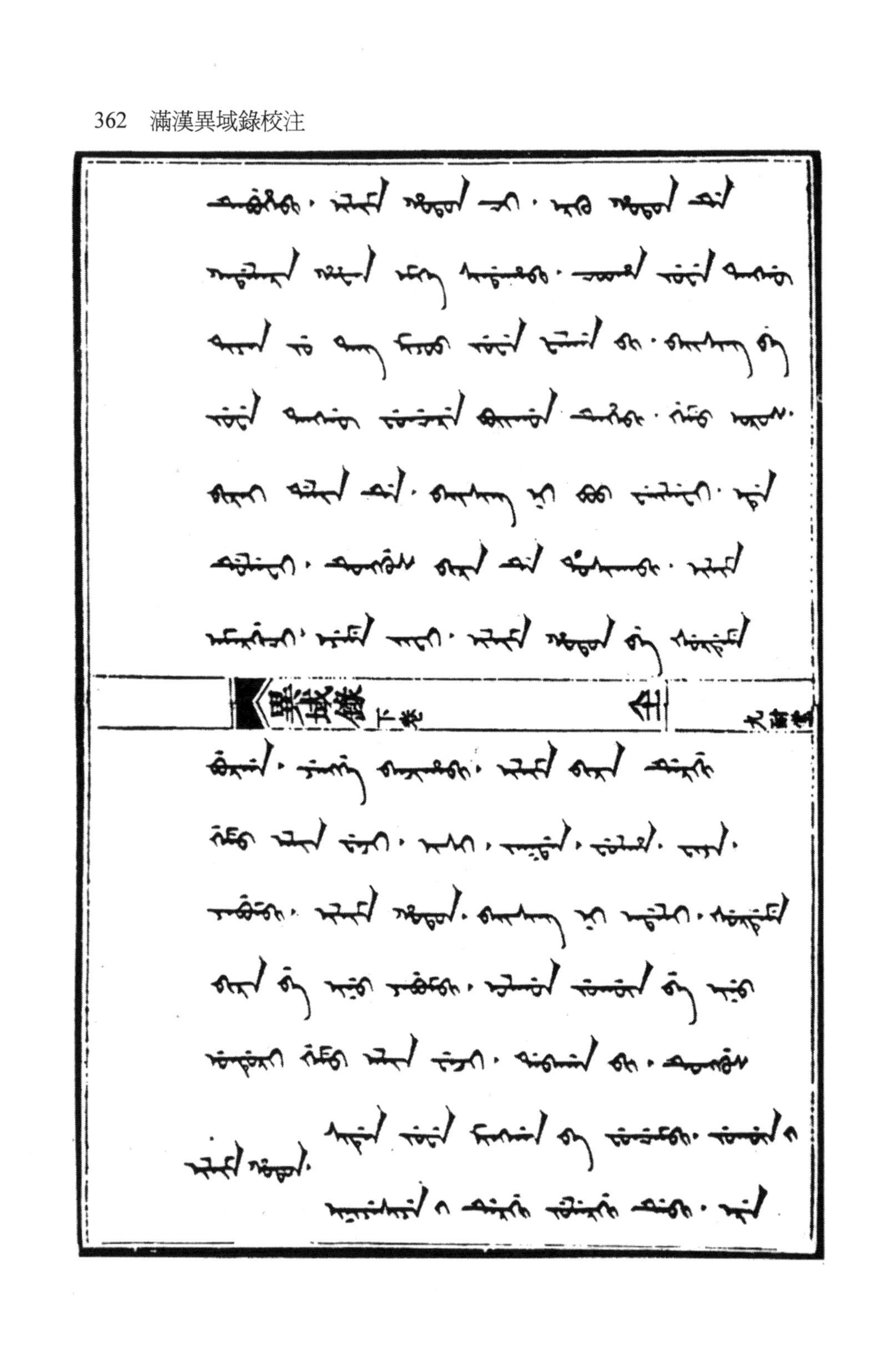

異域錄 下卷

ilim hoton, iniyesiye i dergi julergi debi, ere siden juwe minggan ba funcembi, jugūn i unduri gemu alin weji, dabagan bi, tunggus bira be inu yabumbi, olgon jugūn be inu yabumbi, ilim hoton, baising ni adali, šurdeme gemu alin, weji, isi, jakdan, fulha, fiya, burga, yengge banjihabi, ilim bira, dergi amargici eyeme jifi, ilim hoton be šurdeme dulefi, tunggus bira de dosikabi, ilim birai dalin de, baising ni boo weilefi, ede juwe tanggū funcere boigon tehebi, gemu oros, tiyan ju tang miyoo juwe falga bi, baising be kadalara hafan emke sindahabi, cooha juwe tanggū tebuhebi, ilim hoton ci, erku hoton de

---

伊里穆城，在伊聶謝之東南，相去二千餘里，沿途俱山林，有嶺，亦由通古斯河舟行，陸路亦通。伊里穆城似栢興，四面皆山林，有杉松、馬尾松、楊、樺、叢柳、櫻薁。其伊里穆河來自東北，環流伊里穆城，歸入通古斯河，伊里穆河北岸有廬舍，居二百餘戶，俱鄂羅斯，有天主堂二座，設管轄栢興頭目一員，駐兵二百名，自伊里穆城往厄爾庫城，

伊里穆城，在伊聂谢之东南，相去二千余里，沿途俱山林，有岭，亦由通古斯河舟行，陆路亦通。伊里穆城似栢兴，四面皆山林，有杉松、马尾松、杨、桦、丛柳、樱薁。其伊里穆河来自东北，环流伊里穆城，归入通古斯河，伊里穆河北岸有庐舍，居二百余户，俱鄂罗斯，有天主堂二座，设管辖栢兴头目一员，驻兵二白名，自伊里穆城往厄尔库城，

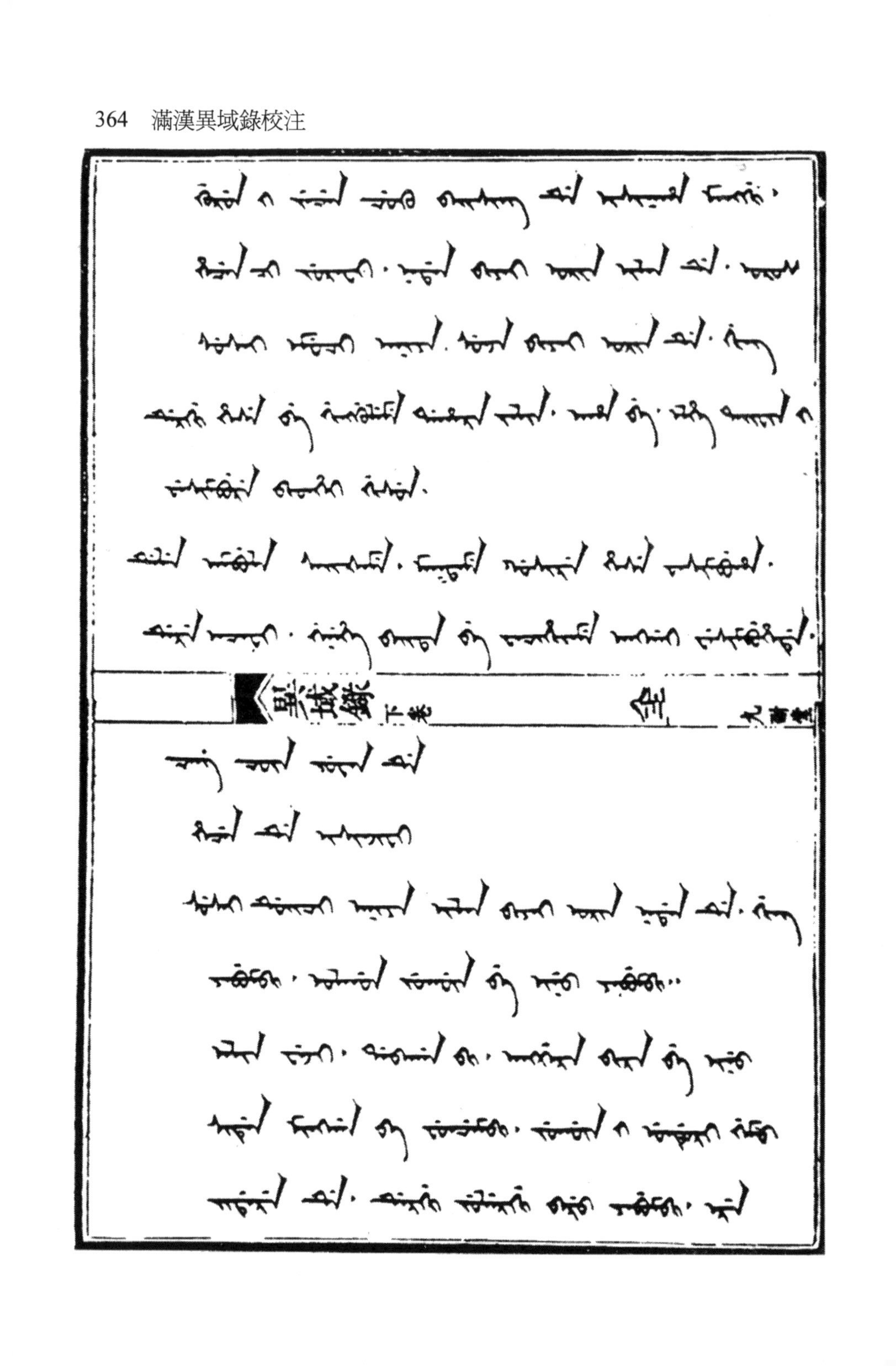

異域錄 下卷 全

jidere de, dergi julergi baru yabumbi, ere siden minggan ba funcembi, jugūn i unduri gemu alin weji, dabagan bi, angg'ara bira be inu yabumbi, ologon jugūn be inu yabumbi. susai duici aniya ilan biyai orin nadan de, ging hecen de isinjifi cang cūn yuwan de dere acafi, genehe baita be wacihiyame anggai wesimbuhede, dele ambula saišame, maktame gosire hese wasimbuha, wesimbure bithei gisun, dergi hese be gingguleme dahara jalin, aha be, elhe taifin i susai emuci aniya sunja biyai orin de, ging hecen ci jurafi, nadan biyai orin ilan de, oros gurun i jecen cuku baising de isinaha manggi,

---

向東南行，其間千有餘里，沿途皆山林，有嶺，亦由昂噶拉河舟行，陸路亦可行。五十四年三月二十七日，至京師，往暢春園陛見，將奉差往返諸事面奏。上大悅，深加褒獎，俯降溫綸，頒賜御膳，具奏疏曰：爲欽奉上諭事，臣等於康熙五十一年五月二十二日，自京師起程，於七月二十三日，至鄂羅斯國邊界楚庫栢興地方，

向东南行，其间千有余里，沿途皆山林，有岭，亦由昂噶拉河舟行，陆路亦可行。五十四年三月二十七日，至京师，往畅春园陛见，将奉差往返诸事面奏。上大悦，深加褒奖，俯降温纶，颁赐御膳，具奏疏曰：为钦奉上谕事，臣等于康熙五十一年五月二十二日，自京师起程，于七月二十三日，至鄂罗斯国边界楚库柏兴地方，

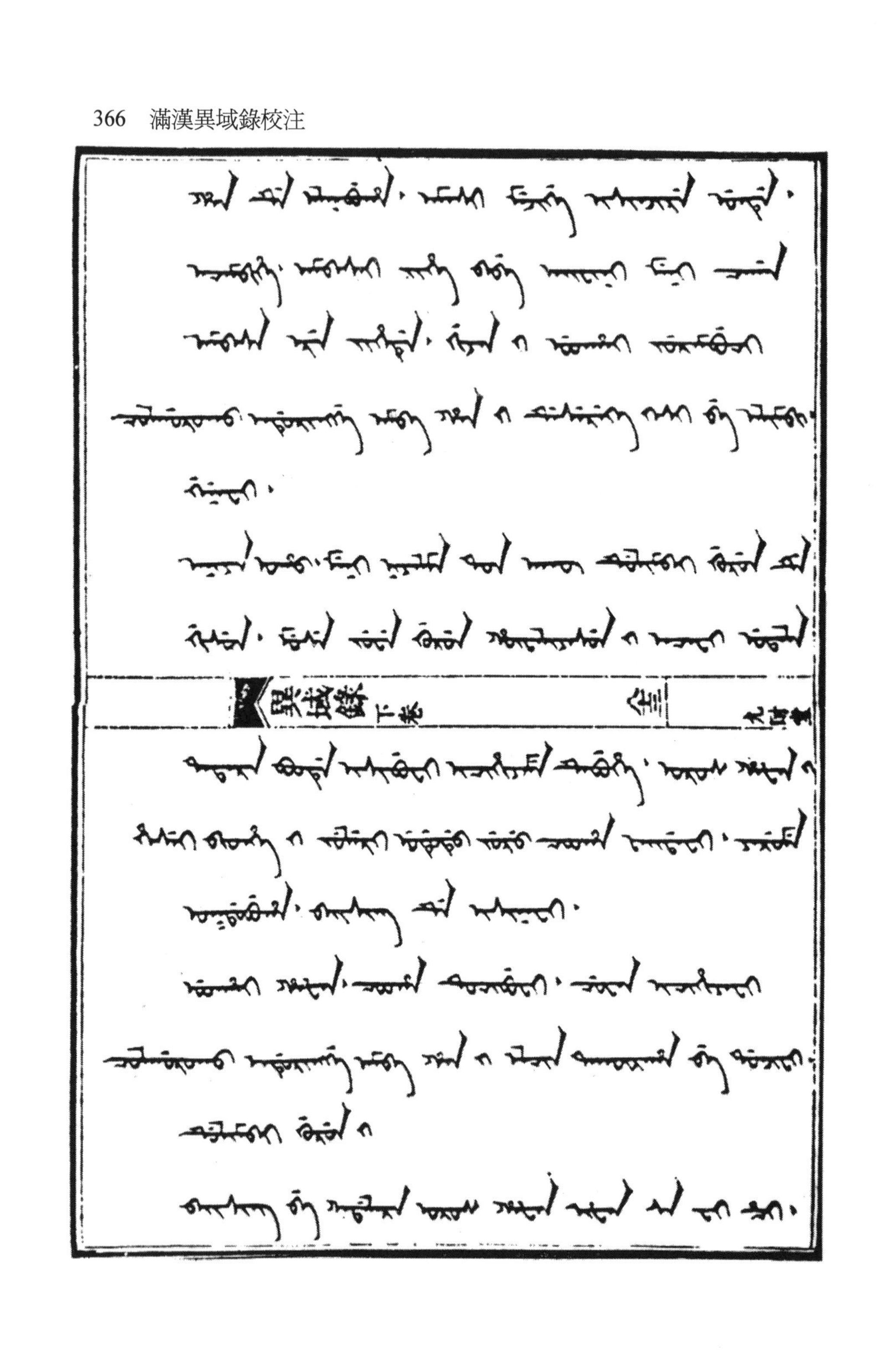

異域錄 下卷

baising be kadalara oros hafan ifan sa fi cy, dulimbai gurun i colgoroko enduringge amba han i elcin takūraha be donjifi, uthai hafan, cooha tucibufi, cuwan icihiyafi okdobuha, baising de isinafi, hesei bithe i juleri ududu juru cooha faidafi, yarume tatara boode isibufi icihiyame tebuhe, oros hafan i gisun, muse juwe gurun hūwaliyasun i acafi utala aniya oho, meni niyalma ton akū dulimbai gurun de genefi, colgoroko enduringge amba han i desereke kesi be alimbi, ambasa ere jihede, giyan i uthai jurambuci acambihe, ambasai jihe babe aifini meni cagan han de alanabuha, amasi mejige isinjire unde,

---

管理栢興之鄂羅斯頭目衣番薩非翅，聞得中國至聖大皇帝欽差天使，即撥官兵船隻迎接，至栢興地方，諭旨前排列兵丁數隊，導引至公署安歇，鄂羅斯頭目言兩國和議年久，我國人不時前往中國，沾至聖大皇帝深恩，天使前來，理應即便送往，但天使此來，業已往報察罕汗，回信未至

管理栢兴之鄂罗斯头目衣番萨非翅，闻得中国至圣大皇帝钦差天使，即拨官兵船只迎接，至栢兴地方，谕旨前排列兵丁数队，导引至公署安歇，鄂罗斯头目言两国和议年久，我国人不时前往中国，沾至圣大皇帝深恩，天使前来，理应即便送往，但天使此来，业已往报察罕汗，回信未至

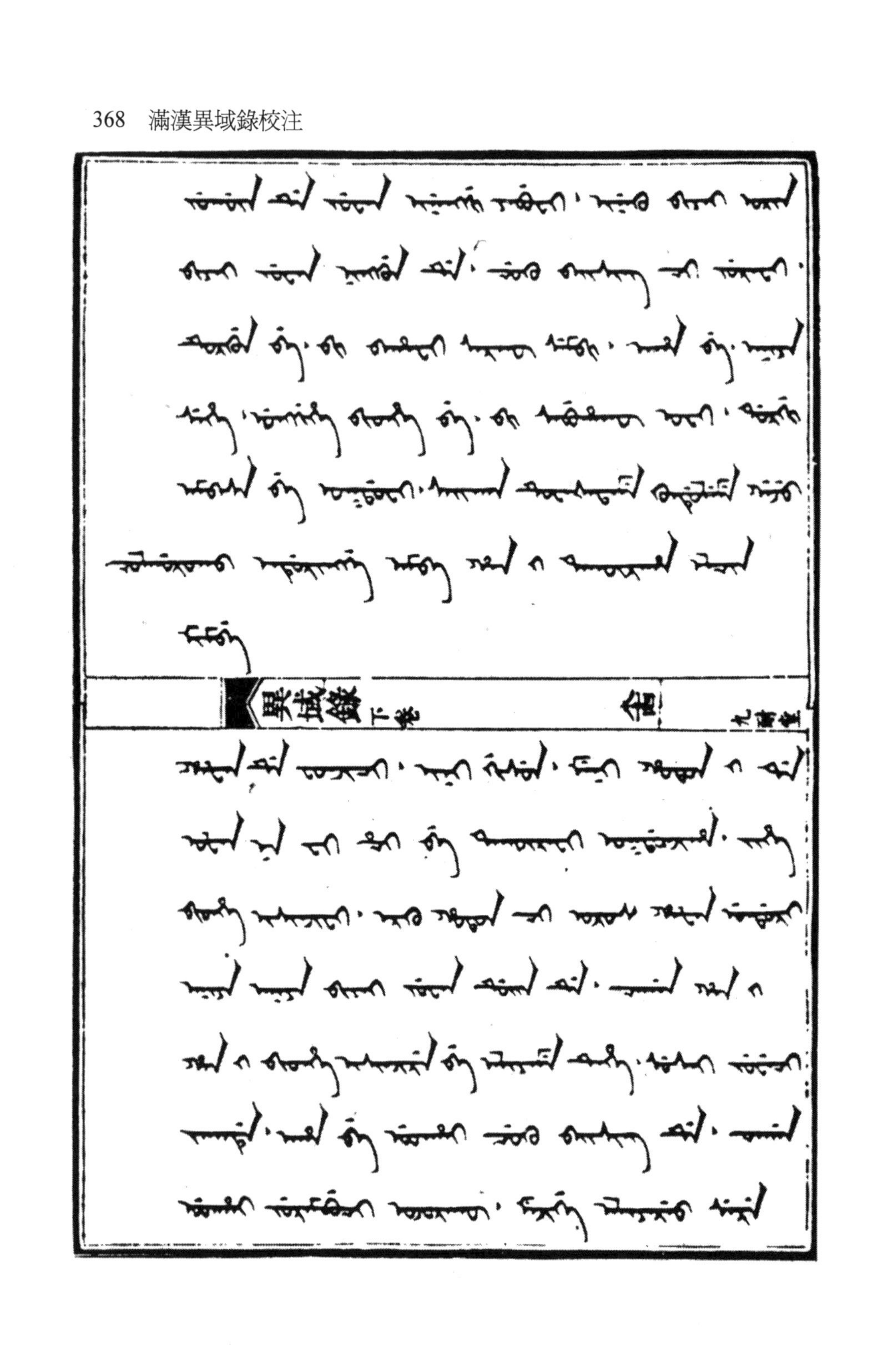

異域錄 下卷

uthai jurambuci ojorakū, mejige aliyareo sere jakade, aha be uthai cuku baising de, cagan han i bithe isinjire be aliyame tehe, susai juweci aniya aniya biyai juwan duin de, cagan han i bithe isinjifi, erku hoton ci oros hafan undori ofan na fi cy be takūrafi okdonjiha, jihe hafan de fonjici, ini gisun, meni hoton i da mimbe colgoroko enduringge amba han i takūraha elcin ambasa be okdofi, saikan tuwašatame kunduleme gaju sehe, unggihe bithe be, bi sabuhakū ofi, dorgi turgun be, bi bahafi sarkū sembi, aha be, aniya biyai juwan ninggun de, cuku baising ci jurafi, jugūn de juwan inenggi yabufi, ineku biyai orin

---

難於起程，暫請少待，於是臣等住楚庫栢興地方候察罕汗信到，五十二年正月十四日，察罕汗文到，厄爾庫城差鄂羅斯官溫多里臥番那非翅前來迎接，問其來官，答曰：蒙我顱目差遣，命我謹慎欵待迎接至聖大皇帝天使，來文我不曾見，其中情由不得而知，臣等於正月十二日（註一〇〇），自楚庫栢興起程，途行十日，於本月二

难于起程，暂请少待，于是臣等住楚库栢兴地方候察罕汗信到，五十二年正月十四日，察罕汗文到，厄尔库城差鄂罗斯官温多里卧番那非翅前来迎接，问其来官，答曰：蒙我颤目差遣，命我谨慎欵待迎接至圣大皇帝天使，来文我不曾见，其中情由不得而知，臣等于正月十二日（注一〇〇），自楚库栢兴起程，途行十日，于本月二

註一〇〇：正月十二日，案滿文作「正月十六日」，漢文異。

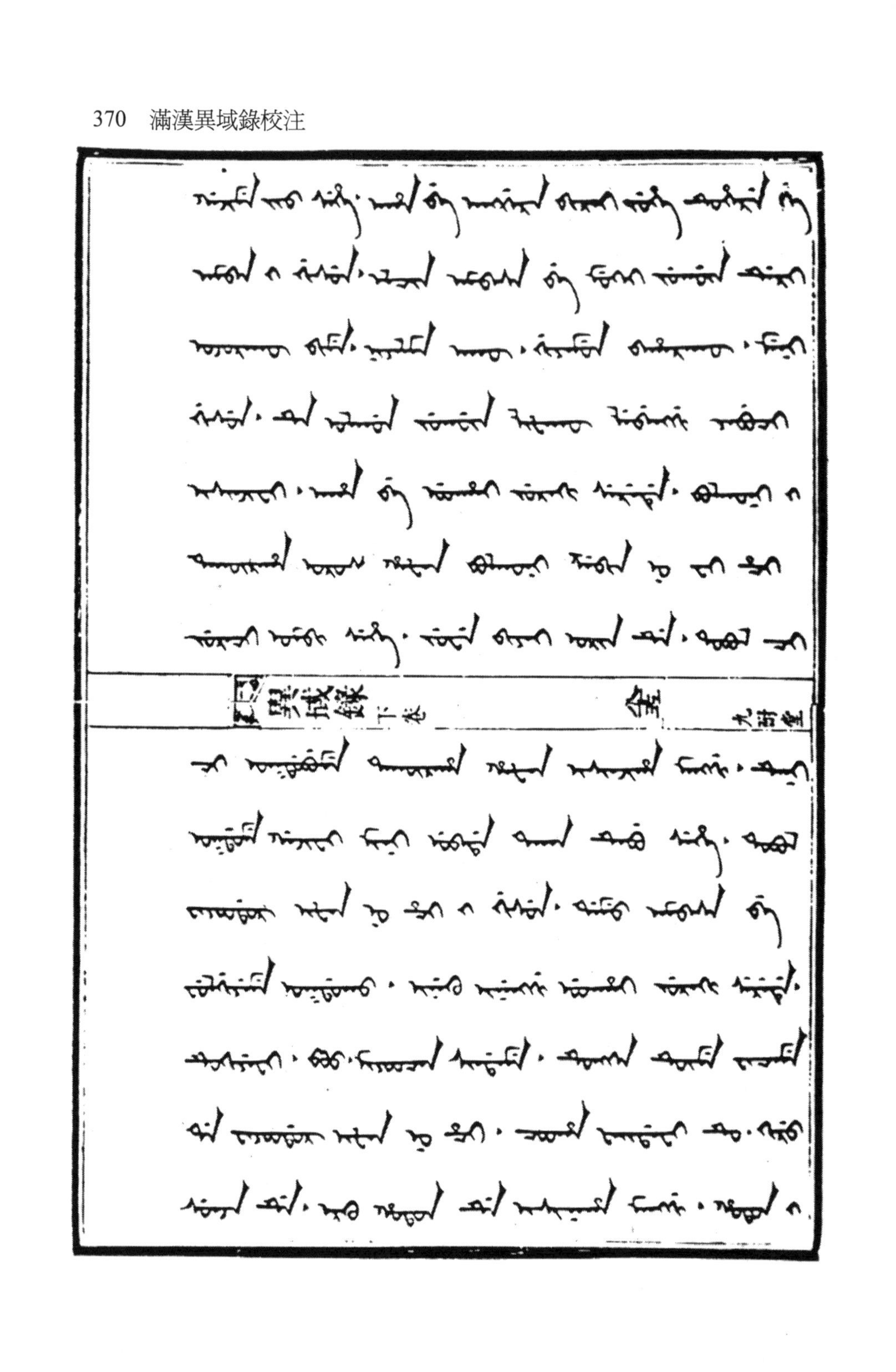

異域錄 下卷

sunja de, erku hoton de isinaha manggi, hoton i da fiyoodor ifan no cy, cooha faidafi tu, kiru tukiyefi, poo, miyoocan sindame, tungken tūme ficame fulgiyeme okdoko, ineku inenggi uthai juraki serede, fiyoodor ifan no cy i gisun, damu ambasa be okdome gajfi mini ubade taka tebu sehe, tobol ci okdobume takūraha hafan isinjiha manggi, teni juraci ombi sehe, juwe biyai orin de, tobol ci takūraha oros hafan bolkoni ts'ebin no fi cy isinjifi, aha be uthai juraki serede, bolkoni i gisun, te olgon jugūn lifakū lebenggi, yabuci ojorakū bime, niyalma akū, giyamun baharakū, meni amban i gisun, elcin ambasa be mukei jugūn deri gajime jio sehe, aha be angg'ara birai juhe tuhere be

---

十五日至厄爾庫城，其頭目費多爾衣番訥翅，排兵列幟，鳴炮放鎗，鼓吹迎接，本日即欲起程，費多爾衣番訥翅言，只令我迎接天使至此居住，待托波兒差官迎接到日，方可起程。二月二十日，由托波兒特差官博兒科泥冊班訥非翅前來，臣等即欲起程，博兒科泥曰：今陸路泥陷難行，人烟斷絕，馬匹不能繼續，我總管吩咐將天使大人由水路接來，於是臣等候昂噶拉河冰解釋，

十五日至厄尔库城，其头目费多尔衣番讷翅，排兵列帜，鸣炮放鎗，鼓吹迎接，本日即欲起程，费多尔衣番讷翅言，只令我迎接天使至此居住，待托波儿差官迎接到日，方可起程。二月二十日，由托波儿特差官博儿科泥册班讷非翅前来，臣等即欲起程，博儿科泥曰：今陆路泥陷难行，人烟断绝，马匹不能继续，我总管吩咐将天使大人由水路接来，于是臣等候昂噶拉河冰解释，

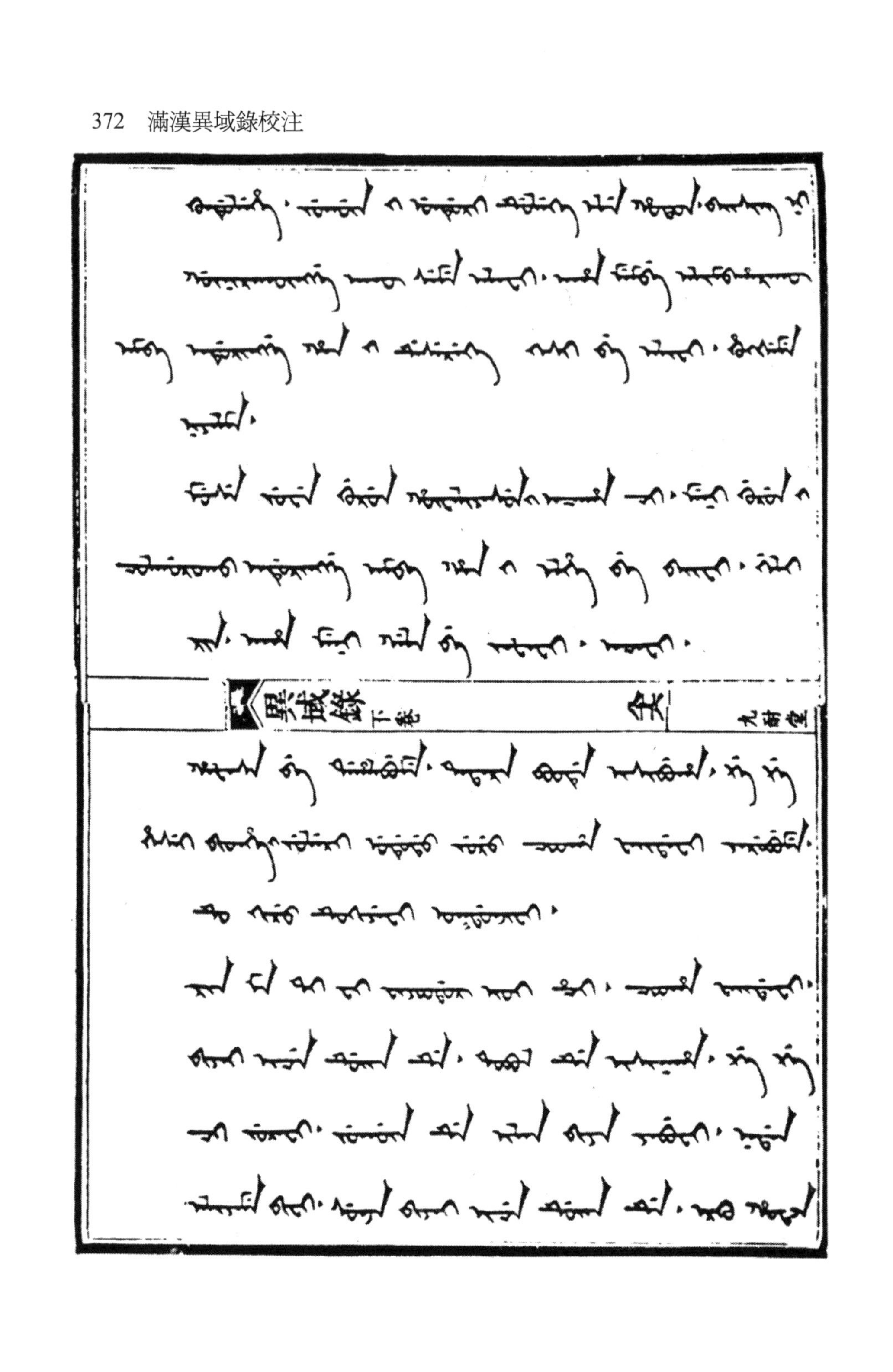

異域錄 下卷

aliyame bifi, sunja biyai ice duin de, erku hoton ci jurafi, jugūn de ilan biya yabufi, nadan biyai ice duin de, tobol de isinaha, g'a g'a rin ma ti fi fiyoodor ioi cy, cooha faidafi, tu kiru tukiyefi okdonjifi, hesei bithe i juleri ududu juru cooha faidafi yarubume, hafasa be dahalabume, tatara boode isibuha, g'a g'a rin, aha meni gala be jafafi, acafi, colgoroko enduringge amba han i elhe be baifi, geli muse juwe gurun hūwaliyasun i acaha ci, meni gurun i niyalma, amba enduringge han i desereke kesi be alifi, hukšeme gūnirakūngge akū seme alafi, aha membe alimbaharakū kundulehe, jugūn i unduri duleke ele hoton, baising ni

---

於五月初四日，自厄爾庫城起程，途行三個月，於七月初四日，至托波兒地方，噶噶林馬提飛費多里玉翅，排兵列幟，迎接諭旨，前排列兵丁數對導引，官員護從，送至公署安歇，噶噶林相見，即持臣等手，恭請至聖大皇帝萬安畢，盛稱兩國和議之後，我國人屢蒙大皇帝隆恩，不勝感戴，欵待極其欽敬。至沿途所過城堡

于五月初四日，自厄尔库城起程，途行三个月，于七月初四日，至托波儿地方，噶噶林马提飞费多里玉翅，排兵列帜，迎接谕旨，前排列兵丁数对导引，官员护从，送至公署安歇，噶噶林相见，即持臣等手，恭请至圣大皇帝万安毕，盛称两国和议之后，我国人屡蒙大皇帝隆恩，不胜感戴，欵待极其钦敬。至沿途所过城堡

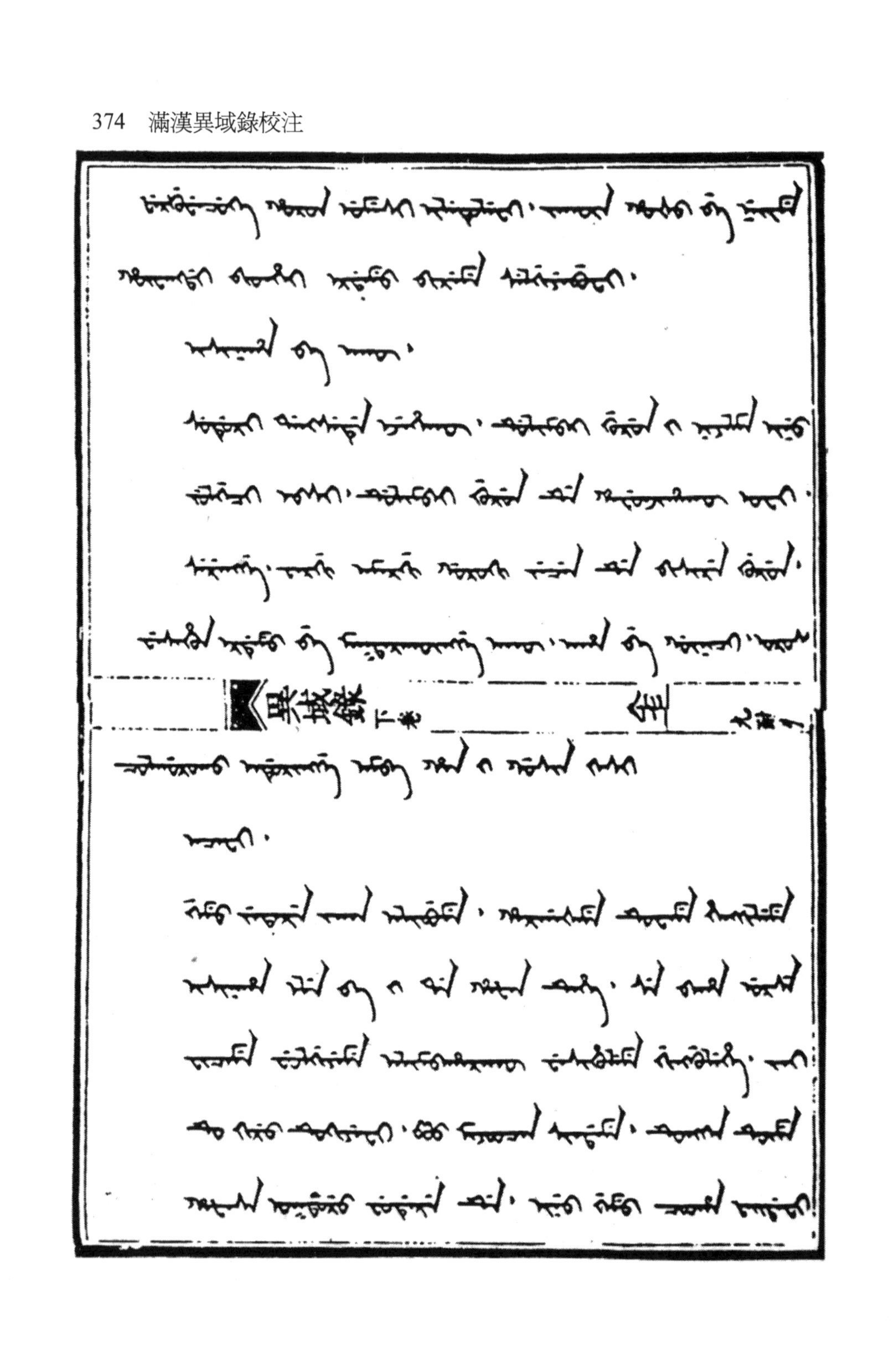

異域錄 下卷 全 六十

hafasa okdoro fudere de, inu gemu cooha faidafi tu kiru tukiyefi, poo miyoocan sindame, tungken tūme ficame fulgiyeme alimbaharakū wesihuleme ginggulehe, jai isinaha ele ba i da hafan tehe, se baha urse gemu jetere jaka alibume, hargašame tuwame hengkileme acafi, colgoroko enduringge amba han i gosin kesi wesihun erdemu be maktarakūngge akū, aha be gūnici, oros serengge, wargi amargi goroki jecen de bisire gurun, julgeci ebsi, dulimbai gurun de hafunjihakū ofi, suduri dangsede ejehekū, dulimbai gurun i niyalma inu isinaha ba akū, hūwangdi bithei erdemu bireme selgiyebufi, ferguwecuke horon umesi iletulefi, jakūn hošo be neime

---

官員迎接，亦皆排兵列幟，鳴炮放鎗鼓吹，不勝欽奉，所至地方，縉紳耆老，莫不進獻食物，瞻仰叩謁，皆向臣等稱頌至聖大皇帝仁恩盛德，臣等伏以鄂羅斯國，乃西北遐陬荒裔，自古未通中國，史籍所不載，中國人民未曾一至其地，我神威丕顯，恢弘八極，

官员迎接，亦皆排兵列帜，鸣炮放鎗鼓吹，不胜钦奉，所至地方，缙绅耆老，莫不进献食物，瞻仰叩谒，皆向臣等称颂至圣大皇帝仁恩盛德，臣等伏以鄂罗斯国，乃西北遐陬荒裔，自古未通中国，史籍所不载，中国人民未曾一至其地，我神威丕显，恢弘八极，

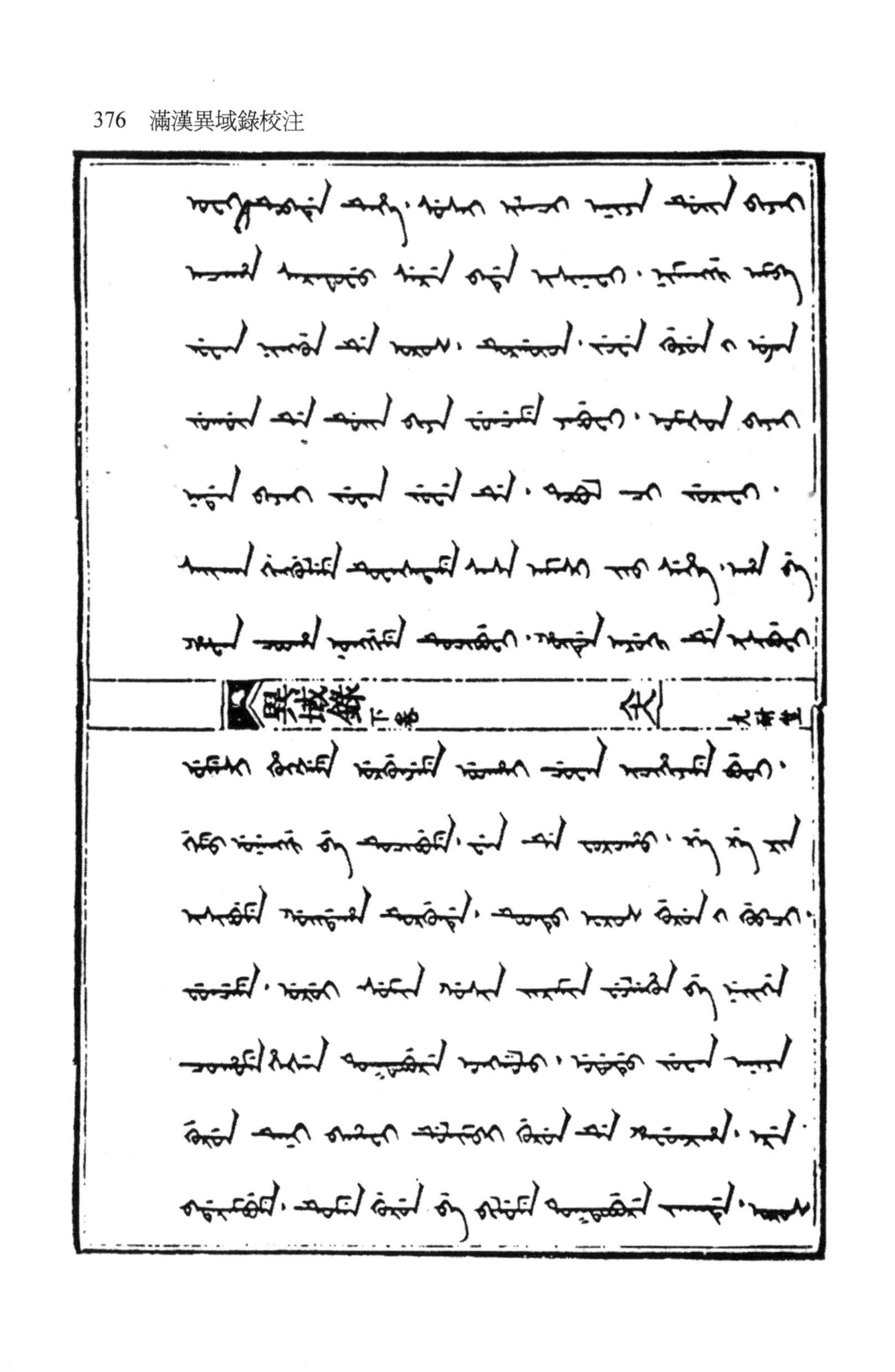

異域錄 下卷

badarambume, tumen gurun be bilume toktobure jakade, oros gurun teni bahafi dulimbai gurun de haufunjiha, ere cohome hešen toktobure onggolo, ududu juwan aniya funceme, urui šumin gosin jiramin fulehun be neigen isibume goidaha turgunde, tuttu oros gurun i gubci, gemu unenggi be tucibume, wen de foroho, g'a g'a rin umesi hukšeme urgunjeme uthai cuwan icihiyame bufi, hafan cooha nonggime tucibufi, hūdun ayuki de isibufi, saikan gingguleme tuwašatame sasa amasi jio sehe, aha be nadan biyai juwan juwe de, tobol ci jurafi, jugūn de duin biya funceme yabufi, omšon biyai juwan ninggun de oros, turgūt, juwe gurun i ujan acaha saratofu sere bade isinafi, nimanggi amba ofi tubade tehe, susai ilaci aniya duin biyai

---

撫乂萬邦，鄂羅斯始通中國，自未定邊界之前，數十年來，深仁厚惠，淪浹已久，屢洽以仁德，俾沾實惠，鄂羅斯舉國皆傾心向化，噶噶林不勝欣感，遂即撥給船隻，增添官兵，令作速送至阿玉氣汗處，謹慎欵待，一併同回，臣等於七月十二日，自托波兒起程，途行四月有餘，十一月十六日，至鄂羅斯、土爾虎特兩國交界之薩拉托付地方，因雪大，暫止其地，五十三年四月

抚乂万邦，鄂罗斯始通中国，自未定边界之前，数十年来，深仁厚惠，沦浃已久，屡洽以仁德，俾沾实惠，鄂罗斯举国皆倾心向化，噶噶林不胜欣感，遂即拨给船只，增添官兵，令作速送至阿玉气汗处，谨慎欵待，一并同回，臣等于七月十二日，自托波儿起程，途行四月有余，十一月十六日，至鄂罗斯、土尔虎特两国交界之萨拉托付地方，因雪大，暂止其地，五十三年四月

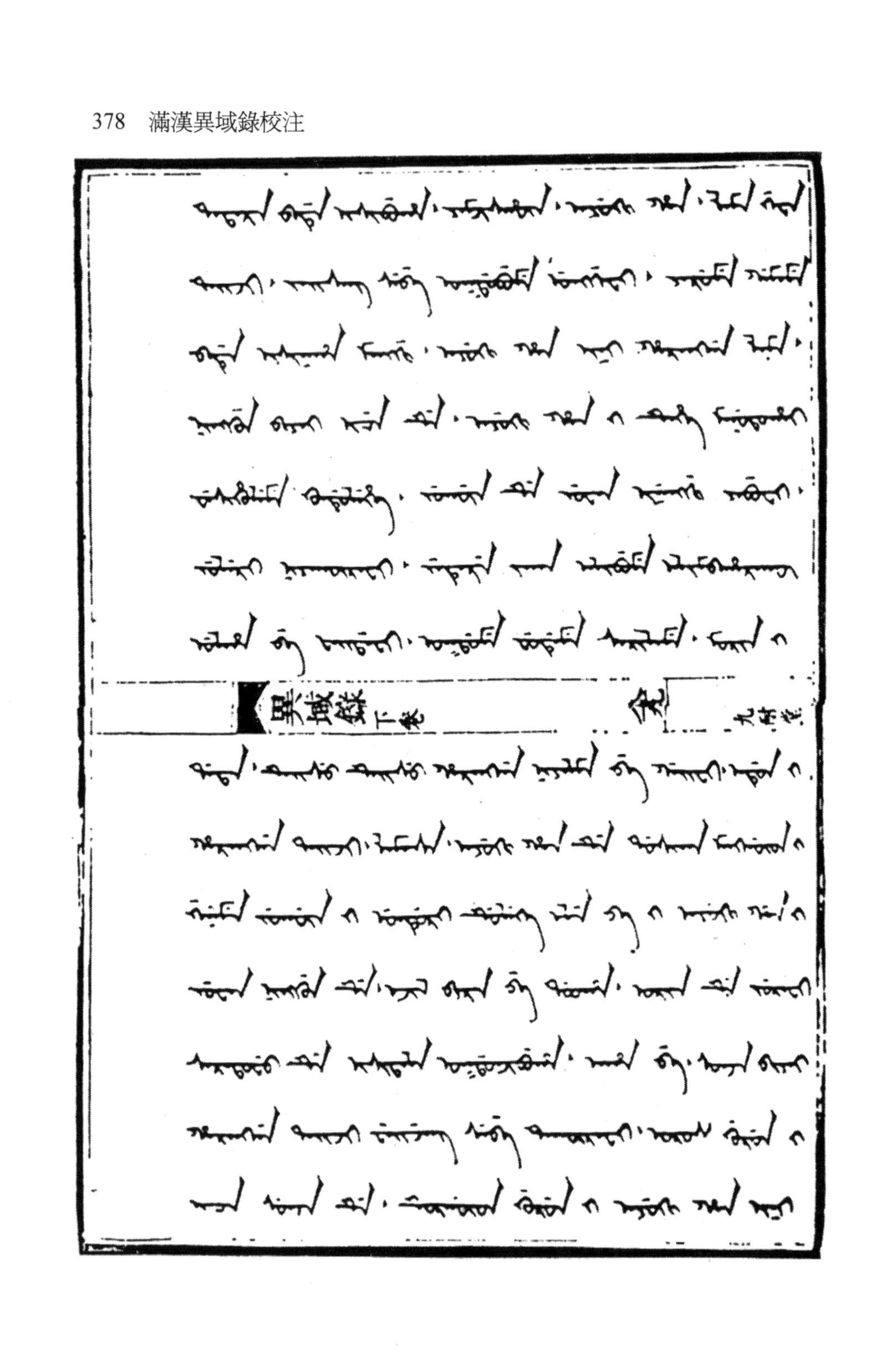

異域錄 下卷

ice sunja de, turgūt gurun i ayuki han ini harangga taiji weijeng sebe takūrafi, oros gurun i saratofu de isitala okdonjibuha, aha be, sunja biyai juwan ninggun de, ejil bira be dooha, orin de jurafi geneme, jugūn i unduri duleke ele ba i ayuki han i harangga taiji, lamasa, ayuki han de dosika manggūt i data, teisu teisu harangga niyalma be gaifi, adun i ulha be faidafi, okdome fudeme sarilame, morin i juleri niyakūrafi, jetere jaka alibume alimbaharakū wesihuleme kundulehe, jugūn de juwan inenggi yabufi, ninggun biyai ice de, ayuki han i tehe manutohai bade isinaha manggi, ayuki han ini harangga lama, taiji, jaisang sebe okdobume unggifi, yarume gamame tatara bade isibuha, yamjishūn, ayuki han, lama gewa

---

初五日，土爾虎特國阿玉氣汗差部下台吉魏正等迎接，至鄂羅斯國之薩拉托付地方，臣於五月十六日，渡厄濟兒河，二十日起程，沿途經過地方，阿玉氣汗部下台吉、番僧及投入阿玉氣汗之莽武特頭目各率所屬人等，排列牲畜迎送筵宴，馬前跪獻食物，皆不勝欽敬，途行十日，於六月初一日，至阿玉氣汗駐扎之馬駑托海地方，阿玉氣汗遣部下番僧台吉寨桑等迎接，導至公署，下午，阿玉氣汗差番僧格瓦

初五日，土尔虎特国阿玉气汗差部下台吉魏正等迎接，至鄂罗斯国之萨拉托付地方，臣于五月十六日，渡厄济儿河，二十日起程，沿途经过地方，阿玉气汗部下台吉、番僧及投入阿玉气汗之莽武特头目各率所属人等，排列牲畜迎送筵宴，马前跪献食物，皆不胜钦敬，途行十日，于六月初一日，至阿玉气汗驻扎之马驽托海地方，阿玉气汗遣部下番僧台吉寨桑等迎接，导至公署，下午，阿玉气汗差番僧格瓦

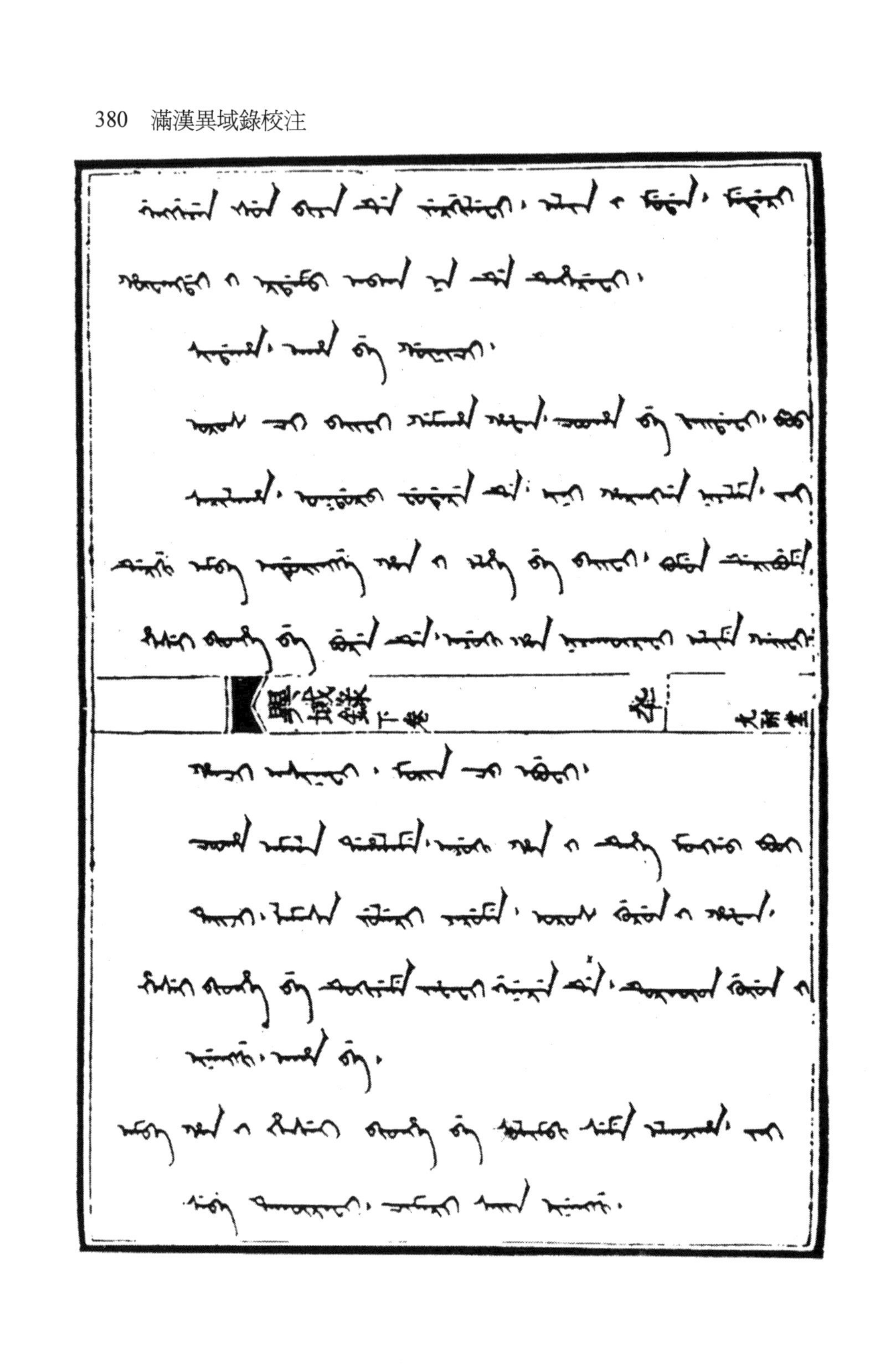

異域錄 下卷

sebe takūrafi, cimari sain inenggi, amba han i hesei bithe be solimbi seme alanjiha, jai inenggi, aha be, hesei bithe be tukiyeme jafafi genere de, turgūt gurun i taiji, lamasa juleri yarume, oros gurun i hafan, cooha amala dahalame, ayuki han i tehe monggo booi hanci isinafi, morin ci ebufi, hesei bithe be bure de, ayuki han niyakūrafi alime gaifi, dergi amba enduringge han i elhe be baifi, kumun deribume sarilaha, okdoro fudere de, ini harangga niyalma, jai oros ci baifi gamaha hafan, cooha be faidafi, poo sindaha, aha be gūnici, hūwangdi i erdemu abka na de teherefi, genggiyen šun biya de jergilefi, alin i mudan, mederi

---

等前來稟稱，明日吉辰，恭請大皇帝諭旨，次日，臣等捧旨前往，土爾虎特國台吉番僧前導，鄂羅斯國官兵隨後擁護，至阿玉氣汗帳輾前下馬，交付諭旨，阿玉氣汗跪接，恭請東土大皇帝萬安畢，作樂筵宴，排列部下及鄂羅斯國借來官兵，放炮迎送，臣等伏以皇帝德並乾坤，明同日月，山陬海

等前来禀称，明日吉辰，恭请大皇帝论旨，次日，臣等捧旨前往，土尔虎特国台吉番僧前导，鄂罗斯国官兵随后拥护，至阿玉气汗帐辗前下马，交付谕旨，阿玉气汗跪接，恭请东土大皇帝万安毕，作乐筵宴，排列部下及鄂罗斯国借来官兵，放炮迎送，臣等伏以皇帝德并乾坤，明同日月，山陬海

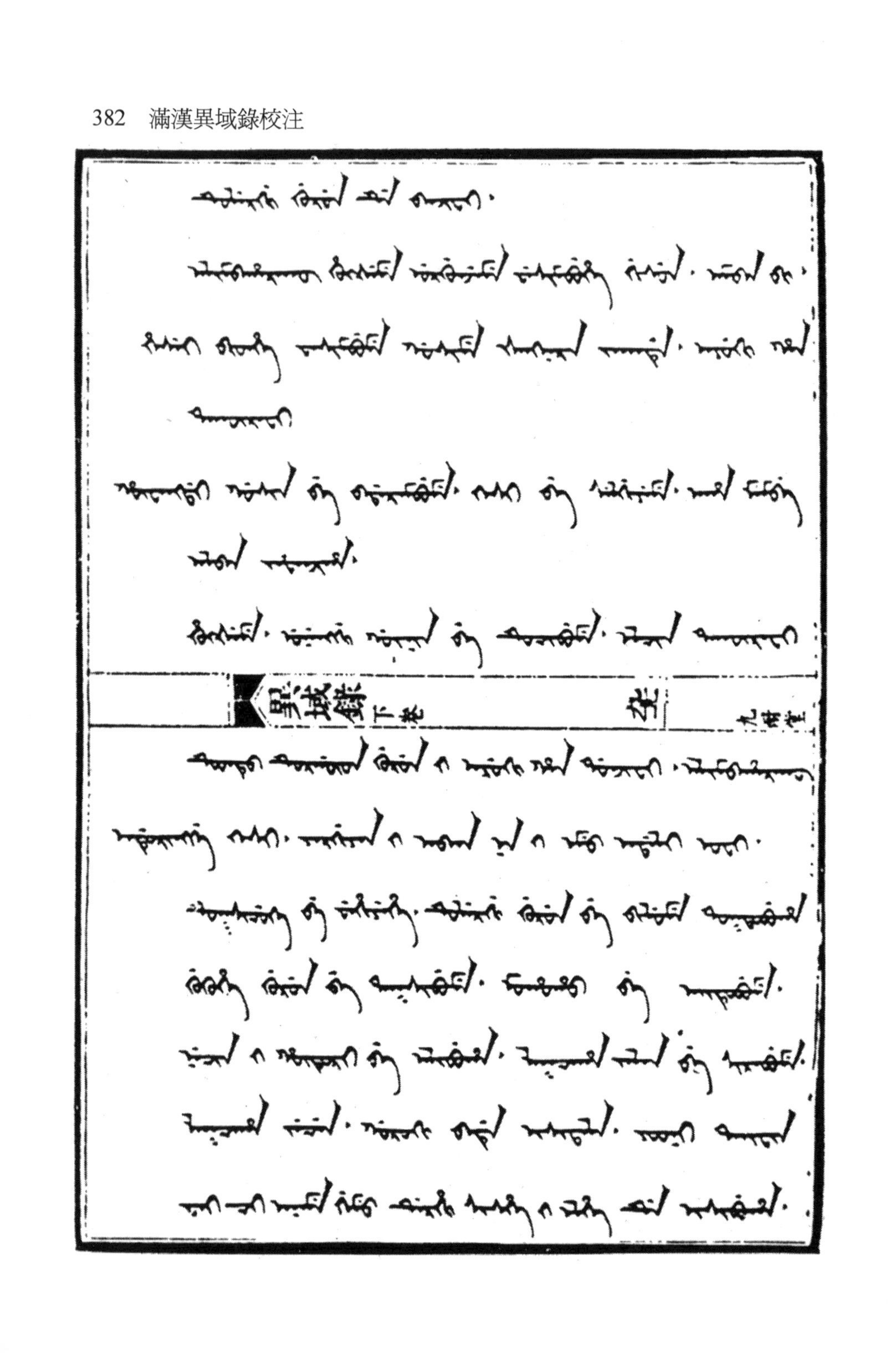

異域錄 下卷 [illegible]

[illegible]

wai ci aname gemu derhi sishe i elhe de isibuha, lakcaha jecen, goroki bade isitala, yooni taifin necin i hūturi be alibuha, lakcaha jalan be sirabume, gukuhe gurun be taksibume, mohoho be aitubume, tuksicuke be wehiyehe, tulergi gurun be bilume toktobuha enduringge kesi, yargiyan i abka na i emu adali ofi, tuttu turgūt gurun i ayuki han donjifi, alimbaharakū hukšeme, unenggi gūnin be tucibume, elcin takūrafi alban jafanjiha, hūwangdi gosin be badarambume, kesi be selgiyeme, aha membe takūrafi hesei bithe wasimbume gosime šangnara jakade, ayuki han alimbaharakū hukšeme urgunjeme wesimbuhe gisun, amban bi, tulergi gurun de banjifi,

---

溢，俱登袵席之安，絕塞窮荒，共享平成之福，興滅繼絕，濟困扶危，凡茲綏輯遠藩，聖恩真同高厚，是以土爾虎特國阿玉氣汗聞知，不勝感激，竭盡悃誠，遣使修貢，皇上仁恩廣布，霈澤周行，遣臣等頒發諭旨，並賜恩賞，阿玉氣汗愈不禁欣感之至，上言臣生長外國，

溢，俱登袵席之安，绝塞穷荒，共享平成之福，兴灭继绝，济困扶危，凡兹绥辑远藩，圣恩真同高厚，是以土尔虎特国阿玉气汗闻知，不胜感激，竭尽悃诚，遣使修贡，皇上仁恩广布，霈泽周行，遣臣等颁发谕旨，并赐恩赏，阿玉气汗愈不禁欣感之至，上言臣生长外国，

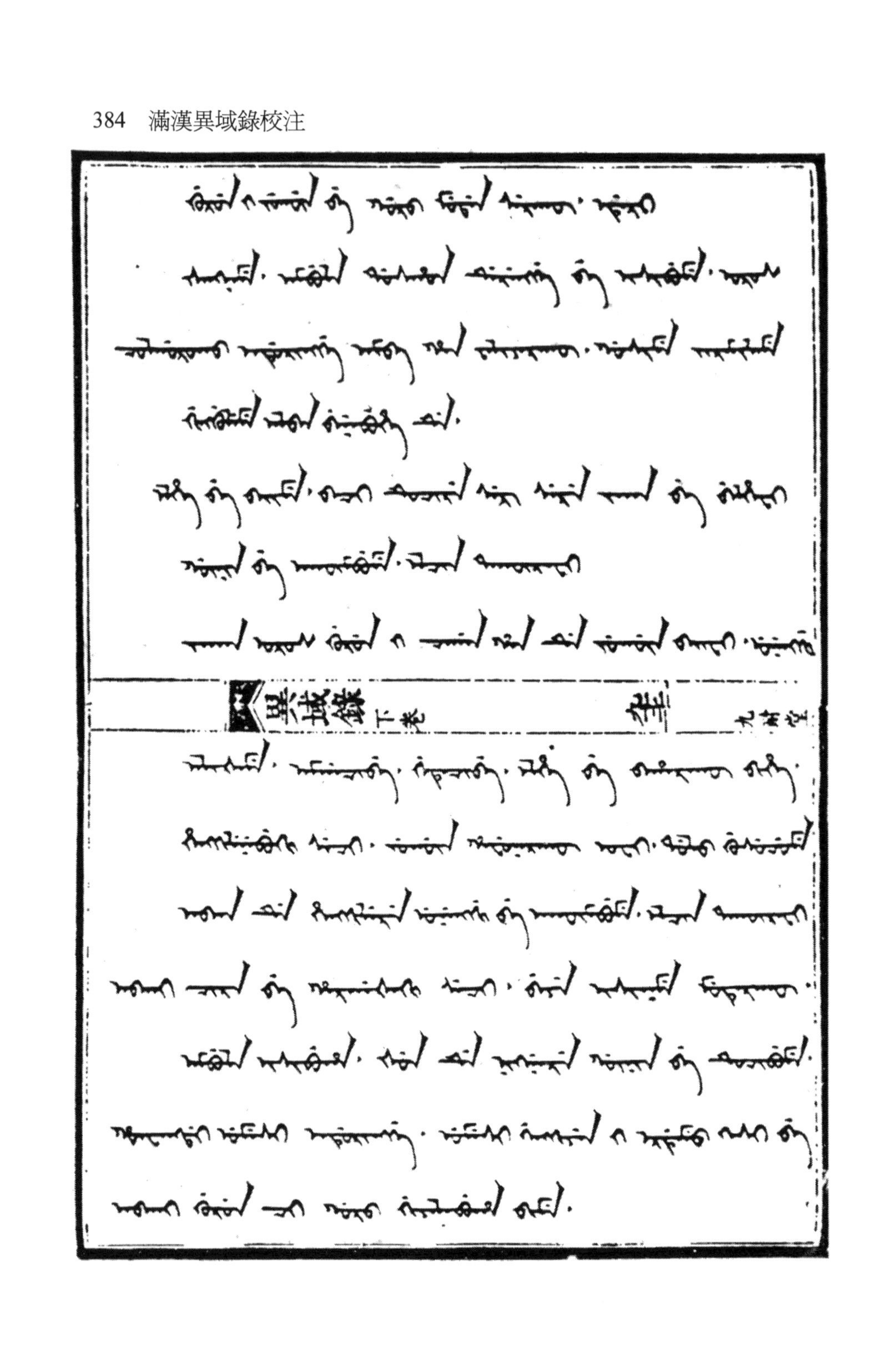

abkai gurun ci goro giyalabuha bime, hūwangdi umesi enduringge, umesi genggiyen i erdemu kesi be ambula isibuha, šun de nikenere gūnin be tucibume, abkai cira be hargašaki seci, beye isiname muterakū, abka de hengkilere unenggi be akūmbume, elcin takūrafi hengkilenebuki seci, jugūn hafunarakū ofi, dolo gusucume ališame, amgacibe, getecibe, elhe be baharakū bihe, jakan oros gurun i cagan han de jugūn baifi, unenggi gūnin be akūmbume, elcin takūrafi elhe be baime, baci tucire ser sere jaka be belhefi gingguleme alban benebuhe de, colgoroko enduringge amba han waliyarakū, gosime jiramilame šangname, ambula doshon derengge be isibume, oros gurun i jugūn be goro mudan serakū, ederi

---

敻遠天都，竊承皇帝至聖至明，德猷宣著，傾就日之誠，教覩天顏，而身不能至，展朝天之欵，遣使入覲，而道路難通，中心怏怏，寤寐不安，近日從鄂羅斯國察罕汗假道，竭誠遣使請安，以土毛微物，虔修進貢，復蒙至聖大皇帝不棄，曲加優賜，深荷寵耀，不以鄂羅斯國僻遠，

敻远天都，窃承皇帝至圣至明，德猷宣着，倾就日之诚，教覩天颜，而身不能至，展朝天之欵，遣使入覲，而道路难通，中心怏怏，寤寐不安，近日从鄂罗斯国察罕汗假道，竭诚遣使请安，以土毛微物，虔修进贡，复蒙至圣大皇帝不弃，曲加优赐，深荷宠耀，不以鄂罗斯国僻远，

異域錄 下卷

hesei bithe wasimbume, elcin takūrara jakade, gurun i gubci gemu derengge ofi, alin bira yooni eldengge oho, tukiyeme jafafi hūlafi, alimbaharakū urgunjeme dolo umesi wengke, amban bi, jabšan de dulimbai gurun i harangga ofi, abkai gese amba mulu han i gosime jilame dosholome tuwaha, kesi be alihangge, alin ci den, mederi ci šumin, abkai elbehe, na i aliha adali be dahame, damu colgoroko enduringge ama han be, tumen tumen se okini seme hing sere gūnin i jalbarire dabala, jai umai wesimbure gisun akū sehe, aha be, ayuki han i bade, juwan duin inenggi tehe, membe duin mudan sarilaha, morin jafaha, aha be, ninggun biyai juwan de jurafi jihe, gingguleme gūnici, hūwangdi i erdemu abka na de acanaha,

---

欽命天使，頒發諭旨，舉國增輝，山川生色，捧讀之餘，不勝欣躍，五內融化，臣幸屬籍中華，得蒙如天大皇帝恩寵，山高海深，天覆地載，惟願至聖大皇帝萬萬歲，虔誠禱祝而已，此外更無他語，臣等在阿玉氣汗地方住十四日，筵宴四次，餽送馬匹，臣等於六月十四日起程，恭惟我皇上德合天地，

钦命天使，颁发谕旨，举国增辉，山川生色，捧读之余，不胜欣跃，五内融化，臣幸属籍中华，得蒙如天大皇帝恩宠，山高海深，天覆地载，惟愿至圣大皇帝万万岁，虔诚祷祝而已，此外更无他语，臣等在阿玉气汗地方住十四日，筵宴四次，馈送马匹，臣等于六月十四日起程，恭惟我皇上德合天地，

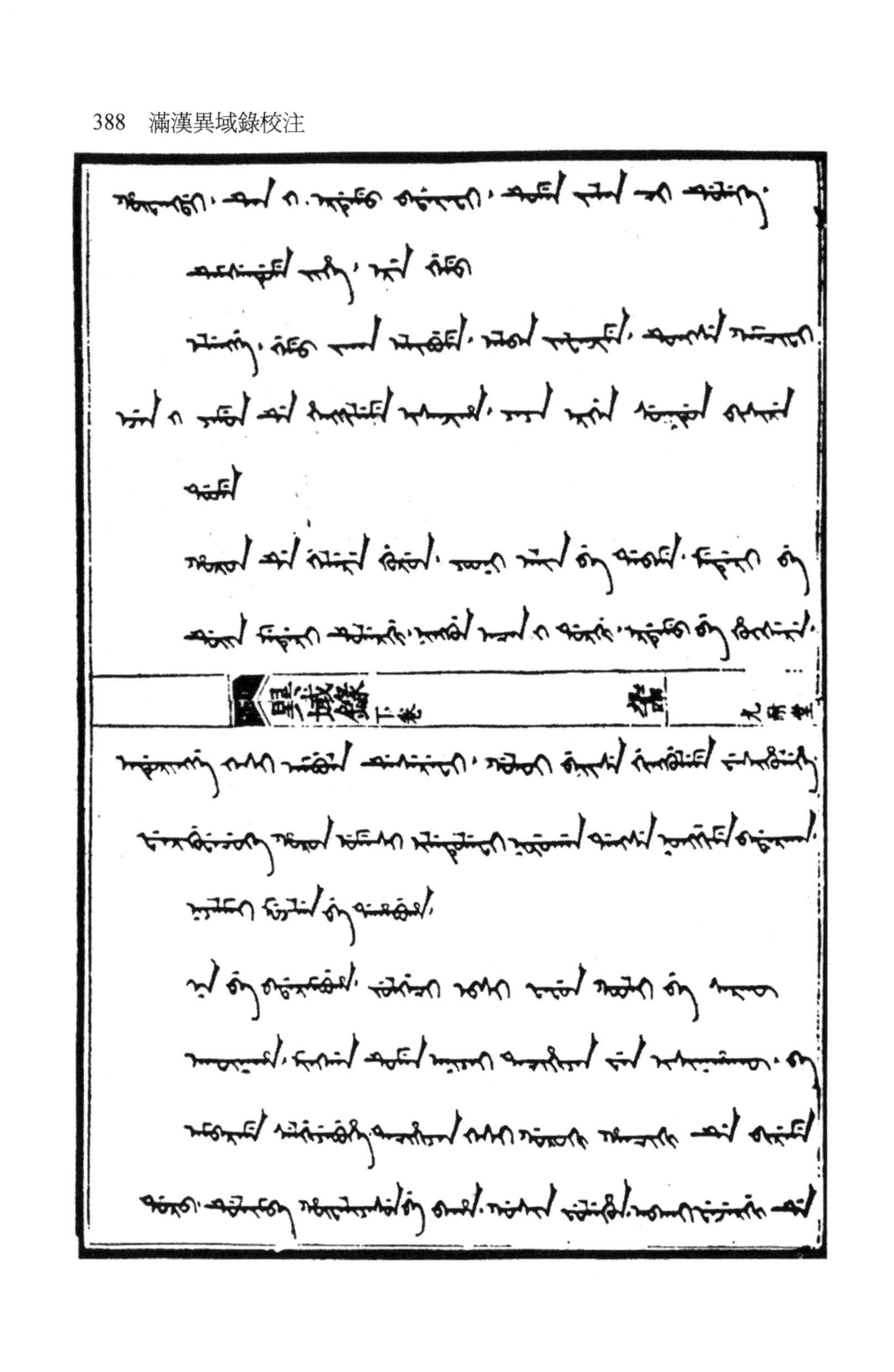

異域錄 上卷

doro dulimba hūwaliyasun be baha, gosin fulehun, abkai fejergi de ambarame selgiyebuhe, tacihiyan kesi goroki hanciki de bireme akūnaha, minggan tumen aniyai tacihiyan wen isinahakū, ba na be badarambuha, julgeci ebsi fafun kooli be sarkū niyalmai mujilen be dahabuha, ferguwecuke horon umesi iletulefi nirugan dangse nonggime badaraka, enduringge kesi ambula deserefi, goloi beise gingguleme wesihulehe, duin mederi tulergi, ninggun ჳcan i dorgi, erdemu be hukšere, horon de gelere gurun, yooni alin be dabame, mederi be doome ejen i yamun de hengkileme isanjiha, yaya ergen sukdun bisire elengge, gemu jaka alibume, alban jafanjime, tungse kamcifi temšendume jihe, ere gemu hūwangdi, ten i erdemu badarafi, tumen jalan ci duleke,

---

道秉中和，仁風翔溢乎垓埏，教澤覃敷於遐邇，闢千萬年聲教未及之疆土，服從古來法令不至之人心，神武丕昭而版圖增廓，聖恩遠播而藩服欽崇，四海而遙，六合以內，凡懷德畏威諸國，莫不梯山航梅，羅拜彤廷，舉含生戴氣之倫，悉皆納貢獻琛爭來重譯此皆我皇上至德浩蕩遠超萬古，

道秉中和，仁风翔溢乎垓埏，教泽覃敷于遐迩，辟千万年声教未及之疆土，服从古来法令不至之人心，神武丕昭而版图增廓，圣恩远播而藩服钦崇，四海而遥，六合以内，凡怀德畏威诸国，莫不梯山航梅，罗拜彤廷，举含生戴气之伦，悉皆纳贡献琛争米重译此皆我皇上至德浩荡远超万古，

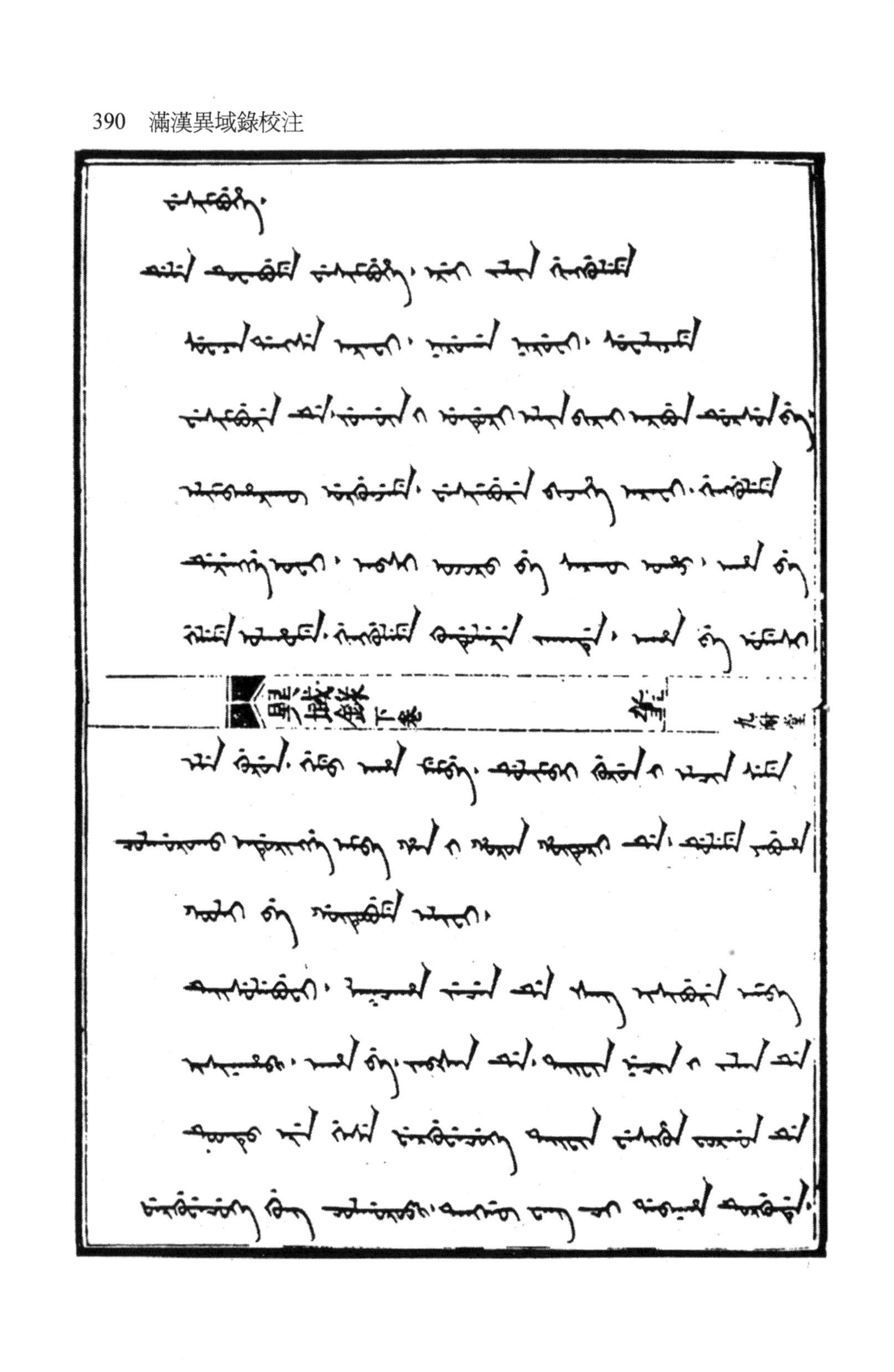

異域錄 下卷

ferguwecuke gung colgoropi, tanggū wang ci dabanaha turgunde, tuttu ere gese ferguwecuke taifin wesihun forgon de isinahabi, aha be, jabšan de, taifin necin i jalan de teisulebufi, lakcaha jecen de šang isibure amba kooli be gūtubume alifi, colgoroko enduringge amba han i horon hūturi de, duleme yabuha ele gurun, gemu aha membe, dulimbai gurun i elcin seme geleme olhome, gingguleme kundulere jakade, aha be umesi derengge ofi, absi ojoro be sarku oho, aha be alimbaharaku urgunjeme, wesimbure bithe arafi, gingguleme wesimbure de, jugun i unduri alin birai arbun dursun be, suwayan dangse arafi, nirugan nirufi, suwaliyame dele tuwabume wesimbuhe, erei jalin gingguleme wesimbuhe,

---

神功高邁，獨冠百王，是以致此致隆之治，極盛之時也，臣等生際昇平，幸叨頒賞絕域之鉅典，仰賴至聖大皇帝威福，經歷諸國，皆以臣等中華天使，畏服欽敬，臣等咸獲莫大之榮，罔知所措，曷勝踴躍欣忭之至，謹具奏疏，及沿途山川形勢，恭繕黃冊輿圖，進呈御覽，爲此謹奏，

神功高迈，独冠百王，是以致此致隆之治，极盛之时也，臣等生际升平，幸叨颁赏绝域之巨典，仰赖至圣大皇帝威福，经历诸国，皆以臣等中华天使，畏服钦敬，臣等咸获莫大之荣，罔知所措，曷胜踊跃欣忭之至，谨具奏疏，及沿途山川形势，恭缮黄册舆图，进呈御览，为此谨奏，

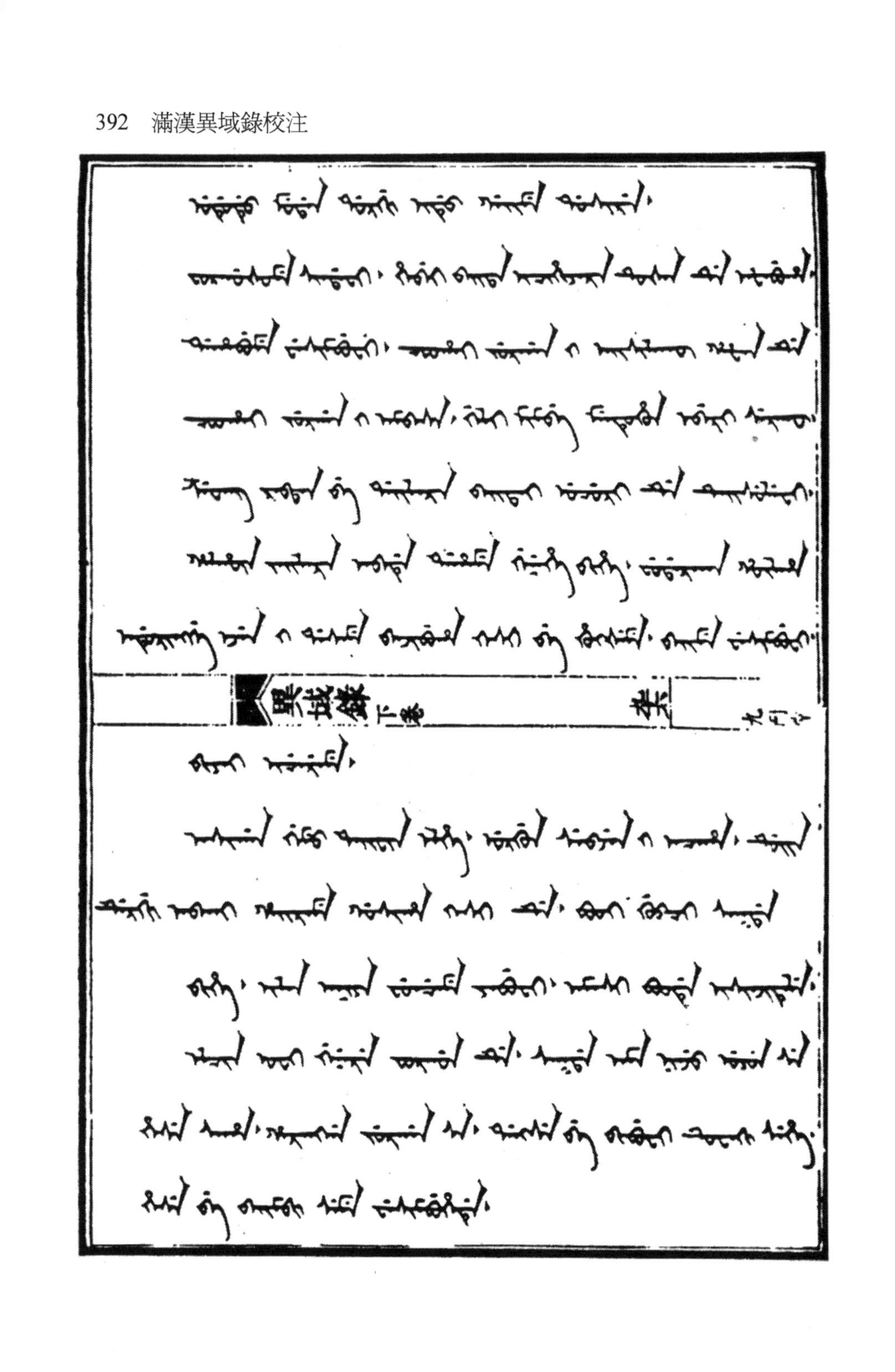

hese be baimbi seme wesimbuhede, hese saha, harangga jurgan sa, dangse be bibufi tuwaki sehe, elcin ofi genere forgon de, sakda ama ninju uyun se bihe, ilan aniya funceme yabufi, amasi boode isinjitele, dergi abkai hairame gosiha kesi de, booi gubci sakda asigan gemu taifin elhe, urgun sebjen i acaha, duin biyai icereme, enduringge ejen i dasame banjibuha kesi be hukšeme, baime wesimbufi, halhūn jailara abade dahame genehe bihe, fudaraka hūlha ts'ewang rabtan be dailara baitai ucuri de teisulefi, coohai jurgan i ambasa, geli mimbe mentuhun eberi serakū, dahabume wesimbufi, coohai jurgan i aisilakū hafan de forgošome sindafi, hebei baita icihiyara tušan de afabuha, ududu mudan dorgi idu gaime dosire,

請旨，奉旨知道了，該部知道，冊圖留覽。奉差前往之時，家君年已六十有九，往返三載餘，以暨還都，蒙皇天眷佑（註一〇一），闔門清泰，歡欣團聚，夏四月初旬，仰感聖主再造之恩，生全之德，懇請隨駕避暑效力，前往熱河，值征勦逆寇策旺拉布坦有事之際，兵部臣不以余愚蒙庸劣，具疏題請，調補兵部員外郎，辦理軍務，屢次入直內庭

请旨，奉旨知道了，该部知道，册图留览。奉差前往之时，家君年已六十有九，往返三载余，以暨还都，蒙皇天眷佑（注一〇一），阖门清泰，欢欣团聚，夏四月初旬，仰感圣主再造之恩，生全之德，恳请随驾避暑效力，前往热河，值征剿逆寇策旺拉布坦有事之际，兵部臣不以余愚蒙庸劣，具疏题请，调补兵部员外郎，办理军务，屡次入直内庭

註一〇一：蒙皇天眷佑，叢書集成簡編、小方壺齋輿地叢鈔作「蒙聖恩」，與滿文本異。

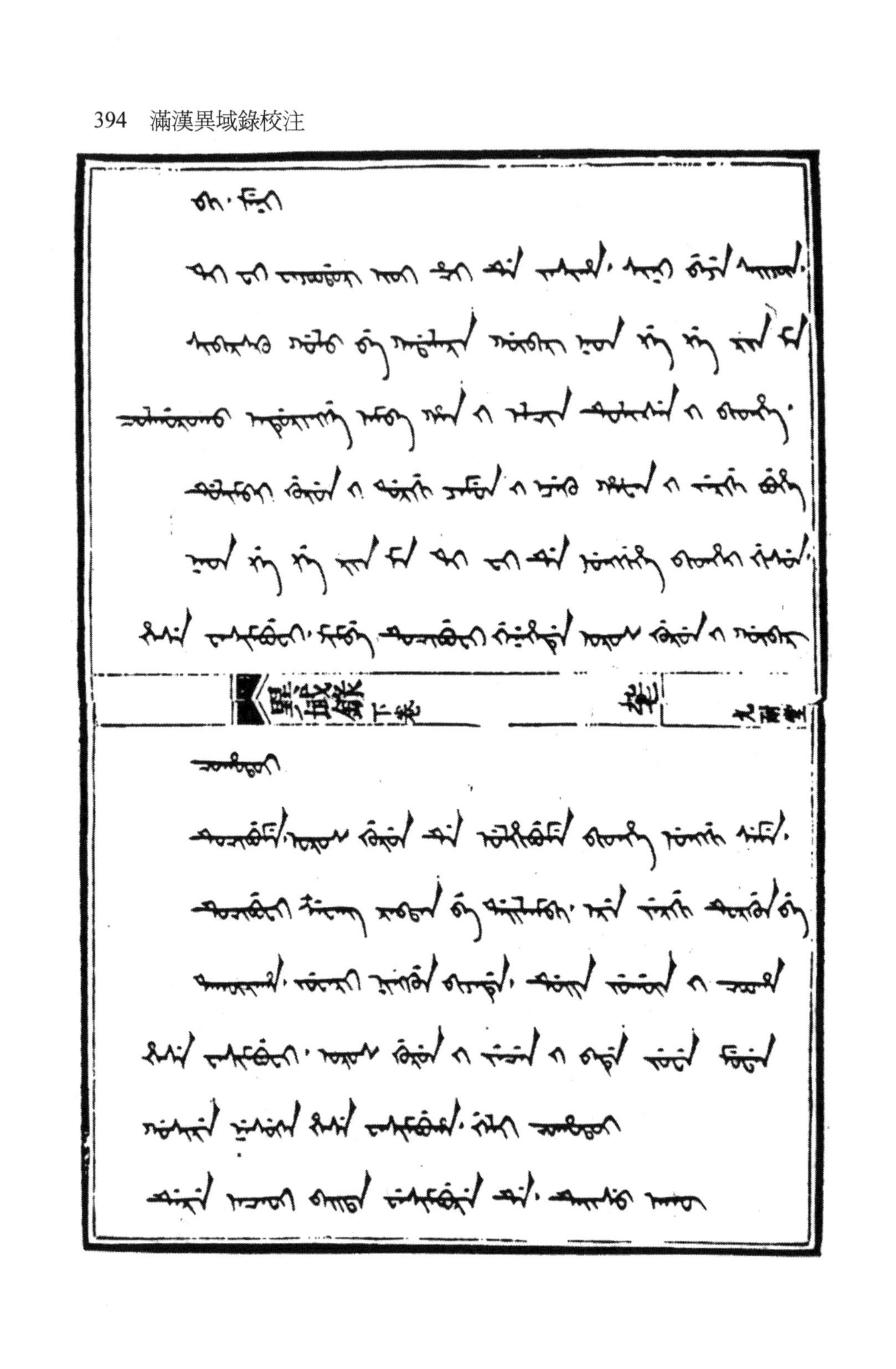

dere acafi baita wesimbure de, teisu akū gosire nesuken hese wasimbuha, geli cohotoi hese wasimbufi, oros gurun i jecen i bade juwe mudan takūraha, juwari ninggun biyade, duin jugūn i cooha tucibufi ts'ewang rabtan be dailambi, ere jergi turgun be tucibume, oros gurun de ulhibume bithe unggi seme, cohotoi hese wasimbufi, mimbe tucibufi genehede oros gurun i gūbir nat g'a g'a rin ma ti fi de unggihe bithei gisun, dulimbai gurun i dorgi yamun i ejeku hafan i jergi buhe colgoroko enduringge amba han i elcin tulišen i bithe, sibirsk'o golo be kadalara gūbir nat g'a g'a rin ma ti fi fiyoodor ioi cy de jasiha, sini beye saiyūn, bi meni

---

及陛見奏對，咸沐不次之獎諭，獲格外之恩綸，又特旨差往鄂羅斯國界二次，時夏六月，因大兵四路進勦逆寇，令余曉諭鄂羅斯國，特旨遣往，余至楚庫栢興地方，遺書於鄂羅斯國總管噶噶林易提飛，其詞曰：中華至聖大皇帝，使臣賜內閣侍讀品級圖麗琛，致書於總管西畢爾斯科地方，噶噶林馬提飛費多爾魚翅，別來無恙，余

及陛见奏对，咸沐不次之奖谕，获格外之恩纶，又特旨差往鄂罗斯国界二次，时夏六月，因大兵四路进剿逆寇，令余晓谕鄂罗斯国，特旨遣往，余至楚库栢兴地方，遗书于鄂罗斯国总管噶噶林易提飞，其词曰：中华至圣大皇帝，使臣赐内阁侍读品级图丽琛，致书于总管西毕尔斯科地方，噶噶林马提飞费多尔鱼翅，别来无恙，余

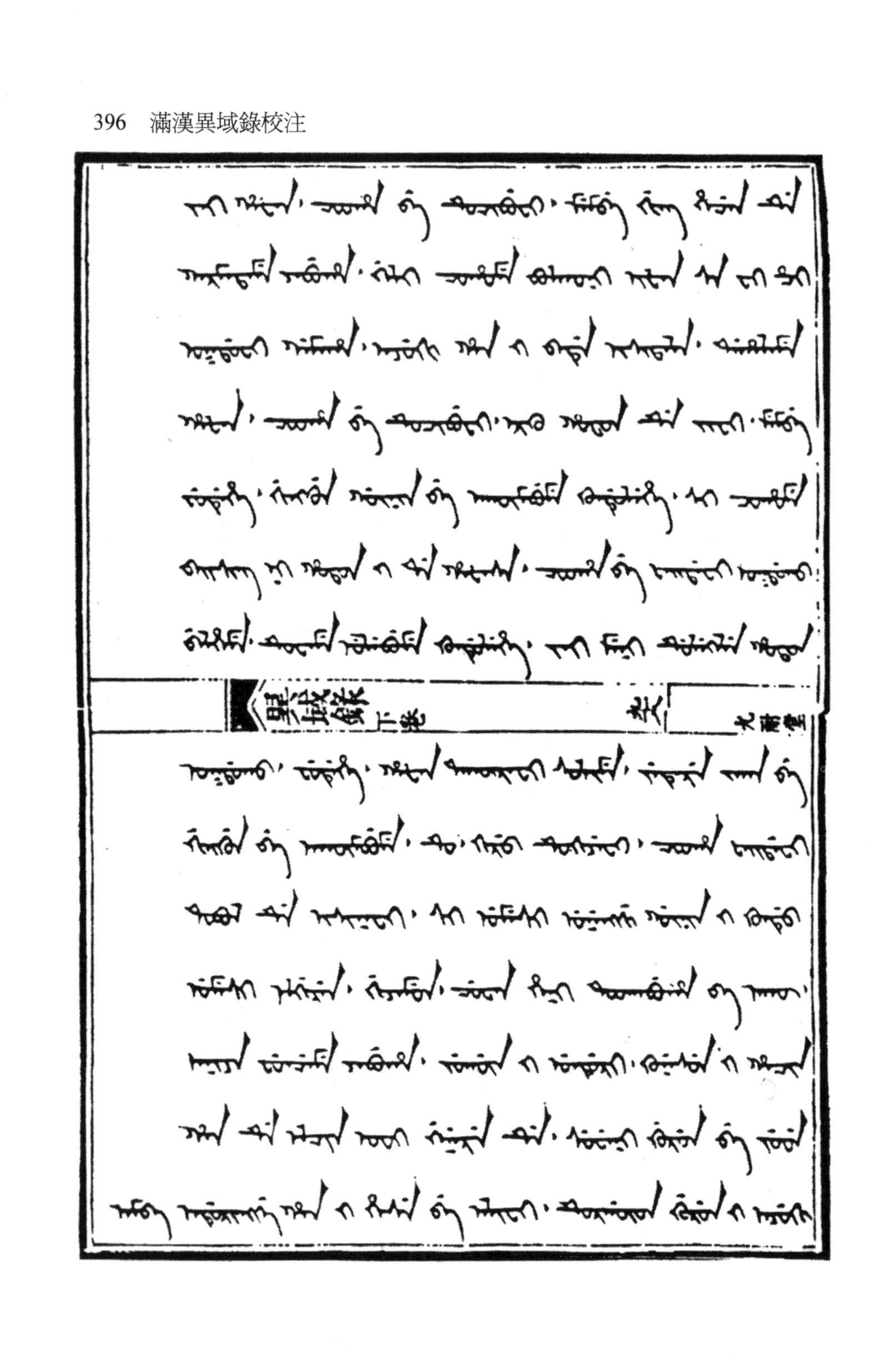

異域錄 下卷

amba enduringge han i hese be alifi, turgūt gurun i ayuki han de elcin ofi genere de, suweni gurun be juwe aniya funceme yabuha, jugūn i unduri, kunesun i hacin umesi elgiyen, giyamun, cuwan heni tookabuha ba akū, tobol de isinafi, si umesi unenggi gūnin i kundu ginggun be akūmbume, tu kiru tukiyefi, cooha faidafi okdoko, fudehe, hafan takūrafi solime, jetere jaka be belheme, tuwame ulebume kundulehe, jai meni dulekele hoton baising ni hoton i da hafasa, cooha be faidafi okdoko, fudehe, ginggun gūnin be akūmbume kundulehe, si cohome hafan, cooha be tucibufi, erku hoton de jifi, membe okdofi gamaha, ayuki han i bade isitala, dahalame karmatame yabuha, geli cohome bolkoni ifan sa fi cy jai hafan, cooha be tucibufi, membe ging hecen de

---

奉大聖皇帝欽命遣往土爾虎特國阿玉氣汗之時，經過爾國地方，二載餘沿途供給，極其豐裕，役馬舟車，並無貽悞，至托波兒時，爾輸誠竭敬，列幟排兵，致迎迓之禮，邀請筵宴，殫地主之誠，及所歷城堡，頭目官員皆排兵迎送，甚屬欽敬，遣官兵以遠迎（註一〇二），至阿玉氣汗而護送，特令伊番薩費翅（註一〇三），率領兵丁送至京師，

奉大圣皇帝钦命遣往土尔虎特国阿玉气汗之时，经过尔国地方，二载余沿途供给，极其丰裕，役马舟车，并无贻悞，至托波儿时，尔输诚竭敬，列帜排兵，致迎迓之礼，邀请筵宴，殚地主之诚，及所历城堡，头目官员皆排兵迎送，甚属钦敬，遣官兵以远迎（注一〇二），至阿玉气汗而护送，特令伊番萨费翅（注一〇三），率领兵丁送至京师，

註一〇二：遣官兵以遠迎，案滿文謂爾特遣官兵來到厄爾庫城，迎接我等」，漢文簡略。

註一〇三：伊番薩費翅，滿文作「博爾科泥伊番薩費翅」，漢文刪略「博爾科泥」字樣。

isibume banjibuhe, sini ere jergi umesi kundu gūnin, doronggo yabun be, bi ging hecen de isinjifi, gemu meni colgoroko enduringge amba han de wesimbure jakade, suweni gurun, ūlet gurun ci encu, gūnin umesi unenggi, umesi akdun, doro bisire gurun seme, meni amba enduringge han umesi saišame, suweni benjime jihe elcin bolkoni ifan sa fi cy, jai hafan, cooha be yooni ging hecen de dosimbu, eiten kunesun i jergi hacin be elgiyen obu seme, tulergi golo be dasara jurgan de hese wasimbuha, geli kesi isibume šangnambi, membe benjime jihe ifan sa fi cy se, gemu sain, muse juwe gurun emu booi gese be dahame, si esei jalinde heni ume gūninjara, ifan sa fi cy sebe, urunakū taifin sain i suweni bade

---

爾之恭敬恪篤盡禮合儀諸懿行，余回都俱奏聞至聖大皇帝，謂爾國與厄魯特人逈異，秉心誠實，係禮儀之邦，我至聖大皇帝深爲嘉悅，特勅理藩院，其前來護送伊番薩費翅及官兵抵都時，一切供給，皆從優裕，復賜恩賞，伊番薩費翅等俱無恙（註一〇四），勿容顧慮，務令其安泰而回，

尔之恭敬恪笃尽礼合仪诸懿行，余回都俱奏闻至圣大皇帝，谓尔国与厄鲁特人迥异，秉心诚实，系礼仪之邦，我至圣大皇帝深为嘉悦，特勅理藩院，其前来护送伊番萨费翅及官兵抵都时，一切供给，皆从优裕，复赐恩赏，伊番萨费翅等俱无恙（注一〇四），勿容顾虑，务令其安泰而回，

註一〇四：滿文本於「伊番薩費翅等俱無恙」下接「你我兩國既如一家」一句，漢文刪略。

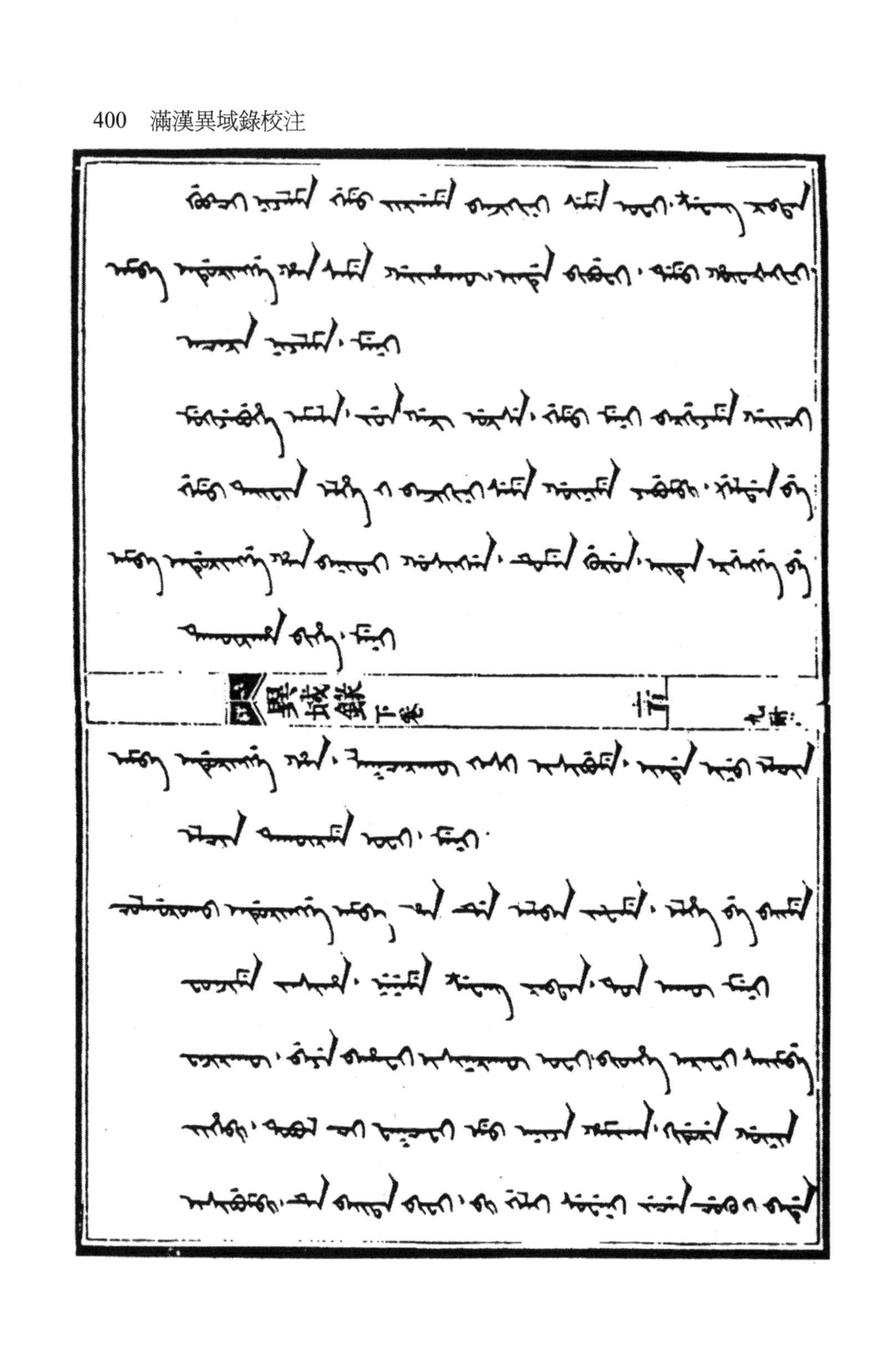

異域錄 下卷

isibumbi, te baita bifi, bi geli suweni jecen cuku i bade jihebi, tobol ci fakcafi emu aniya hamika, kidure gūnin wajirakū, beye bahafi isinarakū ofi, bithe arafi saimbe fonjime jasiha, neneme ts'ewang rabtan, ton akū meni colgoroko enduringge amba han de alban jafame, elhe be baime elcin takūrame ofi, meni amba enduringge han, lakcarakū kesi isibume, inde inu elcin takūraha bihe, meni amba enduringge han banitai gosinga, tumen gurun, eiten ergengge be gemu taifin elhe i banjikini seme gūnime yabumbi, g'aldan be mukiyebuhe amala, jun gar urse, gemu meni bargiyame gaici acara niyalma, meni amba enduringge han same gaihakū, inde bibufi, damu hūwašakini, gubci niyalma gemu jirgame banjikini seme ofi, ts'ewang rabtan

---

今因公務，復臨爾境，自別後倏忽一載，想念殊深，不能面敍，特致書存問。曩者策旺拉布坦不時遣使入覲，進貢方物，我大皇帝亦甚加憐恤，屢頒恩賞，通使往來，已有年矣，我大皇帝至仁性成，臨御萬方，凡有血氣者，皆欲使享昇平，勦滅噶爾丹之後，其準噶爾部落人民，應屬我國，我大皇帝明知不納，聽其在彼，以遂其生計，但欲率土人民，各獲生全，同享雍熙，雖洞悉策旺拉布坦

今因公务，复临尔境，自别后倏忽一载，想念殊深，不能面叙，特致书存问。曩者策旺拉布坦不时遣使入觐，进贡方物，我大皇帝亦甚加怜恤，屡颁恩赏，通使往来，已有年矣，我大皇帝至仁性成，临御万方，凡有血气者，皆欲使享升平，剿灭噶尔丹之后，其准噶尔部落人民，应属我国，我大皇帝明知不纳，听其在彼，以遂其生计，但欲率土人民，各获生全，同享雍熙，虽洞悉策旺拉布坦

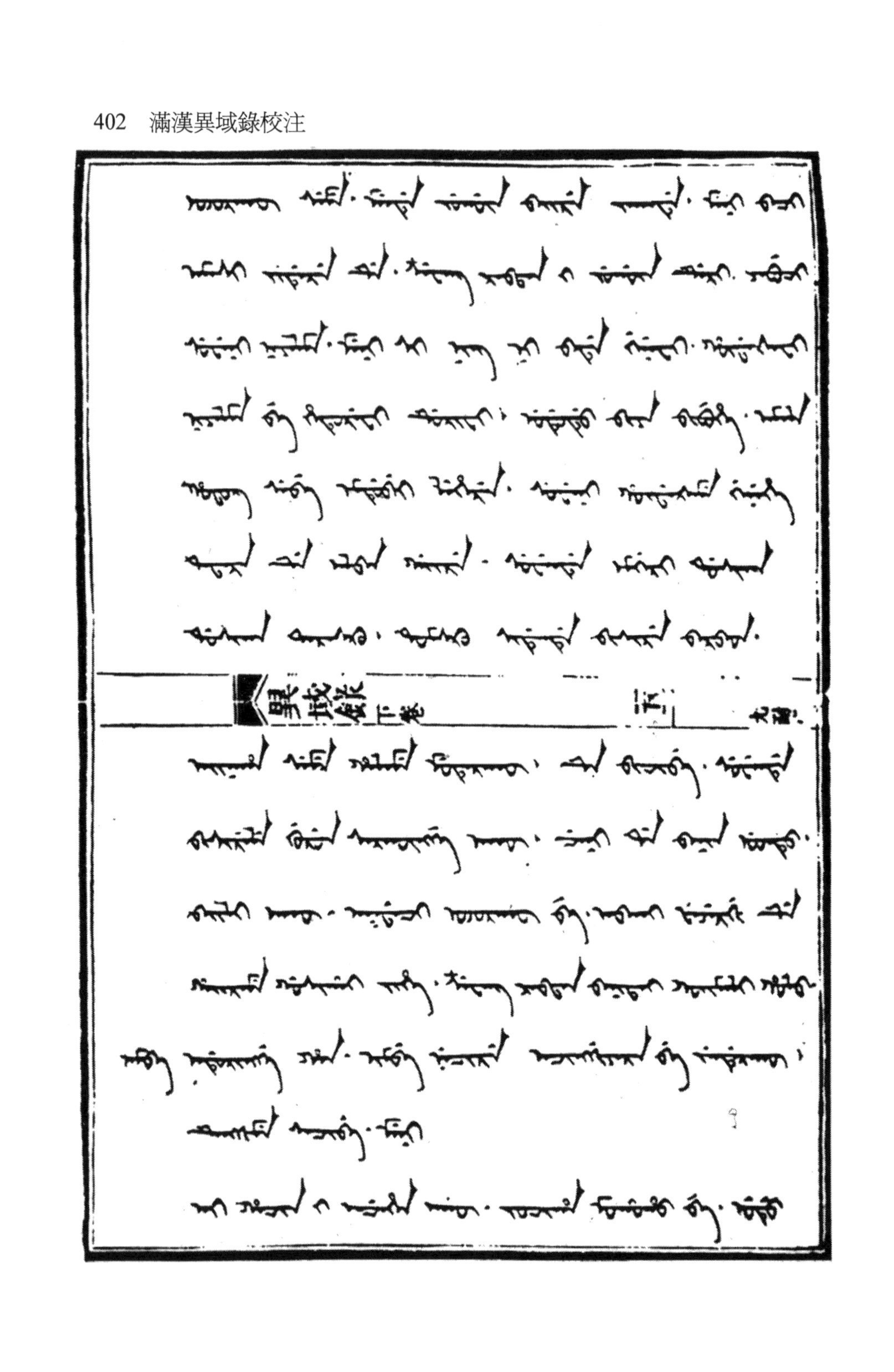

異域錄 上卷

ai hacin i encehen akū, jociha mohoho be, udu tengkime sacibe, meni amba enduringge han, imbe necire acinggiyara be jenderakū, hairame gosihai jihe, ts'ewang rabtan banitai koimali holo, baili akū, akdaci ojorakū be abkai fejergi de bisirele gurun sarkūngge akū, ceni da banin uttu, ainaha seme halame muterakū, te bicibe, suwende dosika tarask'o, tomsk'o sidende bisire barbat, tatara de alban gaire, suwende emgeri dosika hotong sebe emdubei lehere, suweni hūdašame genehe niyalma be heturefi durifi, ududu biya bibuhe, amala suweni niyalma, meni si ning ni bade genefi, hūdašafi amasi jidere de, ts'ewang rabtan i jugūn deri yabuci ojorakū seme, mende jugūn baire jakade, meni baci

---

勢力凋敝，窮迫已極，我大皇帝不忍征伐，豢育至今，其策旺拉布坦，賦性奸僞，背恩寡信，率土之國，無不知者，蓋其天性使然，終莫能悛，即今言之，爾國之塔喇斯科及托穆斯科邊陲地方，居住之巴爾巴忒，並塔塔拉人等，歸附爾國已久，彼猶勒取貢物，其已歸爾國之貨通人等，彼復屢次遣使索取，又邀奪爾國貿易之人，覊留數月，其後得脫往我國之西寧貿易，回時不敢往策旺拉布坦路行走，請路于我國，

势力凋敝，穷迫已极，我大皇帝不忍征伐，豢育至今，其策旺拉布坦，赋性奸伪，背恩寡信，率土之国，无不知者，盖其天性使然，终莫能悛，即今言之，尔国之塔喇斯科及托穆斯科边陲地方，居住之巴尔巴忒，并塔塔拉人等，归附尔国已久，彼犹勒取贡物，其已归尔国之货通人等，彼复屡次遣使索取，又邀夺尔国贸易之人，羁留数月，其后得脱往我国之西宁贸易，回时不敢往策旺拉布坦路行走，请路于我国，

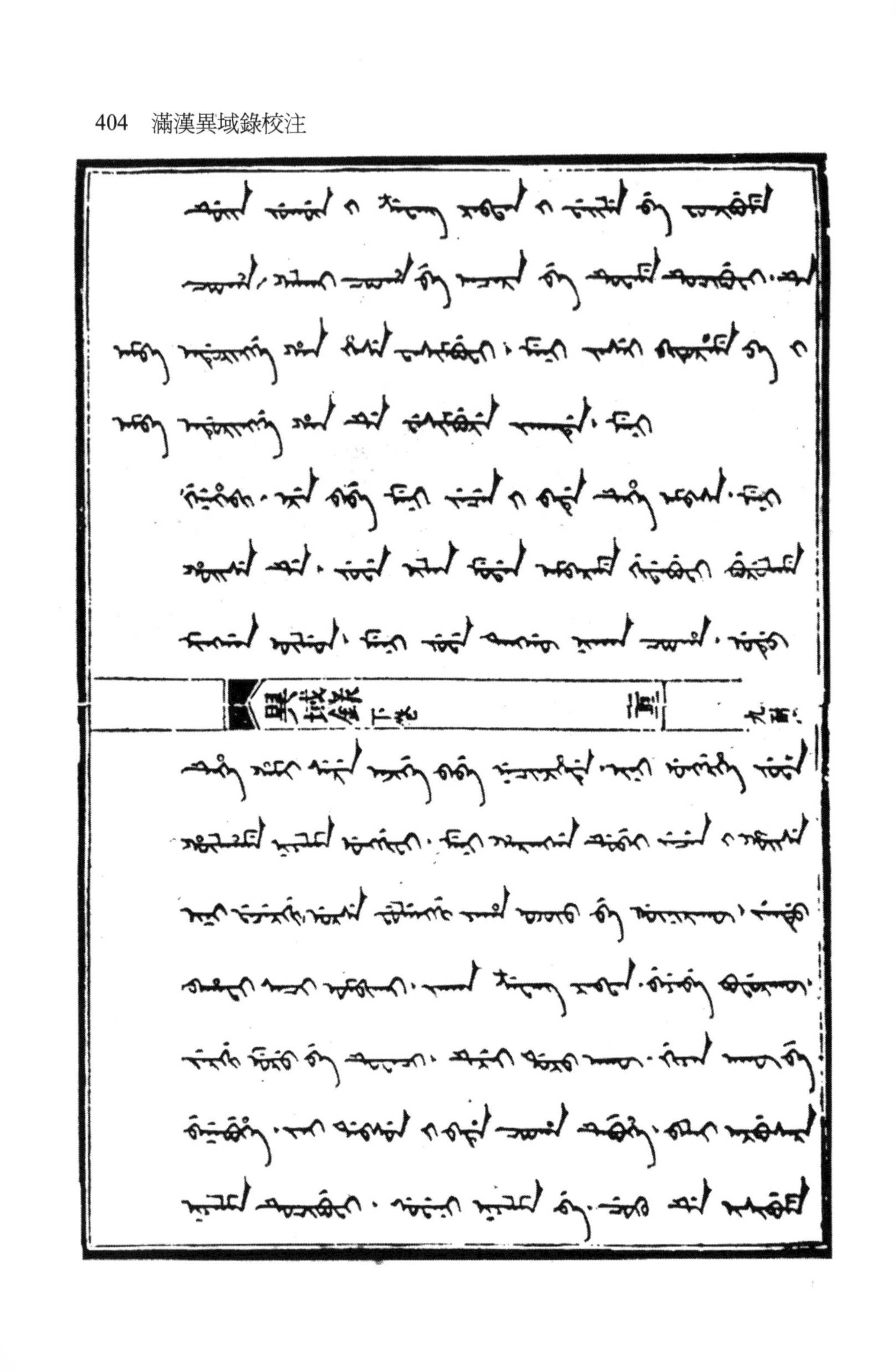

niyalma tucibufi, suweni niyalma be, cuku de isibume benebuhe, jai dabsun i bade cooha tebuhe, balai arbusara jergi muru be tuwaci, terei doro akū, giyan akū be bahafi saci ombikai, jakan ts'ewang rabtan beyebe bodorakū, ini fejergi urse fulenggi yaha ojoro be gūnirakū, jendu hūlhame niyalma unggifi, meni harangga dubei jecen i hoise tehe hami sere ajige babe necinjihede, ini unggihe juwe minggan ūlet, meni juwe tanggū nikan cooha, udu hoise de, juwe ilan mudan ambarame gidabufi burulame genehebi, ere babe meni jecen i bade tehe ambasa, meni amba enduringge han de wesimbure jakade, meni amba enduringge han hese wasibufi, meni jasei biturame ba i cooha, kalkai cooha be acara be tuwame tucibufi, te duin jugūn i ts'ewang rabtan i weile be fonjibume

---

乃特遣人送至楚庫地方，至于鹽場屯兵，狂悖妄舉諸事，其不道無知，昭然可見矣。近者，策旺拉布坦不自量力，不度其醜類罹灰燼之禍，乃敢潛遣賊眾，侵我邊隅回子所居之哈密地方，伊所遣二千厄魯特人，為我國二百漢兵（註一〇五）、數名犭回子擊敗，三四次鼠竄（註一〇六），我國封疆大吏將此事奏聞，我大皇帝特旨酌調邊兵，并派喀爾喀兵，現今聲罪致討，

乃特遣人送至楚库地方，至于盐场屯兵，狂悖妄举诸事，其不道无知，昭然可见矣。近者，策旺拉布坦不自量力，不度其丑类罹灰烬之祸，乃敢潜遣贼众，侵我边隅回子所居之哈密地方，伊所遣二千厄鲁特人，为我国二百汉兵（注一〇五）、数名犭回子击败，三四次鼠窜（注一〇六），我国封疆大吏将此事奏闻，我大皇帝特旨酌调边兵，并派喀尔喀兵，现今声罪致讨，

註一〇五：為我國二百漢兵，叢書集成簡編、小方壺齋輿地叢鈔作「為我國人百漢兵」，俱訛「二」為「人」。

註一〇六：三四次鼠竄，滿文作「二三次被大敗逃竄」。

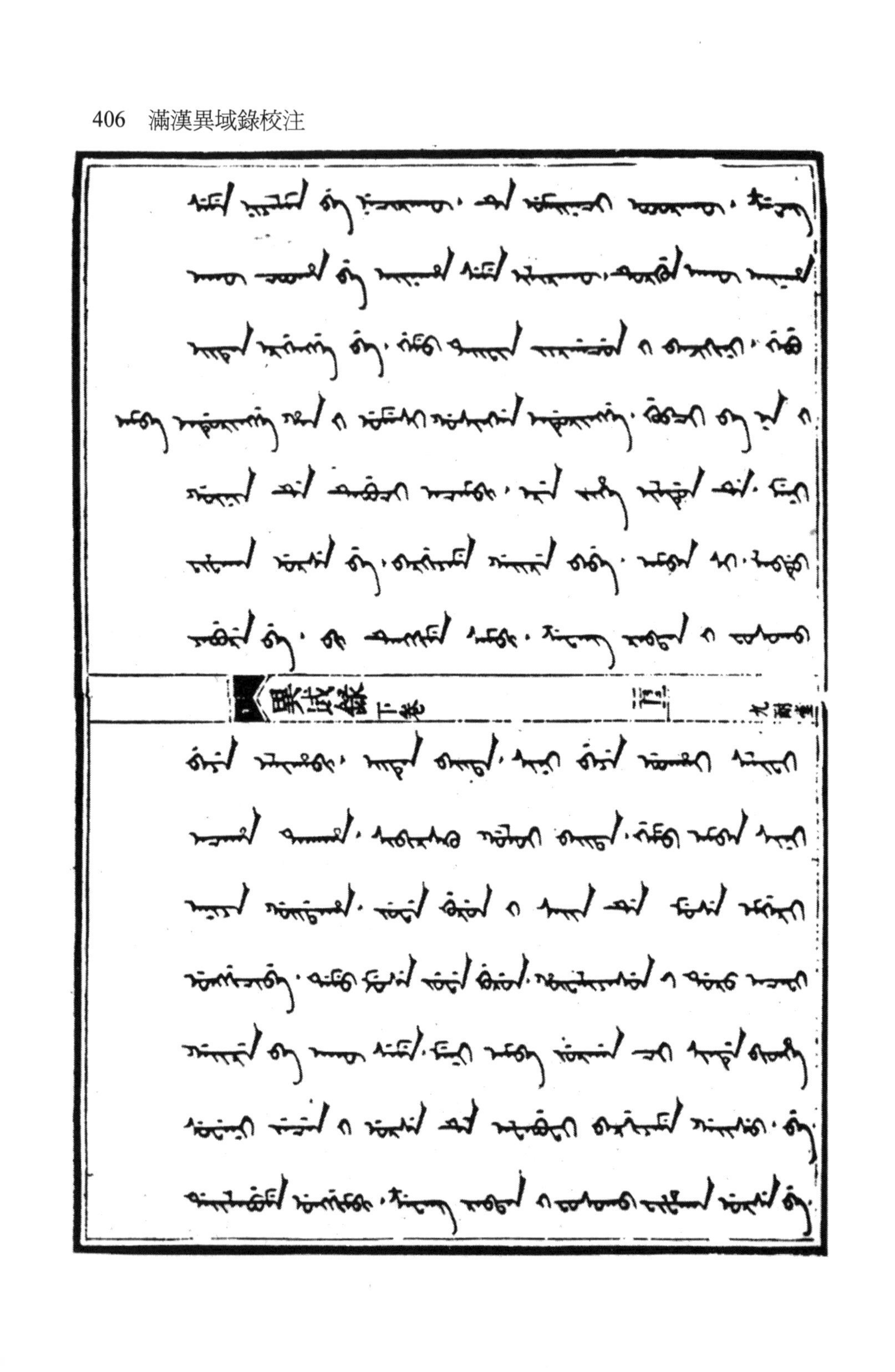

異域錄 下卷

dailabume unggimbi, ts'ewang rabtan i fosoko fifaka urse be, suweni jecen i urse de afabufi bargiyame gaisu, be gaire ba akū seme, meni amba jurgan ci sinde bithe unggicibe, damu muse juwe gurun, hūwaliyasun i doro acafi aniya goidaha, juwe gurun i sain de muse emgeri acaha, takaha, sibirsk'o goloi baita, gemu amban sini beye alihabi, eiten baita, sini beye uthai salifi yabure be, bi tengkime sambi, ts'ewang rabtan i fosoko fifaka urse be, bargiyame gaire babe, amban si, labdu gūnin de tebuci acambi, ere jihe ildun de, meni amba enduringge han i umesi gosingga enduringge, gubci ba na i eiten ergengge be, gemu taifin jirgacun i banjikini, gebu akū cooha be ainaha seme ilirakū, turgun akū ainaha seme niyalma be necirakū, te umainaci ojorakū, ts'ewang

---

如策旺拉布坦部下有流竄逃亡者，令爾邊境之人即行收納，我國並不討取，雖經大部移會，但兩國和議交好有年，與子得以相識，其西畢爾斯科地方事務，俱係爾統轄，諸事得以專主，我所深知者，其收納策旺拉布坦逃亡之事，當深爲留意，今奉命之便，將我大皇帝至聖至仁，率土生靈，咸欲置之衽席，斷不興無名之師，不伐無罪之國，今不得已

如策旺拉布坦部下有流窜逃亡者，令尔边境之人即行收纳，我国并不讨取，虽经大部移会，但两国和议交好有年，与子得以相识，其西毕尔斯科地方事务，俱系尔统辖，诸事得以专主，我所深知者，其收纳策旺拉布坦逃亡之事，当深为留意，今奉命之便，将我大皇帝至圣至仁，率土生灵，咸欲置之衽席，断不兴无名之师，不伐无罪之国，今不得已

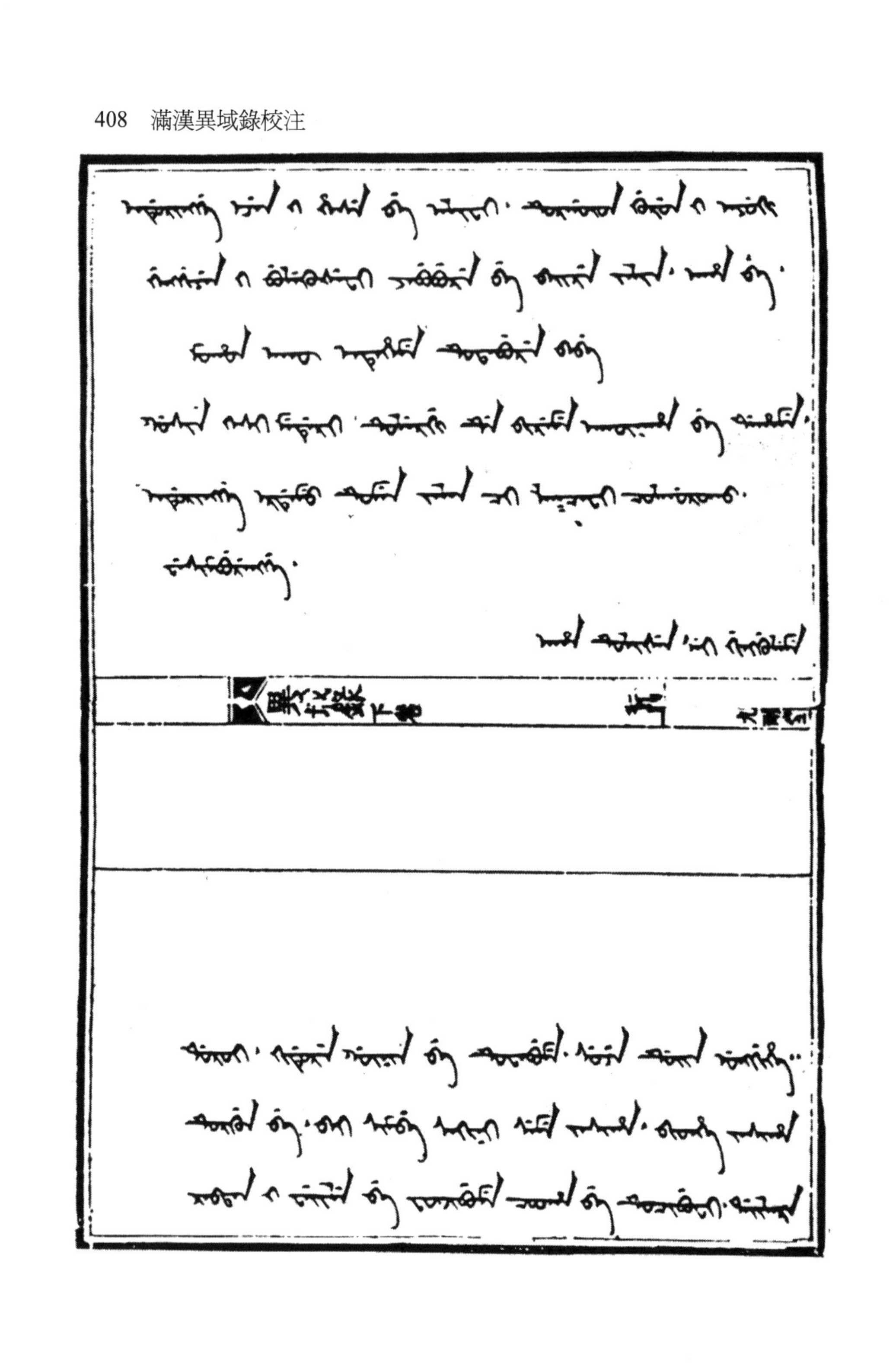

rabtan i weile be fonjibume cooha be tucibufi, dailara turgun be, bai simbe sakini seme jasiha, bithe jasiha doroi, kidure gūnin be tuwabume, suje duin unggihe

aha tulišen sei gingguleme wesimburengge, enduringge erdemu tumen jalan ci lakcafi colgoroko, gosin kesi mederi tulergi de bireme akūnaha be dahame, mohon akū enteheme tutabure babe genggiyen i bulekušefi yabubure be baire jalin, aha be, enduringge ejen i hese be alifi, turgūt gurun i ayuki

---

聲其罪（註一〇七），而遣旅致討，特致書悉焉，玆因鱗鴻之便，用展眷慕之懷，遺幣四端。

奴才圖麗琛等謹奏，爲聖德超越萬代，仁恩遍浹海宇，永垂無窮伏祈明鑒俞允事，奴才等欽奉聖主諭旨，前往土爾虎特國阿玉氣

声其罪（注一〇七），而遣旅致讨，特致书悉焉，兹因鳞鸿之便，用展眷慕之怀，遗币四端。

奴才图丽琛等谨奏，为圣德超越万代，仁恩遍浃海宇，永垂无穷伏祈明鉴俞允事，奴才等钦奉圣主谕旨，前往土尔虎特国阿玉气

註一〇七：聲其罪，滿文作「聲策旺拉布坦」之罪。

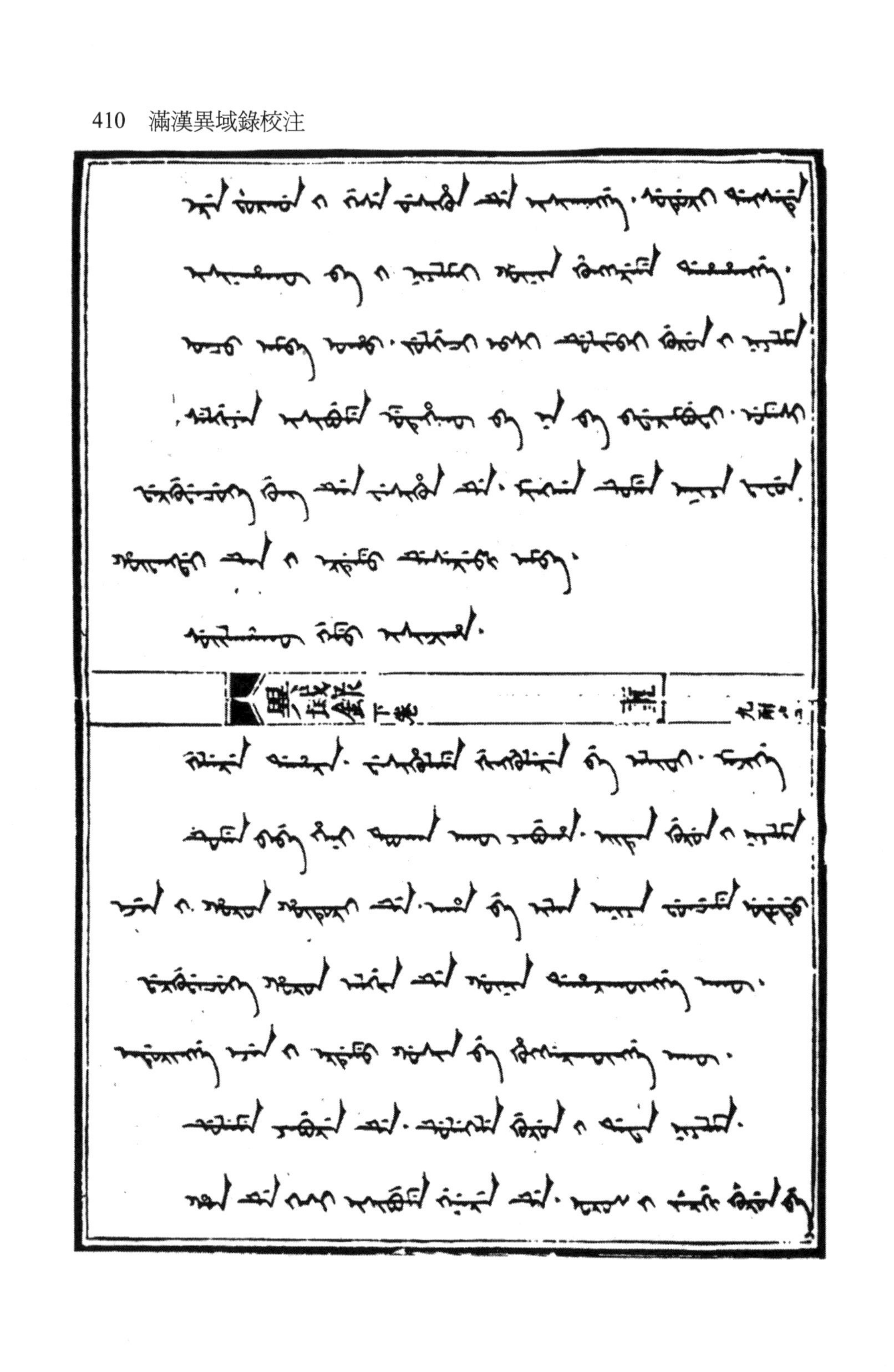

異域錄　下卷

han de kesi isibume genere de, oros i jergi gurun be duleme yabure de, dulekele gurun i data niyalma, enduringge ejen i erdemu gosin be hukšerakūngge akū, ferguwecuke horon algin de gūnin daharakūngge akū, ejen i horon hūturi de, aha be ilan aniya funceme ududu tumen babe heni tookan akū yabuha, eiten gurun i niyalma gelere dahara, wesihuleme ginggulere be alifi, majige suilahakū gemu isinjiha, hūwangdi ten i erdemu deserepi amba, ferguwecuke gung den wesihun de, minggan tumen aniya fafun selgiyen isibume mutehekū ba na be badarambufi, umesi onco amba oho, julgeci ebsi dulimbai gurun i niyalma isinahakū ba i niyalmai gūnin hungkereme dahahangge, ere forgon i gese wesihun de isikangge. suderi dangsede

---

汗施恩，途徑鄂羅斯等國，所過各國頭目人等，莫不感戴聖主仁德，莫不心服至神威名，仰賴主上威福。奴才等於三年有餘往返數萬里，毫無遲滯，諸國人民畏服欽敬，毫無勞苦，俱已歸來，皇帝至德丕彰，神功懋著，千萬年法令不能加之地，俱已擴充廣大，自古中國人未到之處，而人心向慕之所至，稽諸史冊，

汗施恩，途径鄂罗斯等国，所过各国头目人等，莫不感戴圣主仁德，莫不心服至神威名，仰赖主上威福。奴才等于三年有余往返数万里，毫无迟滞，诸国人民畏服钦敬，毫无劳苦，俱已归来，皇帝至德丕彰，神功懋着，千万年法令不能加之地，俱已扩充广大，自古中国人未到之处，而人心向慕之所至，稽诸史册，

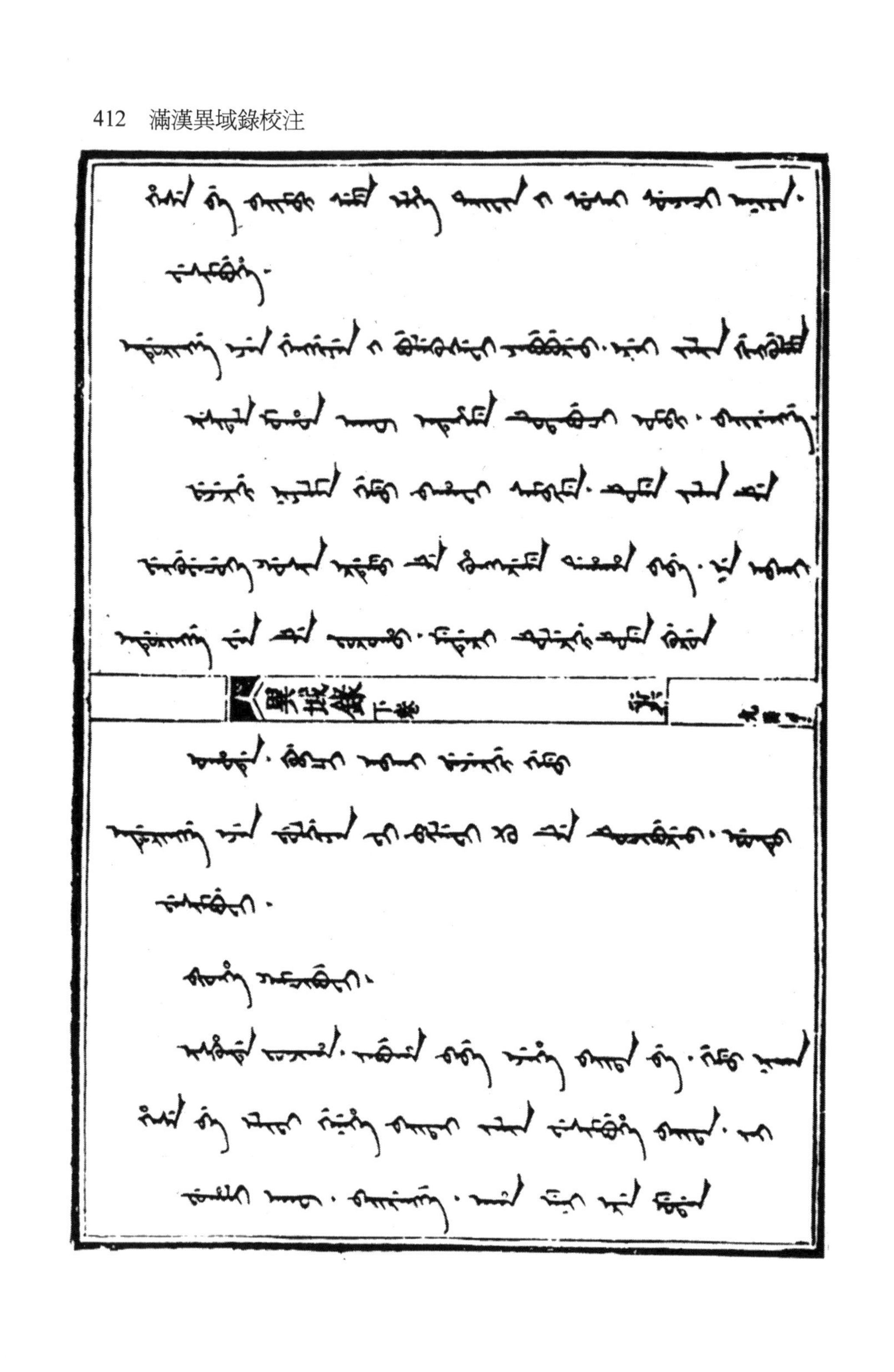

異域錄 上卷

fuhali akū, bairengge, aha meni ere mudan hese be alifi genehe baitai jalin wesimbuhe baita, jai ishunde fonjiha, jabuha babe ejehe baita be, gemu nikan bithe kamcibufi wesimbufi, enduringge ejen fulgiyan fi pilefi k'o de tucibureo, uttu ohode, gubci abkai fejergi gemu enduringge wen de foroho, mederi tulergi tumen gurun ferguwecuke gosin erdemu de hungkereme dahaha babe, ne abkai fejergi niyalma gemu bahafi sambime, tumen jalan de isitala mohon akū enteheme tutabuci ombi, bairengge, enduringge ejen genggiyen i bulekušefi yabubureo erei jalin gingguleme wesimbuhe, hese be baimbi seme elhe taifin i susai sunjaci aniya

---

實未有如斯時之盛者也。所請者，奴才等此次奉旨前往具奏事件，并記載彼此問答之處，俱兼書漢字進呈，聖主硃批發科，則普天率土欽服聖化，海外萬國，咸沐仁德之盛事，現今天下之人得以悉知，而昭示萬代，可垂永久，伏祈聖主明鑒俞允，爲此謹奏請旨，於康熙五十五年

实未有如斯时之盛者也。所请者，奴才等此次奉旨前往具奏事件，并记载彼此问答之处，俱兼书汉字进呈，圣主朱批发科，则普天率土钦服圣化，海外万国，咸沐仁德之盛事，现今天下之人得以悉知，而昭示万代，可垂永久，伏祈圣主明鉴俞允，为此谨奏请旨，于康熙五十五年

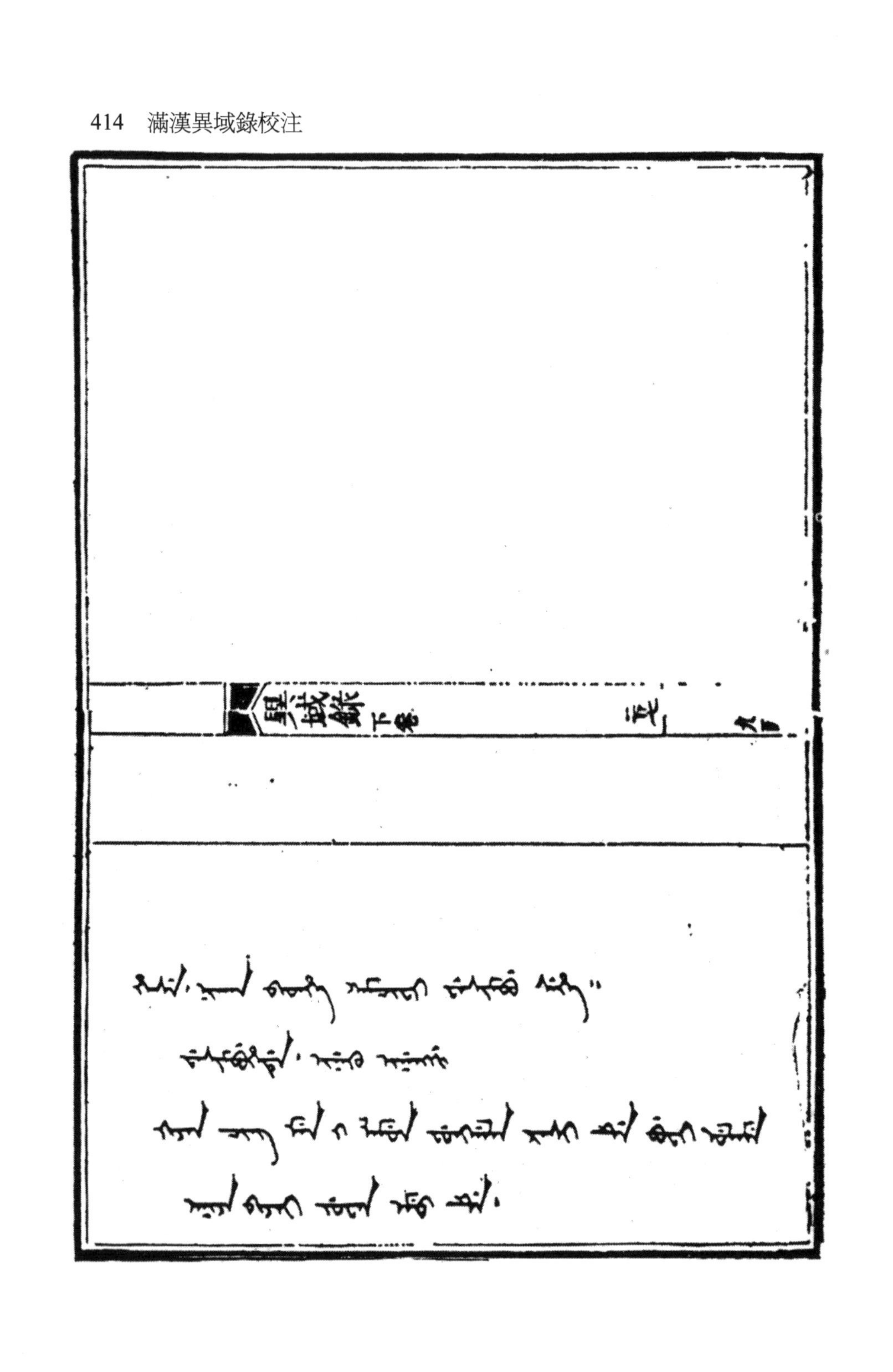

異域錄　下卷　二五

aniya biyai juwan emu de, kiyan cing men i lamun funggala rasi de bufi ulame wesimbuhede, ineku inenggi hese, nikan bithe kamcifi wesimbu sehe.

正月十一日，交與乾清門藍翎侍衛拉錫轉奏，同日奉旨，兼書漢字具奏，欽此（註一〇八）。

正月十一日，交与干清门蓝翎侍卫拉锡转奏，同日奉旨，兼书汉字具奏，钦此（注一〇八）。

註一〇八：圖理琛奏摺，漢文缺漏，此據滿文譯出漢文。